予防技術検定

集中トレーニング

編著　予防技術検定問題研究会

東京法令出版

改訂にあたって

近年、大規模な火災等が発生しており、それに伴う消防用設備等の技術基準等も複雑・多様化しています。そのため、消防職員の予防に関する知識の高度化・専門化がより強く求められるようになりました。

このような時代背景や市民ニーズを踏まえて、平成18年から予防技術資格者を認定する「予防技術検定」が開始されました。

本書、『予防技術検定集中トレーニング』は、この10年にわたり多くの受検者の方々に手にとっていただきました。本書の大きな特長としては、根拠を明確にした要点・解説の充実と、押さえておきたいポイントが明記されているところにあります。さらに、問題を五肢択一とし、問題の難易度を上げることで受検者の実力アップを目指しています。また、正肢、誤肢の根拠となる法条文等をそれぞれに明記してあるため、条文の確認をスムーズに行うことができます。

本書は、予防技術検定に合わせ年度版とし、カテゴリーごとに問題を整理しています。例えば、消火器であれば、消火器に関わる問題がまとめて掲載されています。これにより、受検される方の苦手分野を明確にし、勉強の効率化を図ることができます。もちろん、最新の法令改正に対応した新規問題も追加されています。

本書は、予防技術検定の受検対策決定本です。本書を活用された多くの方が予防技術検定に合格されるよう心より祈願しております。

令和６年７月吉日

予防技術検定問題研究会

受検ガイド

予防技術検定の実施については、「予防技術検定の実施に関する基準等について」（平成17年11月22日付け消防予第353号）で示されていますが、その概要は次のとおりとされています。

1　検定の区分と科目の範囲等

検定の区分は次の3区分で、科目の範囲と出題数は表のとおりです。

検定の区分	共通科目（10問）の範囲	専攻科目（20問）	
		科　目	範　　囲
防火査察	予防業務全般に関する一般知識	1　立入検査 2　防火管理 3　違反処理	消防法（昭和23年法律第186号。以下「法」という。）第3条から法第6条まで、法第8条から法第9条まで及び法第17条の4並びにこれらに関する法律、政令、省令及び告示等並びにこれらに関する業務
消防用設備等		1　消防同意 2　消防用設備等 3　建築基準法令	法第7条、法第17条から法第17条の14まで及び法第4章の2並びにこれらに関する法律、政令、省令及び告示等並びにこれらに関する業務
危険物		1　危険物の性質 2　危険物規制	法第9条の3、法第9条の4及び法第3章並びにこれらに関する法律、政令、省令及び告示等並びにこれらに関する業務

2　予防技術検定の基準

予防技術検定の方法は、次のとおりです。

①　問題の形式については、択一式とする。

②　検定時間については、150分とする。

③　科目内の問題の配点は、均等とする。

3　出題範囲の細目

①　共通科目　予防業務全般に関する一般知識を問うもの

ア　燃焼及び消火の理論に関する基礎知識
イ　消防関係法令及び建築基準法令に関する基礎知識
ウ　消防同意、消防用設備等又は特殊消防用設備等に関する基礎知識
エ　査察並びに違反処理及び防炎規制に関する基礎知識
オ　防火管理及び防火対象物の点検報告制度に関する基礎知識
カ　火災調査に関する基礎知識
キ　危険物の性質に関する基礎知識
ク　その他予防業務に必要な基礎知識

②　専攻科目（防火査察、消防用設備等、危険物）

ア　防火査察
- 関係法令の制度と概要
- 立入検査関係及び違反処理関係
- 防火管理及び防火対象物の点検報告制度関係
- 防炎規制関係及び火を使用する設備器具等に対する制限関係等
- その他防火査察等に関する専門的知識

イ　消防用設備等
- 消防同意及び消防用設備等並びに特殊消防用設備等関係法令の制度と概要
- 消防用設備等の技術上の基準関係
- 消防設備士及び消防設備点検資格者関係
- その他消防同意、消防用設備等に関する専門的知識

ウ　危険物
- 危険物関係法令の制度と概要
- 許可審査関係（位置、構造及び設備の基準を含む。）
- 貯蔵及び取扱いの基準関係
- 移送及び運搬の基準関係
- 圧縮アセチレンガス等、指定可燃物及び少量危険物関係
- 危険物施設に関する保安規制関係
- 危険物の性質及び火災予防並びに消火の方法

・　危険物取扱者関係
・　その他危険物に関する専門的知識

4　合格基準

合格の基準は、60％以上とされています。

なお、共通科目が免除された者については、専攻科目についての成績が60％以上のものとされています。

予防技術検定合格者内訳（過去10年分）

	全　体			防火査察			消防用設備等			危険物		
年　度	受検者数	合格者	合格率	受検者数	合格者	合格率	受検者数	合格者	合格率	受検者数	合格者	合格率
平成26年度	6,771	3,270	48.3%	3,738	1,965	52.6%	1,737	691	39.8%	1,296	614	47.4%
平成27年度	7,328	2,826	38.6%	4,064	1,412	34.7%	1,779	626	35.2%	1,485	788	53.1%
平成28年度	7,813	4,556	58.3%	4,499	2,659	59.1%	1,863	1,024	55.0%	1,451	873	60.2%
平成29年度	8,447	4,001	47.4%	4,636	2,274	49.1%	2,106	692	32.9%	1,705	1,035	60.7%
平成30年度	8,752	4,297	49.1%	4,796	2,519	52.5%	2,256	1,004	44.5%	1,700	774	45.5%
令和元年度※	7,382	4,104	55.6%	3,930	2,290	58.3%	1,909	859	45.0%	1,543	955	61.9%
令和２年度	8,832	5,313	60.2%	4,668	3,127	67.0%	2,347	1,102	47.0%	1,817	1,084	59.7%
令和３年度	9,177	4,070	44.4%	4,548	1,711	37.6%	2,506	1,093	43.6%	2,123	1,266	59.6%
令和４年度	8,268	4,243	51.3%	4,413	2,235	50.6%	2,125	968	45.6%	1,730	1,040	60.1%
令和５年度	7,631	3,486	45.7%	3,903	1,905	48.8%	2,018	772	38.3%	1,710	809	47.3%

※令和元年度の予防技術検定について，北海道会場は新型コロナウイルスの感染状況を踏まえて中止となりました。

目　次

共通科目（全72問）

専攻科目（全381問）

防火査察（69問）

消防用設備等（169問）

危険物（143問）

凡　例

【内容現在】

本書は、令和6年4月1日現在公布・施行された法令改正を収録しています。

【法令名略称】

法…………消防法（昭和23年法律第186号）
政　令……消防法施行令（昭和36年政令第37号）
規　則……消防法施行規則（昭和36年自治省令第6号）
危政令……危険物の規制に関する政令（昭和34年政令第306号）
危規則……危険物の規制に関する規則（昭和34年総理府令第55号）
建基法……建築基準法（昭和25年法律第201号）
建基令……建築基準法施行令（昭和25年政令第338号）

【編集方針】

予防技術検定では各問題の選択肢は4つですが、本書ではトレーニングの効果を高めるために、選択肢を5つとしています。

共通科目

専攻科目

防火査察 | 消防用設備等 | 危険物

チェック □□□

問題1 次は、燃焼に関する記述であるが、誤っているものはどれか。

(1) 建物火災により発生する煙には、不完全燃焼によるすすのほかに、燃焼生成ガスが含まれている。この燃焼生成ガスの種類・濃度は、火災が発生した室内にある可燃物の種類や量などにより異なるほか、火災発生からの経過時間及び出火場所からの距離等によっても異なる。

(2) 燃焼が継続するためには、熱、可燃物及び酸素が連続的に供給され、燃焼できる条件が維持される必要がある。また、燃焼はラジカル反応ともいわれ、分子レベルの化学反応において連鎖反応が起きており、燃焼の継続には、この連鎖反応も重要な役割を果たしている。

(3) 可燃物が燃えると一般的に黒い煙や白い煙が発生するが、ガスコンロや石油ストーブ等のように完全燃焼している場合には、ほとんど煙は発生しない。

(4) 燃焼に必要な熱エネルギーは、着火源（マッチ、ライター、火花など）により与えられる必要があり、着火源がない場合には燃焼は始まらない。

(5) 可燃性の物質は、空気中において火を付けると燃焼が継続する物質であり、木や紙のようなセルロース類（グルコース（$C_6H_{12}O_6$）が多数つながった高分子多糖）がある。また、一般に有機物（炭素、水素、酸素等を主な構成元素としたもの、炭素と炭素の結合や炭素と水素の結合したもの）は、可燃物である。

要点・解説

燃焼は、物が燃える現象であり、一般的に可燃性の物質（可燃物）が空気中（酸素が存在する）において燃えると、多量の熱と光を発生する。この燃焼には、①熱エネルギー、②可燃物、③酸素の３要素が不可欠であり、一般的に、「燃焼の３要素」といわれている。さらに、燃焼が継続するためには、熱・可燃物・酸素が連続的に供給され、燃焼できる条件が維持される必要がある。また、燃焼はラジカル反応ともいわれ、分子レベルの化学反応において連鎖反応が起きている。

また、可燃物が燃焼すると一般的に目に見える煙が発生するが、可燃物の種類によっては、燃焼しても煙が出ない場合がある。これは、完全燃焼状態で燃焼が継続しているからであり、例えば、都市ガスやプロパンガスがコンロやストーブで燃焼するとガスに含まれている水素（H）と酸素（O）が反応して廃ガスとして水蒸気が発生するが、水蒸気は燃焼による熱により蒸発してしまうので煙としては見えない、ということである。

さらに、燃焼に必要な熱エネルギーには、強制的に燃焼を開始する際の着火源（マッチ、ライター、火花など）があり、これらは「火種」といわれている。また、燃焼が始まれば燃焼により発生する熱が熱エネルギーとなる。

一方、着火源という外部からの火種がなくても、火が発生することがある。これらの火には、反応の熱が徐々に蓄積して発火が自然に発生するものもある。例えば、堆肥、木材くず、肉骨粉などの有機物を大量に保管していると、発酵などによって内部の温度が上昇して反応が促進され、さらに発火に至ることがある。

(1)　燃焼により発生する煙には、不完全燃焼によるすすのほかに、燃焼生成ガスが含まれているので、**正しい**。

(2)　燃焼に必要な３要素（熱、可燃物及び酸素）に加え、継続燃焼するためには連鎖反応が必要とされており、**正しい**。

(3)　完全燃焼している場合には、水素（H）と酸素（O）が反応し、廃ガスとして水蒸気が発生するが、水蒸気は燃焼による熱により蒸発してしまうので、煙としては見えないことから、**正しい**。

(4)　一般的には、燃焼するためには着火源が必要とされるが、物質によっては自然発火や加熱されることにより発火温度になると着火源がなくても発火することから、**不適切**である。

(5)　可燃物の代表的なものとしては、セルロース類や有機物であり、**正しい**。

ポイント

燃焼現象についての知識を問うものである。また、自然発火や加熱による発火などについても理解しておく必要がある。　【正解　(4)】

チェック□□□

問題 2 **次は、燃焼又は火災の際に発生する煙の性状に関するものであるが、誤っているものはどれか。**

(1) 発煙量の濃度は、重量濃度〔mg/m³〕、個数濃度〔個/cm³〕、透光率〔%〕、減光係数〔l/m〕等により評価される。また、火災時の煙拡散により影響を受けるのは、主として見通し距離の低下による避難障害である。

(2) 発煙量は、火災初期においては、燃焼速度と火災室内温度を支配する換気因子が主な要因となり、火災室の温度が上昇し、発煙係数は小さくなるものの燃焼速度は大きくなるため発煙速度は大きくなる。

(3) 火災時には、可燃物の燃焼により発熱と発煙が起こり、煙の流動は、発熱に伴う空気層の密度差による浮力、圧力差により起きる。

(4) 煙の流動は、火災の初期から対流による乱流拡散に支配される。火災初期においては、火源も小さく発生する煙量も少ないため、火源上の熱気流は自由空間と同様な性状を示す。

(5) 火災室には、流れ出したのと同じ体積の空気が流入する。そのため建物内部開口部の扉の開閉状態は、煙の他区画への拡散に大きく影響を及ぼす。

要点・解説

火災又は燃焼により発生する煙の性状は、次のとおりとされている。

① 火災時の発煙

火災時には、可燃物の燃焼により発熱と発煙が起こり、煙の流動は、発熱に伴う空気層の密度差による浮力、圧力差により起きる。

可燃物は、温度や酸素濃度などの条件により、複雑な熱分解や化学反応を起こす。その結果、完全燃焼生成物、不完全燃焼の中間生成物、未燃焼の分解生成物、燃焼に関与した空気の不活性ガス成分、燃焼に関与しなかった空気などが発生する。これらは一般に煙といわれるが、このうち肉眼で認められる微粒子が煙粒子といわれている。

② 煙の性状

発煙量の濃度は、重量濃度〔mg/m³〕、個数濃度〔個/cm³〕、透光率〔%〕、減光係数〔l/m〕等により評価できる。火災時の煙拡散で影響を受けるのは、主として見通し距離の低下による避難障害であり、光学的濃度を表す減光係数〔l/m〕により評価される。

発煙量は、減光係数と煙の体積の積で定義されて面積〔m^2〕の次元を持ち、材料の単位重量当たりの発煙量を発煙係数〔m^2/g〕という。煙速度〔m^2/s〕は、材料の燃焼速度〔g/s〕と発煙係数の積で定義される。

煙粒子については、火災のごく初期のくん焼燃焼の煙は凝集液滴が多く白色又は青白色をしており、発炎燃焼では脱水素反応によるすすの生成が多くなり黒色になるといわれている。

発煙量は、内装材料の種類、室の換気因子、室内可燃物の空気との接触表面積及び室の容積等によって決まる。

火災初期においては、内装材料の種類が主な要因で発煙係数は大きいが燃焼速度が小さいため、煙速度は小さくなる。

フラッシュオーバー現象以降の火災盛期においては、燃焼速度と火災室内温度を支配する換気因子が主な要因となる。火災室の温度が上昇し、発煙係数は小さくなるものの燃焼速度は大きくなるため発煙速度は大きくなる。

③　火災室内の煙伝播

煙の流動は、対流による乱流拡散に支配される火災初期においては、火源も小さく発生する煙量も少ないため、火源上の熱気流は自由空間と同様な性状を示す。熱気流は、周囲の空気を巻き込みつつ室の天井に達し、自身の浮力とその後上昇してくる熱気流に押されて四方に広がり、密度差に基づく浮力によって室内で煙層と空気層を形成する。2つの層の境界面や煙層の天井や壁への失熱により、煙と空気の混合を起こしながら、煙層は火源からの熱気流によりその厚みを増していく。そして、室の一部に開口がある場合、煙層の降下により煙が流れ出して隣接空間に拡散する。

火災室には、流れ出したのと同じ体積の空気が流入する。そのため建物内部開口部の扉の開閉状態は、煙の他区画への拡散に大きく影響を及ぼす。

また、天井の高い空間では、煙層の降下に時間がかかるため、避難上の余裕が生まれるが、空調が稼働された状態であると、火災初期に温度が低く浮力が弱い煙を拡散してしまうことがある。

⑴　要点・解説②により、**正しい**。

⑵　火災初期ではなくフラッシュオーバー現象以降の記述であるため、**誤り**。

(3)　要点・解説①により、**正しい**。
(4)　要点・解説③により、**正しい**。
(5)　要点・解説③により、**正しい**。

ポイント

火災又は燃焼により発生する煙の性状や煙の評価方法、煙の拡散等に関する事項の知識について問うものである。特に、煙の流動性状や特性については、未解明の部分があるが、一般的にいわれている内容を理解しておく必要がある。

【正解　(2)】

チェック □□□

問題3　**次は、燃焼の消火に関する記述であるが、最も不適切なものはどれか。**

(1)　消火に用いられる水は、比熱及び蒸発時の潜熱が大きく、燃焼している物質やその周囲の温度を効果的に下げることができる。
(2)　火災となっている周辺の可燃物を除去すると、燃える物がないことから、燃焼が継続できなくなり、消火することができる。
(3)　消火に用いられる水は、表面張力が大きいが、物質に当たると容易に付着して濡らすことができるため、効果的に消火することができる。
(4)　燃焼には、酸素が継続的に供給されることが必要であるが、酸素を含む空気の流れを遮断することにより、消火することができる。
(5)　燃焼は、ラジカル反応といわれる分子レベルでの化学反応が連鎖的に起きており、この連鎖反応を抑制、遮断することにより消火することができる。

要点・解説

燃焼は、燃焼の３要素（熱・可燃物・酸素）が連鎖・連続することにより、継続される。したがって、消火は、これらの３要素のいずれかを除去するか又は連鎖を遮断することにより可能となる。

この原理を活用する消火方法は、次のように整理できる。

区　分	消火手段	消火効果
除去消火法	可燃物を除去する。 （可燃物の除去、供給の停止）	可燃物がなくなることから、延焼拡大ができなくなり、消火する。
窒息消火法 （希釈消火法）	酸素の供給を制限する。 （空気の遮断、酸素濃度の低下）	燃焼に必要な酸素の供給がなくなることから、継続的な燃焼ができなくなり、消火する。
冷却消火法	熱エネルギーを低下させる。 （冷却、周囲温度の低下）	継続的に燃焼するための熱エネルギーがなくなり、消火する。
抑制消火法	可燃物の分子レベルの活動を抑制する。 （負触媒作用、抑制作用）	燃焼の連鎖反応が抑制され、燃焼が継続されなくなることから、消火する。

1　除去消火法

燃えている可燃物や周辺の可燃物を除去すると、燃焼を継続するための可燃物がなくなることから、燃焼が継続できなくなり、消火ができる。可燃物の除去は、火災の燃え広がりとの競争となる。火災は、屋外では風下側に向かって、また、屋内では炎の上昇方向である上に向かってそれぞれ延焼することから、延焼する方向の可燃物を除去すれば、消火することができる。

2　窒息（希釈）消火法

燃焼には、酸素が継続的に供給されることが必要となる。一般的に、燃焼により熱せられた炎の周辺の空気が上昇して対流が起こる。これにより周囲の酸素が燃焼している部分に流れてくることで燃焼が継続する。つまり、この空気の流れ（酸素の供給）を遮断すれば消火することができる。燃えている可燃物を不活性の気体や不燃物などで覆って消火する。なお、屋内では、火災となっている部屋全体の酸素濃度を低下することで継続的な燃焼が抑制され、このときの酸素濃度は、おおむね13%以下とされている。

また、酸素の希釈・遮断のみでは、冷却効果が低いので、熱が下がるのに時間がかかる。途中で酸素が供給されると、発火する熱が残っていると、再燃することがある。

3　冷却消火法

消火に用いる水は、比熱、特に蒸発するときの潜熱が大きく、燃焼している物や周囲の温度を効果的に下げることができる。しかし、表面張力が大きく、流動性が良いため物質の表面に当たると流れてしまい、当該物質の表面をなかなか濡らす（付着し浸透する）ことができない。また、水に濡れた物は燃えにくくなり、可燃物を除去したと同じ効果があり、延焼を防止できる。水には、冷却と燃えにくくする効果があり、火災になっている部分とその周辺の部分に、同時に放水するとより効果的である。

4　抑制消火法

燃焼は、ラジカル反応といわれる分子レベルでの化学反応が連鎖的に起きている。この連鎖反応を抑制、遮断できるのが粉末消火剤である。火災熱により微細粒子粉末から分解生成されるアルカリ金属イオン等による燃焼連鎖反応を抑制する負触媒効果であるといわれている。また、ハロゲン化物消火剤においても、同様の反応が起きているといわれている。

(1)　水は、他の物質と比較し、比熱や蒸発時の潜熱が大きいことから、**適切**。

(2)　可燃物を除去することにより、消火することができることから、**適切**。

(3)　水の表面張力は大きく、一般的に表面張力の大きい液体は、濡らしにくいことから、**不適切**。

(4)　酸素を含む空気を遮断することにより消火可能であり、**適切**。

(5)　燃焼の３要素に加えて連鎖反応があり、この反応を抑制・遮断することにより消火可能であり、**適切**。

ポイント

燃焼と消火に関する基礎的知識を有しているかを問うものである。

【正解　(3)】

チェック □□□

問題4　**次は、消火剤に関する記述であるが、不適切なものはどれか。**

(1)　水は、消火剤に該当するが、水で消火することが困難な火災や消火すると危険性が増大する火災がある。

(2)　泡消火剤を用いた消火は、泡により火災となっている物質を覆い、空気の供給を遮断するほか、冷却効果も期待できる。

(3)　ハロン1301消火剤は、電子機器等への影響が少ない効果的な消火剤であるが、オゾン層を破壊する物質として、製造が禁止されているとともに、その使用も制限されている。

⑷　石油類その他の可燃性液体、半固体油脂類などが燃える油火災は、一般的に燃焼速度が速く、発熱量も大きいことから、水のみでは十分に冷却できず、消火が困難とされている。

⑸　強化液消火剤は、電気が流れやすい液体であることから、通電している電気設備機器の火災には、使用することができない。

要点・解説

①　⑴及び⑷について

水は、一般的に比熱が高く、また蒸発するときの潜熱が大きいことから、燃焼している可燃物に水をかけることにより、冷却と水蒸気による酸素の希釈・遮断が起こり、消火が可能となる。

一方、油火災（石油類その他の可燃性液体、半固体油脂類などが燃える火災）や特殊な物質（鉄粉、金属粉、マグネシウム、禁水性物質等）の火災については、水のみでは消火困難や危険性が増大する。

②　⑵について

泡消火剤は、基剤に泡安定剤その他の薬剤を添加した液状のもので、水（海水を含む。）と一定の濃度に混合し、空気又は不活性気体を機械的に混入して泡を発生させ、消火に使用する。その消火効果は、火災となっている物質を泡で覆い、空気の供給を遮断するほか、冷却効果も期待できるとされている。

③　⑶について

消火剤として使用されてきたハロン1301、1211及び2402については、オゾン層破壊のため1994年から生産は全廃されている。一方、消火剤としての使用については、適正に管理するとともに、クリティカルユース（必要最小限の使用）と判断された部分については、その使用が認められている。

なお、1994年に「ハロンバンク推進協議会」（現在の消防環境ネットワーク）が設立され、既生産済みのハロンをデータベース化し、不要となったハロンは積極的に回収することにより、みだりに大気へ放出されることが抑制されている。また、優れた消火性能を有するハロンはリサイクルされ、既設設備への再利用がなされているとともに、クリティカルユース（必要最小限の使用）と判断された部分への新設が認められている。

④　⑸について

強化液消火剤（内部において化学反応により発生するガスを放射圧力の圧力

源とする消火器に充てんするものを除く。）は、アルカリ金属塩類等の水溶液で、アルカリ性反応を呈し、その凝固点が－20℃以下とされている。

また、強化液消火剤を用いた消火器は、棒状放射のものは通電した電気設備機器の火災には使用できないが、霧状に放射する場合には使用できるとされている。

(1)　要点・解説①により、**適切**。
(2)　要点・解説②により、**適切**。
(3)　要点・解説③により、**適切**。
(4)　要点・解説①により、**適切**。
(5)　要点・解説④により、**不適切**。

ポイント

消火剤の消火効果やその特性等に関する知識を有しているかを問うものである。

【正解　(5)】

チェック □□□

問題5　**次は、火災の区分や消火に関する記述であるが、不適切なものはどれか。**

(1)　電気火災は、一般的に通電中の電気設備機器の火災であり、消火活動をする場合に、電気事故等に留意する必要がある。
(2)　ガス火災は、都市ガス、プロパンガスなどの可燃性ガスの火災であり、消火に際しては周囲を十分に冷却したうえで、直接火炎を消火することが重要である。
(3)　金属火災は、ナトリウム、マグネシウムなどの金属類が水などと反応して起こる火災であり、消火に際しては金属類の周囲の可燃物を除去し、乾燥砂等により全体を覆い空気、水を遮断する。
(4)　油火災は、石油類その他の可燃性液体、半固体油脂類などの火災であり、この火災で水消火器を使用すると、水と油が接触した瞬間に加熱された油によって瞬時に水が沸騰し、油を飛散させて火災が広範囲に拡大してしまうおそれがある。

(5) 普通火災は、一般的に油火災以外の可燃物の火災であり、水により消火することが可能である。

要点・解説

火災の区分と主な可燃物は、一般的に次表のように区分されている。

火災区分	クラス区分	主な可燃物
普通火災	A火災・ Aクラス火災	木材、紙、布などの火災 普通形セルロースの火災
油火災	B火災・ Bクラス火災	ガソリン、灯油、重油などの火災 可燃性液体の火災
電気火災	C火災・ Cクラス火災	電気が原因で起こる火災 通電中の電気設備・器具の火災
金属火災	D火災・ Dクラス火災	金属類が水などと反応して起こる火災 ナトリウム、マグネシウムなどの火災
ガス火災		都市ガス、プロパンガスなどの可燃性ガスの火災

また、これらの火災に対する消火に関する留意事項は、次のとおりである。

① 普通火災に対応する消火

普通火災の消火には、水、水に消火性能を向上させるため浸潤剤等を加えたもの、強化液、粉末消火剤などを用い、冷却法や窒息法によって消火する。

② 油火災に対応する消火

油火災の消火に水を使用すると、水と油が接触した瞬間に加熱された油によって瞬時に水が沸騰し、油を飛散させて火災が広範囲に拡大してしまうおそれがあり、使用は適さない。油火災を消火するためには、泡消火剤による窒息消火や強化液消火剤を使用するか、粉末消火剤による抑制・窒息作用によって消火するのが一般的である。

③ 電気火災に対応する消火

電気火災の消火に水を使用すると、漏電被害や感電の危険性がある。また、電気器具に水をかけると、健全な電気器具が水損により故障して復旧が遅れるなど、二次災害となるおそれがある。粉末消火剤で消火することができるが、鎮火後は粉末が飛散し、設備復旧が困難になる可能性がある。よって、特に重要な施設には、不活性ガス消火設備を使用することで、鎮火後の設備復旧が容易になる。ただし、二酸化炭素消火設備を使用すると空気中の二酸化炭素濃度が高くなり、人体に危険が生じるため注意が必要である。

④　金属火災に対応する消火

鉄、アルミニウム、亜鉛、マグネシウム、カリウム、ナトリウム、リチウム、カルシウムなどが原因の火災であり、乾燥砂、膨張ひる石、膨張真珠岩などによる窒息消火を行う。水と反応する金属が多く、注水すると水素を発生し爆発する危険性があるため注意が必要である。

⑤　ガス火災に対応する消火

ガス火災は、都市ガスやプロパンガスなどの可燃性ガスが原因で、消火しても漏えいしているガスの供給を遮断しないと、再燃や可燃性ガスの拡散などの危険性が高まる。したがって、消火する前にガスの漏えい箇所の確認や遮断・停止を確認することと、再燃防止のため周囲を十分に冷却することが重要である。

なお、ガスの供給や漏えいを停止することができない場合には、火災となっている周囲を十分に冷却して延焼防止を図り、ガスが燃え尽きるまで燃焼させることとなる。

(1)　要点・解説③により、**適切**である。
(2)　要点・解説⑤により、**不適切**である。
(3)　要点・解説④により、**適切**である。
(4)　要点・解説②により、**適切**である。
(5)　要点・解説①により、**適切**である。

ポイント

火災の種類の区分とその消火方法に関する知識を有しているかを問うものである。

【正解　(2)】

チェック □□□

問題 6　**次は、消火器用消火剤の種類とその消火の適応に関する記述であるが、誤っているものはどれか。**

(1)　粉末消火剤には、全ての火災に適応する粉末（ＡＢＣ）消火剤とＡ火災に適応できないものがある。

(2)　強化液消火剤には、アルカリ金属塩類の水溶液である強アルカリ性反応を呈するものと中性のものがある。

(3)　泡消火剤には、化学反応による圧力で泡を発生させるものと、加圧された圧力により泡を発生させるものがある。

(4)　ハロゲン化物消火剤には、オゾン層破壊物質として指定され、製造及び使用が禁止されているものがある。

(5)　不活性ガス消火剤には、二酸化炭素消火剤が含まれている。

要点・解説

火災の種類によって適応する消火剤の種類が区分されており、適応しない消火剤を使用すると、火災の勢いが増したり、可燃物が飛散したりするなど、消火困難となる。そのため、消火剤の選定は重要である。また、消火剤の放出方法により、適応する火災が異なるものがあるので、注意する必要がある。

なお、消火剤の区分に応じた火災の適応性は、次表のとおりである。

<table>
<tr><th colspan="3">消火剤の区分</th><th>消火剤の種類</th><th>Ａ火災</th><th>Ｂ火災</th><th>Ｃ火災</th></tr>
<tr><td rowspan="7">水系消火剤</td><td rowspan="2">強化液消火剤</td><td>棒状放射</td><td rowspan="2">強化液（アルカリ金属等の塩類水溶液）</td><td>○</td><td>—</td><td>—</td></tr>
<tr><td>霧状放射</td><td>○</td><td>○</td><td>○※1</td></tr>
<tr><td colspan="2">強化液（中性）消火剤</td><td>浸潤剤（界面活性剤水溶液）</td><td>○</td><td>○</td><td>○※1</td></tr>
<tr><td colspan="2">化学泡消火剤</td><td></td><td>○</td><td>○</td><td>—</td></tr>
<tr><td colspan="2">機械泡消火剤</td><td>たん白（たん白質加水分解物・界面活性剤を添加）
合成界面活性剤（炭化水素系界面活性剤）
水成膜（フッ素系界面活性剤）</td><td>○</td><td>○</td><td>—</td></tr>
<tr><td colspan="2">水（浸潤剤等入り）消火剤</td><td></td><td>○</td><td>—</td><td>△※1</td></tr>
</table>

粉末消火剤	粉末(ABC)消火剤	リン酸二水素アンモニウム	○	○	○
	粉末（Na）消火剤	炭酸水素ナトリウム	—	○	○
	粉末（K）消火剤	炭酸水素カリウム	—	○	○
ガス系消火剤	ハロゲン化物消火剤	ハロン1211、1301、2402※2 HFC－23 HFC－227ea FK－5－1－12	○※3	○	○
	不活性ガス消火剤	二酸化炭素 窒素 IG－55（アルゴナイト） IG－541（イナージェン）	○※3	○	○

備考　○印は適応可能なもの、△印は含有する浸潤剤等の性能により適否がある、－印は不適応のもの

※1　消火剤を放射した際、漏れ電流試験基準を満足する放射ノズルを備えた消火器を使用した場合、C火災適応となる。

※2　オゾン層破壊物質として指定されており、製造が禁止されているが、既に製造されたものについては、適正な管理の下、必要不可欠な施設等は使用が認められている。

※3　消火器用消火薬剤として使用する場合には、不適となるものがある。

(1)　要点・解説の表により、**正しい**。

(2)　要点・解説の表により、**正しい**。

(3)　要点・解説の表により、**正しい**。

(4)　要点・解説の表備考2により、**誤り**。

(5)　要点・解説の表により、**正しい**。

ポイント

消火器用消火剤に関する区分、種類、更には適応する火災についての知識を有しているかを問うものである。

【正解　(4)】

チェック □□□

問題7 次は、燃焼における引火、発火、自然発火等の現象に関する記述であるが、誤っているものはどれか。

---

(1) 自然発火は、可燃性物質が空気による酸化等の化学反応により、発熱発火する現象をいう。
(2) 空気中で可燃性物質の加熱を継続すると、当該物質の内部温度が上昇し、火源がなくても発火し燃焼する。
(3) 空気中に拡散した可燃性蒸気は、その濃度にかかわらず火源があれば引火し爆発する。
(4) 予混合燃焼とは、燃料と酸化剤があらかじめ混合している状態で燃焼する現象をいう。
(5) 引火点とは、可燃性液体を加熱し発生した可燃性蒸気が引火する際の最低液体温度をいう。

要点・解説

① 燃焼の種類

燃焼には、燃料と酸化剤に火源が必要である。燃料と酸化剤があらかじめ混合している状態で燃焼する現象を「予混合燃焼」、燃料と酸化剤が別々にあって互いに拡散しながら燃焼する場合を「拡散燃焼」という。

② 引火と引火点

可燃性液体を加熱した際に液体の表面から発生する可燃性蒸気が発火する現象を「引火」といい、引火が起こる最低液体温度を「引火点」という。

③ 爆発範囲（燃焼範囲）

可燃性蒸気と空気が混合した状態において、可燃性蒸気の濃度が一定の範囲内で点火すると急激な燃焼が起き、いわゆる爆発が発生する。この爆発の発生する可燃性蒸気の濃度範囲（空気に対する可燃性蒸気の割合を容量％で表す。）を爆発範囲（燃焼範囲）といい、この範囲の低濃度の値を爆発（燃焼）下限値、高濃度の値を爆発（燃焼）上限値という。爆発下限値未満及び爆発上限値を超える範囲においては、火源を近づけても引火爆発は起きないとされている。

④ 発火と発火点

空気中で可燃性物質の加熱を継続すると、当該物質の内部温度が上昇し、火源がなくても自ら燃え始めるが、この現象を「発火」といい、発火が起こる最低温度を「発火点」という。

⑤　自然発火

可燃性物質が、空気による酸化、雨水や空気中の水分との反応、生物発酵等により化学反応が起き、自然に発熱発火したものを「自然発火」という。

(1)　要点・解説⑤により、**正しい**。

(2)　要点・解説④により、**正しい**。

(3)　可燃性蒸気と空気が一定の濃度範囲となった場合に引火し爆発するので、**誤り**。

(4)　要点・解説①により、**正しい**。

(5)　要点・解説②により、**正しい**。

ポイント

燃焼についての知識を問うものであり、可燃性液体の燃焼や発火燃焼に関する現象について、理解しておく必要がある。

【正解　(3)】

チェック □□□

問題 8　次は、建物火災時に発生する「バックドラフト」と「フラッシュオーバー」の現象に関する記述であるが、誤っているものはどれか。

---

(1)　フラッシュオーバーは、局所的な火災によって熱せられた天井や煙層からの放射熱によって、局所火源そのもの、あるいはその他の可燃物が外部加熱を受け、それによって急速な延焼拡大が引き起こされ全面火災に至る現象とされている。

(2)　バックドラフトは、気密性の高い室内で火災が発生し、酸素不足により継続燃焼できない状態で火種が残り、可燃性ガスが室内に充満しているときに、急激に新鮮な空気供給がされると、火種が着火源となり可燃性ガスが爆燃するという現象とされている。

(3)　フラッシュオーバーは、空気供給を受けながら火災拡大していく過程で起きる。

(4)　バックドラフトは、空気不足でいったん火災成長が抑制された後に発生する。

(5)　フラッシュオーバーは、気密性の高い室内において、局所的な火災で発生する未燃の可燃性ガスが、新鮮な空気の急激な流入により一気に燃えることで発生する。

要点・解説

建物火災における「バックドラフト」と「フラッシュオーバー」の現象は、火災時の急激な燃焼を伴う現象であり、次のように言われている。

①　フラッシュオーバー

フラッシュオーバーは、室内の局所的な火災が、数秒～数十秒のごく短時間に、部屋全域に拡大する現象の総称である。

局所的な火災によって熱せられた天井や煙層からの放射熱によって、局所火源そのもの、あるいはその他の可燃物が外部加熱を受け、それによって急速な延焼拡大が引き起こされ全面火災に至るというのが、フラッシュオーバーの発生機構の一般的な考え方とされている。

②　バックドラフト

気密性の高い室内で火災が発生すると、室内の空気があるうちは火災が成長し、空気が少なくなると燃え草がいっぱいあっても継続燃焼していないような状態になるが、この段階でも火種が残り、可燃性ガスが徐々に室内に充満することがある。こうしたときに不用意に扉を開けると新鮮な空気が火災室に入り込み、火種が着火源となり今まで燃えなかった可燃性ガスが爆燃するという現象が発生するが、これをバックドラフトという。

建物火災において、火災室いわゆる燃焼している部屋から外部に吹き出してくる（消防士からすれば、扉から押し戻されバックしてくる）強い気流（ドラフト）が、この現象の特徴である。

気密性が高く、可燃物も多い冷蔵倉庫のような建物で発生しやすいといわれている。

フラッシュオーバーは、空気供給を受けながら火災拡大していく過程で起きるのに対し、バックドラフトは、空気不足でいったん火災成長が抑制された後に発生するという点で大きな違いがある。

(1)　要点・解説①により、**正しい**。
(2)　要点・解説②により、**正しい**。
(3)　要点・解説②により、**正しい**。
(4)　要点・解説②により、**正しい**。
(5)　バックドラフトの現象が説明されており、**誤り**。

ポイント

建物火災時に発生する「バックドラフト」と「フラッシュオーバー」の現象についての知識を問うものである。　【正解　(5)】

チェック □□□

問題 9　次は、消防法令及び建築基準法令に関する記述であるが、不適切なものはどれか。

---

(1)　消防用設備等である屋内消火栓設備、スプリンクラー設備等の消火設備は、建物に付属する建築設備に該当する。

(2)　消防隊が建物火災時に使用する非常用エレベーター及び消防隊進入口に関する技術上の基準の細目は、消防法令に規定されている。

(3)　建築基準法には、個々の建築物に対する単体規定と、建築物の集団・街区に対する集団規定がある。

(4)　スプリンクラー設備は、建築基準法令において防火区画や内装制限の緩和条件として規定されているが、その設置上の技術基準は規定されていない。

(5)　消防法令で規定する消防用設備等の設置基準では、建築基準法令に適合する建築構造等に応じて、設置基準の緩和に関する基準がある。

要点・解説

①　消防法令の概要

消防法の目的（第１条）は、「火災を予防し、警戒し及び鎮圧し、国民の生命、身体及び財産を火災から保護するとともに、火災又は地震等の災害による被害を軽減するほか（中略）、もって安寧秩序を保持し、社会公共の福祉の増進に資することを目的とする」とされている。消防法では、この目的のうち火災の予防について特に重点をおいており、出火防止、初期消火等を徹底するための予防措置が被害軽減に最も有効としている。

消防法令では、主として建物が対象となる防火対象物に対し、火災予防や火災発生時における延焼拡大防止や被害の軽減に資するため、①防火管理、②防炎規制、③消防用設備等の設置を義務づけている。

②　建築基準法令の概要

建築基準法の目的（第１条）は、「建築物の敷地、構造、設備及び用途に関する最低の基準を定めて、国民の生命、健康及び財産の保護を図り、もって公共の福祉の増進に資することを目的とする」とされており、構造耐力上、防火上等の性能や建築環境の確保のための最低基準を定めたものである。

建基法には、個々の建築物に対する「単体規定」と、建築物の集団・街区に対する「集団規定」がある。特に、単体規定においては、個々の建築物の構造、耐震性や防火その他の防災性について規定されている。また、建築物に付随する建築設備についてもすべて定めている。

③　消防法令と建築基準法令

一般的に建築基準法令では、構造物である建築物についての防火規定を定めているのに対し、消防法令では防火管理、火を使用する設備・器具等の規制など人の面での火災予防と、建築物内の消防用設備等及び防炎物品の使用等を主として規定している。

建築物の定義（建基法第２条第１号）は、「土地に定着する工作物のうち、屋根及び柱若しくは壁を有するもの（中略）をいい、建築設備を含む」とされている。

建築設備の定義（建基法第２条第３号）は、「建築物に設ける電気、ガス、給水、排水、換気、暖房、冷房、消火、排煙若しくは汚物処理の設備又は煙突、昇降機若しくは避雷針をいう」とされている。

したがって、消火設備は、建築設備に含まれる。しかし、建基法第35条に「消火栓、スプリンクラー、貯水槽その他の消火設備」と例示され、同法第36条において消火設備に関しての必要な技術的基準は政令で定めるとされているにもかかわらず、建基令には、消火設備に関する基準は定められていない（スプリンクラー設備などは、防火区画や内装制限の緩和条件のみ規定されている。）。

これらの消火設備についての技術基準は、消防法令において規定されている。法第17条において政令で定める消防の用に供する設備は政令で定める技術上の基準に従って設置し、及び維持しなければならないと規定されており、消防法施行令で具体的に定められている。

また、火災時の避難や消防活動上、重要な役割を担う非常用照明や消防隊進入口、非常用エレベーターなどは、建築基準法令において規定されている。

(1)　建基法第２条第３号の規定により**正しい**。

(2)　建基法第34条第２項、建基令第126条の６、第126条の７、第129条の13の３の規定により、建基法令に規定されており、**誤り**。

(3)　設問のとおりで、**正しい**。

(4)　設問のとおりで、**正しい**。

⑸　政令第11条第２項の規定の例などにより、**正しい**。

ポイント

建築基準法令及び消防法令の建築物に対する規制の体系に関する知識の有無を問うものである。特に、建築設備と消防用設備等に係る規制に関する内容は、理解しておく必要がある。

【正解　⑵】

チェック □□□

問題10　**建築物においては、予防対策、防火安全対策が講じられている。これらの対策は、建築基準法令及び消防法令によって網羅的に講じられているが、これらに関する記述として誤っているものは、次のうちどれか。**

⑴　内装制限に関する規定は、建築基準法令に規定されている。

⑵　排煙設備のうち、避難に資するものは建築基準法令により、また、消火活動に資するものは消防法令により、それぞれ技術上の基準が規定されている。

⑶　避難する際の設備である誘導灯、誘導標識及び非常用照明設備に係る技術上の基準は、消防法令において規定されている。

⑷　避難の際に使用する避難階段、特別避難階段等に関する技術上の基準は、建築基準法令において規定されている。

⑸　火気使用設備器具の安全対策については、消防法令により規定されている。

要点・解説

誘導灯及び標識に関する技術上の基準は、政令第26条、規則第28条の３に規定されているが、非常用照明設備に係る技術上の基準は、建基令第126条の５に規定されている。

⑴　建基法第35条の２により、**正しい**。

⑵　建基令第126条の３、規則第30条により、**正しい**。

⑶　政令第26条、規則第28条の３、建基令第126条の５により、**誤り**。

⑷　建基令第123条により、**正しい**。

⑸　法第９条により、**正しい**。

ポイント

建築基準法令及び消防法令の建築物に対する規制の体系に関する知識の有無を問うものであり、理解しておく必要がある。【正解　⑶】

チェック □□□

問題11　次の①及び②は、消防法第２条に規定する「防火対象物」及び「消防対象物」の定義に関する記述である。この定義の説明として誤っているものはどれか。

①　「防火対象物」とは、山林又は舟車、船きょ若しくはふ頭に繋留された船舶、建築物その他の工作物若しくはこれらに属する物をいう。

②　「消防対象物」とは、山林又は舟車、船きょ若しくはふ頭に繋留された船舶、建築物その他の工作物又は物件をいう。

⑴　「建築物その他の工作物」のうち「工作物」とは、人為的な労作を加えることによって、通常、土地に固定して設備された物をいう。建築物はその代表的なものである。

⑵　防火対象物の「これらに属する物」のうち「これら」とは、舟車、船舶及び建築物その他の工作物をいい、山林は含まれない。

⑶　消防対象物の「物件」とは、山林、舟車、船舶及び建築物その他の工作物を除く一切の物をいう。

⑷　予防行政の対象となるものが防火対象物であり、消火活動の対象となるものが消防対象物である。

⑸　「消防対象物」は「防火対象物」を包含している。

要点・解説

従前は選択肢⑷の記述のように解釈されていたが、法第４条及び第４条の２において「防火対象物」が「消防対象物」に改正され、予防行政に関する規定においても一部に「消防対象物」という用語が用いられるようになった。

(1)　設問のとおりで、**正しい**。

(2)　設問のとおりで、**正しい**。

(3)　設問のとおりで、**正しい**。

(4)　要点・解説のとおりで、**誤り**。

(5)　防火対象物は、すべて消防対象物となることから、**正しい**。

※　(1)〜(3)については、「逐条解説消防法第五版（東京法令出版(株)　発行）」参照。

ポイント

「防火対象物」と「消防対象物」の違いと消防対象物にあっても法第４条及び第４条の２による消防職員・消防団員の立入検査の対象であることについての知識について問うものである。

【正解　(4)】

チェック □□□

問題12　**次は、建築基準法施行令第１条に規定する用語の定義の記述であるが、誤っているものはどれか。**

(1)　敷地とは、一の建築物又は用途上不可分の関係にある２以上の建築物のある一団の土地をいう。

(2)　地階とは、床が地盤面下にある階で、床面から地盤面までの高さがその階の天井の高さの２分の１以上のものをいう。

(3)　構造耐力上主要な部分とは、基礎、基礎ぐい、壁、柱、小屋組、土台、斜材、床版、屋根版又は横架材で、建築物の自重若しくは積載荷重、積雪荷重、風圧、土圧若しくは水圧又は地震その他の震動若しくは衝撃を支えるものをいう。

(4)　耐水材料とは、れんが、石、人造石、コンクリート、アスファルト、陶磁器、ガラスその他これらに類する耐水性の建築材料をいう。

(5)　準不燃材料とは、建築材料のうち、通常の火災による火熱が加えられた場合に、加熱開始後10分間建築基準法施行令第108条の２各号（建築物の外部の仕上げに用いるものにあっては、同条第１号及び第２号）に掲げる要件を満たしているものとして、国土交通大臣が定めたもの又は国土交通大臣の認定を受けたものをいう。

要点・解説

建基令第1条第2号に、地階とは「床が地盤面下にある階で、床面から地盤面までの高さがその階の天井の高さの3分の1以上のものをいう。」と規定されている。

(1) 建基令第1条第1号の規定で、**正しい**。
(2) 建基令第1条第2号の規定で、**誤り**。
(3) 建基令第1条第3号の規定で、**正しい**。
(4) 建基令第1条第4号の規定で、**正しい**。
(5) 建基令第1条第5号の規定で、**正しい**。

ポイント

建築基準法令を運用解釈するうえで、建基法第2条に定める用語とともに、建基令第1条に定める用語の定義についても理解しておくことがポイントであり、これらの知識について問うものである。【正解 (2)】

チェック □□□

問題13 次のうち、消防法第7条に規定する消防同意に関する記述として、正しいものはどれか。

---

(1) 住宅のうち、一戸建ての住宅で住宅の用途以外の用途に供する部分の床面積の合計が75m²以下であれば、消防同意の対象から除外されている。

(2) 消防本部を置かない市町村にあっては、消防同意の申請は、当該区域を管轄する都道府県知事に対して行うこととされている。

(3) 建築基準法第6条の規定により、建築物の工事に着手しようとする者が、建築物等に関する許可、認可又は確認を行う権限を有する行政庁若しくはその委任を受けた者又は指定確認検査機関（以下「建築主事等」という。）に確認申請を出して確認を受けると同時に、消防長又は消防署長に対して、消防同意の申請をしなければならないこととされている。

(4) 消防長又は消防署長は、建築物の計画が防火に関する法令に違反をしていない場合であっても、火災予防の観点から適当でないと認められる場合は、不同意とすることができることとされている。

(5) 消防同意は、建築主事等から消防長又は消防署長に対して同意が求められるものであって、建築物の工事に着手しようとする者が、消防長又は消防署長に対して消防同意の申請をする必要はないとされている。

要点・解説

選択肢(1)の消防同意の対象外とされる一戸建ての住宅の条件は、住宅の用途以外の用途に供する部分の床面積の合計が「50m²以下」の場合である（政令第1条）。選択肢(2)の消防本部を置かない市町村にあっては、法第3条の規定の準用で市町村長とされている。選択肢(3)は、法第7条第1項の規定で、工事に着手しようとする者が消防同意の申請をすることとされていない。選択肢(4)は、法第7条第2項の規定で、建築物の防火に関するものに違反をしていなければ、同意を与える旨規定されている。また、同意事務の段階で、防火の規定に適合していれば同意をすることとされている。逆に、消防長又は消防署長の同意がなければ、建築確認はできないとされている。

(1) 政令第1条の規定で、**誤り**。

(2) 法第３条及び法第７条の規定で、**誤り**。
(3) 法第７条第１項の規定で、**誤り**。
(4) 法第７条第２項の規定で、**誤り**。
(5) 法第７条第１項の規定で、**正しい**。

ポイント

消防同意の手順及びその対象がどのような建築物であるかについての知識について問うものである。なお、建築物の新築等の工事を行う際の建築確認・消防同意のフローは、建築主→建築主事等→消防長（消防本部を置かない市町村にあっては、当該市町村長）又は消防署長→建築主事等→建築主とされている。

【正解 (5)】

チェック □□□

問題14 次は、消防法第７条に規定する建築物の新築、増築等に関する消防長又は消防署長の消防同意についての記述であるが、誤っているものはどれか。ただし、建築基準法の規定は、建築基準法第６条第１項とする。

(1) 消防同意の期間は、一般の建築物にかかる確認にあっては同意を求められた日から３日以内、その他の確認又は許可の場合にあっては同意を求められた日から７日以内とされている。
(2) 消防同意を行う者は、消防長又は消防署長であるが、消防同意を得ずしてなされた建築主事等の確認等は、消防同意制度の趣旨からして無効であるとされている。
(3) 消防同意を受ける者は、消防同意の対象となる許可、認可若しくは確認等をする権限を有する建築主事、建築副主事及び特定行政庁並びに特定行政庁が地方自治法の規定によって許可権限を委任した者である。
(4) 消防同意の制度は、消防機関と建築行政機関等との間の内部的行為で、建築物の防火を期するとともに二重行政を排除するものである。
(5) 消防同意の対象となるのは、建築物及び工作物の新築・増築等の許可、認可若しくは確認に係るもので法律としては、建築基準法、火薬類取締法、高圧ガス保安法等があるが、これらの法律による許認可等がすべて対象となるものである。

要点・解説

消防同意は、建築基準法の規定による建築物の新築、増築等に係る許可、認可又は確認に対して行われるもので、工作物は消防同意の対象とはならない。高圧ガス保安法等は防火上の目的を有するものが該当し、すべての法令が消防同意の対象とはならない。なお、火薬類取締法に基づく都道府県知事の製造施設等の設置、変更等の許可は、消防同意の対象とされている。

消防同意の要件は、法令で規定する建築物の防火に関するものであり、消防同意に関係する防火の規定としては、次のようなものがある。

① 建築構造に係る規定
　建築物の特定主要構造部等、開口部の防火戸、特殊建築物の外壁等に関するもの等

② 防火区画に関する規定
　防火区画、防火壁、建築物の界壁・間仕切り壁及び隔壁等

③ 避難施設に関する規定
　特殊建築物等の避難及び消火に関する技術的基準、屋上広場等、排煙設備の設置・構造、非常用進入口、非常用の照明等

④ 消火活動に係る規定
　非常用の昇降機、特殊建築物等の避難及び消火に関する技術的基準等

(1) 法第７条第２項の規定で、**正しい**。
(2) 法第７条第１項及び建基法第93条第１項の規定で、**正しい**。
(3) 法第７条第１項の規定で、**正しい**。
(4) 設問のとおりで、**正しい**。
(5) 要点・解説のとおりで、**誤り**。

ポイント

消防法に基づく消防同意についての知識について問うものである。

【正解　(5)】

チェック □□□

問題15 次のうち、消防法第17条第３項に規定する総務大臣の認定を受けた特殊消防用設備等に関する記述として、誤っているものはどれか。

⑴　特殊消防用設備等の性能評価とは、設備等設置維持計画に従って設置し、及び維持する場合における特殊消防用設備等の性能に関する評価をいう。

⑵　特殊消防用設備等を設置した場合は、消防用設備等と同様に消防長又は消防署長に届け出て、検査を受けなければならないこととされている。

⑶　特殊消防用設備等にあっては、消防法第17条第３項に規定する設備等設置維持計画に従って点検を行うこととされている。

⑷　設備等設置維持計画に従って設置し、及び維持するものとして総務大臣の認定を受けた特殊消防用設備等を用いる場合は、当該部分における消防法第17条第１項及び第２項の規定は、適用されないこととされている。

⑸　特殊消防用設備等については、消防法第17条第３項による総務大臣の認定を一度受ければ、総務大臣の認定が失効されることはない。

要点・解説

法第17条第３項による総務大臣の認定を受けた特殊消防用設備等について、偽りその他不正な手段により認定又は変更の承認を受けたことが判明したとき、設備等設置維持計画に従って設置、又は維持されていないと認められるときに、認定の失効ができることとされている（法第17条の２の３第１項）。

⑴　法第17条の２第１項の規定で、**正しい**。

⑵　法第17条の３の２の規定で、**正しい**。

⑶　消防法施行規則の規定に基づき、消防用設備等又は特殊消防用設備等の種類及び点検内容に応じて行う点検の期間、点検の方法並びに点検の結果についての報告書の様式を定める件（平成16年消防庁告示第９号）第２の規定で、**正しい**。

⑷　法第17条第３項の規定で、**正しい**。

⑸　法第17条の２の３第１項の規定で、**誤り**。

ポイント

特殊消防用設備等の認定の手続き及び認定の条件が維持できない場合における失効についての法令上の取扱いに関する知識について問うものである。

【正解 (5)】

チェック □□□

問題16 **次のうち、消防法第17条の2の5の規定により、消防用設備等の技術上の基準が改正された場合、当該防火対象物の用途に関係なく改正後の基準が適用される消防用設備等として不適切なものはどれか。**

---

(1)　消火器及び簡易消火用具
(2)　避難器具、誘導灯及び誘導標識
(3)　非常警報器具及び非常警報設備
(4)　漏電火災警報器
(5)　自動火災報知設備

要点・解説

政令第34条第3号の規定により、自動火災報知設備が対象となる場合は、政令別表第1(1)項から(4)項まで、(5)項イ、(6)項、(9)項イ、(16)項イ及び（16の2）項から(17)項までに掲げる防火対象物に設けるものに限られ、すべての防火対象物ではない。

(1)　法第17条の2の5第1項及び政令第34条第1号の規定で、**適切**。
(2)　法第17条の2の5第1項及び政令第34条第7号の規定で、**適切**。
(3)　政令第34条第6号の規定で、**適切**。
(4)　政令第34条第5号の規定で、**適切**。
(5)　政令第34条第3号の規定で、**不適切**（防火対象物の用途に関係する。）。

ポイント

防火対象物の用途に関係なく、既に設置されている消防用設備等でも常に現行の技術基準が適用される消防用設備等の種類についての知識について問うものである。

【正解　(5)】

チェック □□□

問題17　次は、消防用設備等又は特殊消防用設備等の設置維持命令に関する記述であるが、誤っているものはどれか。

(1)　消防長等は、防火対象物に設置された消防用設備等が設備等技術基準に従って設置されていないと認めるときは、当該防火対象物の関係者で権原を有するものに対し、当該設備等技術基準に従ってこれを設置すべきことを命ずることができる。

(2)　設備等技術基準とは、消防法第17条第１項の政令若しくはこれに基づく命令若しくは同法第17条第２項の規定に基づく条例で定める技術上の基準のことであり、同法第17条の２の５第１項前段又は同法第17条の３第１項前段に規定する場合には、それぞれ同法第17条の２の５第１項後段又は同法第17条の３第１項後段の規定により適用されることとなる技術上の基準は、含まれない。

(3)　消防長等は、防火対象物に設置された特殊消防用設備等が設備等設置維持計画に従って維持されていないと認めるときは、当該防火対象物の関係者で権原を有するものに対し、当該設備等設置維持計画に従ってその維持のため必要な措置をなすべきことを命ずることができる。

(4)　設備等設置維持計画とは、防火対象物の関係者が総務省令に従って作成する特殊消防用設備等の設置及び維持に関する計画をいう。

(5)　消防長等は、消防法第17条の４第１項又は第２項に基づく命令をした場合においては、標識の設置その他総務省令で定める方法により、その旨を公示しなければならない。

要点・解説

設備等技術基準とは、法第17条第１項の政令若しくはこれに基づく命令若しくは同条第２項の規定に基づく条例で定める技術上の基準に加え、既存防火対象物に対する遡及又は用途変更の際に従前の例によることとされている技術上の基準も含まれている（法第17条の３の２）。

⑴　法第17条の４第１項の規定で、**正しい**。
⑵　法第17条の３の２の規定で、**誤り**。
⑶　法第17条の４第２項の規定で、**正しい**。
⑷　法第17条第３項の規定で、**正しい**。
⑸　法第17条の４第３項で準用する法第５条第３項の規定で、**正しい**。

ポイント

消防長又は消防署長が行う、消防用設備等又は特殊消防用設備等の設置又は維持に関する命令の内容、手続きやその場合の消防用設備等又は特殊消防用設備等に係る設備等技術基準及び設備等設置維持計画についての内容の知識を問うものである。

【正解　⑵】

チェック □□□

問題18　**次は、消防用設備等又は特殊消防用設備等の届出及び検査に関する記述であるが、誤っているものはどれか。**

⑴　任意で設置した消防用設備等又は特殊消防用設備等も、検査の対象となる。
⑵　検査を受けようとする防火対象物の関係者は、設置に係る工事が完了した日から４日以内に消防長等に届け出る。
⑶　消防長等は、消防用設備等又は特殊消防用設備等に係る設置の届出があったときは、遅滞なく、検査を行う。
⑷　設置した旨の届出には、消防用設備等に関する図書及び試験結果報告書、又は特殊消防用設備等に関する図書及び設備等設置維持計画並びに試験結果報告書を添付する。
⑸　消防長等は、検査の結果適合していると認めたときは、防火対象物の関係者に対して、検査済証を交付する。

要点・解説

消防用設備等又は特殊消防用設備等を防火対象物に設置したときは、当該防火対象物の関係者は、その旨を消防長又は消防署長に届け出て、検査を受けることとされている（法第17条の３の２）。

① 検査の対象とされているのは、法第17条第１項の政令若しくはこれに基づく命令若しくは同条第２項の規定に基づく条例で定める設備等技術基準又は設備等設置維持計画に従って設置しなければならない消防用設備等又は特殊消防用設備等である。

② ただし、検査の対象から除かれている設備等は、簡易消火用具及び非常警報器具となっている（政令第35条第２項）。

⑴ 法第17条の３の２、政令第35条第２項の規定で、**誤り**。

⑵ 規則第31条の３第１項の規定で、**正しい**。

⑶ 規則第31条の３第２項の規定で、**正しい**。

⑷ 規則第31条の３第１項の規定で、**正しい**。

⑸ 規則第31条の３第４項の規定で、**正しい**。

ポイント

消防用設備等又は特殊消防用設備等の設置の届出及び検査に関する知識を問うものである。消防設備規制の重要な手続のため、十分理解しておくことが必要である。

【正解 ⑴】

チェック □□□

問題19 **次は、消防用設備等又はこれらの部分である機械器具に係る設備等技術基準への認定に関する記述であるが、誤っているものはどれか。**

⑴ 設備等技術基準とは、消防法第17条第１項の政令若しくはこれに基づく命令、同条第２項の規定に基づく条例で定める技術上の基準及び同条第３項の規定に基づく設備等設置維持計画に係る技術上の基準をいう。

⑵ 消防庁長官の登録を受けた登録認定機関は、消防用設備等又はこれらの部分である機械器具について、設備等技術基準に適合していることの

認定を行うことができる。

(3)　登録認定機関は、消防用設備等又はこれらの部分である機械器具について認定を行い、設備等技術基準に適合している旨の表示を当該消防用設備等又はこれらの部分である機械器具に付することができる。

(4)　消防用設備等又はこれらの部分である機械器具に設備等技術基準に適合している旨の表示が付されている場合には、消防長等が行う消防用設備等に係る設置時の検査において、設備等技術基準に適合するものとみなすことができる。

(5)　消防庁長官の行う登録認定機関の登録は、消防用設備等又はこれらの部分である機械器具についての認定を行おうとする法人の申請により行う。

要点・解説

設備等技術基準とは、法第17条第１項の政令若しくはこれに基づく命令、同条第２項の規定に基づく条例で定める技術上の基準とされている（規則第31条の３第２項）。

(1)　規則第31条の３第２項の規定で、**誤り**。
(2)　規則第31条の４第１項の規定で、**正しい**。
(3)　規則第31条の４第２項の規定で、**正しい**。
(4)　規則第31条の３第３項の規定で、**正しい**。
(5)　規則第31条の５第１項の規定で、**正しい**。

ポイント

消防用設備等に係る消防検査に活用することのできる消防用設備等又はこれらの部分である機械器具に係る認定制度についての知識を問うものである。

【正解　(1)】

チェック □□□

問題20 次の消防用設備等のうち、消防法施行令第７条第２項に規定する消防の用に供する設備の消火設備でないものはどれか。

⑴　消火器
⑵　ハロゲン化物消火設備
⑶　スプリンクラー設備
⑷　連結散水設備
⑸　動力消防ポンプ設備

要点・解説

消防用設備等とは、消防法施行令で定める消防の用に供する設備、消防用水及び消火活動上必要な施設をいい、消防の用に供する設備には、消火設備、警報設備及び避難設備があるが、連結散水設備はこの消火設備ではなく、消火活動上必要な施設に該当する（政令第７条第６項）。

⑴　政令第７条第２項第１号の規定で、**消火設備である。**
⑵　政令第７条第２項第７号の規定で、**消火設備である。**
⑶　政令第７条第２項第３号の規定で、**消火設備である。**
⑷　政令第７条第６項の規定で、**消火設備でない。**
⑸　政令第７条第２項第10号の規定で、**消火設備である。**

ポイント

消防用設備等の体系、種類、設置目的等についての知識について問うものである。

【正解　⑷】

チェック □□□

問題21 次は、建築基準法令に関する記述であるが、誤っているものはどれか。

---

(1)　特殊建築物として、各種学校は含まれることとされている。
(2)　地階は、床が地盤面下にある階で、床面から地盤面までの高さがその階の天井の高さの3分の1以上のものをいう。
(3)　消火、排煙又は汚物処理の設備は、建築設備に含まれる。
(4)　建築とは、建築物を新築し、増築し、改築することをいい、移転することは含まない。
(5)　防火構造における建築物の外壁又は軒裏に関する「防火性能」とは、建築物の周囲において発生する通常の火災による延焼を抑制するために、当該外壁又は軒裏に必要とされる性能をいう。

要点・解説

(1)　建基法第2条第2号の規定で、**正しい**。
(2)　建基令第1条第2号の規定で、**正しい**。
(3)　建基法第2条第3号の規定で、**正しい**。
(4)　建基法第2条第13号の規定で、**誤り**。
(5)　建基法第2条第8号の規定で、**正しい**。

ポイント

建築基準法令に規定する「建築基準法令の用語」についての知識について問うものである。なお、建築とは、建基法第2条第13号の規定において、「建築物を新築し、増築し、改築し、又は移転することをいう。」と規定されている。

【正解　(4)】

チェック □□□

問題22 次は、建築基準法令の用語に関する記述であるが、誤っているものはどれか。

---

(1) 「防火性能」とは、建築物の周囲において発生する通常の火災による延焼を抑制するために、当該外壁又は軒裏に必要とされる性能をいう。
(2) 「居室」とは、居住、執務、作業、集会、娯楽その他これらに類する目的のために継続的に使用する室をいう。
(3) 「主要構造部」とは、壁、柱、床、はり、屋根又は階段をいう。
(4) 「耐火構造における耐火性能」とは、通常の火災が終了するまでの間、当該火災による建築物の倒壊及び延焼を防止するために当該建築物の部分に必要とされる性能をいう。
(5) 「地階」とは、床が地盤面下にある階で、床面から地盤面までの高さがその階の天井の高さの3分の2以上のものをいう。

要点・解説

「地階」とは、床が地盤面下にある階で、床面から地盤面までの高さがその階の天井の高さの3分の1以上のものをいう（建基令第1条第2号）。

(1) 建基法第2条第8号の規定で、**正しい**。
(2) 建基法第2条第4号の規定で、**正しい**。
(3) 建基法第2条第5号の規定で、**正しい**。
(4) 建基法第2条第7号の規定で、**正しい**。
(5) 建基令第1条第2号の規定で、**誤り**。

ポイント

建築基準法令に規定する用語についての知識について問うものである。

【正解 (5)】

チェック □□□

問題23　次は、建築基準法令についての記述であるが、誤っているものはどれか。

---

(1)　居室とは、居住、執務、作業、集会、娯楽その他これらに類する目的のために継続的に使用する室をいう。

(2)　住宅に附属する門及び塀は、「建築物」に該当しない。

(3)　不燃材料とは、建築材料のうち不燃性能（通常の火災時における火熱により燃焼しないことその他の建築基準法施行令で定める性能をいう。）に関して建築基準法施行令で定める技術的基準に適合するもので、国土交通大臣が定めたもの又は国土交通大臣の認定を受けたものをいう。

(4)　主要構造部には、はり、屋根又は階段は含まれるが、建築物の構造上重要でない間仕切壁、間柱等は除かれている。

(5)　地階とは、床が地盤面下にある階で、床面から地盤面までの高さがその階の天井の高さの３分の１以上のものをいう。

要点・解説

(1)　建基法第２条第４号の規定で、**正しい**。

(2)　建基法第２条第１号の規定で、**誤り**。

(3)　建基法第２条第９号の規定で、**正しい**。

(4)　建基法第２条第５号の規定で、**正しい**。

(5)　建基令第１条第２号の規定で、**正しい**。

ポイント

建築基準法令で規定する用語についての知識について問うものである。なお、住宅に附属する門及び塀は建築物に含まれると規定されている。

【正解　(2)】

チェック□□□

問題24 次のうち、建築基準法令に規定される用語として、誤っているものはどれか。

(1) 居室とは、居住、執務、作業、集会、娯楽その他これらに類する目的のために継続的に使用する室をいう。
(2) 主要構造部には、建築物の構造上重要でないひさし、屋外階段その他これらに類するものも含まれる。
(3) 建築設備には、避雷針も含まれる。
(4) 耐火構造とは、壁、柱、床その他の建築物の部分の構造のうち、耐火性能に関して建築基準法施行令で定める技術的基準に適合する鉄筋コンクリート造、れんが造その他の構造で、国土交通大臣が定めた構造方法を用いるもの又は国土交通大臣の認定を受けたものをいう。
(5) 建築とは、建築物を新築し、増築し、改築し、又は移転することをいう。

要点・解説

(1) 建基法第2条第4号の規定で、**正しい**。
(2) 建基法第2条第5号の規定で、**誤り**。
(3) 建基法第2条第3号の規定で、**正しい**。
(4) 建基法第2条第7号の規定で、**正しい**。
(5) 建基法第2条第13号の規定で、**正しい**。

ポイント

建築基準法令に規定する用語の意義についての知識について問うものである。なお、「主要構造部」は、壁、柱、床、はり、屋根又は階段をいい、建築物の構造上重要でない間仕切壁、間柱、付け柱、揚げ床、最下階の床、回り舞台の床、小ばり、ひさし、局部的な小階段、屋外階段その他これらに類する建築物の部分を除くものとされている（建基法第2条第5号）。

【正解　(2)】

チェック □□□

問題25 次のうち、同一敷地内に2以上の建築物が存する場合の「延焼のおそれのある部分」についての建築基準法令に係る規定の適用で、一の建築物とみなされる場合の規模として、正しいものはどれか。

---

(1)　階数が3以下で建築面積の合計が1,000m²以内の建築物
(2)　階数が2以下で延べ面積の合計が1,000m²以内の建築物
(3)　階数に関係なく建築面積の合計が750m²以内の建築物
(4)　階数に関係なく延べ面積の合計が500m²以内の建築物
(5)　面積に関係なく建築物の所有者が同一の場合に限る建築物

要点・解説

建基法第2条第6号で、「延べ面積の合計が500m²以内の建築物は、一の建築物」とみなして、延焼のおそれのある部分かどうかについて、規定を適用することとされている。

(1)　建基法第2条第6号の規定で、**誤り**。
(2)　建基法第2条第6号の規定で、**誤り**。
(3)　建基法第2条第6号の規定で、**誤り**。
(4)　建基法第2条第6号の規定で、**正しい**。
(5)　建基法第2条第6号の規定で、**誤り**。

ポイント

建築基準法令上、「延焼のおそれのある部分」に係る同一敷地内に2以上の建築物が存する一の建築物とみなされる場合の規模についての知識について問うものである。

【正解　(4)】

チェック □□□

問題26 次のうち、建築基準法令に規定する「延焼のおそれのある部分」において、建築物の２階以上の階にあっては、隣地境界線又は道路中心線から原則として何m以下とされているかについて、正しいものはどれか。

(1)　１m以下
(2)　２m以下
(3)　３m以下
(4)　５m以下
(5)　10m以下

要点・解説

(1)　建基法第２条第６号の規定で、**誤り**。
(2)　建基法第２条第６号の規定で、**誤り**。
(3)　建基法第２条第６号の規定で、**誤り**。
(4)　建基法第２条第６号の規定で、**正しい**。
(5)　建基法第２条第６号の規定で、**誤り**。

ポイント

建築基準法令における「延焼のおそれのある部分」の距離を測定する場合の起点及び対象物からとるべき距離についての知識について問うものである。なお、建基法第２条第６号の規定で、「１階にあっては３m以下、２階以上の階にあっては５m以下」とされている。ただし、防火上有効な公園、広場、川その他の空地又は水面、耐火構造の壁その他これらに類するものに面する部分若しくは建築物の外壁面と隣地境界線等との角度に応じて、当該建築物の周囲において発生する通常の火災時における火熱により燃焼するおそれのないものとして国土交通大臣が定める部分は除くこととされている。

【正解　(4)】

チェック□□□

問題27 次は、建築基準法令に定める建築物の主要構造部（建築物の構造上重要でないものを除く。）に該当する部分についての記述であるが、誤っているものはどれか。

---

(1)　壁
(2)　柱
(3)　屋根
(4)　基礎及び基礎杭
(5)　はり

要点・解説

(1)　建基法第2条第5号の規定で、**正しい**。
(2)　建基法第2条第5号の規定で、**正しい**。
(3)　建基法第2条第5号の規定で、**正しい**。
(4)　建基法第2条第5号の規定で、「基礎及び基礎杭」は、主要構造部に含まれていないので、**誤り**。
(5)　建基法第2条第5号の規定で、**正しい**。

ポイント

建築基準法令に規定する主要構造部の対象範囲とされている部分についての知識について問うものである。なお、建築物の構造上重要でない間仕切壁、間柱及び付け柱、揚げ床、最下階の床、回り舞台の床、小ばり、ひさし、局部的な小階段及び屋外階段その他これらに類する建築物の部分を除くと規定されている。

【正解　(4)】

チェック□□□

問題28 次は、建築基準法令に関する記述であるが誤っているものはどれか。

---

(1)　建築設備として、建築物に設ける電気及びガスの設備のほか消火の設

備も含まれる。

(2) 特殊建築物として、病院、各種学校、自動車車庫などが該当するほか、危険物を貯蔵する建築物も含まれる。

(3) 不燃材料の性能に関する基準の一つとして、通常の火災による火熱が加えられた場合に、「加熱開始後20分間避難上有害な煙又はガスを発生しないものであること」と規定されている。

(4) 主要構造部には、はり、屋根、階段等のほか、建築物の構造上重要でない間柱、間仕切壁なども含まれる。

(5) 建築物は、土地に定着する工作物のうち、屋根及び柱若しくは壁を有するものなどをいい、観覧のための工作物も建築物に該当する。

要点・解説

(1) 建基法第2条第3号の規定で、**正しい**。

(2) 建基法第2条第2号の規定で、**正しい**。

(3) 建基法第2条第9号及び建基令第108条の2の規定で、**正しい**。

(4) 建基法第2条第5号の規定で、**誤り**。

(5) 建基法第2条第1号の規定で、**正しい**。

ポイント

建築基準法令に定める用語の定義又は不燃性能に関する基準についての知識について問うものである。なお、主要構造部には建築物の構造上重要でない間仕切壁、間柱、付け柱などは除くとされている。　【正解　(4)】

チェック □□□

問題29 次は、建築基準法令に関する記述であるが、誤っているものはどれか。

(1) 防火構造における防火性能とは、建築物の周囲において発生する通常の火災による延焼を抑制するために、当該外壁又は軒裏に必要とされる性能をいう。

(2) 延焼のおそれのある部分として、防火上有効な公園、広場、川その他の空地又は水面、耐火構造の壁その他これらに類するものに面する部分は除くこととされている。

(3) 特殊建築物とは、学校（専修学校及び各種学校を含む。）、体育館、病院、劇場、観覧場、集会場、展示場、百貨店、市場、ダンスホール、遊技場、公衆浴場、旅館、共同住宅、工場、倉庫、自動車車庫その他これらに類する用途に供する建築物をいい、危険物を貯蔵する貯蔵場は除かれている。

(4) 建築設備とは、建築物に設ける電気、ガス、給水、排水、換気、暖房、冷房、消火、排煙若しくは汚物処理の設備又は煙突若しくは昇降機をいい、避雷針も含まれる。

(5) 準耐火構造における準耐火性能とは、通常の火災による延焼を抑制するために、当該建築物の部分に必要とされる性能をいう。

要点・解説

(1) 建基法第2条第8号の規定で、**正しい**。

(2) 建基法第2条第6号の規定で、**正しい**。

(3) 建基法第2条第2号の規定で、**誤り**。

(4) 建基法第2条第3号の規定で、**正しい**。

(5) 建基法第2条第7号の2の規定で、**正しい**。

ポイント

建築基準法令における用語についての規定は、建築基準法令の基本的な事項についての定義、範囲など重要な項目について規定されているだけに、この基本的な用語の意義についての知識について問うものである。なお、「特殊建築物」には危険物の貯蔵場も含まれる旨規定されている。 【正解 (3)】

チェック □□□

問題30 **次は、建築基準法第2条に規定する用語の定義であるが、誤っているものはどれか。**

(1) 建築物とは、土地に定着する工作物のうち、屋根及び柱若しくは壁を有するもの（これに類する構造のものを含む。）、これに附属する門若しくは塀、観覧のための工作物又は地下若しくは高架の工作物内に設ける事務所、店舗、興行場、倉庫その他これらに類する施設（鉄道及び軌道の線路敷地内の運転保安に関する施設並びに跨線橋、プラットホームの上家、貯蔵槽その他これらに類する施設を除く。）をいい、建築設備は含まないものとする。

(2)　建築設備とは、建築物に設ける電気、ガス、給水、排水、換気、暖房、冷房、消火、排煙若しくは汚物処理の設備又は煙突、昇降機若しくは避雷針をいう。

(3)　主要構造部とは、壁、柱、床、はり、屋根又は階段をいい、建築物の構造上重要でない間仕切壁、間柱、付け柱、揚げ床、最下階の床、回り舞台の床、小ばり、ひさし、局部的な小階段、屋外階段その他これらに類する建築物の部分を除くものとする。

(4)　居室とは、居住、執務、作業、集会、娯楽その他これらに類する目的のために継続的に使用する室をいう。

(5)　不燃材料とは、建築材料のうち、不燃性能（通常の火災時における火熱により燃焼しないことその他の建築基準法施行令で定める性能をいう。）に関して、建築基準法施行令で定める技術的基準に適合するもので、国土交通大臣が定めたもの又は国土交通大臣の認定を受けたものをいう。

要点・解説

建築物には、建築設備を含むものと規定されている（建基法第２条第１号）。

(1)　建基法第２条第１号の規定で、**誤り**。
(2)　建基法第２条第３号の規定で、**正しい**。
(3)　建基法第２条第５号の規定で、**正しい**。
(4)　建基法第２条第４号の規定で、**正しい**。
(5)　建基法第２条第９号の規定で、**正しい**。

ポイント

建築基準法令を運用解釈するうえで、設問の用語を含めて建基法第２条に定める用語の定義についての知識について問うものである。　【正解　(1)】

チェック □□□

問題31 **次のうち、消防法第３条第１項の規定による屋外において火災の予防に危険であると認める行為者又は火災の予防に危険であると認める物件若しくは消火、避難その他の消防の活動に支障になると認める物件の所有者、管理者若しくは占有者で権原を有する者に対する措置命令の要件として、規定していないものはどれか。**

---

(1) 多数の人の集まる祭礼の場所及びその周辺におけるたき火又は喫煙の制限
(2) 燃焼のおそれのある物件の除去
(3) 残火、取灰又は火粉の始末
(4) たき火を行う場合の消火準備
(5) 喫煙の禁止

要点・解説

選択肢(1)は、法第23条に規定する内容である。法第３条第１項の規定は、火災の予防上の措置命令であるのに対し、法第23条の規定は、火災の警戒上特に必要がある場合の措置命令である。どちらも火災発生を事前に防ぐ行為であるが、「予防」は抽象的、一般的な火災危険に対する通常の行為であるのに対し、「警戒」は具体的、特別的な火災危険に対する非常な行為である。

(1) 法第３条第１項では、**規定していない**。
(2) 法第３条第１項第３号の規定で、**規定している**。
(3) 法第３条第１項第２号の規定で、**規定している**。
(4) 法第３条第１項第１号の規定で、**規定している**。
(5) 法第３条第１項第１号の規定で、**規定している**。

ポイント

法第３条第１項に規定される屋外における火災の予防のための措置命令事項についての知識について問うものである。設問はその一部であるので全体を把握する必要がある。

【正解 (1)】

チェック □□□

問題32 次のうち、消防長（消防本部を置かない市町村においては、市町村長）、消防署長その他の消防吏員が屋外における火災の予防又は消防活動の障害除去のための措置命令を行うことができる場合の対象となる者として、適切でないものはどれか。

(1)　屋外において火災の予防に危険であると認める行為者
(2)　屋外において火災の予防に危険であると認める物件の所有者等
(3)　屋外において消火、避難その他の消防の活動に支障になると認める物件の所有者等
(4)　屋外において放置され又はみだりに存置された物件の所有者等
(5)　敷地内の屋外において消火、避難その他の消防の活動に支障になると認める物件の所有者等

要点・解説

単に、「屋外において放置され又はみだりに存置された物件」には、整理又は除去等の措置命令等を発することはできない。火災の予防に危険であると認める場合又は消火、避難その他の消防の活動に支障になると認める場合には措置命令等を発することができる。

また、法第３条の規定は、屋外における火災の予防又は消防活動の障害除去のための措置命令等について規定されており、この場合の「屋外」とは建築物の外部のことであり、敷地の内外を問わない（法第３条第１項）。

(1)　法第３条第１項の規定で、**適切である。**
(2)　法第３条第１項の規定で、**適切である。**
(3)　法第３条第１項の規定で、**適切である。**
(4)　法第３条第１項の規定で、**適切でない。**
(5)　法第３条第１項の規定で、**適切である。**

ポイント

屋外の火災予防及び消防の活動に支障となると認められる場合の措置命令についての知識について問うものである。

【正解　(4)】

チェック □□□

問題33　次のうち、消防法第3条に規定する屋外における火災の予防又は消防活動の障害除去のための措置命令を発することができる者として、正しいものはどれか。

(1)　消防長（消防本部を置かない市町村においては、市町村長）、消防署長及びその他の消防吏員である。
(2)　消防長（消防本部を置かない市町村においては、市町村長）、消防署長及びその他の消防職員である。
(3)　消防長（消防本部を置かない市町村においては、市町村長）及び消防署長のみである。
(4)　消防職員であって管理職以上の職にある者である。
(5)　消防吏員であって管理職以上の職にある者である。

要点・解説

消防吏員以外の消防職員には、措置命令権はない。

(1)　法第3条第1項の規定で、**正しい**。
(2)　法第3条第1項の規定で、**誤り**。
(3)　法第3条第1項の規定で、**誤り**。
(4)　法第3条第1項の規定で、**誤り**。
(5)　法第3条第1項の規定で、**誤り**。

ポイント

法第３条に規定する屋外における火災の予防又は消防活動の障害除去のための措置命令を発することができる者についての知識について問うものである。

【正解　(1)】

チェック □□□

問題34　次の①～⑤のうち、消防法第５条第１項の規定により、消防長又は消防署長が防火対象物の位置、構造、設備又は管理の状況について「火災の予防に危険であると認める場合」等の理由により、権原を有する関係者に対し、当該防火対象物の改修、移転、除去、工事の停止又は中止その他の必要な措置をなすべきことを命じた後、行政代執行法の定めるところに従い、当該消防職員又は第三者にその措置をとらせることができる要件に該当するものはいくつあるか。選択肢(1)～(5)の中から正しいものを選べ。

①　命じられた措置の履行の意思が不明な場合
②　命じられた措置の履行計画が提出されない場合
③　命じられた措置を履行しない場合
④　命じられた措置の履行が十分でない場合
⑤　命じられた措置の履行に期限が付されていて、当該期限までに完了する見込みがない場合

---

(1)　１つ
(2)　２つ
(3)　３つ
(4)　４つ
(5)　５つ

要点・解説

①　法第３条第４項（法第５条第２項の規定による準用）の規定で、**該当しない**。
②　法第３条第４項（法第５条第２項の規定による準用）の規定で、**該当しない**。

③ 法第3条第4項（法第5条第2項の規定による準用）の規定で、**該当する。**
④ 法第3条第4項（法第5条第2項の規定による準用）の規定で、**該当する。**
⑤ 法第3条第4項（法第5条第2項の規定による準用）の規定で、**該当する。**

したがって、設問③、④、⑤の3つの場合が該当するので、選択肢(3)が正解となる。

ポイント

措置命令に対する代執行の要件についての知識について問うものである。

【正解 (3)】

チェック □□□

問題35 **消防法第4条には立入検査及び質問によって知り得た関係者の秘密を、職員はみだりに口外しないように留意しなければならないと規定されているが、誤っているものはどれか。**

(1) 立入検査結果通知書に関して、管内住民から情報公開請求があり市町村の情報公開条例に基づき、妥当性があるとして公開する場合は、みだりに他へ漏らすことにはならない。
(2) 捜査機関に対して、消防法令違反がある旨の告発をする場合は、みだりに他へ漏らすことにはならない。
(3) 立入検査によって知り得た防火対象物に関する各種情報を、職務上の報告事項として上司に報告する場合は、みだりに他へ漏らすことにはならない。
(4) 職員は、職務上知り得た秘密を、その職を退いた後（退職した場合を含む。）、法令による証人、鑑定人等となり、任命権者の許可を受け職務上の秘密に属する事項を発表する場合は、みだりに他へ漏らすことにはならない。
(5) 弁護士会、捜査機関等から立入検査結果通知書について照会があった場合には、照会事項すべてについて報告することは、みだりに他へ漏らすことにはならない。

要点・解説

弁護士会、捜査機関等から立入検査の結果について、法律の規定（弁護士法第23条の２、刑事訴訟法第197条第２項などが該当する。）に基づく照会には、消防機関として一般的には照会内容に対して報告する必要があるが、通知書の内容がプライバシーに関係するものや、職務遂行上の支障が生ずることが予想される場合にはこの限りではないとされている。

したがって、これらの照会を受けた場合には、照会内容をよく確認し、事実調査を行うとともに、回答内容については客観的事実のみを報告することが大切である。

⑴　平成15年11月27日東京高等裁判所判決では、立入検査結果通知書の公開を命じる判決が確定している例があり、**正しい**。
⑵　立入検査標準マニュアル（平成14年８月30日付け消防安第39号）により、**正しい**。
⑶　立入検査標準マニュアルにより、**正しい**。
⑷　地方公務員法第34条の規定で、**正しい**。
⑸　立入検査標準マニュアルにより、**誤り**。

ポイント

消防職員は、職務上知り得た情報をみだりに他へ漏らしてはならないが、「みだりに」の判断に当たっての留意事項についての知識について問うものである。

【正解　⑸】

チェック □□□

問題36　**次は、消防法第４条に規定する立入検査に関する内容等について記述したものであるが、誤っているものはどれか。**

⑴　立入検査を行うのは、消防長又は消防署長から下命された消防職員であるが、下命形式は個別的、具体的に行われる必要はなく、包括的事前命令で足りるとされている。
⑵　立入検査において、関係者が立入検査を拒否した場合には、消防法上

の罰則の規定があるが、関係のある者が消防職員の立入検査を暴行又は脅迫をもって拒否したような場合には、刑法の公務執行妨害罪と消防法違反との法条競合となるが、原則として公務執行妨害罪が優先されることになる。

(3)　立入検査において関係者の立会いを求めるのは、立入検査及び質問を円滑に行うためであり、関係者、統括防火管理者、防火管理者、危険物保安監督者、危険物取扱者、危険物施設保安員等の責任ある者である。

(4)　立入検査は、消防対象物等における各種法令の履行状況を確認するために実施するものであり、消防法上の義務として行うものである。

(5)　立入検査は、火災予防のために必要があるときに実施されるが、火災予防とは具体的な火災危険が存在することを要せず、抽象的火災危険の存在で足りるとされている。立入検査ができるところは、消防対象物が存在するすべての場所である。

要点・解説

立入検査は、消防対象物等における法令上の履行状況を確認するために行うものであり、消防法上の義務として行うものではないが、立入検査の目的等から立入検査を実施し、火災危険の排除に努めなければならないものである。

よって、立入検査権の行使は消防機関に課せられた行政上の責任であるといった認識を持って対処しなければならない。

(1)　設問のとおりで、**正しい**。
(2)　設問のとおりで、**正しい**。
(3)　設問のとおりで、**正しい**。
(4)　要点・解説のとおりで、**誤り**。
(5)　設問のとおりで、**正しい**。

ポイント

法第4条の概要、趣旨等についての知識について問うものである。

【正解　(4)】

チェック

問題37 **次は、消防法第4条第1項の立入検査等に関する規定であるが、正しい語句の組み合わせはどれか。**

「消防長又は消防署長は、火災予防のために必要があるときは、（　①　）に対して資料の提出を命じ、若しくは報告を求め、又は当該消防職員（消防本部を置かない市町村においては、当該市町村の消防事務に従事する職員又は（　②　）。第5条の3第2項を除き、以下同じ。）にあらゆる仕事場、工場若しくは公衆の出入する場所その他の（　③　）に立ち入つて、消防対象物の位置、構造、設備及び管理の状況を検査させ、若しくは（　④　）に質問させることができる。ただし、個人の住居は、関係者の承諾を得た場合又は火災発生のおそれが著しく大であるため、特に（　⑤　）でなければ、立ち入らせてはならない。」

(1)　①権原者　②消防団員　③防火対象物　④関係のある者　⑤必要があると認めた場合

(2)　①関係者　②常勤の消防団員　③関係のある場所　④関係のある者　⑤緊急の必要がある場合

(3)　①権原者　②常勤の消防団員　③防火対象物　④関係者　⑤緊急の必要がある場合

(4)　①関係者　②消防団員　③関係のある場所　④関係者　⑤必要があると認めた場合

(5)　①権原者　②常勤の消防団員　③防火対象物　④関係のある者　⑤必要があると認めた場合

要点・解説

(1)　法第4条第1項の規定で、**誤り**。

(2)　法第4条第1項の規定で、**正しい**。

(3)　法第4条第1項の規定で、**誤り**。

(4)　法第4条第1項の規定で、**誤り**。

(5)　法第4条第1項の規定で、**誤り**。

（参考）　法第４条第１項

消防長又は消防署長は、火災予防のために必要があるときは、関係者に対して資料の提出を命じ、若しくは報告を求め、又は当該消防職員（消防本部を置かない市町村においては、当該市町村の消防事務に従事する職員又は常勤の消防団員。第５条の３第２項を除き、以下同じ。）にあらゆる仕事場、工場若しくは公衆の出入する場所その他の関係のある場所に立ち入つて、消防対象物の位置、構造、設備及び管理の状況を検査させ、若しくは関係のある者に質問させることができる。ただし、個人の住居は、関係者の承諾を得た場合又は火災発生のおそれが著しく大であるため、特に緊急の必要がある場合でなければ、立ち入らせてはならない。

ポイント

立入検査の主体、客体、立ち入る場所、検査や質問権、個人の住居の例外規定等の基本的な知識について問うものである。　【正解　(2)】

チェック□□□

問題38　**消防機関が消防法に基づき防火対象物等について命令を行った場合、公示を必要としないものは次のうちどれか。**

(1)　消防法第４条第１項に規定する関係者に対する資料提出命令
(2)　消防法第５条第１項に規定する防火対象物に対する火災予防措置命令
(3)　消防法第５条の３第１項に規定する防火対象物に対する消防吏員による火災予防措置命令
(4)　消防法第８条第３項に規定する防火管理者選任命令
(5)　消防法第17条の４第１項に規定する消防用設備等の設置維持命令

要点・解説

選択肢(2)、(3)、(4)及び(5)は、それぞれの条文に公示しなければならないと規定されている。

(1)　法第４条第１項の資料提出命令は、消防長又は消防署長が火災の予防上、必要があると認めるときに、関係者に対して必要とする資料又は情報の提供を求めるもので、**公示を必要としない**。

(2) 法第５条第３項の規定で、**公示を必要とする**。

(3) 法第５条の３第５項の規定で、**公示を必要とする**。

(4) 法第８条第５項の規定で、**公示を必要とする**。

(5) 法第17条の４第３項の規定で、**公示を必要とする**。

ポイント

公示を必要とする命令についての知識について問うものである。

【正解　(1)】

チェック □□□

問題39　次は、消防法第４条に関する事項について述べたものであるが、誤っているものはどれか。

(1) 資料提出命令及び報告徴収を命ずる者は、消防長（消防本部を置かない市町村にあっては、市町村長）又は消防署長である。

(2) 立入検査において、相手方から答弁を拒否された場合は、これを強制できないが、質問事項が火災予防上重要な事項で答弁を得なければ行政目的が達成できないようなときは、質問しようとした事項を報告徴収権により報告させることができる。

(3) 資料の提出若しくは報告を求められて、資料の提出をせず、虚偽の資料を提出し、報告をせず、若しくは虚偽の報告をした者は、罰金又は拘留に処せられることがある。

(4) 質問権を有する者は、消防長又は消防署長及び消防長等から質問権の行使について下命された消防職員である。

(5) 報告徴収は、火災予防の見地から関係者において所有、管理、占有する資料を提出させるものであるから、用済後は速やかに返還しなければならないものである。

要点・解説

法第４条第１項等の報告徴収は、命令権限者から求められた一定の事項を命令権限者に提供するものである。提出された報告文書の所有権は、命令権限者の属する公共団体に帰属するから、当該報告文書は関係者に返還する必要はないとされている。

(1)　法第４条第１項の規定で、**正しい**。
(2)　設問のとおりで、**正しい**。
(3)　法第44条第２号の規定で、**正しい**。
(4)　法第４条第１項の規定で、**正しい**。
(5)　要点・解説のとおりで、**誤り**。

ポイント

報告徴収は、資料提出命令と同様に命令権限者において火災予防上必要と認めるときに求めるものであり、これらの知識について問うものである。

【正解　(5)】

チェック □□□

問題40　**次は、消防法第４条の規定に基づく消防職員の立入検査に関する記述であるが、誤っているものはどれか。**

(1)　消防職員の立入検査は、消防長又は消防署長が行わせるものである。
(2)　消防職員は、関係のある場所に立ち入る場合においては、市町村長の定める証票を携帯し、関係のある者の請求があるときは、これを示さなければならない。
(3)　消防職員は、関係のある場所に立ち入る場合においては、関係者の業務をみだりに妨害してはならない。
(4)　消防職員は、火災予防のために必要があるときは、個人の住居であっても関係者の承諾を得ることなく随時立ち入ることができる。
(5)　消防職員は、関係のある場所に立ち入って検査又は質問を行った場合に知り得た関係者の秘密をみだりに他に漏らしてはならない。

要点・解説

個人の住居（共同住宅の居室を含む。）にあっては、「火災予防のために必要」があっても、原則として立ち入ることはできない。ただし、関係者の承諾を得た場合、又は火災発生のおそれが著しく大であるため、特に緊急の必要がある場合には立ち入ることができる。

(1)　法第4条第1項の規定で、**正しい**。
(2)　法第4条第2項の規定で、**正しい**。
(3)　法第4条第3項の規定で、**正しい**。
(4)　法第4条第1項の規定で、**誤り**。
(5)　法第4条第4項の規定で、**正しい**。

ポイント

法第4条の規定に基づき、消防職員が立入検査を行うときの要件及び遵守すべき事項についての知識について問うものである。　【正解　(4)】

チェック□□□

問題41　**次は、消防法第4条に定める資料提出命令、報告の徴収及び消防職員の立入検査に関する記述であるが、誤っているものはどれか。**

(1)　消防長又は消防署長は、火災予防のために必要があるときは、関係者に対して資料の提出を命じ、若しくは報告を求めることができる。
(2)　消防長又は消防署長は、火災予防のために必要があるときは、当該消防職員にあらゆる仕事場、工場若しくは公衆の出入する場所その他の関係のある場所に立ち入って、消防対象物の位置、構造、設備及び管理の状況を検査させ、若しくは関係のある者に質問させることができる。
(3)　消防職員は、営業時間又は公開時間以外の時間帯に関係のある場所に立ち入る場合においては、48時間以前に事前通告しなければならない。
(4)　消防職員は、関係のある場所に立ち入る場合においては、関係者の業務をみだりに妨害してはならない。また、関係のある場所に立ち入って検査又は質問を行った場合に知り得た関係者の秘密をみだりに他に漏らしてはならない。

(5)　消防職員が関係のある場所に立ち入る場合においては、市町村長の定める証票を携帯し、関係のある者の請求があるときは、これを示さなければならない。

要点・解説

以前は、事前通告の規定が定められていたが、平成14年の法改正により事前通告の規定が廃止された。したがって、相手方への事前通告の有無にかかわらず、立入検査は実施できる。

(1)　法第４条第１項の規定で、**正しい**。
(2)　法第４条第１項の規定で、**正しい**。
(3)　要点・解説のとおりで、**誤り**。
(4)　法第４条第３項及び第４項の規定で、**正しい**。
(5)　法第４条第２項の規定で、**正しい**。

ポイント

平成14年に法第４条の規定がどのように改正されたか。また、現法第４条の時間的制限、通告、守秘義務、証票等の規定はどのように定められているかについての知識について問うものである。　【正解　(3)】

チェック □□□

問題42　次は、消防法第４条に規定する立入検査に当たって、関係のある者から立入検査等を拒否された場合の記述であるが、妥当でないものはどれか。

(1)　証票の不提示を関係ある者から指摘を受け、それを理由に立入検査を拒否された場合は正当な理由があるものとされている。
(2)　一般的には個人の住居に対する立入検査は、関係者の承諾が得られない場合に、その理由が不当なものであるとされるようなものであっても、罰則の適用はできないとされている。

(3) 宗教施設等で関係する者が、男子禁制の場所であることを理由に立入検査を拒否した場合には、正当な理由があるものとされている。
(4) 一般的に外国人である者が、外国人には、日本国の行政権が及ばないとして、立入検査を拒否した場合には、正当な理由がないものとされている。
(5) 関係ある者の一方的な事情によるものであっても、それが社会的通念上妥当性を有すると認められる場合には、正当な理由があるものとされている。

要点・解説

宗教施設等に関係のある者が、宗教上の理由から立入検査を拒否した場合には、行政権の行使を排除する根拠とはならないとされている。

また、正当な理由がなく立入検査を拒否された場合には、立入検査の必要性を説明し、火災危険等排除を目的とした立入検査の趣旨を説明するとともに、法第44条第2号の罰則の規定があることを説明するものとする。

それでも協力が得られない場合には、立入検査を拒否する理由等を確認し、帰署後、上司に報告し必要な措置を講ずるものとする。

(1) 法第4条第2項の規定で、**妥当である。**
(2) 法第4条第1項の規定で、**妥当である。**
(3) 要点・解説のとおりで、**妥当でない。**
(4) 一般的には、属地主義から日本国内においては、国内法が適用されるので、**妥当である。**
(5) 設問のとおりで、**妥当である。**

※ (5)については、立入検査標準マニュアルを参照。

ポイント

立入検査を拒否された場合には、これを強制することはできないものである。また、質問に答えないことについては、その理由の如何を問わず罰則が設けられていないことについての知識について問うものである。【正解 (3)】

チェック□□□

問題43 **次は、消防法第４条に規定されている立入検査に関する記述であるが、適当でないものはどれか。**

---

(1)　立入検査は、消防法に基づき消防長又は消防署長の指示により当該消防職員に行わせるものである。
(2)　立入検査に当たって消防職員は、市町村長の定める証票を携帯し、関係のある者から請求があるときには、これを示さなければならない。
(3)　立入検査は、消防対象物における消防法令違反等の履行状況を確認するために行うもので、消防法上の義務として行わなければならないものである。
(4)　立入検査の対象は、あらゆる仕事場、工場又は公衆の出入する場所その他の関係のある場所であり、個人の住居も対象となるものである。
(5)　立入検査は、火災の予防上必要があるときに行うものであるが、一般的には、火災予防上必要なときとは、具体的な火災危険が存在することを要せず、抽象的火災危険の存在で足りるとされている。

要点・解説

法第４条の立入検査に関する規定は、立入検査権の所在を明示したものであり、立入検査権の行使を直接義務付けたものではないとされているが、消防の立入検査は、立入検査権や質問権等を行使して、消防対象物の関係者に火災発生危険及びこれに伴う人命危険を予防させることを目的としており、これらの重要性から適正に立入検査権を行使し、火災危険の排除に努めることは消防機関に課せられた責任であるといった認識が必要である。

(1)　法第４条第１項の規定で、**適当である。**
(2)　法第４条第２項の規定で、**適当である。**
(3)　要点・解説のとおりで、**適当でない。**
(4)　法第４条第１項の規定で、**適当である。**
(5)　設問のとおりで、**適当である。**

ポイント

法第４条の概要についての問題であるが、立入検査の対象となる場所は、消防対象物がある場所すべてに及ぶものであり、これらの知識について問うものである。

【正解　(3)】

チェック □□□

問題44　次は、消防法第４条に規定されている事項に関する記述であるが、正しいものはどれか。

(1)　消防職員が関係のある場所へ立入検査を行うとき、関係のある者から請求があった場合には、消防長又は消防署長が定める証票を提示しなければならない。

(2)　資料の提出、報告を求められても資料の提出をせず、虚偽の資料を提出し、報告をせず、若しくは虚偽の報告等をした者には、消防法の規定に基づく罰則の適用がある。

(3)　資料提出命令によって提出された資料は、用済み後、関係者に返還する必要はない。

(4)　資料提出命令、報告徴収を命ずることができる者は、消防長又は消防署長以外の消防吏員である。

(5)　報告徴収の場合には、文書により報告を求める事項について明示し、提出された文書は用済み後、必ず関係者に返還しなければならない。

要点・解説

法第44条第２号に、資料の提出若しくは報告を求められて、資料の提出をせず、虚偽の資料を提出し、報告をせず、若しくは虚偽の報告をし、又はこれらの規定による立入り、検査若しくは収去を拒み、妨げ、若しくは忌避した者は、30万円以下の罰金又は拘留に処することが規定されている。

(1)　法第４条第２項の規定で、市町村長の定める証票であり、**誤り**。

(2)　法第44条第２号の規定で、**正しい**。

(3)　資料提出命令によって提出された資料は、一般的には返還するものであるから、**誤り**。

(4)　法第４条第１項の規定で、資料提出命令権、報告徴収権を有するのは、消防長又は消防署長（読み替え規定あり）であり、**誤り**。

(5)　報告徴収で求めた資料は、関係者に返還をする必要がないので、**誤り**。

※　(3)、(5)については、立入検査標準マニュアルを参照。

ポイント

消防長又は消防署長が発する資料提出命令、報告徴収に関する事項についての知識について問うものである。

【正解　(2)】

チェック □□□

問題45　次のうち、消防法第４条及び消防法第４条の２に規定する事項の記述として、誤っているものはどれか。

(1)　消防長又は消防署長は、火災予防のために必要があるときは、関係者に対して資料の提出を命じ、若しくは報告を求めることができる。

(2)　消防長又は消防署長は、火災予防のために必要があるときは、当該消防職員にあらゆる仕事場、工場若しくは公衆の出入する場所その他の関係のある場所に立ち入って、消防対象物の位置、構造、設備及び管理の状況を検査させ、若しくは関係のある者に質問させることができる。ただし、個人の住居は、関係者の承諾を得た場合又は火災発生のおそれが著しく大であるため、特に緊急の必要がある場合でなければ、立ち入らせてはならない。

(3)　消防長又は消防署長は、火災予防のため特に必要があるときは、消防対象物及び期日又は期間を指定して、当該管轄区域内の消防団員に消防対象物の位置、構造、設備及び管理の状況を検査させ、若しくは関係のある者に質問させることができる。ただし、個人の住居は、関係者の承諾を得た場合又は火災発生のおそれが著しく大であるため、特に緊急の必要がある場合でなければ、立ち入らせてはならない。

(4)　消防長又は消防署長の指示により、消防職員及び消防団員が関係のある場所に立ち入る場合は、市町村長の定める証票を関係のある者に必ず提示しなければならない。

(5)　消防長又は消防署長の指示により、消防職員及び消防団員が関係のある場所に立ち入って検査又は質問を行った場合に知り得た関係者の秘密をみだりに他に漏らしてはならない。また、関係者の業務をみだりに妨害してはならない。

要点・解説

証票の提示は、関係のある者の請求がある場合に行えば足りるものであるが、関係のある場所への立入りに当たっては、市町村長の定める証票を必ず携帯する必要がある。

(1)　法第4条第1項の規定で、**正しい**。
(2)　法第4条第1項の規定で、**正しい**。
(3)　法第4条の2の規定で、**正しい**。
(4)　法第4条第2項及び法第4条の2第2項の規定で、**誤り**。
(5)　法第4条第3項及び第4項並びに法第4条の2第2項の規定で、**正しい**。

ポイント

立入検査の命令権者、執行内容、執行者の遵守事項等についての知識について問うものである。

【正解　(4)】

チェック □□□

問題46 次は、消防法第５条第１項の規定により消防長又は消防署長が防火対象物の位置、構造、設備又は管理の状況について、権原を有する関係者に対し当該防火対象物の改修、移転、除去、工事の停止又は中止その他の必要な措置をなすべきことを命ずることができる場合（ただし、建築物その他の工作物で、それが他の法令により建築、増築、改築又は移築の許可又は認可を受け、その後事情の変更のない場合を除く。）の記述であるが、誤っているものはどれか。

(1)　火災の予防に危険であると認める場合
(2)　消火、避難その他の消防の活動に支障になると認める場合
(3)　火災が発生したならば人命に危険であると認める場合
(4)　火災の予防上必要があると認める場合
(5)　地震による損壊のおそれがあると認める場合

要点・解説

地震による損壊のおそれのみでは、法第５条第１項の命令対象とはならない。

(1)　法第５条第１項の規定で、**正しい**。
(2)　法第５条第１項の規定で、**正しい**。
(3)　法第５条第１項の規定で、**正しい**。
(4)　法第５条第１項の規定で、**正しい**。
(5)　法第５条第１項の規定で、**誤り**（地震による損壊のみを想定）。

ポイント

消防長又は消防署長が防火対象物の位置、構造、設備又は管理の状況について、権原を有する関係者に対し当該防火対象物の改修、移転、除去、工事の停止又は中止その他の必要な措置をなすべきことを命ずることができる要件についての知識について問うものである。

【正解　(5)】

チェック □□□

問題47 次は、消防長又は消防署長が、防火対象物に対して行うことのできる火災予防措置命令に関する記述であるが、誤っているものはどれか。

(1) 火災予防の対象は、防火対象物の位置、構造、設備又は管理の状況である。
(2) 措置命令の対象となる場合には、火災が発生したならば人命に危険であると認める場合その他火災の予防上必要があると認める場合が含まれる。
(3) 措置命令の対象となる場合には、火災の予防に危険であると認める場合及び消火、避難その他の消防の活動に支障になると認める場合が含まれる。
(4) 措置命令の対象者は、当該防火対象物について権原を有する関係者（所有者、管理者又は占有者）に限定されている。
(5) 措置命令の内容は、当該防火対象物の改修、移転、除去、工事の停止又は中止その他の必要な措置とされている。

要点・解説

消防長又は消防署長は、防火対象物の位置、構造、設備又は管理の状況について、火災の予防に危険であると認める次の場合には、権原を有する関係者（特に緊急の必要があると認める場合においては、関係者及び工事の請負人又は現場管理者）に対し、当該防火対象物の改修、移転、除去、工事の停止又は中止その他の必要な措置をなすべきことを命ずることができる。

① 火災の予防に危険であると認める場合
② 消火、避難その他の消防の活動に支障になると認める場合
③ 火災が発生したならば人命に危険であると認める場合
④ その他火災の予防上必要があると認める場合

ただし、建築物その他の工作物で、それが他の法令により建築、増築、改築又は移築の許可又は認可を受け、その後事情の変更していないものについては、この限りでない。

(1) 法第５条第１項の規定で、**正しい**。

(2)　法第5条第1項の規定で、**正しい**。
(3)　法第5条第1項の規定で、**正しい**。
(4)　法第5条第1項により、当該防火対象物の権原を有する関係者のほかに、特に緊急の必要があると認める場合においては、関係者及び工事の請負人又は現場管理者に対しても行うことができるので、**誤り**。
(5)　法第5条第1項の規定で、**正しい**。

ポイント

防火対象物に対する火災予防上の措置命令に関する知識を問うものである。対象となる範囲、対象となる場合、命令の対象者等について、明確に覚えておく必要がある。

【正解　(4)】

チェック □□□

問題48　**次のうち、消防法第5条の2の規定により、消防長又は消防署長が防火対象物の位置、構造、設備又は管理の状況から、権原を有する関係者に対し当該防火対象物の使用の禁止、停止又は制限を命ずることができる要件の1つである「措置命令等が履行されない場合」の措置命令等の概要として、誤っているものはどれか。**

---

(1)　消防法第4条第1項の規定による火災予防のための資料提出命令
(2)　消防法第5条第1項の規定による防火対象物の火災予防措置命令及び同法第5条の3第1項の規定による消防吏員による防火対象物における火災の予防又は消防活動の障害除去のための措置命令
(3)　消防法第8条第3項の規定による防火管理者選任命令及び同法第8条第4項の規定による防火管理業務適正執行命令
(4)　消防法第8条の2第5項の規定による統括防火管理者選任命令及び同法第8条の2の5第3項の規定による自衛消防組織設置命令
(5)　消防法第17条の4第1項の規定による消防用設備等の設置維持命令及び同法第17条の4第2項の規定による特殊消防用設備等の設置維持命令

要点・解説

法第４条第１項による資料提出命令を履行しなかった場合には、罰金又は拘留の罰則があるが、これのみをもって、防火対象物の使用の禁止、停止又は制限を命ずることはできない。

(1)　法第５条の２の規定で、**誤り**。
(2)　法第５条の２第１項第１号の規定で、**正しい**。
(3)　法第５条の２第１項第１号の規定で、**正しい**。
(4)　法第５条の２第１項第１号の規定で、**正しい**。
(5)　法第５条の２第１項第１号の規定で、**正しい**。

ポイント

消防長又は消防署長が防火対象物の使用の禁止、停止又は制限を命ずることができる要件についての知識について問うものである。　【正解　(1)】

チェック □□□

問題49　**次のうち、消防法第５条の３第１項の規定に係る記述の（　）内に入る語句として、正しいものの組み合わせはどれか。**

「消防長、消防署長その他の（　①　）は、防火対象物において（　②　）に危険であると認める行為者又は（　②　）に危険であると認める（　③　）若しくは消火、避難その他の（　④　）に支障になると認める（　③　）の所有者、管理者若しくは占有者で（　⑤　）を有する者（特に緊急の必要があると認める場合においては、当該物件の所有者、管理者若しくは占有者又は当該防火対象物の関係者。次項において同じ。）に対して、第３条第１項各号に掲げる必要な措置をとるべきことを命ずることができる。」

(1)　①消防職員　②火災の予防　③行為　④消防隊の活動　⑤権原
(2)　①消防吏員　②災害の予防　③物件　④予防活動　⑤権原
(3)　①消防職員　②火災の予防　③行為　④消防の活動　⑤権原
(4)　①消防吏員　②火災の予防　③物件　④消防の活動　⑤権原

(5)　①消防職員　②災害の予防　③設備　④消防隊の活動　⑤権限

要点・解説

(1)　法第５条の３第１項の規定で、**誤り**。
(2)　法第５条の３第１項の規定で、**誤り**。
(3)　法第５条の３第１項の規定で、**誤り**。
(4)　法第５条の３第１項の規定で、**正しい**。
(5)　法第５条の３第１項の規定で、**誤り**。

（参考）法第５条の３第１項

消防長、消防署長その他の消防吏員は、防火対象物において火災の予防に危険であると認める行為者又は火災の予防に危険であると認める物件若しくは消火、避難その他の消防の活動に支障になると認める物件の所有者、管理者若しくは占有者で権原を有する者（特に緊急の必要があると認める場合においては、当該物件の所有者、管理者若しくは占有者又は当該防火対象物の関係者。次項において同じ。）に対して、第３条第１項各号に掲げる必要な措置をとるべきことを命ずることができる。

ポイント

平成14年の法改正により追加された法第５条の３の規定（消防吏員に付与された措置命令権）は、どのような場合に、誰に対して、どのような命令ができるのかについての知識について問うものである。　【正解　(4)】

チェック □□□

問題50　大型ショッピングセンターの代表取締役社長Ａは、Ｙ消防本部のＺ消防署長から「火災が発生したならば人命に危険である」として、施設の一部の使用停止を命じられた。Ａがこの命令に不服があるとして、最上級行政庁であるＹ市市長に審査請求をすることができる期間について、正しいものは次のうちどれか。

(1)　命令を受けた日の翌日から起算して１週間以内でなければならない。

(2)　命令を受けた日の翌日から起算して30日以内でなければならない。
(3)　命令を受けた日の翌日から起算して60日以内でなければならない。
(4)　命令を受けた日の翌月から起算して６月以内でなければならない。
(5)　命令を受けた日の翌月から起算して12月以内でなければならない。

要点・解説

行政不服審査法においては、不服申立ての種類として「審査請求」「再調査請求」「再審査請求」の３つがあり、その申立期間について、審査請求及び再調査請求にあっては、処分があったことを知った日の翌日から起算して３月以内、再審査請求にあっては、審査請求についての裁決があったことを知った日の翌日から起算して１月以内と定めている。ただし、当該処分について再調査の請求をしたときは、当該再調査の請求についての決定があったことを知った日の翌日から起算して１月以内である。

しかし、法第５条の４の規定により、法第５条第１項、第５条の２第１項又は第５条の３第１項の規定による命令に関して迅速な処理を図る必要から、その申立期間のうち、審査請求の期間及び再調査請求の期間について、行政不服審査法第18条第１項本文の期間にかかわらず、命令を受けた日の翌日から起算して30日以内とされている。

(1)　法第５条の４の規定で、**誤り**。
(2)　法第５条の４の規定で、**正しい**。
(3)　法第５条の４の規定で、**誤り**。
(4)　法第５条の４の規定で、**誤り**。
(5)　法第５条の４の規定で、**誤り**。

ポイント

消防機関の措置命令等に対する不服申立ての期間について、法第５条の４の規定により行政不服審査法の規定と異なる期間が定められていることについての知識について問うものである。

【正解　(2)】

チェック □□□

問題51 次のうち、防火管理に関する記述として、誤っているものはどれか。

(1) 防火管理者を置かなければならない防火対象物は、用途ごとの収容人員のほか、新築の工事中の建築物等で、延べ面積等が一定の条件を満たすものが該当する。
(2) 防火管理者は、政令で定める資格を有するもので、管理的又は監督的な地位にあるものでなければならない。
(3) 防火管理者が作成する防火管理に係る消防計画は、防火対象物における防火に関する管理等が主なものであり、風水害、地震等の災害については含まれないものである。
(4) 防火管理者は、当該防火対象物における防火管理の基本方針である防火管理に係る消防計画を作成し、所轄消防長（消防本部を置かない市町村においては、市町村長）又は消防署長に届け出なければならない。
(5) 防火管理者は、自主的火災予防の体制の一環として、重要な任務をもっている。

要点・解説

防火管理上必要な業務とは、当該防火対象物における消火、通報・避難の訓練の実施、消防用設備等の点検・整備、火気の取扱いに関する監督、収容人員の管理、従業員等に対する防火教育、工事中の防火対策、地震・風水害時等の対策、消防機関との連絡調整等、防火管理上すべての業務を含むものである。

(1) 政令第1条の2第3項の規定で、**正しい**。
(2) 法第8条第1項及び政令第3条第1項の規定で、**正しい**。
(3) 規則第3条第1項第1号リの規定で、**誤り**。
(4) 規則第3条第1項の規定で、**正しい**。
(5) 設問のとおりで、**正しい**。

ポイント

防火管理者が行わなければならない業務等についての知識について問うものである。
【正解 (3)】

チェック

問題52 次のうち、甲種防火管理者に関する記述として、誤っているものはどれか。

(1) 甲種防火管理者を選任する義務者は、甲種防火管理者を置かなければならない防火対象物の管理について権原を有する者とされている。
(2) 甲種防火管理者の業務として、防火対象物の防火壁、内装その他の防火上の構造の維持管理に関することも含まれている。
(3) 甲種防火管理再講習の課程の内容として、火災事例等の研究に関することが定められている。
(4) 甲種防火管理者は、甲種防火管理新規講習の課程を修了した日以後における最初の4月1日から3年以内に、甲種防火管理再講習の課程を修了しなければならないこととされている。
(5) 消防法施行令別表第1（16の3）項に掲げる防火対象物にあっては、収容人員が50人以上であっても甲種防火管理者を選任しなくてもよいこととされている。

要点・解説

甲種防火管理者に定められた日の4年前までに講習（甲種防火管理新規講習又は甲種防火管理再講習（以下「講習」という。））の課程を修了した甲種防火管理者にあっては防火管理者に定められた日から1年以内に、それ以外の甲種防火管理者にあっては最後に講習の課程を修了した日以後における最初の4月1日から5年以内に、甲種防火管理再講習の課程を修了しなければならないこととされている。

(1) 法第8条第1項及び政令第3条第1項の規定で、**正しい**。
(2) 規則第3条第1項第1号ホの規定で、**正しい**。

(3)　規則第2条の3第3項第2号の規定で、**正しい**。

(4)　規則第2条の3第1項及び甲種防火管理再講習について定める件（平成16年消防庁告示第2号）の規定で、**誤り**。

(5)　政令第1条の2第3項第1号の規定で、**正しい**。

ポイント

甲種防火管理者の業務、甲種防火管理者として再講習の受講義務及び再講習受講期間等についての知識について問うものである。　【正解　(4)】

チェック □□□

問題53　**次のうち、消防法第8条第1項の規定により、防火管理者を定めなければならない防火対象物の管理について権原を有する者が、当該防火管理者に行わせなければならないとして定められている事項に該当しないものはどれか。**

---

(1)　消防計画の作成、消防計画に基づく消火、通報及び避難の訓練の実施

(2)　消防の用に供する設備、消防用水又は消火活動上必要な施設の点検及び整備

(3)　定期に行う防火対象物点検資格者による点検結果の消防長又は消防署長への報告

(4)　火気の使用又は取扱いに関する監督

(5)　避難又は防火上必要な構造及び設備の維持管理並びに収容人員の管理その他防火管理上必要な業務

要点・解説

防火対象物点検資格者による点検結果の消防長又は消防署長への報告は、当該防火対象物の管理について権原を有する者が行うものとされている（法第8条の2の2第1項）。

なお、選択肢(2)の「消防の用に供する設備、消防用水又は消火活動上必要な施設」は、法第17条第1項に規定する「政令で定める消防の用に供する設備、消防用水及び消火活動上必要な施設」いわゆる「消防用設備等」と同一のものではな

く、消防用設備等以外のものであっても、これらの用に供する目的をもって設置したもの（例えば、防火シャッターを焼き切る器具など）にも及ぶものである（「逐条解説消防法第五版（東京法令出版（株）　発行）」参照）。

(1)　法第8条第1項の規定で、**該当する。**
(2)　法第8条第1項の規定で、**該当する。**
(3)　法第8条の2の2第1項の規定で、**該当しない。**
(4)　法第8条第1項の規定で、**該当する。**
(5)　法第8条第1項の規定で、**該当する。**

ポイント

防火対象物の管理について権原を有する者が、防火に関して自ら行うべきものと防火管理者に行わせるものとの知識について問うものである。
なお、これらは設問以外に多数あるので整理しておく必要がある。

【正解　(3)】

チェック □□□

問題54　**次は、管理権原者の異なる防火対象物における統括防火管理者に関する記述であるが、誤っているものはどれか。**

(1)　統括防火管理者は、防火対象物の全体についての防火管理上必要な業務を行う場合において必要があると認めるときは、当該防火対象物の部分ごとに選任されている防火管理者に対し、当該業務の実施のために必要な措置を講ずることを指示することができる。
(2)　消防長又は消防署長は、防火対象物について統括防火管理者が定められていないと認める場合には、権原を有する者に対し、統括防火管理者を定めるべきことを命ずることができる。
(3)　地下街でその管理について権原が分かれているものについては、必ず、統括防火管理者を選任し、当該防火対象物の全体についての防火管理上必要な業務を行わせなければならない。
(4)　部分ごとの防火管理者が作成する消防計画は、統括防火管理者が作成する防火対象物の全体についての消防計画に適合するものでなければならない。

(5)　権原を有する者は、統括防火管理者を選任又は解任したときは、遅滞なく、その旨を所轄消防長又は消防署長に届け出なければならない。

要点・解説

統括防火管理者は、高層建築物その他政令で定める防火対象物で、その管理について権原が分かれているもの又は地下街でその管理について権原が分かれているもののうち消防長若しくは消防署長が指定するものの管理について権原を有する者は、政令で定める資格を有する者のうちからこれらの防火対象物の全体について防火管理上必要な業務を統括する防火管理者（統括防火管理者）を協議して定めなければならないとされている。

(1)　法第８条の２第２項の規定で、**正しい**。
(2)　法第８条の２第５項の規定で、**正しい**。
(3)　法第８条の２第１項の規定により、地下街で管理権原が分かれているものは、消防長又は消防署長が指定する必要があり、単なる地下街では不十分であることから、**誤り**。
(4)　法第８条の２第３項の規定で、**正しい**。
(5)　法第８条の２第４項の規定で、**正しい**。

ポイント

法第８条の２に規定する統括防火管理者についての知識を問うものである。

【正解　(3)】

チェック□□□

問題55　**次は、消防法（以下「法」という。）第８条の２に規定する統括防火管理に関する記述であるが、誤っているものはどれか。**

(1)　高層建築物であっても、管理について権原が分かれていないものは法第８条の２に規定する統括防火管理の対象にはならない。

(2)　地下街（地下の工作物内に設けられた店舗、事務所その他これらに類する施設で、連続して地下道に面して設けられたものと当該地下道とを合わせたものをいう。）でその管理について権原が分かれているものは、法第８条の２に規定する統括防火管理の対象になる。

(3)　複合用途防火対象物で、管理について権原を有する者が複数いる防火対象物にあっては、統括防火管理者を協議して定め、当該防火対象物の全体についての消防計画の作成など防火管理上必要な業務を行わせなければならない。

(4)　統括防火管理者は、消防法施行令第４条に定める資格を有する者で、当該防火対象物の全体についての防火管理上必要な業務を適切に遂行するために必要な権限及び知識を有するものとして、総務省令で定める要件を満たす者でなければならない。

(5)　統括防火管理者は、防火対象物の全体についての防火管理上必要な業務を行う場合において必要があると認めるときは、各防火管理者に対し、業務の実施のために必要な措置を講ずることを指示することができる。

要点・解説

地下街の場合、「その管理について権原が分かれているもののうち、消防長又は消防署長が指定するもの」と規定されており、高層建築物とは規定の仕方が異なることに留意する。

(1)　法第８条の２第１項の規定で、**正しい**。

(2)　法第８条の２第１項の規定で、消防長又は消防署長の指定がなければ対象にならないので、**誤り**。

(3)　法第８条の２第１項の規定で、**正しい**。

(4)　法第８条の２第１項及び政令第４条の規定で、**正しい**。

(5)　法第８条の２第２項の規定で、**正しい**。

ポイント

統括防火管理を行うべき防火対象物の範囲及び行うべき防火管理業務の内容についての規定は、基本的な事項であり、これらの知識について問うものである。

なお、統括防火管理者の資格を有する者であるための要件については、規則第３条の３で規定されている。

【正解　⑵】

チェック □□□

問題56 次は、統括防火管理制度に関する記述であるが、誤っているものはどれか。

⑴　統括防火管理者は、防火対象物の全体についての防火管理上必要な業務を行う場合において必要があると認めるときは、当該防火対象物の部分ごとに当該部分の権原を有する者に対し、当該業務の実施のために必要な措置を講ずることを指示することができる。

⑵　防火対象物の部分ごとに当該部分を担当する防火管理者が作成する消防計画は、統括防火管理者が作成する防火対象物の全体についての消防計画に適合するものでなければならない。

⑶　権原を有する者は、統括防火管理者を定めたときは、遅滞なく、その旨を所轄消防長又は消防署長に届け出なければならない。これを解任したときも、同様とする。

⑷　消防長又は消防署長は、防火対象物について統括防火管理者が定められていないと認める場合には、権原を有する者に対し、法令の規定により統括防火管理者を定めるべきことを命ずることができる。

⑸　消防長又は消防署長は、防火対象物の全体について統括防火管理者の行うべき防火管理上必要な業務が法令の規定又は消防計画に従って行われていないと認める場合には、権原を有する者に対し、当該業務が当該法令の規定又は消防計画に従って行われるように必要な措置を講ずべきことを命ずることができる。

要点・解説

統括防火管理者の選任を必要とする複合用途防火対象物等における複数の管理権原者は、協議により選任した統括防火管理者に建物全体の防火防災管理上必要な業務を行わせるとともに、その旨を消防機関に届け出ること（統括防火管理者の選任及び解任の届出）が法律上義務付けられている。

統括防火管理者は、建物全体の防火防災管理を推進するため、各テナント等の防火管理者と連携・協力しながら、次の業務を行う（政令第4条の2第1項、第2項）。

① 全体についての防火管理に係る消防計画の作成及び所轄消防長等への届出
② 全体についての消防計画に基づく消火・通報及び避難の訓練の実施
③ 廊下、階段、避難口その他の避難上必要な施設の管理
④ その他全体についての防火管理上必要な業務

統括防火管理者は、各テナント等の対応に問題があって、建物全体についての防火管理業務を遂行することができない場合等に、各テナント等の防火管理者に対して、その権限の範囲において必要な措置を指示することができる（法第8条の2第2項）。

（例）① 廊下等の共用部分の転倒・落下の危険性や避難に支障のある物件の撤去
② 建物全体の消火・通報・避難訓練の参加者に対して参加を促すこと
など

また、消防長又は消防署長は、統括防火管理制度に関する次の命令をすることができる（法第8条の2第5項、第6項）。

① 防火対象物について統括防火管理者が定められていないと認める場合には、権原を有する者に対し、法令の規定により統括防火管理者を定めるべきこと。
② 防火対象物の全体について統括防火管理者の行うべき防火管理上必要な業務が法令の規定又は消防計画に従って行われていないと認める場合には、権原を有する者に対し、当該業務が当該法令の規定又は消防計画に従って行われるように必要な措置を講ずべきこと。

消防長又は消防署長が前記命令をした場合には、次による（法第8条の2第7項）。

① 命令をした場合においては、標識の設置その他の方法（公報への掲載その他市町村長が定める方法）により、その旨を公示する。
② 標識は、命令に係る防火対象物又は当該防火対象物のある場所に設置する

ことができる。この場合においては、命令に係る防火対象物又は当該防火対象物のある場所の所有者、管理者又は占有者は、当該標識の設置を拒み、又は妨げてはならない。

(1) 法第8条の2第2項の規定により、**誤り**。
(2) 法第8条の2第3項の規定により、**正しい**。
(3) 法第8条の2第4項の規定により、**正しい**。
(4) 法第8条の2第5項の規定により、**正しい**。
(5) 法第8条の2第6項の規定により、**正しい**。

ポイント

統括防火管理者の権限、統括防火管理制度に関する知識を問う問題である。

【正解 (1)】

チェック □□□

問題57 **次は、消防法（以下「法」という。）第8条の2の2第1項の規定に基づき、一定の防火対象物の管理権原者が、防火対象物点検資格者に、当該防火対象物における防火管理上必要な業務、消防の用に供する設備、消防用水又は消火活動上必要な施設の設置及び維持その他火災の予防上必要な事項について点検をさせなければならないことについての記述であるが、誤っているものはどれか。**

---

(1) 消防法施行令（以下「政令」という。）第8条第1号に掲げる部分で区画されている場合において、その区画された部分が政令別表第1(1)項から(4)項まで、(5)項イ、(6)項又は(9)項イに掲げる防火対象物の用途に供されていない場合には、当該区画された部分は、点検の基準の一部が適用されない場合がある。
(2) 防火管理に係る消防計画に基づき、消防庁長官が定める事項が適切に行われていることについて確認する。
(3) 防火対象物の避難上必要な施設及び防火戸の管理状況の点検については、消防設備点検資格者の業務とされている。

(4)　法第8条の2第1項に規定する高層建築物又は政令第3条の3に規定する防火対象物でその管理について権原が分かれているもの又は法第8条の2第1項に規定する地下街でその管理について権原が分かれているもののうち消防長若しくは消防署長が指定するものにあっては、消防庁長官が定める事項について適切に行われていることについて確認する。

(5)　圧縮アセチレンガス、液化石油ガスその他の火災予防又は消火活動に重大な支障を生ずるおそれのある物質を貯蔵し、又は取り扱う場合には、その届出が出されていることを確認する。

要点・解説

(1)　法第8条の2の2第1項及び規則第4条の2の6第2項第2号の規定で、**正しい**。

(2)　法第8条の2の2第1項及び規則第4条の2の6第1項第2号の規定で、**正しい**。

(3)　法第8条の2の2第1項及び規則第4条の2の6第1項第4号の規定で、「防火対象物点検資格者」と規定されており、**誤り**。

(4)　法第8条の2の2第1項及び規則第4条の2の6第1項第3号の規定で、**正しい**。

(5)　法第8条の2の2第1項及び規則第4条の2の6第1項第6号の規定で、**正しい**。

ポイント

防火対象物の点検事項についての知識について問うものである。この場合、法第8条の2の4に規定する避難上必要な施設及び防火戸の管理状況の点検についても、点検業務の対象とされている。また、消防庁長官が定める事項は「消防法施行規則第4条の2の6第1項第2号、第3号及び第7号の規定に基づき、防火対象物の点検基準に係る事項等を定める件」（平成14年消防庁告示第12号）で示されている。

【正解　(3)】

チェック□□□

問題58　**次は、消防法第8条第1項の規定により、防火管理者を定めなければならない防火対象物を掲げたものであるが、誤っているものはどれか。**

(1)　消防法施行令別表第1(1)項から(4)項まで、(5)項イ、(6)項イ、ハ及びニ、(9)項イ、(16)項イ並びに（16の2）項に掲げる防火対象物（同表(16)項イ及び（16の2）項に掲げる防火対象物にあっては、同表(6)項ロに掲げる防火対象物の用途に供される部分が存するものを除く。）で、収容人員が30人以上のもの

(2)　消防法施行令別表第1(5)項ロ、(7)項、(8)項、(9)項ロ、(10)項から(15)項まで、(16)項ロ及び(17)項に掲げる防火対象物で、収容人員が50人以上のもの

(3)　消防法施行令別表第1（16の3）項及び(18)項から(20)項までに掲げる防火対象物のうち収容人員が100人以上のもの

(4)　新築の工事中（外壁及び床又は屋根を有する部分が法令で定める一定の規模以上の建築物であって電気工事等の工事中のもの）の「地階を除く階数が11以上で、かつ、延べ面積が10,000m²以上」、「延べ面積が50,000m²以上」、「地階の床面積の合計が5,000m²以上」であるそれぞれの建築物で、収容人員が50人以上のもの

(5)　建造中（進水後であってぎ装中のもの）の旅客船（船舶安全法第8条に規定する旅客船をいう。）で、収容人員が50人以上で、かつ、甲板数が11以上のもの

要点・解説

選択肢(3)に掲げる防火対象物は、収容人員に関係なく、防火管理者を定める義務はない。

なお、政令別表第1(6)項ロ、(16)項イ及び（16の2）項に掲げる防火対象物（同表(16)項イ及び（16の2）項に掲げる防火対象物にあっては、同表(6)項ロに掲げる防火対象物の用途に供される部分が存するものに限る。）で、当該防火対象物の収容人員が10人以上となる場合は、防火管理者を置かなければならない（政令第1条の2第3項第1号イ）。

(1)　政令第1条の2第3項第1号ロの規定で、**正しい**。

(2)　政令第１条の２第３項第１号ハの規定で、**正しい。**

(3)　政令第１条の２第３項第１号の規定で、**誤り。**

(4)　政令第１条の２第３項第２号イ、ロ、ハ及び規則第１条の２第１項の規定で、**正しい。**

(5)　政令第１条の２第３項第３号及び規則第１条の２第２項の規定で、**正しい。**

ポイント

防火管理者を定めなければならない防火対象物についての知識について問うものである。　【正解　(3)】

チェック □□□

問題59 **次は、火災原因の調査等に関する記述であるが、正しいものはどれか。**

---

(1) 消防長等が行う火災の原因調査は、消火活動が終了し、鎮火宣言をした後でなければ着手してはならない。
(2) 放火又は放火の疑いのあるときは、その火災の原因調査の優先権は、放火等についての捜査権を有する警察機関にある。
(3) 関係保険会社の認めた代理者は、火災の原因及び損害の程度を決定するために火災により破損され又は破壊された財産を調査することができる。
(4) 消防長等は、火災の原因である疑いがあると認められる製品の所有者又は販売者に対し、必要な資料の提出を命じ又は報告を求めることができる。
(5) 消防本部を置かない市町村における火災原因調査は、都道府県知事が行う。

要点・解説

(1) 火災の原因調査は、火災が発生した場合に、消火活動をなすとともに火災及び消火のために受けた損害の調査に着手しなければならないとされており、火災の現場に到着した時点から開始されている。法第31条の規定により、**誤り**。

(2) 放火又は失火の疑いのあるときは、その火災の原因の調査の主たる責任及び権限は、消防長又は消防署長にあるものとする。また、消防長又は消防署長は、放火又は失火の犯罪があると認めるときは、直ちにこれを所轄警察署に通報するとともに必要な証拠を集めてその保全につとめ、消防庁において放火又は失火の犯罪捜査の協力の勧告を行うときは、これに従わなければならない。法第35条第１項の規定により、**誤り**。

(3) 火災の原因及び損害の程度を決定するために火災により破損され又は破壊された財産の調査については、消防長又は消防署長のほかに関係保険会社の認めた代理者もできるとされており、法第33条の規定により、**正しい**。

(4) 消防長又は消防署長は、火災の原因等の調査をするため必要があるときは、関係のある者に対して質問し、又は火災の原因である疑いがあると認められる製品を製造し若しくは輸入した者に対して必要な資料の提出を命じ若しくは報告を求めることができるとされており、法第32条第１項の規定により、**誤り**。

(5)　火災原因調査については、消防本部を置かない市町村にあっては、市町村長が行うこととされている。法第３条第１項において「消防本部を置かない市町村においては、市町村長」と読み替えられており、**誤り**。

ポイント

火災原因調査に係る消防法上の規定についての知識を問うものである。

【正解　(3)】

チェック □□□

問題60　**次は、消防長若しくは消防署長、市町村長、都道府県知事又は消防庁長官が行う火災原因調査に関する記述であるが、誤っているものはどれか。**

(1)　消防本部を置かない市町村の市町村長は、消火活動をなすとともに火災の原因並びに火災及び消火のために受けた損害の調査に着手しなければならない。

(2)　都道府県知事が火災原因調査を行うに際し、放火又は失火の疑いのあるときは、その火災の原因の調査の主たる責任及び権限は、市町村長のほかに当該都道府県知事にもあるとされている。

(3)　消防庁長官は、直接火災原因調査を行う必要があると認めた場合は、全国の地域において、火災原因調査を行うことができる。

(4)　都道府県知事は、当該管轄する都道府県内の区域において、火災原因調査を行うことができる。

(5)　消防庁長官が火災原因調査を行うに際し、放火又は失火の疑いのあるときは、その火災の原因の調査の主たる責任及び権限は、消防本部を置く市町村の区域にあっては、当該消防長又は消防署長のほかに消防庁長官にもあるとされている。

要点・解説

火災原因調査については、消防長若しくは消防署長、市町村長、都道府県知事又は消防庁長官が行うことができるとされているが、この場合の関係については、次表のとおりである。

火災原因調査を行うことのできる者	火災原因調査の範囲・要件等
消防長又は消防署長	消防本部を置く市町村の管轄区域内
市町村長	消防本部を置かない市町村の管轄区域内
都道府県知事	消防本部を置かない市町村の区域内に限定 ①　市町村長からの求めがあった場合 ②　特に必要と認めた場合
消防庁長官	全国の地域 ①　消防長（消防本部を置かない市町村の市町村長を含む。）又は火災原因調査を行うことのできる都道府県知事からの求めがあった場合 ②　特に必要と認めた場合

また、放火又は失火の疑いのあるときは、その火災の原因の調査の主たる責任及び権限は、次表のとおりである。

火災原因調査を行う者	火災の原因の調査の主たる責任及び権限を有する者
消防長又は消防署長	消防長又は消防署長
市町村長	市町村長
都道府県知事	市町村長のほか、都道府県知事
消防庁長官	①　消防本部を置く市町村の区域内 →　消防長又は消防署長のほか、消防庁長官 ②　消防本部を置かない市町村の区域内で、都道府県知事が調査を行う場合 →　市町村長及び都道府県知事のほか、消防庁長官 ③　消防本部を置かない市町村の区域内で、都道府県知事が調査を行わない場合 →　市町村長のほか、消防庁長官

(1)　法第31条及び法第３条第１項の規定で、**正しい**。

(2)　法第35条の３及び準用・読み替えをしている法第35条第１項の規定で、**正しい**。

(3)　法第35条の３の２の規定で、**正しい**。

(4)　法第35条の３の規定で、**誤り**。

(5)　法第35条の３の２及び準用・読み替えをしている法第35条第１項の規定で、**正しい**。

ポイント

火災原因調査を消防長若しくは消防署長、市町村長、都道府県知事又は消防庁長官が行う場合において、火災原因調査の範囲・要件等及び火災の原因の調査の主たる責任及び権限を有する者等についての知識を問うものである。

【正解　(4)】

チェック□□□

問題61　次は、火災原因調査を行うに際し、警察官をはじめとする関係官公署との連携等に関する記述であるが、誤っているものはどれか。

---

(1)　消防長又は消防署長は、火災原因調査に際し、関係者への質問、火災の原因である疑いがあると認められる製品の製造・輸入者に対する必要な資料の提出・報告を求めることができ、また、関係のある官公署に対し必要な事項の通報を求めることができる。

(2)　消防長又は消防署長は、放火又は失火の犯罪があると認めるときは、直ちにこれを所轄警察署に通報するとともに必要な証拠を集めてその保全につとめ、消防庁において放火又は失火の犯罪捜査の協力の勧告を行うときは、これに従わなければならない。

(3)　消防長又は消防署長は、警察官が放火又は失火の犯罪の被疑者を逮捕し又は証拠物を押収したときは、その被疑者に対する質問及び証拠物の調査に関する責任及び権原を有しない。

(4)　関係保険会社の認めた代理者は、火災の原因及び損害の程度を決定するために火災により破損され又は破壊された財産を調査することができる。

(5)　火災原因調査に関する規定には、警察官が犯罪（放火及び失火の犯罪を含む。）を捜査し、被疑者（放火及び失火の犯罪の被疑者を含む。）を逮捕する責任を免れしめないこと、並びに放火及び失火絶滅の共同目的のために消防吏員及び警察官は、互に協力しなければならないことが含まれる。

要点・解説

火災のうち、放火又は失火の疑いのあるときであっても、その火災の原因の調査の主たる責任及び権限は、消防長等にあることが明確にされている（法第35条第1項）。

この場合における警察官との協力関係については、法第35条第2項及び法第35条の2に規定されている。

⑴ 法第32条の規定で、**正しい**。
⑵ 法第35条第2項の規定で、**正しい**。
⑶ 法第35条の2第1項の規定で、**誤り**。
⑷ 法第33条の規定で、**正しい**。
⑸ 法第35条の4の規定で、**正しい**。

ポイント

火災原因調査に当たっての、警察官を含む関係官公署との協力関係やその権限・責務等に関する規定の知識を問うものである。【正解 ⑶】

チェック □□□

問題62 次は、火災原因の調査等に関する記述であるが、誤っているものはどれか。

⑴ 都道府県知事は、消防本部を置かない市町村の区域の市町村長から求めがあった場合及び特に必要があると認めた場合に限り、消防法（以下「法」という。）第31条又は法第33条の規定による火災の原因の調査をすることができる。
⑵ 消防庁長官は、消防長又は火災の原因の調査をする都道府県知事から求めがあった場合及び特に必要があると認めた場合に限り、法第31条又は法第33条の規定による火災の原因の調査をすることができる。

(3)　消防長又は消防署長は、法第33条の規定により調査をするために必要があるときは、関係者に対して必要な資料の提出を命じ、若しくは報告を求め、又は当該消防職員に関係のある場所に立ち入って、火災により破損され又は破壊された財産の状況を検査させることができる。

(4)　消防長又は消防署長は、警察官が放火又は失火の犯罪の被疑者を逮捕し又は証拠物を押収したときは、事件が検察官に送致されるまでは、法第35条第１項の調査をするため、その被疑者に対し質問をし又はその証拠物につき調査をすることができる。

(5)　消防長又は消防署長は、関係保険会社の認めた代理者が火災の原因及び損害の程度を決定するために火災により破損され又は破壊された財産を調査する場合には、必ず立ち会わなければならない。

要点・解説

(1)　法第35条の３第１項の規定により、**正しい**。
(2)　法第35条の３の２第１項の規定により、**正しい**。
(3)　法第34条第１項の規定により、**正しい**。
(4)　法第35条の２第１項の規定により、**正しい**。
(5)　法第33条の規定により、**誤り**。

ポイント

火災原因調査に係る消防法上の規定についての知識を問うものである。

【正解　(5)】

チェック□□□

問題63 次のうち、消防法で規制されている危険物で、各類に属する危険物の性質及び状態に関する記述として、誤っているものはどれか。

	類	性　質	状　態
(1)	第５類	酸化性	固体・液体
(2)	第４類	引火性	液　体
(3)	第３類	自然発火性及び禁水性	固体・液体
(4)	第２類	可燃性	固　体
(5)	第１類	酸化性	固　体

要点・解説

法別表第１で定められている各類の危険物の性質に関する基本的な問題である。

(1) 法別表第１の第５類の性質欄及び備考第18号の規定で、第５類の危険物の性質は、「自己反応性」を有するものであり、**誤り**。
(2) 法別表第１の第４類の性質欄及び備考第10号の規定で、**正しい**。
(3) 法別表第１の第３類の性質欄及び備考第８号の規定で、**正しい**。
(4) 法別表第１の第２類の性質欄及び備考第２号の規定で、**正しい**。
(5) 法別表第１の第１類の性質欄及び備考第１号の規定で、**正しい**。

ポイント

各類に属する危険物がどのような危険性を有しているかを認識していることが必要で、各類の危険物の性質及び状態についての知識について問うものである。

【正解　(1)】

チェック □□□

問題64 次は、消防法別表第１に掲げる品名の組み合わせに関する記述であるが、誤っているのはどれか。

(1)　軽油　—　第２石油類
(2)　二硫化炭素　—　特殊引火物
(3)　シリンダー油　—　第４石油類
(4)　クレオソート油　—　第２石油類
(5)　アセトン　—　第１石油類

要点・解説

法別表第１備考第10号から第17号までにおいて第４類の危険物について規定されている。備考第15号でクレオソート油は第３石油類と規定されている。

(1)　法別表第１備考第14号の規定で、**正しい**。
(2)　法別表第１備考第11号の規定で、**正しい**。
(3)　法別表第１備考第16号の規定で、**正しい**。
(4)　法別表第１備考第15号の規定で、**誤り**。
(5)　法別表第１備考第12号の規定で、**正しい**。

ポイント

第４類の危険物の性質は引火性液体であり、特に石油類については引火点によって分類されるほか、組成等を勘案して総務省令で定めるものを除く旨規定されている。このことについての知識について問うものである。

【正解　(4)】

チェック □□□

問題65 次は、危険物の類ごとの性状についての記述であるが、誤っているものはどれか。

---

(1) 第6類の危険物は、すべて液体である。
(2) 第5類の危険物は、すべて液体である。
(3) 第3類の危険物は、固体又は液体である。
(4) 第2類の危険物は、すべて固体である。
(5) 第1類の危険物は、すべて固体である。

要点・解説

第5類の危険物は自己反応性物質と呼ばれており、自ら酸素を含んでいるため、自己燃焼性のものが多い。第5類の危険物は固体又は液体である。

(1) 法別表第1の第6類の性質欄及び備考第20号の規定で、**正しい。**
(2) 法別表第1の第5類の性質欄及び備考第18号の規定で、**誤り。**
(3) 法別表第1の第3類の性質欄及び備考第8号の規定で、**正しい。**
(4) 法別表第1の第2類の性質欄及び備考第2号の規定で、**正しい。**
(5) 法別表第1の第1類の性質欄及び備考第1号の規定で、**正しい。**

ポイント

第1類から第6類までの危険物の性状等についての知識について問うものである。

【正解　(2)】

チェック □□□

問題66 次は、消防法別表第1の危険物に関する類別、性質及び品名についての組み合わせであるが、誤っているものはどれか。

---

(1) 第2類　可燃性固体　硫黄
(2) 第3類　自然発火性物質及び禁水性物質　アルキルリチウム

(3)　第４類　引火性液体　ジエチルエーテル
(4)　第５類　酸化性固体　過マンガン酸塩類
(5)　第６類　酸化性液体　過塩素酸

要点・解説

各類の危険物の性質及びそれに属する品名等については、法別表第１で規定されている。

なお、第５類の危険物は、自己反応性物質で、品名として有機過酸化物、ニトロ化合物、アゾ化合物、ヒドロキシルアミン等が該当する。過マンガン酸塩類は第１類の危険物に指定されている。

(1)　法別表第１第２類の欄の規定で、**正しい**。
(2)　法別表第１第３類の欄の規定で、**正しい**。
(3)　法別表第１第４類の欄及び備考第11号の規定で、**正しい**。
(4)　法別表第１第５類の欄の規定で、**誤り**。
(5)　法別表第１第６類の欄の規定で、**正しい**。

ポイント

消防法に規定する危険物の第１類から第６類までの各類に属する危険物の性質及び品名についての知識について問うものである。　【正解　(4)】

チェック □□□

問題67　**次は、危険物の類別、性質及び品名の組み合わせであるが、誤っているものはどれか。**

(1)　第３類　自然発火性物質・禁水性物質　アルキルリチウム
(2)　第１類　酸化性液体　過塩素酸
(3)　第５類　自己反応性物質　ニトロ化合物
(4)　第２類　可燃性固体　金属粉
(5)　第４類　引火性液体　アルコール類

要点・解説

危険物は、法第２条第７項において、「危険物とは、別表第１の品名欄に掲げる物品で、同表に定める区分に応じ同表の性質欄に掲げる性状を有するものをいう」とされている。

(1)　法別表第１の規定で、**正しい**。
(2)　第１類は、酸化性固体であり、酸化性液体、過塩素酸は第６類の説明であることから、**誤り**。
(3)　法別表第１の規定で、**正しい**。
(4)　法別表第１の規定で、**正しい**。
(5)　法別表第１の規定で、**正しい**。

ポイント

消防法に定める基本的な危険物に関する知識を問うものである。類別及び性質の組み合わせを覚えるとともに、代表的な品名についても知っておく必要がある。

【正解　(2)】

チェック□□□

問題68　**次は、消防法に規定する危険物の類ごとの性状に関する記述であるが、誤っているものはどれか。**

(1)　第６類の危険物は、酸化性の液体で不燃性である。
(2)　第５類の危険物は、分解し、爆発的に燃焼する物質である。
(3)　第３類の危険物は、空気と接触して引火性蒸気を発生する固体又は液体である。
(4)　第２類の危険物は、可燃性の固体である。
(5)　第１類の危険物は、酸素との化合物である。

要点・解説

(1)　第６類の危険物の性状等から、**正しい**。
(2)　第５類の危険物の性状等から、**正しい**。

(3)　第３類の危険物の性状等から、空気中で発火するか又は水と接触して発火するか、若しくは可燃性ガスを発生する性状を有する固体又は液体で、**誤り**。

(4)　第２類の危険物の性状等から、**正しい**。

(5)　第１類の危険物の性状等から、**正しい**。

ポイント

各類の危険物の一般的な性状についての知識について問うものである。

【正解 (3)】

チェック□□□

問題69 次は、危険物の貯蔵若しくは取扱い又は移送に伴う火災の防止のため必要があると認めるときに行われる質問、検査等に関する記述であるが、誤っているものはどれか。

⑴　市町村長等は、消防事務に従事する職員に、貯蔵所等に立ち入り、試験のため必要な最少限度の数量に限り危険物若しくは危険物であることの疑いのある物を収去させることができる。

⑵　消防事務に従事する職員は、貯蔵所等に立ち入る場合においては、市町村長の定める証票を携帯し、関係のある者の請求があるときは、これを示さなければならない。

⑶　市町村長等は、貯蔵所等の所有者、管理者若しくは占有者に対して資料の提出を命じ又は報告を求めることができる。

⑷　消防事務に従事する職員は、貯蔵所等に立ち入って検査又は質問を行った場合に知り得た関係者の秘密をみだりに他に漏らしてはならない。

⑸　消防事務に従事する職員は、走行中の移動タンク貯蔵所を停止させ、当該移動タンク貯蔵所に乗車している危険物取扱者に対し、危険物取扱者免状の提示を求めることができる。

要点・解説

消防吏員（消防事務に従事する職員でないことに留意すること。）又は警察官は、危険物の移送に伴う火災の防止のため特に必要があると認める場合には、走行中の移動タンク貯蔵所を停止させ、当該移動タンク貯蔵所に乗車している危険物取扱者に対し、危険物取扱者免状の提示を求めることができるとされている。この場合において、消防吏員及び警察官がその職務を行うに際しては、互いに密接な連絡をとることとされている（法第16条の５第２項）。

⑴　法第16条の５第１項の規定で、**正しい**。

⑵　法第16条の５第３項及び法第４条第２項の規定で、**正しい**。

⑶　法第16条の５第１項の規定で、**正しい**。

⑷　法第16条の５第３項及び法第４条第４項の規定で、**正しい**。

⑸　法第16条の５第２項の規定で、**誤り**。

ポイント

危険物の貯蔵若しくは取扱い又は移送に伴う火災の防止のため必要があると認めるときに行われる質問、検査等に関する規定についての知識を問うものである。

【正解　(5)】

チェック □□□

問題70　次の記述は、行政手続法の処分又は行政指導に関するものであるが、誤っているものはどれか。

(1)　学校、講習所、訓練所又は研修所において、教育、講習、訓練又は研修の目的を達成するために、学生、生徒、児童若しくは幼児若しくはこれらの保護者、講習生、訓練生又は研修生に対してされる処分及び行政指導は、行政手続法の対象外とされる。
(2)　報告又は物件の提出を命ずる処分その他その職務の遂行上必要な情報の収集を直接の目的としてされる処分及び行政指導は、行政手続法の対象外とされる。
(3)　刑事事件に関する法令に基づいて検察官、検察事務官又は司法警察職員がする処分及び行政指導は、行政手続法の対象外とされる。
(4)　公務員（国家公務員及び特定の地方公務員をいう。）又は公務員であった者に対してその職務又は身分に関してされる処分及び行政指導は、行政手続法の対象とされる。
(5)　相反する利害を有する者の間の利害の調整を目的として法令の規定に基づいてされる裁定その他の処分（その双方を名宛人とするものに限る。）及び行政指導は、行政手続法の対象外とされる。

要点・解説

行政手続法は、原則として行政が国民に不利益な処分（申請の拒否や免許の取消しなど）を行う場合の手続についての基本原則を定めたものであり、次に掲げる4項目の手続を行わなければならないとされている。

①　審査・処分基準の公表
②　理由の提示

③　聴聞・弁明の機会の付与

④　文書の閲覧

行政が審査・処分の基準を公表し、国民が、あらかじめ処分可能性と処分内容を予測することができるためのものであり、行政が処分をする場合はその理由を示さなければならず、国民が納得できなければ弁明の機会を与え、その際に、国民は情報入手のため関係書類の閲覧をすることができることを明確にしたものである。

いずれも行政から不利益を受ける者を納得させるための手続であり、行政から国民に対して行う処分を対象としている。

したがって、行政手続法により除外されている処分及び行政指導がある（行政手続法第3条第1項）。

(1)　行政手続法第3条第1項第7号の規定で、**正しい**。

(2)　行政手続法第3条第1項第14号の規定で、**正しい**。

(3)　行政手続法第3条第1項第5号の規定で、**正しい**。

(4)　行政手続法第3条第1項第9号の規定で、**誤り**。

(5)　行政手続法第1条第1項第12号の規定で、**正しい**。

ポイント

行政手続法第3条第1項に規定する適用除外に関する知識を問うものである。

【正解　(4)】

チェック □□□

問題71　**次の記述は、行政手続法において使用される用語に関するものであるが、誤っているものはどれか。**

(1)　行政機関とは、法律の規定に基づき内閣に置かれる機関若しくは内閣の所轄の下に置かれる機関、宮内庁、内閣府設置法第49条第1項若しくは第2項に規定する機関、国家行政組織法第3条第2項に規定する機関、会計検査院若しくはこれらに置かれる機関又はこれらの機関の職員であって法律上独立に権限を行使することを認められた職員をいう。

⑵　不利益処分とは、行政庁が、法令に基づき、特定の者を名あて人として、直接に、これに義務を課し、又はその権利を制限する処分とされており、事実上の行為及び事実上の行為をするに当たりその範囲、時期等を明らかにするために法令上必要とされている手続としての処分が含まれる。

⑶　届出とは、行政庁に対し一定の事項の通知をする行為（申請に該当するものを除く。）であって、法令により直接に、当該通知が義務付けられているもの（自己の期待する一定の法律上の効果を発生させるためには当該通知をすべきこととされているものを含む。）とされている。

⑷　申請とは、法令に基づき、行政庁の許可、認可、免許その他の自己に対し何らかの利益を付与する処分（以下「許認可等」という。）を求める行為であって、当該行為に対して行政庁が諾否の応答をすべきこととされているものをいう。

⑸　行政指導とは、行政機関がその任務又は所掌事務の範囲内において一定の行政目的を実現するため特定の者に一定の作為又は不作為を求める指導、勧告、助言その他の行為であって処分に該当しないものとされている。

要点・解説

行政手続法は、行政が一定の活動をするに当たって守るべき共通のルールを定めることにより、行政運営における公正の確保と透明性の向上を図り、国民の権利利益の保護に資することを目的とした法律とされており、基本的な事項として、次の手続に関するものが定められている。

①　申請に対する処分（営業の許可などの申請に対して許可する・しないという処分）

②　不利益処分（許可を取り消したり一定期間の営業停止を命じたりする処分）

③　行政指導

④　届出

⑤　パブリックコメント（政省令等の案について広く国民から意見を募集する制度）

この法律において使用される基本的な用語については、行政として共通の用語であり、行政処分等を行うに当たって、十分理解しておくことが必要とされる。

行政手続法における用語の意議は、同法第2条に定められている。

(1) 行政手続法第2条第5号イの規定で、**正しい**。
(2) 行政手続法第2条第4号イの規定で、不利益処分から除外されており、**誤り**。
(3) 行政手続法第2条第7号の規定で、**正しい**。
(4) 行政手続法第2条第3号の規定で、**正しい**。
(5) 行政手続法第2条第6号の規定で、**正しい**。

ポイント

行政手続法において使用される基本的な用語の意義についての知識を問うものである。

【正解 (2)】

チェック □□□

問題72 次は、消防法の規定に基づき火災予防条例（例）について記述したものであるが、適当でないものはどれか。

(1) 炉、ふろがまその他火を使用する設備及びその使用に際し、火災の発生のおそれのある設備の位置、構造及び管理の基準等に関するもの。
(2) 指定数量未満の危険物及び指定可燃物の貯蔵及び取扱いの技術上の基準等に関するもの。
(3) 特殊の消防用設備等その他の設備等の設置及び維持管理に関するもの。
(4) 火災警報発令中における火の使用制限に関するもの。
(5) 住宅の用途に供される防火対象物の住宅用防災機器（住宅における火災の予防に資する機械器具又は設備で住宅用防災警報器、住宅用防災報知設備）の設置及び維持に関する基準等に関するもの。

要点・解説

特殊消防用設備等は、特殊消防用設備等の設置及び維持に関する計画に従って設置し、及び維持するものであるから、火災予防条例で規定するものではない（法第17条第3項）。

(1)　火災予防条例（例）第３条～第17条の３の規定で、**適当である。**

(2)　火災予防条例（例）第30条～第34条の３の規定で、**適当である。**

(3)　法第17条第３項の規定で、**適当でない。**

(4)　火災予防条例（例）第29条の規定で、**適当である。**

(5)　火災予防条例（例）第29条の２～第29条の７の規定で、**適当である。**

ポイント

火災予防条例は、法の個別の委任に基づくもの、附加条例としてのもの、一般の条例としてのもの等があり、火災予防条例の制定に当たっての例として、火災予防条例（例）（昭和36年11月22日自消甲予発第73号）が定められていることについての知識について問うものである。　【正解　(3)】

共通科目

専攻科目

防火査察

消防用設備等

危険物

チェック □□□

問題 1 大型ショッピングセンターの代表取締役社長Aは、X市Y消防本部のZ消防署長から「火災が発生したならば人命に危険である」として、施設の一部の使用停止を命じられた。Aがこの命令に不服があるとして、審査請求をする場合の相手先として、正しいものはどれか。

(1) Y消防本部消防長
(2) Z消防署長
(3) X市市長
(4) 消防庁長官
(5) 当該地域を管轄する知事

要点・解説

行政不服審査法においては、不服申立ての種類として「審査請求」「再調査請求」「再審査請求」の3つがある。本設問中の処分庁はZ消防署長であり、最上級行政庁はX市市長である。

「審査請求」については、その処分庁に上級行政庁がある場合には、最上級行政庁に、また、上級行政庁がない場合は、処分庁とされている。

なお、「再調査請求」「再審査請求」については、法律でその請求が認められている場合に可能であるが、消防法には再審査請求を認める規定がない。

(1) 行政不服審査法第4条の規定で、**誤り**。
(2) 行政不服審査法第4条の規定で、**誤り**。
(3) 行政不服審査法第4条の規定で、**正しい**。
(4) 行政不服審査法第4条の規定で、**誤り**。
(5) 行政不服審査法第4条の規定で、**誤り**。

ポイント

行政不服審査法による不服申立ての種類と消防機関が行う措置命令等に対する不服申立ての相手についての知識について問うものである。【正解　(3)】

チェック□□□

問題2　**次は、消防法第5条第1項、同法第5条の2第1項及び同法第5条の3第1項の規定による命令についての審査請求に関する事項についての記述であるが、誤っているものはどれか。**

⑴　審査請求の審理は、申立人による申立ての取下げ、又は審査庁による裁決によって終了するが、裁決は却下、棄却、認容の3つに分類される。

⑵　審理員は、審理において自ら主張及び証拠の整理など審理を行うほか、請求人と処分庁の主張等争点を明確にするため、審理関係人に対して質問をすることができる。

⑶　審査請求の期間は、消防長又は消防署長その他の消防吏員の命令を受けた日から起算して60日以内である。

⑷　審査請求については、その審査庁には最上級行政庁が当たるもので、処分庁が消防吏員である場合、消防署長である場合、消防長である場合のいずれであっても市町村長に対して審査請求をするものである。

⑸　審査庁は、審理期間の目安となる標準審理期間（審査請求が事務所に到達してから裁決するまでの期間）を定めるよう努めるとともに、これを定めたときは公にしなければならないことになっている。

要点・解説

行政不服審査法は、昭和37年（法律第160号）制定以来実質的な法改正が行われていなかったが、行政手続法（平成5年）、行政事件訴訟法改正（平成16年）等関係法制度の整備拡充を踏まえて、平成26年6月、行政不服審査法等の内容が改正され、平成28年4月から施行されることになった。

なお、行政不服審査法は、行政庁の公権力の行使（処分）に対し私人が行政機関に不服を申し立てるに当たっての一般法であり、国家賠償法、行政事件訴訟法とあわせて救済三法とよばれる。

改正法の特徴としては、次のようなものがある。

1　審理員による審理手続きが導入された。

2　行政不服審査会等への諮問手続きが導入された。

3　審査請求人の権利が拡充された。

4　審査請求期間が3か月に延長された。

5　不服申立ての手続きにおいて異議申立てを廃止し、審査請求に一元化された。
6　標準審理期間の設定等により迅速な審理が確保された。
7　不服申立前置が見直された。
8　情報提供制度が創設された。

(1)　行政不服審査法第45条、第46条、第47条の規定により、**正しい**。
(2)　行政不服審査法第9条及び第36条の規定により、**正しい**。
(3)　法第5条の4の規定は、国民の生命、身体及び財産を火災から保護するといった観点から早急な事件処理を必要としていることから30日以内とされている。**誤り**。
(4)　行政不服審査法第4条第4号の規定により、**正しい**。
(5)　行政不服審査法第16条により、**正しい**。

ポイント
消防長、消防署長その他の消防吏員の命令に対しての不服申立ての期間についての知識について問うものである。　【正解　(3)】

チェック □□□

問題 3 次は立入検査の結果、判明した火災予防上の不備欠陥事項等を記載した立入検査結果通知書を関係者に交付する場合の留意事項についての記述であるが、適当でないものはどれか。

---

(1) 立入検査結果通知書は、消防職員の氏名（名前）と責任において交付される文書であるから公文書である。

(2) 立入検査結果通知書により不備欠陥事項等の是正勧告を受けながら、これに従わずに、これによって発災した場合、当該立入検査結果通知書は、関係者の過失責任の認定資料となることがある。

(3) 立入検査等によって関係行政機関の所管にかかわる防火に関する規定の違反事実を発見した場合には、当該所管関係機関に対し、文書により、違反対象物の所在、名称、用途、構造及び違反事実内容を通知し、是正促進を要請するとともに、十分な連絡を保ちながら、その改善指導を行うことが必要である。

(4) 立入検査結果通知書を立入検査終了後にその場で交付する場合は、名あて人又は名あて人と相当の関係のある者に直接交付するが、その際には違反内容やその改修の必要性等の十分な説明を行い、直接交付する場合は署名を求めるが、相手方が拒否した場合には強制できない。

(5) 立入検査結果通知書の内容が訴訟当事者の一方に不利に働く場合には、民事不介入の原則に抵触するから公開、回答をしないようにしなければならない。

要点・解説

立入検査結果通知書の内容は、一般的に第三者に対しては部外秘とすべきものであるが、裁判所から民事訴訟に関する事項としてあるいは検察庁又は警察等の捜査機関から犯罪捜査又は公訴の維持にかかわる事項として通知書の交付の有無及びその内容について照会があった場合には、回答を行うこともあり得る。

この場合には、民事不介入の原則に抵触するものではないとされているが、これは法律に基づく要求によるもので受動的に行われるものであり、また公的機関からの要求によるものであるからである。

(1)　立入検査及び質問を行った消防職員が、立入検査によって確認した火災予防に関する消防法令違反等の事実を記載し、関係者にその是正を求める文書（公文書）であることから、**適当である。**

(2)　昭和43年６月に発生した工場火災に際し、消防職員が指摘した場所から火災が発生したことから業務上失火罪（刑法第117条の２）により、簡易裁判所からの略式命令によって科刑されたことがあり、**適当である。**

　また、昭和40年２月発生した火災に係る民事事件の確定判決において、立入検査結果通知書が資料として認定されたことがある。

(3)　設問のとおりで、**適当である。**

(4)　設問のとおりで、**適当である。**

(5)　要点・解説のとおりで、**適当でない。**

ポイント

立入検査結果通知書の性格、内容等についての知識について問うものである。

【正解　(5)】

チェック □□□

問題４　**次は、消防法第４条に規定する立入検査において関係者に対して行う質問権及び質問内容等について記述したものであるが、適当でないものはどれか。**

(1)　質問は、火災の予防・防止に関係すると認められる事項であり、火気使用設備等の維持管理状況、防火管理体制の状況、避難訓練の実施状況、消防用設備等の維持管理状況等がある。

(2)　立入検査において、関係者から答弁を拒否された場合にはこれを強制できないが、質問事項が火災予防上重要な事項で、答弁を得られなければ行政目的を達成できないようなものであるときは、質問事項を報告徴収により強制的に報告させることができる。

(3)　質問をする相手方は、関係のある者で立入検査を受けた関係のある場所の関係者、その代理人、使用人その他の従業者等をいい、従業者の中には従業者、検査の対象となった事項についての知識や事情を知っている者等第三者も含まれる。
(4) 報告徴収権により報告義務を課せられた受命者は、報告を怠り、又は虚偽の報告をしたときには、関係者に対して罰則の適用がある。
(5) 消防職員は、立入検査において行った質問内容事項が不十分であった場合には質問内容を補完するため、関係者に消防署、消防出張所等へ出頭の要請をすることができる。

要点・解説

質問権は、関係のある場所へ立ち入って行使できるものであることから、立入検査場所以外で行う質問行為は、法第4条第1項等に基づく質問権の行使とはいえないとされる。

(1) 設問のとおりで、**適当である**。
(2) 設問のとおりで、**適当である**。
(3) 設問のとおりで、**適当である**。
(4) 法第44条第2号の規定で、**適当である**。
(5) 要点・解説のとおりで、**適当でない**。

ポイント

立入検査において関係者に対して行う質問内容等についての知識について問うものである。

【正解 (5)】

チェック □□□

問題 5 **次は、立入検査に当たっての一般的な留意事項、心構えについて述べたものであるが、誤っているものはどれか。**

(1) 危害防止のために、引火、爆発を起こすおそれのある場所では、底に金具を打った履物等を使用しないようにしなければならない。
(2) 民事問題で係争中又は紛争以前の段階における問題には、自らあるいは私人の求めに応じて当該民事問題に関与してはならないが、特に建物の取り壊し、立ち退きに関するもの等には十分配意しなければならない。

(3)　立入検査において職務上知り得た関係者の秘密はみだりに口外してはならないが、特定の者一人だけに知らせた場合は、みだりに口外することにはならない。
(4)　不燃性ガス、粉末消火設備の放射試験は、防護区画内に人がいないことを確認した後に行い、試験放射後は室内の換気を速やかに行わなければならない。
(5)　公務執行妨害に対しては、速やかに適正な措置を講じるものとし、立入検査中、相手方から暴行、脅迫等を受けたときには、その場において上司に連絡するとともに、必要に応じて警察に通報する等の措置を講じ、暴行、脅迫等の証拠の確保をしなければならない。

要点・解説

立入検査及び質問により知り得た関係者の秘密はみだりに口外しないようにしなければならないが、秘密とは一般の者の知らない事実である。

また、一人に知らせただけに過ぎないものであっても口外に該当するとされている。告知方法は、口頭、文書を問わないものである。

(1)　立入検査に当たっての一般的な留意事項の一つで、引火、爆発のおそれのある場所、箇所では、履物についても金具等床面との接触によって火花を発するおそれのある靴等の履物は避けなければならないので、**正しい**。
(2)　設問のとおりで、**正しい**。
(3)　要点・解説のとおりで、**誤り**。
(4)　人命危険が極めて高い不燃性ガス消火設備等の放射試験にあっては、当然に留意しなければならない事項で、**正しい**。
(5)　立入検査標準マニュアルにより、公務執行妨害は暴行や脅迫をもって消防職員の立入検査業務を妨害するもので、法第44条との法条競合により刑法第95条が適用され、**正しい**。

ポイント

立入検査に当たっての一般的な留意事項についての知識について問うものである。

【正解　(3)】

チェック □□□

問題 6 **次は、消防法に規定する命令違反、義務規定違反に対して命令、告発を行う場合の留意事項について述べたものであるが、誤っているものはどれか。**

---

(1) 告発をもって措置すべきと認められる事案としては、消防法令違反や火災予防条例違反等に該当し、罰則の担保があり、その例としては、防火管理関係違反、防火対象物使用禁止等命令違反、消防用設備等設置維持命令違反、その他の命令違反で内容が悪質で重大なもの等である。

(2) 消防法に規定されている法定刑が罰金又は拘留といった場合には、重い刑に従うとされ、拘留よりも刑が重いとされる罰金となり、公訴時効は3年となることから公訴時効には留意することが必要である。

(3) 命令書によって命令を行う場合、又は利害関係人から教示を求められた場合は不服申立てができる旨、並びに不服申立てをすべき行政庁及び不服申立てをすることができる期間を教示しなければならない。

(4) 命令書は、名あて人の特定に誤りがなく、その命令内容は明確であり、客観的に命令自体を履行することができる履行期限とし、命令で規制できる範囲を逸脱していないことなどが必要である。

(5) 告発は、被害者その他の告発権者以外の第三者が捜査機関に違反事実を申告し、その違反者（犯人）の処罰を求める意思表示をいい、必ず書面により行うものとされている。

要点・解説

告発は、違反者（犯人）又は告訴権者以外の第三者が、捜査機関に対して違反事実を申告し、その違反者（犯人）の処罰を求める意思表示をいうものとされる。告訴と大きく異なるところは、犯罪と直接関係のない第三者による申告である点に特徴がある。また、告発は、刑事訴訟法の規定に基づくものと、それ以外の法令の規定に基づくものなどがあり、告発の方式には書面又は口頭で検察官又は司法警察員にこれをしなければならない。

(1) 違反処理標準マニュアルにより、**正しい**。

(2) 刑事訴訟法第250条第２項では、消防法に規定されている長期５年未満の懲役若しくは禁錮又は罰金に当たる罪の公訴時効期間は３年であるから、**正しい**。

(3)　違反処理標準マニュアルにより、**正しい**。

(4)　違反処理標準マニュアルにより、**正しい**。

(5)　告訴、告発（刑事訴訟法第230条、同法第239条第１項、第２項）は、捜査機関に対して違反事実を申告し、処罰を求める意思表示であり、文書によることも口頭で申し出ることもできる（刑事訴訟法第241条第１項、第２項）ことから、**誤り**。

ポイント

告訴人と告発人の相違点並びに教示に関する事項を確認しておくことが大切であり、これらの知識について問うものである。　【正解　(5)】

チェック□□□

問題 7 次の①～⑤のうち、消防法令に定める規定に違反した事項等に対する措置命令等の記述として、正しいものはいくつあるか。選択肢(1)～(5)の中から正しいものを選べ。

① 命令は、消防長又は消防署長などの命令権者が、消防法上の命令規定に基づき、公権力の行使として、特定の者（主として関係者）に対し、具体的な火災危険の排除や消防法令違反等の是正について義務を課す意思表示であり、通常、罰則の裏付けによって間接的にその履行を強制している。

② 命令は、要式行為ではないから、口頭命令であろうと文書命令であろうと、その形式は問わない。ただし、実務上は、命令内容を受命者に明確に示すことによって、後日、命令の存否や内容等について無用なトラブルを避けるためにも、また、命令違反を告発する場合の挙証資料とするためにも、緊急やむを得ない場合以外は、文書の形をとるべきである。

③ 命令書によって命令を行う場合又は利害関係人から教示を求められた場合は、行政不服審査法（第82条第１項及び第２項の規定）により、不服申立てができる旨並びに不服申立てをすべき行政庁及び不服申立てができる期間を教示しなければならない。

④ 上級行政庁がある場合の審査請求の審査請求先は、処分庁の最上級行政庁である。したがって、消防吏員が行った命令に不服がある場合、消防署長が行った命令に不服がある場合、消防長が行った命令に不服がある場合のいずれであっても、市町村長に審査請求をすることになる。

⑤ 審査請求期間は、消防法第５条第１項、同法第５条の２第１項及び同法第５条の３第１項に基づく命令の場合は、命令を受けた日の翌日から起算して30日以内、その他の命令の場合は、命令のあったことを知った日の翌日から起算して３月以内である。

---

(1)　1つ
(2)　2つ
(3)　3つ
(4)　4つ
(5)　5つ

要点・解説

① 違反処理標準マニュアルにより、**正しい**。

② 違反処理標準マニュアルにより、**正しい**。

③ 違反処理標準マニュアルにより、**正しい**。

④ 行政不服審査法第４条及び違反処理標準マニュアルにより、**正しい**。

⑤ 法第５条の４、行政不服審査法第18条第１項及び違反処理標準マニュアルにより、**正しい**。

したがって、全部が正しく、選択肢(5)が正解となる。

ポイント

命令の意義及び形式、教示事項、命令に対し不服がある場合の審査請求とその手続きの有効期間等についての知識について問うものである。

【正解 (5)】

チェック □□□

問題 8 **次は、消防法第６条の規定により、消防法第５条第１項の規定による消防署長の命令又はその命令についての審査請求に対する裁決の取消しの訴えの場合の記述であるが、誤っているものはどれか。**

(1) 訴えは、正当な理由がある場合を除き、その命令又は裁決を受けた日から30日を経過したときは、提起することができない。

(2) 命令を取り消す旨の判決があった場合、その命令によって生じた損失に対しては、時価により補償される。

(3) 防火対象物の位置、構造、設備又は管理の状況が、消防法又はその他の法令に違反していないときは、命令を取り消す旨の判決にかかわらず、その命令によって生じた損失に対しては、時価により補償される。

(4) 補償に要する費用は、当該市町村の負担となる。

(5) 取消しの訴えの相手（被告）は、処分庁である消防署長の直近上級行政庁である消防長である。

要点・解説

この取消訴訟の被告は、行政事件訴訟法第11条第１項第１号及び第２号の規定により当該処分又は裁決をした行政庁の所属する公共団体である市町村となる。

なお、命令の取消しの訴えは、行政事件訴訟法に規定する抗告訴訟のうち「処分の取消しの訴え」に、裁決の取消しの訴えは、同じく抗告訴訟のうち「裁決の取消しの訴え」に該当する。また、裁決は審査請求があった場合に行われるものである。

法第６条の規定による訴えは、法第５条第１項の規定によるもののほか、法第５条の２第１項及び第５条の３第１項の場合の命令又はその命令についての審査請求に対する裁決の取消しについても該当する。

審査請求は、消防署長の命令に不服があるとして最上級行政庁である市町村長に対して行われる。また、消防本部を置かない市町村で市町村長が当該命令を発した場合には、当該市町村長に対して行われるものである。

⑴　法第６条第１項の規定で、**正しい**。
⑵　法第６条第２項の規定で、**正しい**。
⑶　法第６条第３項の規定で、**正しい**。
⑷　法第６条第４項の規定で、**正しい**。
⑸　行政事件訴訟法第11条第１項第１号及び第２号の規定で、**誤り**。

ポイント

消防機関の命令に不服があり、取消しの訴えを行う場合の手続き等についての知識について問うものである。　【正解　⑸】

チェック □□□

問題 9　**次のうち、消防法令等に関する違反調査の実況見分調書の作成に当たり留意しなければならない事項として、誤っているものはどれか。**

⑴　実況見分の内容をわかりやすく、具体的なものとするために、図面や写真を有効に活用することが大切である。
⑵　実況見分を施行した者以外の者が、実況見分を施行した者のメモに

よって作成した実況見分調書は有効であるとされている。

(3)　実況見分調書に記載した文字は改変してはならないが、文字を追加し又は削除した場合には、欄外余白にその旨及び字数を記載し、押印するものとされている。

(4)　実況見分は、対象物の外周部から始め、次第に建物内部の細部なものに対して行うものとされている。

(5)　実況見分の信憑性を確保するため、必要に応じて関係者の立会い状況を写真撮影しておくことが大切である。

要点・解説

実況見分を施行した者以外の者が、実況見分を施行した者のメモによって作成した実況見分調書は、実況見分調書として有効なものとはいえないため、違反現場に出向し、実況見分を行った者が作成することが大切である。

なお、証拠物等は、後日においても有形なものとして保全できる場合もあるが、多くの場合は時間的経過とともに消滅してしまうことが多いことから、違反事実の確認、特定及び証拠保全のため、違反現場の状態や存在を確認調査し、見聞の経過及び結果を書面に記載したものが実況見分調書である。

(1)　違反処理標準マニュアルにより、**正しい**。

(2)　違反処理標準マニュアルにより、**誤り**。

(3)　違反処理標準マニュアルにより、**正しい**。

(4)　違反処理標準マニュアルにより、**正しい**。

(5)　違反処理標準マニュアルにより、**正しい**。

ポイント

違反調査のために行う実況見分及び実況見分調書の作成に当たっての留意事項についての知識について問うものである。

【正解　(2)】

チェック □□□

問題10 **次は、消防法第５条第１項又は第17条の４第１項の違反に対して命令を行ったときの標識による公示についての記述であるが、誤っているものはどれか。**

---

(1) 公示の方法は、標識の設置、市町村公報への掲載その他市町村長が定める方法によるものとし、標識は当該防火対象物に出入りする人々が見やすい場所に設置するものとする。

(2) 標識の大きさは、縦42cm×横29cmから縦72cm×横51cm程度を目安とするが、防火対象物によっては、標識が確認しづらい場所となることもあることから、設置場所、大きさ等については適宜検討するものとする。

(3) 標識は命令を行った後、関係者のその後の動向や違反状況を詳細に観察し、適宜公示しなければならない。

(4) 設置された標識を損壊した者には、器物損壊罪又は軽犯罪法が、また、暴行、脅迫を加えて標識の設置を拒み又は妨げた者には公務執行妨害罪が適用される可能性があるので、行為者に対しては告訴・告発で対応する。

(5) 複数のテナントが存する防火対象物について、１つのテナントのみに命令を発した場合には、命令を発したテナントの出入口に設置することを原則とするが、必要に応じて防火対象物の出入口に設置するものとする。

要点・解説

・　命令を行ったときは標識を速やかに公示し、命令事項が履行されたとき等命令が効力を失うまでの間、維持する必要がある。

・　標識に記載される事項としては、①措置命令の内容、②当該命令を発動した日付、③標識を設置した日付、④防火対象物の所在地、⑤受命者の氏名、⑥管轄の消防長名又は消防署長名、⑦標識を損壊した者は、法律により罰せられることがある旨等である。

(1)　違反処理標準マニュアルにより、**正しい**。

⑵　違反処理標準マニュアルにより、**正しい**。
⑶　違反処理標準マニュアルにより、**誤り**。
⑷　違反処理標準マニュアルにより、**正しい**。
⑸　設問のとおりで、**正しい**。

ポイント

命令を行ったときには、標識に必要事項を記載して、当該防火対象物に出入する人々が見やすい位置（場所）に設置するものであり、これらの知識について問うものである。

【正解　⑶】

チェック □□□

問題11　次のうち、消防法令に定める規定に違反した事項等に対する警告の記述として、誤っているものはどれか。

⑴　警告とは、違反事実又は火災危険等が認められる事実について、防火対象物の関係者に対し、当該違反の是正又は火災危険等の排除を促し、これに従わない場合、命令、告発等の法的措置をもって対処することの意思表示である。
⑵　警告は、命令の前段的措置として行うのが原則で、性質上行政指導に当たる。したがって警告自体には法的な強制力はない。
⑶　警告は、行政指導としての意思表示であるから、警告の主体には限定がないが、行政上の実効を期する意味から、命令の主体である消防署長等が行うのが適切である。
⑷　警告の客体は、当該警告事項について履行義務のある者で、その者が警告の名あて人となる。なお、複数の履行義務者がある場合は、代表者に警告を発し、その者に他の履行義務者に伝達させることで足りる。
⑸　警告の要件は、警告が命令の前段的措置として行われるものであるため、命令の要件と一致させるのが妥当である。また、警告内容は実現不可能であったり、不明確であってはならない。

要点・解説

複数の履行義務者がある場合は、それぞれの義務者あて個別に警告する。

(1)　違反処理標準マニュアルにより、**正しい**。
(2)　違反処理標準マニュアルにより、**正しい**。
(3)　違反処理標準マニュアルにより、**正しい**。
(4)　違反処理標準マニュアルにより、**誤り**。
(5)　違反処理標準マニュアルにより、**正しい**。

ポイント

違反処理標準マニュアルに示す警告についての知識について問うものである。

【正解　(4)】

チェック □□□

問題12　**次は、防火対象物において法令違反又は火災発生危険等が存在し、関係者がこれらを改善する意思がないときに「警告書」を発出する場合の記述であるが、適当でないものはどれか。**

---

(1)　警告書の名あて人は、防火対象物の関係者で権原を有するものとし、警告の措置内容によって特定されるが、所有者をはじめ、管理者又は占有者となることがある。
(2)　警告を行った後は、関係者の履行状況の追跡調査を行い、履行期限までに改善されるように指導する。
(3)　警告は、行政庁としての消防長又は消防署長などの命令権者が、消防法上の規定に基づき、公権力の行使として、特定の者に対し消防法令違反等の是正について義務を課す意思表示で、通常罰則規定によって履行を強制するものである。
(4)　警告書の警告事項が多数項目にわたって、警告事項欄に書ききれないときは、警告事項を記載した別紙を添付し、警告書と別紙が一体であることを証明するために契印をすることが必要である。
(5)　警告書は、一般的に名あて人に直接交付し受領書を求めるが、直接交付できないときは名あて人の住所、事務所等において名あて人が不在の場合は、名あて人と相当の関係のある者に警告書を交付し、受領書を求めるものとする。

要点・解説

警告は、命令の前段的措置として行うものであるから、警告事項の履行を強制しない行政指導である。したがって、警告自体に法的な強制力はないとされている。警告は、違反事実又は火災危険等が認められる事実について、防火対象物の関係者に対して当該違反の是正又は火災危険等の排除を促し、これに従わない場合には命令、告発等の法的措置をもって対処することの意思表示である。

(1)　設問のとおりで、**適当である**。
(2)　違反処理標準マニュアルにより、**適当である**。
(3)　違反処理標準マニュアルにより、**適当でない**。
(4)　設問のとおりで、**適当である**。
(5)　違反処理標準マニュアルにより、**適当である**。

ポイント

警告書を発出するに当たっての留意事項についての知識について問うものである。

【正解　(3)】

チェック □□□

問題13　次のうち、消防法令の規定に違反した事項等に対する実況見分の記述として、適切でないものはどれか。

(1)　実況見分とは、違反事実の確認及び証拠保全のため、違反現場に出向し、直接、違反の状態や物の存在を現認し、調査することをいう。
(2)　実況見分の経過及び確認した結果を文書として記載したものが、実況見分調書である。
(3)　実況見分は、消防法第4条に規定する立入検査権などに基づき行う。
(4)　見分者は、現場を客観的に見分し、自己の先入観や過去の経験にとらわれず、ありのままの現場を見分する。

(5)　実況見分調書は、違反現場に出向し見分した者が作成する資料に基づき、担当の長たる者が作成する。

要点・解説

実況見分調書の作成は、見分を行った者が作成する。担当の長といえども見分を行っていなければ、実況見分調書の作成はできない。ただし、見分者は他の者を補助者とすることはできる。

(1)　違反処理標準マニュアルにより、**適切である。**
(2)　違反処理標準マニュアルにより、**適切である。**
(3)　違反処理標準マニュアルにより、**適切である。**
(4)　違反処理標準マニュアルにより、**適切である。**
(5)　違反処理標準マニュアルにより、**適切でない。**

ポイント

違反処理標準マニュアルに示す実況見分についての知識について問うものである。　【正解　(5)】

チェック □□□

問題14　**次は、消防長又は消防署長等の命令権者が消防法令上の命令規定に基づき、命令書作成時の留意事項について述べたものであるが、誤っているものはどれか。**

(1)　命令の対象となる防火対象物の所在は、所在地を確認のうえ都道府県名から省略することなく記載し、名称は、対象物が正確に特定できるように配慮する。

(2)　名あて人で法人の代表者に対する場合は、必ず登記事項証明書、関係者からの供述等を確認し、法人の本店の所在地等を記入する。

(3)　教示欄には、命令に対して不服があるときに審査請求をする場合の審査請求期間が消防法第5条第1項、同法第5条の2第1項、同法第5条の3第1項以外の命令にあっては、命令のあったことを知った日の翌日から起算して30日である旨を記入する。

(4)　命令要件欄には、消防法第3条第1項、同法第5条第1項等関係の命令のときは、命令の内容により「火災の予防に危険である」、「火災が発生したならば人命に危険である」、「消火、避難その他の消防の活動に支障となる」等を記入し、その他の命令の場合には各命令規定に明示された命令の前提となる違反条項を記入する。

(5)　命令書は、一般的に名あて人に直接交付し受領書を求めるが、直接手交できないときは名あて人の住所、事務所等において名あて人が不在の場合は、名あて人と相当の関係のある者に命令書を交付し、受領書を求めるものとする。

要点・解説

法第5条第1項、法第5条の2第1項、法第5条の3第1項の命令は、命令を受けた日の翌日から起算して30日である（法第5条の4）。その他の命令の場合は、行政不服審査法第18条第1項により処分（命令）のあったことを知った日の翌日から起算して3月である。

(1)　設問のとおりで、**正しい**。
(2)　設問のとおりで、**正しい**。
(3)　違反処理標準マニュアルにより、**誤り**。
(4)　設問のとおりで、**正しい**。
(5)　違反処理標準マニュアルにより、**正しい**。

ポイント

命令書は告発の前段階として行うもので、消防長又は消防署長等の命令権者が公権力の行使として特定の者に消防法令違反等の是正に義務を課すものであり、これらの知識について問うものである。

【正解　(3)】

チェック □□□

問題15 **次は、消防法令等の違反対象物に対して配達証明郵便、配達証明付き内容証明郵便により警告書、命令書等を送達する場合の内容証明作成に当たって留意する事項についての記述であるが、誤っているものはどれか。**

---

(1) 内容証明を差し出すには内容文書１通、謄本２通の３部を必要とし、１通は郵便局保管用謄本、１通は送付用文書、１通は差出人保管用謄本となるものである。

(2) 謄本は、手書き、ワープロ打ちどちらでも作成可能であるが、縦書きの場合は１行20字以内で１枚26行以内、横書きの場合は１行20字以内で１枚26行以内、１行13字以内で１枚40行以内、１行26字以内で１枚20行以内の４つのパターンがある。

(3) 謄本の字数、記号は１個１字として計算するが、㊥、⑥、m^2、kg等も１字として算入することになっている。なお、付記された文字については謄本の字数又は枚数に算入しない。

(4) 謄本には、郵便物（文書）の差出人及び受取人の住所、氏名をその末尾余白に付記するが、その住所、氏名が内容文書に記載されたものと同一であるときは、原則として、その記載を省略することができる。

(5) 謄本の文字又は記号を訂正、挿入、削除するときは、その字数及び箇所を欄外又は末尾の余白に記載し、差出人の印を押印するが、その訂正、削除に係るもとの文字は明らかに読み取れるように字体を残さなければならない。また、謄本が２枚以上にわたる場合には、その綴じ目に契印をすることになっている。

要点・解説

内容証明で使用可能な文字は、ひらがな、カタカナ、漢字、数字（算用数字、漢数字）、句読点、括弧、記号（一般的なもの）、英字は氏名、会社名、商品名等の固有名詞が使用でき制限がある。また、⑴、㈠、㋐などの文字又は記号かっこをつけたものは文中の序列を示す記号として認められるものに限り、１文字で計算し、その他の場合は２文字として計算する。

例として、m^2、kg、⑧等は２字として、⑩は３字、（内容証明）は５字として計算する。

なお、付記された文字については、文字数に算入されない。

また、内容証明郵便を取り扱う郵便局は限られているため、事前に確認をしておくことが必要である。

(1) 違反処理標準マニュアルにより、**正しい**。
(2) 違反処理標準マニュアルにより、**正しい**。
(3) 要点・解説のとおりで、**誤り**。
(4) 違反処理標準マニュアルにより、**正しい**。
(5) 設問のとおりで、**正しい**。

ポイント

配達証明郵便等は、郵便局が一般書留郵便物等を配達した事実を証明するもので、内容証明は相手方へ自分の意思を伝えるための郵便物の内容である文書についてその内容を謄本によって証明する制度であり、これらの知識について問うものである。

【正解　(3)】

チェック □□□

問題16　次は、消防法令等の違反に対する告発に関する記述であるが、誤っているものはどれか。

(1) 告発とは、告訴権者（犯罪による被害者等）及び違反者（犯人）以外の第三者が、捜査機関（警察又は検察）に対し、違反事実（消防法令違反）を申告して、処罰を求める意思表示である。
(2) 何人でも、犯罪（違反事実）があると思料するときは、告発をすることができる。
(3) 官吏又は公吏は、その職務を行うことにより犯罪（違反事実）があると思料するときは、告発をしなければならない。
(4) 告発は、書面で行わなければならない。
(5) 告発の客体は、法及び条例における罰則の担保のある規定又は命令に違反した者である。また、規定違反又は命令違反に対し、両罰規定があるときは、違反者のほか、業務主体である法人又は人を告発の客体とすることができる。

要点・解説

刑事訴訟法第241条第１項には、告発は書面又は口頭による旨が定められている。したがって、告発は口頭でもよい。ただ、告発事実の立証のため後日裁判所へ書面の提出が予想されることから、公務署所からの告発は書面によることが望ましい。

なお、告発は、犯罪（違反事実）の申告を必要とすることから、犯罪（違反事実）が示されない場合は無効である。

(1)　違反処理標準マニュアルにより、**正しい**。
(2)　刑事訴訟法第239条第１項の規定で、**正しい**。
(3)　刑事訴訟法第239条第２項の規定で、**正しい**。
(4)　刑事訴訟法第241条第１項の規定で、**誤り**。
(5)　設問のとおりで、**正しい**。

ポイント

告発の意義や告発の手続き等についての知識について問うものである。

【正解　(4)】

チェック □□□

問題17　**次は、防火対象物の関係者が、消防機関の度重なる指導にもかかわらず消防法令等違反を改善する姿勢が見られない場合に告発を行うに当たっての留意事項について記述したものであるが、適当でないものはどれか。**

(1)　告発は一般的に捜査機関の捜査の端緒となるもので、消防法令違反の告発は、法律上消防長、消防署長等の行政庁だけでなく、消防職員においても行うことができるが、通常、消防長又は消防署長を告発の主体としている例が多い。
(2)　告発の方法については、書面でも口頭でもよいとされているが、消防機関が告発を行う場合には、原則として書面（告発書あるいは告発状）

により行うが、緊急を要する場合には例外として口頭によるものでも差し支えないとされている。

(3) 告発は期間の制限がないから、犯罪事実が改善されるまで、いつでもこれを行うことができることになっている。

(4) 告発の取り消しは可能であるが、少なくとも公務員が告発義務に反する結果となるような告発の取り消しは許されない。なお、告発の取消権者は、告発を行った者である。

(5) 口頭による告発は、告発権者が捜査機関の面前で犯罪事実、処罰を求める趣旨等を陳述することであるから、電話による場合は、直接捜査機関と面接していないから、告発とはならないとされる。

要点・解説

告発に当たっては、公訴の時効が完成したものについては、告発を行っても公訴の提起ができないから、あえて告発する実益がない（刑事訴訟法第250条、第337条第4号）。

消防法令違反の公訴の時効としては、長期10年未満の懲役又は禁錮に当たるものについては5年で（法第38条及び第39条、第39条の2第2項及び第39条の3第2項等が該当する。）、長期5年未満の懲役若しくは禁錮又は罰金に当たるものは3年である（前記以外の消防法令違反が該当する。）。

(1) 刑事訴訟法第239条第2項の規定及び設問のとおりで、**適当である。**

(2) 刑事訴訟法第241条第1項の規定及び設問のとおりで、**適当である。**

(3) 刑事訴訟法第250条第2項～第4項の規定及び要点・解説のとおりで、**適当でない。**

(4) 刑事訴訟法第243条の規定及び設問のとおりで、**適当である。**

(5) 刑事訴訟法第241条の規定及び設問のとおりで、**適当である。**

ポイント

告発に当たっての留意事項についての知識について問うものである。

【正解 (3)】

チェック □□□

問題18 **次は、消防法令違反を検察庁へ告発し、検察官が略式命令の請求をする場合についての記述であるが、誤っているものはどれか。**

(1) 略式命令には、罪となるべき事実、適用した法令、科すべき刑及び附随の処分並びに略式命令の告知があった日から14日以内に正式裁判の請求をすることができる旨を示さなければならない。
(2) 略式手続は、公判手続を経ないで一定額の財産刑を科する軽易な手続きであり、消防法令違反に関しては略式手続によって罰金刑が確定することが多いとされている。
(3) 略式命令の請求は、検察官が、略式手続によることについて被疑者に異議がないことを確かめたうえ、公訴の提起と同時に、書面ですることを要し、略式命令請求書には、被疑者の異議がない旨の書面を添附しなければならない。
(4) 略式命令の請求を受けた簡易裁判所は、略式命令で一定額以下の罰金等を科し、刑の執行猶予、没収等をすることができるが、当該事件が懲役刑、控訴棄却等略式命令をすることができないもの、又はこれをすることが相当でないものであると思料するとき等では、通常の手続きに従って審判しなければならない。
(5) 簡易裁判所がその管轄に属する刑事事件で、200万円以下の罰金又は禁錮、無罪、免訴、科料を科する等の裁判で、この略式命令が確定すると確定判決と同一の効力が生じるものである。

要点・解説

簡易裁判所は、検察官の請求により、その管轄に属する事件について、公判前、略式命令で、100万円以下の罰金又は科料を科することができる。この場合には、刑の執行猶予をし、没収を科し、その他付随の処分をすることができる（刑事訴訟法第461条）。

(1) 刑事訴訟法第464条の規定で、**正しい**。
(2) 刑事訴訟法第461条～第470条の規定及び設問のとおりで、**正しい**。
(3) 刑事訴訟法第461条の２及び刑事訴訟法第462条の規定で、**正しい**。

⑷　刑事訴訟法第461条及び刑事訴訟法第463条第１項の規定で、**正しい**。
⑸　刑事訴訟法第461条の規定で、**誤り**。

ポイント

略式命令に関する事項についての知識について問うものである。

【正解　⑸】

チェック □□□

問題19　**次は、消防法令違反に対する処分を行う行政庁が特定の名あて人に対して義務を課し、又は権利を制限する不利益処分を行う場合に実施する「聴聞」についての記述であるが、適当でないものはどれか。**

⑴　消防法上聴聞を行うのは、防火対象物定期点検報告制度による特例認定の取り消し、消防設備士免状の返納命令等が該当する。
⑵　聴聞の出席者は、聴聞主宰者、行政庁、被聴聞者、事務局員とし、聴聞報告書は聴聞主宰者が作成するとされている。
⑶　行政庁は不利益処分の名あて人となるべき者の所在が判明しない場合は、送達すべき書類の名称・種別、送達を受けるべき者の氏名、その書類をいつでも送達を受けるべき者に交付する旨等を当該行政庁の事務所の掲示場に掲示すれば、公示後10日間経過したときに、当該通知がなされたものとみなすとされている。
⑷　聴聞の審理は、原則として非公開とされ、傍聴人は出席できないが、行政庁の判断で公開審理が認められる場合もあり得る。
⑸　聴聞には、当事者及び参加を認められた関係人（参加人）は、代理人を選任することができるが、代理人は弁護士等の資格は必要ないとされている。

要点・解説

行政庁は、不利益処分の名あて人となるべき者の所在が判明しない場合においては、行政庁が、その事務所の掲示場に所定の事項を掲示すれば、掲示を始めた日から２週間を経たときに、当該通知がその者に到達したものとみなされる（行政手続法第15条第３項）。

⑴　設問のとおりで、**適当である**。
⑵　行政手続法第19条第１項、行政手続法第24条の規定及び設問のとおりで、**適当である**。
⑶　行政手続法第15条第３項の規定で、**適当でない**。
⑷　行政手続法第20条第６項の規定で、**適当である**。
⑸　行政手続法第16条、行政手続法第17条第２項の規定及び設問のとおりで、**適当である**。

ポイント

聴聞に関する一般的事項についての知識について問うものである。

【正解　⑶】

チェック □□□

問題20　**次は、消防法第８条の２の３第６項に基づく特例認定の取消しに際しての聴聞に関する記述であるが、誤っているものはどれか。**

⑴　聴聞は、行政庁が指名する職員が主宰し、聴聞調書は聴聞主宰者が聴聞の審理の経過を記載したもので、不利益処分の原因となる事実に対する当事者及び参加人の陳述の要旨を明らかにしておくものである。
⑵　聴聞開催通知には、聴聞の期日及び場所、不利益処分の内容及び根拠となる法令の条項、不利益処分の原因となる事実、聴聞に関する事務を所掌する組織の名称及び所在地等が記載されていることが必要である。
⑶　聴聞に際して当事者が正当な理由なくして欠席した場合には、行政手続法の趣旨から再度聴聞を行わなければならない。
⑷　聴聞が終結するまでの間、当事者等は当該不利益処分の原因となる事実を証する資料の閲覧を求めることができる。
⑸　聴聞を実施した結果、行政庁は聴聞調書の内容と報告書に記載された主宰者の意見を十分に参酌したうえで処分を決定する。

要点・解説

聴聞は、不利益処分を受ける者に、口頭による意見陳述や質問の機会などを与え、処分を受ける者と行政庁側のやりとりを経て、事実判断を行う手続であり、当事者が正当な理由なく欠席した場合は、聴聞を行ったものとして処理できる（行政手続法第23条）。

(1) 行政手続法第19条第１項及び行政手続法第24条第１項の規定で、**正しい**。
(2) 行政手続法第15条第１項の規定で、**正しい**。
(3) 行政手続法第23条の規定で、**誤り**。
(4) 行政手続法第18条第１項の規定で、**正しい**。
(5) 行政手続法第26条の規定で、**正しい**。

ポイント

特例認定取消しに当たって行政手続法との関連についての知識について問うものである。

【正解　(3)】

チェック □□□

問題21　**次は、代理人（消防法令違反に対し特定の名あて人に聴聞を行う旨の通知がなされた場合、当事者は代理人を選任することができる。）についての記述であるが、誤っているものはどれか。**

(1) 代理人がその権限内でした行為は、当事者本人がしたのと同様な効果を生じ、その効力は当事者本人に及ぶものである。
(2) 代理人が当事者に代わり、聴聞の期日に出頭すれば、法律上当事者本人が出頭したことになるものであるから、聴聞の終結をすることはできないものである。
(3) 代理人の資格は、事前手続きの段階から重複する行為を避ける趣旨から、名あて人から直接行政庁に口頭で届ければよいことになるものである。
(4) 代理人となる資格については、行政不服審査法と同様に法文上規定が設けられていないものである。

(5)　代理人は、当事者のために聴聞に関する一切の行為をすることができるので、文書等の閲覧、聴聞の審理における意見陳述等をすることができるものである。

要点・解説

代理人の資格は、書面で証明しなければならないことになっている。これは当事者によって、代理人として正当に選任されたことが審理手続きを有効に行うための要件であるからである。また、選任行為にはその正当性を担保させるために、書面での証明が義務付けられている。

代理人がその資格を失ったときは、当該代理人を選任した当事者が書面でその旨を行政庁に届け出なければならない（行政手続法第16条第3項、第4項）。

(1)　行政手続法第16条の規定及び設問のとおりで、**正しい**。
(2)　行政手続法第16条の規定及び設問のとおりで、**正しい**。
(3)　行政手続法第16条第3項の規定で、**誤り**。
(4)　行政手続法第16条の規定及び設問のとおりで、**正しい**。
(5)　行政手続法第16条第2項の規定で、**正しい**。

ポイント

聴聞における代理人についての知識について問うものである。

【正解　(3)】

チェック □□□

問題22　**次は、行政手続法に規定される行政指導の一般原則に関する記述であるが、誤っているものはどれか。**

(1)　行政機関が同一の行政目的を実現するため一定の条件に該当する複数の者に対し行政指導を行う場合には、あらかじめ、事案に応じ、行政指導指針を定め、かつ、行政上特別の支障がない限り、これを公表することとされている。
(2)　行政指導に携わる者が口頭で行政指導を行った場合にあっては、後日必ず、その相手方に対して、当該行政指導の趣旨及び内容並びに責任者を明確にした書面を交付しなければならないとされている。

(3)　行政指導に携わる者が行政指導を行う場合には、当該行政機関の任務又は所掌事務の範囲を逸脱してはならないこと及び行政指導の内容があくまでも相手方の任意の協力によってのみ実現されることに留意することとされている。

(4)　行政指導に携わる者が申請の取下げ又は内容の変更を求める行政指導を行う場合にあっては、申請者が当該行政指導に従う意思がない旨を表明したにもかかわらず当該行政指導を継続すること等により当該申請者の権利の行使を妨げるようなことをしてはならないとされている。

(5)　許認可等をする権限又は許認可等に基づく処分をする権限を有する行政機関が、当該権限を行使することができない場合又は行使する意思がない場合においてする行政指導にあっては、当該権限を行使し得る旨を殊更に示すことにより相手方に当該行政指導に従うことを余儀なくさせるようなことをしてはならないとされている。

要点・解説

行政指導にあっては、行政指導に携わる者は、当該行政機関の任務又は所掌事務の範囲を逸脱してはならないこと及び行政指導の内容が相手方の任意の協力によって実現されるものであることに留意しなければならないとされている（行政手続法第32条第１項）。

また、行政指導に携わる者は、その相手方が行政指導に従わなかったこと、又は行政手続法第36条の２第１項の規定による行政指導の中止等の求めをしたことを理由として、不利益な取扱いをしてはならないとされている（行政手続法第32条第２項）。

なお、行政指導の方式に関しては、「行政手続法の一部を改正する法律の施行について」（平成26年11月28日付け総管管第93号）において示されている。

(1)　行政手続法第36条の規定で、**正しい**。

(2)　行政手続法第35条第３項の規定で、**誤り**。

(3)　行政手続法第32条第１項の規定で、**正しい**。

(4)　行政手続法第33条の規定で、**正しい**。

(5)　行政手続法第34条の規定で、**正しい**。

ポイント

行政指導についての一般原則の知識を問うものである。　【正解　(2)】

チェック □□□

問題23　次は、行政事件訴訟法第３条の抗告訴訟に関する記述であるが、誤っているものはどれか。

---

(1)　処分の取消しの訴えとは、行政庁の処分その他公権力の行使に当たる行為（裁決、決定その他の行為を除く。）の取消しを求める訴訟をいう。
(2)　裁決の取消しの訴えとは、審査請求その他の不服申立てに対する行政庁の裁決、決定その他の行為の取消しを求める訴訟をいう。
(3)　無効等確認の訴えとは、処分若しくは裁決の存否又はその効力の有無の確認を求める訴訟をいう。
(4)　義務付けの訴えとは、行政庁が法令に基づく申請に対し、相当の期間内に何らかの処分又は裁決をすべきであるにかかわらず、これをしないことについての違法の確認を求める訴訟をいう。
(5)　差止めの訴えとは、行政庁が一定の処分又は裁決をすべきでないにかかわらずこれがされようとしている場合において、行政庁がその処分又は裁決をしてはならない旨を命ずることを求める訴訟をいう。

要点・解説

「不作為の違法確認の訴え」とは、行政庁が法令に基づく申請に対し、相当の期間内に何らかの処分又は裁決をすべきであるにかかわらず、これをしないことについての違法の確認を求める訴訟をいう（行政事件訴訟法第３条第５項）。

「義務付けの訴え」とは、行政庁がその処分又は裁決をすべき旨を命ずることを求める訴訟をいう（行政事件訴訟法第３条第６項）。

(1)　行政事件訴訟法第３条第２項の規定で、**正しい**。
(2)　行政事件訴訟法第３条第３項の規定で、**正しい**。
(3)　行政事件訴訟法第３条第４項の規定で、**正しい**。
(4)　「義務付けの訴え」は、行政事件訴訟法第３条第６項の規定であるが、設問は、行政事件訴訟法第３条第５項の「不作為の違法確認の訴え」の規定であり、**誤り**。

(5)　行政事件訴訟法第３条第７項の規定で、**正しい**。

ポイント

行政庁の公権力の行使に関して、どのような行為等が抗告訴訟の対象になるか、また、抗告訴訟の種類及び定義についての知識について問うものである。

【正解 (4)】

チェック □□□

問題24　次は、営業中の物品販売店舗において火災が発生したため、緊急立入検査を行った結果の指摘事項であるが、誤っているものはどれか。

(1)　建築基準法のみが違反となる防火対象物であり、消防法第５条の２の要件に該当すれば使用禁止命令を発することも可能であるが、早急に関係行政機関への通報等を行い建築行政庁と連携して改善指導を行うことを指導した。

(2)　階段部分に多量の商品が存置されていることから、消防活動上、避難上支障になるとともに、死角となる場所の物品には放火されやすいため、早急に整理整頓するように指導した。

(3)　店舗の売り場部分の間仕切りにより、自動火災報知設備の未警戒区域が発生していることから早急にこれを改修するとともに、自動火災報知設備のベル停止等が発生しないように指導した。

(4)　特例認定を受けた防火対象物で火災が発生したのであるから、特例認定の取り消し処分を行う旨相手方に指導した。

(5)　火災時においては、消防計画による自衛消防隊の活動状況、初期消火、消防機関への通報、消防用設備等の活用状況、客の適切な避難誘導が行われたかどうか等の検証を行い、その結果を消防計画に反映するよう指導した。

要点・解説

火災の発生そのものを理由として特例認定を取り消すことはできない（防火対象物定期点検報告制度に関する執務資料について（平成14年12月12日付け消防安第122号防火安全室長）通知（問40））。

また、特例認定の取り消しに当たっては、行政手続法第13条第１項の規定に基づく聴聞を実施する必要がある。

⑴　設問のとおりで、**正しい**。
⑵　設問のとおりで、**正しい**。
⑶　設問のとおりで、**正しい**。
⑷　要点・解説のとおりで、**誤り**。
⑸　設問のとおりで、**正しい**。

ポイント

物品販売店舗においては、物品が大量に陳列され避難関係の消防法令違反が多い傾向にあるが、繰り返し違反行為、放火（放火の疑い及び不審火を含む。）が行われる事例が多く、改善指導を行うに当たっての指摘事項についての知識について問うものである。

【正解　⑷】

チェック □□□

問題25　**次は、店内に商品が多量に山積みされている物品販売店舗の立入検査時の一般的な留意事項についての記述であるが、誤っているものはどれか。**

⑴　一般的に商品等が天井近くまで高く積み上げられていることがあり、火災が発生すると比較的短時間で延焼拡大し、消火、避難が困難になることを指摘し、改善を指導すること。
⑵　廊下、階段、避難口等の避難施設及び防火戸等は消防法施行規則に定められた通路幅等の規定を遵守するように指導すること。
⑶　階段等の避難経路の物件存置等による避難関係の消防法令違反は、是正指導により是正された場合でも、繰り返して違反が行われることが多

いことから、必要に応じて、事前の通知を行わずに立入検査を実施すること。

(4)　年に2回以上の消火訓練及び避難訓練が実施されていること、従業者全員が消火設備、避難器具、防火戸等の位置を把握していること、初期消火や避難誘導が確実にできることを確認すること。

(5)　商品の整理、巡回の強化、放火監視機器の設置指導をするとともに、放火監視機器の設置に当たっては、監視カメラの他に炎センサーの設置も有効であることを指導する。

要点・解説

百貨店等の避難施設の管理、防火設備の管理等は、「火災予防条例（例）」（昭和36年11月22日付け自消甲予発第73号）に準じて、市町村の火災予防条例で規定されている。

(1)　立入検査標準マニュアルにより、**正しい**。

(2)　立入検査標準マニュアルにより、消防法施行規則ではなく、火災予防条例で規定されるものであるから、**誤り**。

(3)　立入検査標準マニュアルにより、**正しい**。

(4)　立入検査標準マニュアルにより、**正しい**。

(5)　立入検査標準マニュアルにより、**正しい**。

ポイント

大量物品販売店舗の立入検査、各種指導に当たっての留意事項及び細部については火災予防条例に規定を設けることの確認であり、これらの知識について問うものである。

【正解　(2)】

チェック □□□

問題26 **次は、消防法第4条に規定する立入検査に当たって、消防法令上は事前通知を課せられていないが、一般的に事前通知を行うために判断するうえで妥当でないものはどれか。**

---

(1)　防火対象物に消防法令の重大違反があることの通報を受け、その事実確認のために立入検査を実施する場合には事前通知をしない。

(2)　消防対象物の位置、構造、消防用設備等についての法令違反等正確な情報の入手、立入検査実施時の安全確保のために立入検査の相手方の立会いを求める必要があるときは、事前通知をする。

(3)　防火対象物の階段等の避難経路への不適切な物件存置や自動火災報知設備の音響装置停止等について確認のために立ち入る場合には事前通知をしない。

(4)　防火対象物における違反事実を既に把握しており、その違反事実の改修指導等で相手方の関係者と面談するときには事前通知をしない。

(5)　防火対象物の関係者で事前通知を行う相手が特定できないときは、事前通知をしない。

要点・解説

防火対象物における違反事実を既に消防機関が把握し、関係者に違反事実の改修指導、確認をする場合には、相手方と事前に日程、実施細部について事前調整等を行い、効率の良い違反是正の改修指導となるようにしなければならないので、事前通知をする必要がある。

(1)　立入検査標準マニュアルにより、**妥当である。**

(2)　立入検査標準マニュアルにより、**妥当である。**

(3)　立入検査標準マニュアルにより、**妥当である。**

(4)　立入検査標準マニュアルにより、**妥当でない。**

(5)　立入検査標準マニュアルにより、**妥当である。**

ポイント

立入検査を行うに当たっては、相手方に対する事前の通知の必要性を検討し、日程調整を行うなど必要があるときは事前通知を行うことについての知識について問うものである。

【正解 (4)】

チェック □□□

問題27 **次は、防火対象物における防火管理制度に関する記述であるが、誤っているものはどれか。**

---

(1) 防火管理者を定めなければならない者は、学校、病院、工場、事業場など多数の者が出入し、勤務し、又は居住する防火対象物として消防法施行令で定めるものの管理について権原を有する者とされている。

(2) 防火管理者は、消防計画を作成するとともに、当該消防計画に基づき、防火管理上必要な業務を行うこととされている。

(3) 防火対象物の管理について権原を有する者は、防火管理者を定めたとき又は解任したときには、その旨を消防長又は消防署長に届出をすることとされている。

(4) 消防長又は消防署長は、防火管理者の行うべき防火管理上必要な業務が法令の規定又は消防計画に従って行われていないと認める場合には、権原を有する者に対し、当該業務が当該法令の規定又は消防計画に従って行われるように必要な措置を講ずべきことを命ずることができる。

(5) 防火対象物の管理について権原を有する者は、防火管理者が策定した消防計画を消防長又は消防署長に届け出るとともに、防火管理の業務が適切に行われるよう監督しなければならない。

要点・解説

多数の者が出入し、勤務し、又は居住する防火対象物においては、火災による被害を軽減するために、火災予防や火災発生時において迅速かつ適切に対応することが求められている。このため、一定以上の収容人員を有する防火対象物に対し、防火管理者の選定、消防計画の策定、防火管理業務の実施、必要な届出や措置命令などの制度を設けている。

防火管理に関する関係者の業務については、次のとおりである。

管理について権原を有する者	・防火管理者の選定（法第８条第１項） ・防火管理者の選任・解任の届出（法第８条第２項） ・防火管理業務の指導監督指示（法第８条第１項、政令第３条の２第３項）
防火管理者	・消防計画の策定（法第８条第１項、政令第３条の２第１項）

	・消防計画の届出（政令第３条の２第１項） ・防火管理業務の実施（法第８条第１項、政令第３条の２第２項、第３項、第４項）
消防長・消防署長	・防火管理者の選任・解任の届出の受理（法第８条第２項） ・消防計画の届出の受理（政令第３条の２第１項） ・防火管理者の選任命令（法第８条第３項） ・防火管理業務に関する措置命令（法第８条第４項） ・措置命令の標識の設置、公示（法第８条第５項、法第５条第３項） ・標識の設置場所等（法第８条第５項、法第５条第４項）

⑴　法第８条第１項の規定で、**正しい**。
⑵　法第８条第１項、政令第３条の２の規定で、**正しい**。
⑶　法第８条第２項の規定で、**正しい**。
⑷　法第８条第４項の規定で、**正しい**。
⑸　政令第３条の２第１項の規定により、消防計画の届出は防火管理者が行うこととされており、**誤り**。

ポイント

防火管理に関する管理権原者、防火管理者及び消防長・消防署長のそれぞれの業務内容に関する知識を問うものである。

【正解　⑸】

チェック□□□

問題28　**次は、消防法第８条又は消防法第８条の２の４に規定する防火管理又は避難上必要な施設等の管理に関する記述であるが、誤っているものはどれか。**

⑴　新築工事中の建築物は、収容人員の如何を問わず防火管理の対象物から除外されている。
⑵　事業場の管理について権原を有する者は、当該事業場の廊下、階段、避難口その他の避難上必要な施設について避難の支障になる物件が放置され、又はみだりに存置されないように管理しなければならないこととされている。

(3) 建造中の旅客船（進水後の旅客船であってぎ装中のもの）で、収容人員が50人以上で、かつ、甲板数が11以上のものは、防火管理を行うべき対象物に該当する。
(4) 延長50m以上のアーケードは、避難上必要な施設等の管理の対象から法令上外されている。
(5) 防火管理者は、防火対象物の位置、構造及び設備の状況並びにその使用状況に応じ、当該防火対象物の管理権原者の指示を受けて防火管理に係る消防計画を作成しなければならない。

要点・解説

新築工事中の建築物で、収容人員が50人以上のもののうち、次に掲げるものは防火管理を行うべき対象とされている（政令第1条の2第3項第2号）。

なお、外壁及び床又は屋根を有する部分が次の①、②又は③に定める規模以上である建築物であって、電気工事等の工事中のものとされている。

① 地階を除く階数が11以上で、かつ、延べ面積が10,000m²以上である建築物
② 延べ面積が50,000m²以上である建築物
③ 地階の床面積の合計が5,000m²以上である建築物

(1) 政令第1条の2第3項第2号の規定で、**誤り**。
(2) 法第8条の2の4の規定で、**正しい**。
(3) 政令第1条の2第3項第3号及び規則第1条の2第2項の規定で、**正しい**。
(4) 政令第4条の2の3の規定で、**正しい**。
(5) 規則第3条第1項の規定で、**正しい**。

ポイント

法第8条に規定する防火管理者制度の対象となる対象物の範囲についての知識について問うものである。

【正解 (1)】

チェック □□□

問題29 次は、防火管理者が行うべきこととされている業務に関する記述であるが、誤っているものはどれか。

(1) 消防設備士又は消防設備点検資格者が行うこととされている消防用設備等以外の消防用設備等の点検及び整備
(2) 火災、地震その他の災害が発生した場合における消火活動、通報連絡及び避難誘導
(3) 指定数量以上の危険物の取扱い時の立ち会いの実施
(4) 防火管理上必要な教育
(5) 避難通路、避難口、安全区画、防煙区画その他の避難施設の維持管理及びその案内

要点・解説

(1) 法第8条第1項、政令第3条の2第2項の規定で、**正しい**。
(2) 法第8条第1項、政令第3条の2第2項の規定で、**正しい**。
(3) 法第13条第3項の規定で、**誤り**。
(4) 法第8条第1項、政令第3条の2第2項の規定で、**正しい**。
(5) 法第8条第1項、政令第3条の2第2項の規定で、**正しい**。

ポイント

防火管理者が行うべき業務についての知識について問うものである。この場合の、防火管理業務の内容については、政令第3条の2及び規則第3条第1項に規定されている。また、指定数量以上の危険物の取扱いに関する立ち会いは、危険物取扱者の業務とされている。

【正解 (3)】

チェック □□□

問題30 **次は、消防法第８条の規定に基づく防火管理に関する記述であるが、誤っているものはどれか。**

---

(1) 消防法第８条の規定の対象となる防火対象物において、当該防火対象物の関係者（所有者、管理者又は占有者をいう。）又は当該関係者に雇用されている者（当該防火対象物で勤務している者に限る。）以外の者に、防火管理上必要な業務の一部を委託することはできないこととされている。

(2) 新築工事中の建築物は、外壁及び床又は屋根を有する部分が法令で定める一定の規模以上である建築物であって、電気工事等の工事中のものとされている。

(3) 建造中の旅客船で収容人員が50人以上であり、かつ、甲板数が11以上のもののうち、総務省令で定めるものは、防火管理者を定め、防火管理に係る消防計画を作成し、所轄消防長（消防本部を置かない市町村においては、市町村長）又は消防署長に届け出なければならないこととされている。

(4) 管理について権原が分かれている防火対象物にあっては、当該防火対象物の防火管理者は、防火管理に係る消防計画に、当該防火対象物の当該権原の範囲を定めなければならないこととされている。

(5) 防火管理者は、防火管理に係る消防計画を作成するに当たって、当該防火対象物の管理について権原を有する者の指示を受けなければならないこととされている。

要点・解説

規則第３条第２項で防火管理上必要な業務の一部を、外部の者に委託することを想定し、必要な事項について規定している。しかし、外部の者に防火管理上必要な業務の一部を委託することができない旨の規定はない。

(1) 規則第３条第２項の規定で、**誤り**。

(2) 政令第１条の２第３項第２号及び規則第１条の２第１項の規定で、**正しい**。

(3) 法第８条第１項及び第２項、政令第１条の２第３項第３号の規定で、**正し**

い。

(4)　規則第3条第3項の規定で、**正しい**。

(5)　規則第3条第1項の規定で、**正しい**。

ポイント

防火管理業務を遂行するに当たり、防火管理上必要な業務の一部を外部の者に委託することができる旨の規定についての知識について問うものである。

【正解　(1)】

チェック □□□

問題31　**次は、消防法第8条の2に定める統括防火管理者に関する記述であるが、統括防火管理者を定めなければならない防火対象物として規定されていないものはどれか。ただし、いずれもその管理について権原が分かれている防火対象物とする。**

---

(1)　高層建築物（高さ31mを超える建築物をいう。）

(2)　地下街で消防長若しくは消防署長が指定するもの

(3)　消防法施行令別表第1(1)項から(4)項まで、(5)項イ、(6)項イ、ハ及びニ、(9)項イ並びに(16)項イに掲げる防火対象物（同表(16)項イに掲げる防火対象物にあっては、同表(6)項ロに掲げる防火対象物の用途に供される部分が存するものを除く。）のうち、地階を除く階数が3以上で、かつ、収容人員が30人以上のもの

(4)　消防法施行令別表第1(16)項ロに掲げる防火対象物のうち、地階を除く階数が5以上で、かつ、収容人員が50人以上のもの

(5)　新築で工事中の建築物又は建造中の旅客船で収容人員が50人以上のもののうち、総務省令で定めるもの

要点・解説

・　選択肢(5)は、統括防火管理者を定めなければならない防火対象物として規定されていない。

・　統括防火管理者を定めなければならない防火対象物は、法第8条の2第1項

及び政令第３条の３に規定され、選択肢の⑴、⑵、⑶及び⑷のほか、政令別表第１⑹項ロ及び⒃項イに掲げる防火対象物（同表⒃項イに掲げる防火対象物にあっては、同表⑹項ロに掲げる防火対象物の用途に供される部分が存するものに限る。）のうち、地階を除く階数が３以上で、かつ、収容人員が10人以上のもの及び同表（16の３）項に掲げる防火対象物とされている。

⑴　法第８条の２第１項の規定で、**規定されている**。
⑵　法第８条の２第１項の規定で、**規定されている**。
⑶　法第８条の２第１項及び政令第３条の３第２号の規定で、**規定されている**。
⑷　法第８条の２第１項及び政令第３条の３第３号の規定で、**規定されている**。
⑸　法第８条第１項及び政令第１条の２第３項の規定で、**規定されていない**。

ポイント

統括防火管理者を定めなければならない防火対象物はどのように定められているか、法第８条の２第１項及び政令第３条の３の規定についての知識について問うものである。

【正解　⑸】

チェック □□□

問題32　**次は、統括防火管理者を定めなければならない防火対象物を掲げたものであるが、誤っているものはどれか。**

⑴　高層建築物で、その管理について権原が分かれているもの
⑵　消防法施行令別表第１⑹項ロ及び⒃項イに掲げる防火対象物（同表⑹項ロに掲げる防火対象物の用途に供される部分が存するものに限る。）のうち、地階を除く階数が３以上で、かつ、収容人員が10人以上のもので、その管理について権原が分かれているもの
⑶　消防法施行令別表第１⒃項ロに掲げる防火対象物のうち、地階を除く階数が５以上で、かつ、収容人員が50人以上のもので、その管理について権原が分かれているもの
⑷　準地下街で、その管理について権原が分かれているもの
⑸　地下街で、その管理について権原が分かれているもの

要点・解説

複合用途防火対象物の防火管理は、従来、共同防火管理として、防火対象物の管理権原者による協議会を設置し、防火対象物全体の防火管理を行うこととしていたが、防火対象物全体の防火管理体制の充実強化を図るために、責任の明確化、防火管理業務の実効性の確保等の観点から、統括防火管理者を中心とする統括防火管理制度として整備された。

この統括防火管理制度は、一定規模以上の高層建築物、地下街などの複合用途防火対象物のうち、その管理について権原が分かれている場合に、当該複数の管理権原者が協議して、当該防火対象物全体の防火管理業務を行うことのできる統括防火管理者を選任し、当該防火対象物全体の防火管理を行うものである。

なお、地下街については、消防長又は消防署長が指定するものとなっているので注意する必要がある。

具体的には、次の防火対象物で、管理権原が分かれているものが統括防火管理を行うものとして規定されている。

区　　分	内容・備考等
高層建築物	高さ31mを超えるもので、その用途は関係しない。
地下街	消防長又は消防署長が指定したもの
準地下街	特定用途部分（政令別表第1⑴項から⑷項まで、⑸項イ、⑹項及び⑼項イ）が存するものに限られている。
特定複合用途防火対象物	①　政令別表第1⑹項ロ及び⒃項イに掲げる防火対象物（同表⒃項イに掲げる防火対象物にあっては、同表⑹項ロに掲げる防火対象物の用途に供される部分が存するものに限る。）のうち、地階を除く階数が3以上で、かつ、収容人員が10人以上のもの ②　政令別表第1⑴項から⑷項まで、⑸項イ、⑹項イ、ハ及びニ、⑼項イ並びに⒃項イに掲げる防火対象物（同表⒃項イに掲げる防火対象物にあっては、同表⑹項ロに掲げる防火対象物の用途に供される部分が存するものを除く。）のうち、地階を除く階数が3以上で、かつ、収容人員が30人以上のもの
非特定複合用途防火対象物	地階を除く階数が5以上で、かつ、収容人員が50人以上のもの（政令別表第1⒃項ロに掲げる防火対象物）

⑴　法第8条の2第1項の規定により、**正しい**。

⑵　法第8条の2第1項、政令第3条の3第1号の規定により、**正しい**。

⑶　法第8条の2第1項、政令第3条の3第3号の規定により、**正しい**。

⑷　法第８条の２第１項、政令第３条の３第４号の規定により、**正しい**。

⑸　法第８条の２第１項の規定により、**誤り**。

ポイント

統括防火管理者を選任する必要がある防火対象物についての知識を問うものである。

【正解　⑸】

チェック □□□

問題33　次は、消防法令における統括防火管理に関する記述であるが、誤っているものはどれか。

⑴　高さ31mを超える建築物の場合、必ず統括防火管理を行うことが必要とされている。

⑵　地下街の場合、管理について権原が分かれているもののうち消防長又は消防署長が指定するものに限って統括防火管理が必要になる。

⑶　統括防火管理者の責務として、防火対象物の全体についての防火管理に係る消防計画を作成し、届け出なければならない。

⑷　統括防火管理者が定められていないとき、消防長による管理について権原を有する者に対する選任命令に違反した場合の罰則は、定められていない。

⑸　防火対象物の全体についての防火管理に係る消防計画に定める事項として、火災の際の消防隊の誘導に関することが含まれている。

要点・解説

⑴　法第８条の２第１項の規定で、**誤り**。

⑵　法第８条の２第１項の規定で、**正しい**。

⑶　法第８条の２第１項及び政令第４条の２の規定で、**正しい**。

⑷　法第８条の２に罰則の規定はないので、**正しい**。

⑸　規則第４条第１項第６号の規定で、**正しい**。

ポイント

法第８条の２に規定する統括防火管理についての知識について問うものである。なお、高さ31mを超える建築物の場合、管理について権原が分かれているものに限り統括防火管理を行うことが必要とされている。【正解 (1)】

チェック □□□

問題34 次は、消防法第８条の２に規定する統括防火管理に関する記述であるが、誤っているものはどれか。

(1) 地下街で管理について権原が分かれているものは、消防長又は消防署長の指定があれば、統括防火管理を行うべき対象に該当する。

(2) 統括防火管理者は、防火対象物の全体についての消防計画の作成並びに消火、通報及び避難の訓練の実施、防火対象物の廊下、階段、避難口その他の避難上必要な施設の管理その他防火対象物の全体についての防火管理上必要な業務を行わなければならない。

(3) 統括防火管理者は、必ずしも防火管理者の資格を有する者を充てる必要はない。

(4) 防火管理者が作成する消防計画は、統括防火管理者が作成する防火対象物の全体についての消防計画に適合するものでなければならない。

(5) 統括防火管理者を選任若しくは解任したときは、遅滞なく、その旨を所轄消防長又は消防署長に届け出なければならない。

要点・解説

(1) 法第８条の２第１項の規定で、**正しい**。
(2) 政令第４条の２の規定で、**正しい**。
(3) 政令第４条の規定で、**誤り**。
(4) 法第８条の２第３項の規定で、**正しい**。
(5) 法第８条の２第４項の規定で、**正しい**。

ポイント

法第８条の２に規定する統括防火管理についての知識について問うものである。統括防火管理者は、防火対象物の区分に応じて資格が定められており、防火対象物の全体についての防火管理上必要な業務を適切に遂行するために必要な権限及び知識を有するものとして一定の要件を満たすこととされている。

【正解　(3)】

チェック □□□

問題35　次は、消防法第８条の２の２に規定する防火対象物の点検及び報告に関する記述であるが、適当でないものはどれか。

---

(1)　定期的に点検報告を要する防火対象物としては、収容人員300人以上の特定防火対象物（消防法施行令別表第１（16の３）項を除く。）のほか、収容人員が30人以上かつ特定用途部分が地階又は３階以上（避難階は除く。）に存する防火対象物で、当該階から避難階又は地上に直通する階段（屋外階段を除く。）が２以上設けられていないものが該当する。

(2)　防火対象物の防火管理者は、防火対象物点検資格者に防火対象物の点検の依頼を行うとともに、防火対象物点検資格者から提出された報告書を消防長又は消防署長に届け出なければならない。

(3)　防火対象物の点検報告をせず、又は虚偽の報告をした者は、30万円以下の罰金又は拘留に処せられる。

(4)　防火対象物点検資格者は、防火管理上必要な業務等が基準に適合しているかどうかを点検し、その結果を報告書にまとめなければならない。

(5)　防火対象物の管理権原者は、点検の結果消防法令に定める基準に適合している場合は、総務省令で定める表示（防火基準点検済証）をすることができる。

要点・解説

防火対象物の管理について権原を有する者は、防火対象物点検資格者に防火管理上必要な業務、消防の用に供する設備、消防用水又は消火活動上必要な施設の設置及び維持その他火災の予防上必要な事項が点検基準に適合しているかどうかを点検させ、その結果を消防長又は消防署長に報告しなければならないと規定されている。

⑴　法第８条の２の２第１項及び政令第４条の２の２の規定で、**適当である**。「収容人員30人以上」とは、法第８条第１項の防火対象物が条件となるからである。
⑵　法第８条の２の２第１項の規定で、**適当でない**。
⑶　法第８条の２の２第１項、法第44条第11号及び法第45条第３号の規定で、**適当である**。
⑷　法第８条の２の２第１項の規定で、**適当である**。
⑸　法第８条の２の２第２項の規定で、**適当である**。

ポイント

一定規模以上の構造、用途の防火対象物には、必要とされる火災予防点検の実施と報告が義務付けられていることについての知識について問うものである。

【正解　⑵】

チェック□□□

問題36　次のうち、消防法令で規定する防火対象物定期点検報告制度に関する記述として、誤っているものはどれか。

⑴　収容人員300人以上の特定防火対象物（消防法施行令（以下「政令」という。）別表第１（16の３）項を除く。）で、政令別表第１⑴項から⑷項まで、⑸項イ、⑹項又は⑼項イに掲げる防火対象物の用途に供される部分が避難階以外の階（１階及び２階を除く。）に存する防火対象物で、避難階以外の階から避難階又は地上に直通する階段（屋外階段を除く。）が２以上設けられていないものは定期的な点検報告を要する。
⑵　管理について権原を有する者は、定期に、防火対象物点検資格者（火災の予防に関する専門的知識を有する者で総務省令で定める資格を有するもの）に点検対象事項を点検基準に基づき点検させ、その結果を防火管理維持台帳に記録するとともに、これを保存しなければならない。

(3)　防火対象物点検の結果、防火対象物点検資格者により点検対象事項が点検基準に適合していると認められた防火対象物には、総務省令で定める事項を記載した表示を付することができる。
(4)　防火対象物の定期点検報告が義務付けられている防火対象物のうち、管理の状態が一定期間継続して火災予防に関する事項を適正に遵守する等、消防法第8条の2の3の規定に適合しているものにあっては、権原を有する者の申請により、消防長又は消防署長の検査を経て、点検報告の特例認定を受けることができる。
(5)　防火対象物の定期点検報告の特例認定を受けると、以後3年間は点検と報告が免除されるが、認定を受けてから3年が経過したとき若しくは防火対象物の管理について権原を有する者に変更があったときは、特例認定は取消しとなる。

要点・解説

特例認定を受けてから3年が経過したとき若しくは防火対象物の管理について権原を有する者に変更があったときは、特例認定は取消しではなく、効力を失う（法第8条の2の3第4項）。

(1)　法第8条の2の2第1項及び政令第4条の2の2の規定で、**正しい**。
(2)　法第8条の2の2第1項及び規則第4条の2の4第2項の規定で、**正しい**。
(3)　法第8条の2の2第2項の規定で、**正しい**。
(4)　法第8条の2の3第1項の規定で、**正しい**。
(5)　法第8条の2の3第4項の規定で、**誤り**。

ポイント

点検を要する防火対象物、点検実施者、点検対象事項、点検基準、点検報告の特例認定等についての知識について問うものである。　【正解　(5)】

チェック□□□

問題37 **次は、消防法第８条の２の２の規定により、防火対象物点検資格者に点検させなければならない防火対象物に係る記述であるが、誤っているものはどれか。**

(1) 消防法施行令別表第１(1)項から(4)項まで、(5)項イ、(6)項、(9)項イ、(16)項イ及び（16の２）項に掲げる防火対象物であって、収容人員が300人以上のものは、点検対象である。

(2) 消防法施行令別表第１(1)項から(4)項まで、(5)項イ、(6)項又は(9)項イに掲げる防火対象物の用途に供される部分が避難階以外の階に存する防火対象物で、当該避難階以外の階から避難階又は地上に直通する階段が２（当該階段が屋外に設けられ、又は総務省令で定める避難上有効な構造を有する場合にあっては、１）以上設けられていなく、かつ、収容人員が30人以上のものは、点検対象である。

(3) 点検は、総務省令で定める点検基準により原則として１年に１回行い、当該防火対象物の管理について権原を有する者は、点検の結果を消防長又は消防署長に報告しなければならない。ただし、消防法第８条の２の３第１項の規定により、同法第８条の２の２第１項の規定の適用につき特例の認定を受けている場合を除く。

(4) 防火対象物の管理について権原を有する者は、点検の結果を防火管理維持台帳に記録するとともに、これを保存しなければならない。

(5) 消防職員又は消防団員による立入検査が行われた場合は、防火対象物点検資格者の点検とみなされる。

要点・解説

・　消防職員又は消防団員による立入検査は、防火対象物点検資格者による点検、すなわち、法第８条の２の２の規定による「点検基準」によって行われるものではない。したがって、消防職員又は消防団員による立入検査が行われたからといって、防火対象物点検資格者の点検とみなされることはない（法第８条の２の２、政令第４条の２の２）。

・　消防職員又は消防団員による防火対象物の立入検査は、当該防火対象物の関係者が、消防法令等の防火に関する規定事項を誠実に履行しているかを確認し、履行していない場合は履行させることを目的とするものである。

(1)　政令第４条の２の２第１号の規定で、**正しい**。
(2)　政令第４条の２の２第２号の規定で、**正しい**。
「収容人員30人以上」とは、法第８条第１項の防火対象物が条件となるからである。
(3)　法第８条の２の２第１項及び規則第４条の２の４第１項本文の規定で、**正しい**。
(4)　規則第４条の２の４第２項の規定で、**正しい**。
(5)　要点・解説のとおりで、**誤り**。

ポイント

防火対象物点検資格者に点検させなければならない防火対象物、点検の頻度、点検結果の報告、特例認定、点検記録等についての知識について問うものである。

【正解　(5)】

チェック □□□

問題38　**次のうち、消防法（以下「法」という。）第８条の２の２又は法第８条の２の３の規定に基づく防火対象物定期点検報告制度に該当する事項として、誤っているものはどれか。**

(1)　法第８条第１項に規定する、すべての防火対象物の管理について権原を有する者は、定期に、防火対象物点検資格者に法令で定める「点検対象事項」が「点検基準」に適合するかどうかを点検させ、その結果を消防長又は消防署長に報告させなければならない。
(2)　圧縮アセチレンガス等火災予防又は消火活動に重大な支障を生ずるおそれのある物質で、危険物の規制に関する政令第１条の10第１項に規定するものを貯蔵し、又は取り扱う場合にあっては、その届出がなされていること。
(3)　過去３年以内において特例認定の取消しを受けたことがなく、かつ、受けるべき事由が現にないことが特例認定を受ける要件の１つとされている。

(4) 消防法施行令別表第1(5)項ロに掲げる防火対象物で、収容人員が500人のものは、法第8条の2の2第1項に規定する点検を要する防火対象物に該当しない。

(5) 消防長又は消防署長に、防火管理に係る消防計画及び防火管理者の選任の届出がなされていること。

要点・解説

(1) 法第8条の2の2第1項及び政令第4条の2の2の規定で、**誤り**。

(2) 法第8条の2の2第1項及び規則第4条の2の6第1項第6号の規定で、**正しい**。

(3) 法第8条の2の3第1項第2号の規定で、**正しい**。

(4) 法第8条の2の2第1項及び政令第4条の2の2の規定で、**正しい**。

(5) 法第8条の2の2第1項及び規則第4条の2の6第1項第1号の規定で、**正しい**。

ポイント

防火対象物定期点検報告制度についての知識について問うものである。なお、点検対象物はすべての防火対象物ではなく政令第4条の2の2で限定されているものであることに留意する。

【正解 (1)】

チェック □□□

問題39 **次のうち、消防法（以下「法」という。）第8条の2の2又は法第8条の2の3の規定に基づく防火対象物定期点検報告制度に該当する記述として、誤っているものはどれか。**

(1) 特殊消防用設備等にあっては、設備等設置維持計画に従って設置し、又は維持しなければならない。

(2) 防火対象物の定期点検報告が義務付けられている防火対象物のうち、管理状態が一定期間継続して火災予防に関する事項を適切に遵守する等、法第8条の2の3の規定に適合しているものにあっては、当該防火対象物の管理について権原を有する者の申請により、消防長又は消防署長の検査を受けて、点検報告の特例認定を受けることができる。

(3)　過去２年以内において特例認定の取消しを受けたことがなく、かつ、受けるべき事由が現にないことが、特例認定を受ける要件の１つである。

(4)　法第８条の２の３の規定に基づく防火対象物の点検及び報告についての特例の申請者は、消防長又は消防署長に認定を受けようとする防火対象物の所在地その他総務省令で定める事項を記載した書類を添えて申請し、検査を受けなければならないこととされている。

(5)　消防長又は消防署長に、防火管理に係る消防計画及び防火管理者の選任の届出がなされていること。

要点・解説

防火対象物の定期点検報告制度における定期点検報告の特例認定の要件の１つとして、過去３年以内において特例認定の取消しを受けたことがなく、現時点でも取消しを受けるべき事由がないことと規定されている。

(1)　法第８条の２の２第１項及び規則第４条の２の６第１項第７号の規定で、**正しい**。

(2)　法第８条の２の３の規定で、**正しい**。

(3)　法第８条の２の３第１項第２号の規定で、**誤り**。

(4)　法第８条の２の３第２項の規定で、**正しい**。

(5)　法第８条の２の２第１項及び規則第４条の２の６第１項第１号の規定で、**正しい**。

ポイント

防火対象物定期点検報告制度における、①特例認定を受ける要件及び②特例認定要件に合致するかどうかについての知識について問うものである。

【正解　(3)】

チェック □□□

問題40 **次のうち、消防法（以下「法」という。）第８条の２の２に規定する防火対象物定期点検報告制度又は法第８条の２の４に規定する避難上必要な施設等の管理に関する記述として、誤っているものはどれか。**

---

(1)　収容人員が400人の集会場の管理について権原を有する者は、定期に、防火対象物点検資格者に法令で定める点検基準に適合するかどうかを点検させ、その結果を消防長又は消防署長に報告しなければならないこととされている。

(2)　延長50m以上のアーケードの管理について権原を有する者は、法令上、必ずしも避難上必要な施設等の管理を行うこととされていない。

(3)　法第８条第１項に掲げる防火対象物で、消防法施行令別表第１(1)項から(4)項まで、(5)項イ、(6)項又は(9)項イに掲げる防火対象物の用途に供される部分が避難階以外の階（１階及び２階を除くものとし、消防法施行規則（以下「規則」という。）第４条の２の２で定める避難上有効な開口部を有しない壁で区画されている部分が存する場合にあっては、その区画された部分とする。）に存する防火対象物で、当該避難階以外の階から避難階又は地上に直通する階段（傾斜路を含む。）が２（当該階段が屋外に設けられ、又は規則第４条の２の３で定める避難上有効な構造を有する場合にあっては、１）以上設けられていないものは、防火対象物定期点検報告制度の対象とされている。

(4)　特殊消防用設備等については、設備等技術基準に従って設置し、又は維持されている状況について記載した書類を記録し保存しなければならないこととされている。

(5)　法第８条の２の２第１項の規定に基づく点検は、原則として１年に１回行うこととされている。

要点・解説

(1)　法第８条の２の２第１項及び政令第４条の２の２第１号の規定で、**正しい**。

(2)　法第８条の２の４及び政令第４条の２の３の規定で、**正しい**。

(3)　法第８条の２の２第１項及び政令第４条の２の２第２号の規定で、**正しい**。

(4)　法第８条の２の２第１項、法第17条第３項及び規則第４条の２の４第２項第８号ロの規定で、**誤り**。

⑸　法第８条の２の２第１項及び規則第４条の２の４第１項本文の規定で、**正しい**。

ポイント

防火対象物定期点検報告制度又は避難上必要な施設等の管理についての知識について問うものである。この規定で、特殊消防用設備等に関する点検基準については、「設備等技術基準」ではなく、「設備等設置維持計画」とされている。

【正解　⑷】

チェック□□□

問題41　次のうち、消防法第８条の２の２に規定する防火対象物定期点検報告制度に関する記述として、誤っているものはどれか。

⑴　定期点検は原則として１年に１回行うものとし、結果については防火管理維持台帳に記録し、保存するとともに、消防長又は消防署長に報告することとされている。

⑵　防火対象物定期点検報告制度における点検及び報告についての特例認定を受ける要件として、当該防火対象物が過去３年以内において特例認定の取消しを受けたことがなく、かつ、現に取消しを受けるべき事由がないことが要件の１つとして規定されている。

⑶　定期点検を行った防火対象物が、点検基準に適合している旨の表示を付することができることとされている。

⑷　消防法施行令（以下「政令」という。）第８条第１号に掲げる部分で区画されている場合において、当該区画された部分が特定防火対象物（政令別表第１⒃項イ、（16の２）項及び（16の３）項に掲げる防火対象物を除く。）の用途に供されていない場合における当該区画された部分についての点検基準は、一部緩和することができることとされている。

⑸　特定防火対象物に該当する場合は、収容人員などにかかわらず、当該防火対象物における防火管理上必要な業務、消防用設備等又は特殊消防用設備等の設置及び維持の状況等法令で定める点検基準にしたがって、

点検しなければならないこととされている。

要点・解説

法第8条の2の2第1項の規定に基づき、火災予防上必要な事項について定期点検を要する防火対象物は、特定防火対象物（政令別表第1（16の3）項を除く。）で、収容人員が300人以上のもののほか、特定用途（政令別表第1⒃項イ及び（16の2）項を除く。）に供される部分が避難階以外の階（1階及び2階を除く。）に存する防火対象物で、避難階以外の階から避難階又は地上に直通する階段が2（屋外階段の場合は1）以上設けられていないものが該当する。

⑴　法第8条の2の2第1項、規則第4条の2の4第1項本文及び第2項の規定で、**正しい**。
⑵　法第8条の2の3第1項の規定で、**正しい**。
⑶　法第8条の2の2第2項の規定で、**正しい**。
⑷　法第8条の2の2第1項及び規則第4条の2の6第2項第2号の規定で、**正しい**。
⑸　法第8条の2の2第1項及び政令第4条の2の2の規定で、**誤り**。

ポイント

法第8条の2の2に規定する定期点検報告制度の対象とされている防火対象物及び定期点検報告制度の特例認定の要件についての知識について問うものである。

【正解　⑸】

チェック □□□

問題42　**次のうち、消防法令の規定に関する記述として、誤っているものはどれか。**

⑴　防火安全性能とは、消防法施行令第29条の4第1項に規定する「火災の拡大を初期に抑制する性能、火災時に安全に避難することを支援する性能又は消防隊による活動を支援する性能」をいう。
⑵　消防法（以下「法」という。）第8条第1項に規定する防火対象物の

甲種防火管理者は、甲種防火管理再講習の課程を修了した場合、当該講習の修了証の写しを防火管理維持台帳に編冊し、これを保存しなければならない。

(3)　建造中の旅客船（進水後の旅客船であってぎ装中のもの）で、収容人員が50人以上で、かつ、甲板数が11以上のものは、防火管理を行うべき対象物に該当する。

(4)　法第８条の２の２第１項に規定する防火対象物定期点検報告の特例認定を受ける際の要件として、特例認定申請者である防火対象物の管理権原者が、当該防火対象物の管理を開始した時から２年が経過していることが必要である。

(5)　法第８条第１項に規定する防火管理者は、防火対象物の位置、構造及び設備の状況並びにその使用状況に応じ、当該防火対象物の管理権原者の指示を受けて防火管理に係る消防計画を作成し、所轄消防長又は消防署長に届け出なければならない。

要点・解説

法第８条の２の２第１項に規定する防火対象物の管理権原者が、当該防火対象物の管理を開始した時から３年が経過していることが、定期点検報告の特例認定を受ける際の要件とされている。

(1)　政令第29条の４第１項の規定で、**正しい**。
(2)　規則第４条の２の４第２項第１号の規定で、**正しい**。
(3)　政令第１条の２第３項第３号及び規則第１条の２第２項の規定で、**正しい**。
(4)　法第８条の２の３第１項第１号の規定で、**誤り**。
(5)　規則第３条第１項の規定で、**正しい**。

ポイント

法第８条の防火管理者制度及び法第８条の２の２の防火対象物の点検・報告制度についてどのような対象物が対象になっているか、その制度はどのような内容であるかについての知識について問うものである。　【正解　(4)】

チェック □□□

問題43 **次は、消防法施行令第３条第１項第１号ニに規定する「防火管理者（甲種）として必要な学識経験を有すると認められる者」の例であるが、誤っているものはどれか。**

---

(1) 労働安全衛生法第11条第１項に規定する安全管理者として選任された者
(2) 危険物保安監督者として選任された者で、甲種危険物取扱者免状の交付を受けているもの
(3) 警察官又はこれに準ずる警察職員で、１年以上管理的又は監督的な職にあった者
(4) 市町村の消防団員で、３年以上管理的又は監督的な職にあった者
(5) 国若しくは都道府県の消防の事務に従事する職員で、１年以上管理的又は監督的な職にあった者

要点・解説

総務省令で定める防火管理者として必要な学識経験を有すると認められる者については、規則第２条に規定されている。

警察官又はこれに準ずる警察職員にあっては、３年以上管理的又は監督的な職にあった者が該当する（規則第２条第５号）。

(1) 政令第３条第１項第１号及び規則第２条第１号の規定で、**正しい。**
(2) 政令第３条第１項第１号及び規則第２条第２号の規定で、**正しい。**
(3) 政令第３条第１項第１号及び規則第２条第５号の規定で、**誤り。**
(4) 政令第３条第１項第１号及び規則第２条第７号の規定で、**正しい。**
(5) 政令第３条第１項第１号及び規則第２条第４号の規定で、**正しい。**

ポイント

甲種防火管理者及び乙種防火管理者の資格要件について、政令第３条及び規則第２条に定める「防火管理者として必要な学識経験を有すると認められる者」についての知識について問うものである。　【正解　(3)】

チェック □□□

問題44 **次は、消防法第8条第1項の規定により、防火管理上必要な業務を適切に遂行することができる管理的又は監督的な地位にあるものが、防火管理者となり得る資格について述べたものであるが、誤っているものはどれか。**

---

(1) 都道府県知事、消防本部及び消防署を置く市町村の消防長又は法人であって総務省令で定めるところにより、総務大臣の登録を受けたものが行う防火対象物の防火管理に関する講習の課程を修了した者であること。なお、講習の種別には、甲種防火管理講習と乙種防火管理講習の2種類がある。

(2) 学校教育法による大学又は高等専門学校において総務大臣の指定する防災に関する学科又は課程を修めて卒業した者で、1年以上防火管理の実務経験を有するものであること。

(3) 市町村の消防職員で、1年以上又は市町村の消防団員で、3年以上の勤務経験を有する者であること。

(4) 危険物保安監督者として選任された者で、甲種危険物取扱者免状の交付を受けているものであること。

(5) 国若しくは都道府県の消防の事務に従事する職員で、1年以上管理的又は監督的な職にあった者であること。

要点・解説

市町村の消防職員にあっては1年以上、市町村の消防団員にあっては3年以上の管理的又は監督的な職にあった者に限定される。

鉱山保安法による保安管理者及び労働安全衛生法による安全管理者として選任された者、警察官又はこれに準ずる警察職員で、3年以上管理的又は監督的な職にあった者、建築主事又は一級建築士の資格を有する者で、1年以上防火管理の実務経験を有するもの等も防火管理者となり得る資格に該当する（政令第3条、規則第2条）。

(1) 政令第3条第1項第1号イ及び第2号イの規定で、**正しい**。

(2) 政令第3条第1項第1号ロの規定で、**正しい**。

(3)　政令第３条第１項第１号ハ及び規則第２条第７号の規定で、**誤り**。
(4)　規則第２条第２号の規定で、**正しい**。
(5)　規則第２条第４号の規定で、**正しい**。

ポイント

防火管理者としての資格についての知識について問うものである。特に、防火管理上必要な業務を適切に遂行することができる管理的又は監督的な地位にあるものであることが要求されていることに注目する必要がある。

【正解　(3)】

チェック □□□

問題45　**次は、消防法第８条第１項の規定により防火管理者を定めなければならない防火対象物のうち、消防法施行令（以下「政令」という。）第３条第１項第２号イの規定による乙種防火管理講習の課程を修了した者で、当該防火対象物において防火管理上必要な業務を適切に遂行することができる管理的又は監督的な地位にあるものが、当該防火対象物の防火管理者となることができる場合の記述であるが、誤っているものはどれか。**

---

(1)　政令別表第１(1)項から(4)項まで、(5)項イ、(6)項イ、ハ及び二、(9)項イ、(16)項イ並びに（16の２）項に掲げる防火対象物にあっては延べ面積が300m²未満のもの
(2)　政令別表第１(1)項から(4)項まで、(5)項イ、(6)項イ、ハ及び二、(9)項イ、(16)項イ並びに（16の２）項に掲げる防火対象物以外の防火対象物にあっては延べ面積が500m²未満のもの
(3)　その管理について権原が分かれている防火対象物で、政令別表第１(6)項ロ、(16)項イ又は（16の２）項に掲げる防火対象物（同表(16)項イ又は（16の２）項に掲げる防火対象物にあっては、同表(6)項ロに掲げる防火対象物の用途に供される部分が存するものに限る。）の用途に供されるもののうち、当該防火対象物の部分を一の防火対象物とみなして、収容人員が20人未満のもの
(4)　その管理について権原が分かれている防火対象物で、政令別表第１(1)

項から(4)項まで、(5)項イ、(6)項イ、ハ若しくはニ、(9)項イ、(16)項イ又は（16の２）項に掲げる防火対象物（同表(16)項イ又は（16の２）項に掲げる防火対象物にあっては、同表(6)項ロに掲げる防火対象物の用途に供される部分が存するものを除く。）の用途に供されるもののうち、当該防火対象物の部分を一の防火対象物とみなして、収容人員が30人未満のもの

(5)　その管理について権原が分かれている防火対象物で、政令別表第１(5)項ロ、(7)項、(8)項、(9)項ロ、(10)項から(15)項まで、(16)項ロ又は(17)項に掲げる防火対象物の用途に供されるもののうち、当該防火対象物の部分を一の防火対象物とみなして、収容人員が50人未満のもの

要点・解説

選択肢(3)の場合の収容人員は10人未満である。

(1)　政令第３条第１項第２号の規定で、**正しい**。
(2)　政令第３条第１項第２号の規定で、**正しい**。
(3)　政令第３条第３項、規則第２条の２第１項第２号イ及び規則第２条の２の２の規定で、**誤り**。
(4)　政令第３条第３項、規則第２条の２第１項第２号ロ及び規則第２条の２の２の規定で、**正しい**。
(5)　政令第３条第３項、規則第２条の２第１項第２号ハ及び規則第２条の２の２の規定で、**正しい**。

ポイント

乙種防火管理講習の課程を修了した者が防火管理者となれる防火対象物についての知識について問うものである。　【正解　(3)】

チェック □□□

問題46 次は、消防法施行令第3条の2の規定による防火管理者の責務についての記述であるが、誤っているものはどれか。

---

(1) 防火管理に係る消防計画を作成し、所轄消防長（消防本部を置かない市町村においては、市町村長）又は消防署長に届け出なければならない。

(2) 防火管理に係る消防計画を作成する場合、消防長又は消防署長の指示を求めなければならない。

(3) 防火管理に係る消防計画に基づいて消火、通報及び避難の訓練等、防火管理上必要な業務を行わなければならない。

(4) 防火管理上必要な業務を行うときは、必要に応じて当該防火対象物の管理について権原を有する者の指示を求め、誠実にその職務を遂行しなければならない。

(5) 消防の用に供する設備、消防用水若しくは消火活動上必要な施設の点検及び整備又は火気の使用若しくは取扱いに関する監督を行うときは、火元責任者その他の防火管理の業務に従事する者に対し、必要な指示を与えなければならない。

要点・解説

防火管理者が防火管理に係る消防計画を作成する場合、消防長又は消防署長（担当消防職員を含む。）は求めに応じて、その内容について指導をすることはあるが、作成上の指示をすることはない。作成の指示は、当該防火対象物の管理について権原を有する者が行う（規則第3条第1項）。

(1) 政令第3条の2第1項及び規則第3条第1項の規定で、**正しい**。
(2) 政令第3条の2第1項及び規則第3条第1項の規定で、**誤り**。
(3) 政令第3条の2第2項及び規則第3条第1項の規定で、**正しい**。
(4) 政令第3条の2第3項の規定で、**正しい**。
(5) 政令第3条の2第4項の規定で、**正しい**。

ポイント

防火管理者の責務すなわち防火管理者の行うべき業務についての知識について問うものである。

【正解 (2)】

チェック □□□

問題47 次のうち、消防法第8条の2の5第1項の規定により、自衛消防組織を設置しなければならない防火対象物の記述として、誤っているものはどれか。ただし、消防法第8条第1項の規定による防火対象物のうち、消防法施行令別表第1(1)項から(4)項まで、(5)項イ、(6)項から(12)項まで、(13)項イ、(15)項及び(17)項に掲げる防火対象物を以下において「自衛消防組織設置防火対象物」という。

---

(1)　自衛消防組織設置防火対象物のうち、地階を除く階数が11以上で延べ面積が10,000m²以上のもの

(2)　自衛消防組織設置防火対象物のうち、地階を除く階数が5以上10以下で延べ面積が20,000m²以上のもの

(3)　自衛消防組織設置防火対象物のうち、地階を除く階数が4以下で延べ面積が50,000m²以上のもの

(4)　自衛消防組織設置防火対象物の用途に供される部分が存する消防法施行令別表第1(16)項に掲げる防火対象物のうち、地階を除く階数が11以上のもので、かつ当該用途に供される部分の全部が4階以下の階に存するものにあっては当該部分の床面積の合計が5,000m²以上のもの

(5)　消防法施行令別表第1（16の2）項に掲げる防火対象物で、延べ面積が1,000m²以上のもの

要点・解説

政令別表第1(16)項に掲げる防火対象物で自衛消防組織を設置しなければならないものは、自衛消防組織設置防火対象物の用途に供される部分が存し、地階を除く階数が11以上のものにあっては、次に該当する場合である（政令第4条の2の4第2号イ）。

①　自衛消防組織設置防火対象物の用途に供される部分の全部又は一部が11階以

上の階に存するもので、当該部分の床面積の合計が10,000m²以上のもの

② 自衛消防組織設置防火対象物の用途に供される部分の全部が10階以下の階に存し、かつ、当該部分の全部又は一部が5階以上10階以下の階に存するもので、当該部分の床面積の合計が20,000m²以上のもの

③ 自衛消防組織設置防火対象物の用途に供される部分の全部が4階以下の階に存するもので、当該部分の床面積の合計が50,000m²以上のもの

(1) 政令第4条の2の4第1号イの規定で、**正しい**。
(2) 政令第4条の2の4第1号ロの規定で、**正しい**。
(3) 政令第4条の2の4第1号ハの規定で、**正しい**。
(4) 政令第4条の2の4第2号イ(3)の規定で、**誤り**。
(5) 政令第4条の2の4第3号の規定で、**正しい**。

ポイント

自衛消防組織を設置しなければならない防火対象物についての知識について問うものである。 【正解 (4)】

チェック □□□

問題48 **次のうち、消防法施行令別表第1(16)項に掲げる防火対象物において、消防法第8条の2の5第1項の規定により自衛消防組織を設置しなければならない場合の記述として、誤っているものはどれか。ただし、消防法第8条第1項の規定による防火対象物のうち、消防法施行令別表第1(1)項から(4)項まで、(5)項イ、(6)項から(12)項まで、(13)項イ、(15)項及び(17)項に掲げる防火対象物を以下において「自衛消防組織設置防火対象物」という。**

---

(1) 地階を除く階数が11以上の防火対象物で、自衛消防組織設置防火対象物の用途に供される部分の全部又は一部が11階以上の階に存するもので、当該部分の床面積の合計が10,000m²以上の場合

(2) 地階を除く階数が11以上の防火対象物で、自衛消防組織設置防火対象物の用途に供される部分の全部が10階以下の階に存し、かつ、当該部分の全部又は一部が5階以上10階以下の階に存するもので、当該部分の床

面積の合計が20,000m²以上の場合

(3)　地階を除く階数が11以上の防火対象物で、自衛消防組織設置防火対象物の用途に供される部分の全部が4階以下の階に存するもので、当該部分の床面積の合計が50,000m²以上の場合

(4)　地階を除く階数が5以上10以下の防火対象物で、自衛消防組織設置防火対象物の用途に供される部分の全部又は一部が5階以上の階に存するもので、当該部分の床面積の合計が20,000m²以上の場合又は自衛消防組織設置防火対象物の用途に供される部分の全部が4階以下の階に存するもので、当該部分の床面積の合計が50,000m²以上の場合

(5)　地階を除く階数が4以下の防火対象物で、自衛消防組織設置防火対象物の用途に供される部分の床面積の合計が70,000m²以上の場合

要点・解説

地階を除く階数が4以下の防火対象物で、自衛消防組織設置防火対象物の用途に供される部分の床面積の合計が50,000m²以上の場合に、自衛消防組織を設置しなければならない（政令第4条の2の4第2号ハ）。

(1)　政令第4条の2の4第2号イ(1)の規定で、**正しい**。

(2)　政令第4条の2の4第2号イ(2)の規定で、**正しい**。

(3)　政令第4条の2の4第2号イ(3)の規定で、**正しい**。

(4)　政令第4条の2の4第2号ロ(1)及び(2)の規定で、**正しい**。

(5)　政令第4条の2の4第2号ハの規定で、**誤り**。

ポイント

自衛消防組織を設置しなければならない複合用途防火対象物の規模についての知識について問うものである。

【正解　(5)】

チェック □□□

問題49 次のうち、消防法施行令第４条の２の７の規定による自衛消防組織の業務として、適切でないものはどれか。

(1) 防火管理に係る消防計画の作成
(2) 火災の初期の段階における消火活動
(3) 消防機関への通報
(4) 在館者が避難する際の誘導
(5) その他の火災の被害の軽減のために必要な業務

要点・解説

選択肢(1)の業務は、防火管理者の責務である（政令第３条の２第１項）。

(1) 政令第３条の２第１項の規定で、**適切でない**。
（権原を有する者は、自らが定めた防火管理者に作成させる消防計画に自衛消防組織の業務を定めさせる。）
(2) 政令第４条の２の７の規定で、**適切である**。
(3) 政令第４条の２の７の規定で、**適切である**。
(4) 政令第４条の２の７の規定で、**適切である**。
(5) 政令第４条の２の７の規定で、**適切である**。

ポイント

自衛消防組織の業務についての知識について問うものである。【正解 (1)】

チェック □□□

問題50 次は、大規模な防火対象物に設置する自衛消防組織において定める消防計画で、当該自衛消防組織の業務について定めなければならない事項に関する記述であるが、誤っているものはどれか。

(1) 自衛消防組織の要員に対する教育及び訓練に関することは、規定しなければならない。

(2)　自衛消防組織の統括管理者の選任に関することは、当該自衛消防組織が単独又は共同して設置するかにかかわらず規定しなければならない。

(3)　共同して自衛消防組織を置く場合には、自衛消防組織が業務を行う防火対象物の範囲に関することは、規定しなければならない。

(4)　火災の初期の段階における消火活動、消防機関への通報、在館者が避難する際の誘導その他の火災の被害の軽減のために必要な業務として自衛消防組織が行う業務に係る活動要領に関することは、規定しなければならない。

(5)　共同して自衛消防組織を置く場合には、自衛消防組織に関する協議会の設置及び運営に関することは、規定しなければならない。

要点・解説

自衛消防組織の設置対象防火対象物（政令第４条の２の４）の防火管理に係る消防計画には、規則第４条の２の10第１項及び第２項に規定する自衛消防組織の業務に関する事項を定めることとされており、その内容は次表のとおりである。

区　分	防火管理に関する消防計画に記載すべき事項
自衛消防組織の設置が必要な防火対象物（全て）	①　火災の初期の段階における消火活動、消防機関への通報、在館者が避難する際の誘導その他の火災の被害の軽減のために必要な業務として自衛消防組織が行う業務に係る活動要領に関すること。 ②　自衛消防組織の要員に対する教育及び訓練に関すること。 ③　その他自衛消防組織の業務に関し必要な事項
共同して自衛消防組織を置く防火対象物	①　自衛消防組織に関する協議会の設置及び運営に関すること。 ②　自衛消防組織の統括管理者の選任に関すること。 ③　自衛消防組織が業務を行う防火対象物の範囲に関すること。 ④　その他自衛消防組織の運営に関し必要な事項

権原の分かれている自衛消防組織設置防火対象物で、共同して自衛消防組織を設置する場合は、自衛消防組織を統括管理する統括管理者を設置する必要があるが、単独の場合は、防火管理者が行うためこの規定は必要ない。

(1)　規則第４条の２の10第１項第２号の規定により、**正しい。**

(2)　規則第４条の２の10第２項第２号の規定により、**誤り。**

(3)　規則第４条の２の10第２項第３号の規定により、**正しい。**

(4)　規則第４条の２の10第１項第１号の規定により、**正しい。**

(5)　規則第４条の２の10第２項第１号の規定により、**正しい**。

ポイント

消防計画における自衛消防組織の業務について、規定すべき事項に関する知識について問うものである。

【正解　(2)】

チェック □□□

問題51　次は、自衛消防組織の要員及び統括管理者に関する記述であるが、誤っているものはどれか。

(1)　自衛消防組織の要員は、情報の収集及び伝達並びに消防用設備等その他の設備の監視に関する業務を行う。

(2)　統括管理者は、自衛消防組織の業務に関する講習の課程を修了した者のほか、統括管理者として必要な学識経験を有すると認められるものをもって充てることができる。

(3)　自衛消防組織の要員は、在館者の救出及び救護に関する業務を行う。

(4)　自衛消防組織の要員は、火災の初期の段階における消火活動に関する業務や在館者が避難する際の誘導に関する業務を行う。

(5)　統括管理者は、市町村の消防職員で、１年以上管理的又は監督的な職にあった者で、かつ、自衛消防組織の業務に関する講習の課程を修了した者でなければならない。

要点・解説

自衛消防組織の統括管理者は、次のいずれかの資格を有する者を持って充てることとされている（政令第４条の２の８第３項）。

①　都道府県知事、消防本部及び消防署を置く市町村の消防長又は法人であって総務省令で定めるところにより総務大臣の登録を受けたものが行う自衛消防組織の業務に関する講習の課程を修了した者

②　①に準ずる者で、総務省令で定めるところにより、統括管理者として必要な学識経験を有すると認められるもの

②については、具体的に規則第４条の２の13に定められている。

一　市町村の消防職員で、1年以上管理的又は監督的な職にあった者
二　市町村の消防団員で、3年以上管理的又は監督的な職にあった者
三　前2号に掲げる者に準ずるものとして消防庁長官が定める者

(1)　規則第4条の2の11第2号の規定により、**正しい**。
(2)　政令第4条の2の8第3項第1号の規定により、**正しい**。
(3)　規則第4条の2の11第4号の規定により、**正しい**。
(4)　規則第4条の2の11第1号及び第3号の規定により、**正しい**。
(5)　政令第4条の2の8第3項の規定により、**誤り**。

ポイント
自衛消防組織の要員及び統括管理者に関する知識を問うものである。

【正解　(5)】

チェック □□□

問題52　**次は、自衛消防組織を設置した場合の届出に関する記述であるが、誤っているものはどれか。**

(1)　自衛消防組織を設置した場合の届出をしなければならない者は、当該防火対象物の関係者とされている。
(2)　届出には、自衛消防組織の内部組織の編成及び自衛消防要員の配置に関する事項が含まれている。
(3)　自衛消防組織を設置した場合の届出先は、所轄消防長又は消防署長である。
(4)　届出には、その管理について権原が分かれている自衛消防組織設置防火対象物にあっては、当該自衛消防組織設置防火対象物の当該権原の範囲に関する事項が含まれている。
(5)　届出には、自衛消防組織に備え付けられている資機材に関する事項が含まれている。

要点・解説

自衛消防組織を設置しなければならない防火対象物の管理について権原を有する者は、当該自衛消防組織を設置した場合には、所轄消防長又は消防署長に届出をすることとされている（法第８条の２の５第２項）。

「関係者」とは、防火対象物又は消防対象物の所有者、管理者又は占有者である（法第２条第４項）ため、「管理について権原を有する者」とは別の者である。

(1)　法第８条の２の５第２項の規定により、管理について権原を有する者とされており、**誤り**。
(2)　規則第４条の２の15第１項第４号の規定により、**正しい**。
(3)　法第８条の２の５第２項の規定により、**正しい**。
(4)　規則第４条の２の15第１項第３号の規定により、**正しい**。
(5)　規則第４条の２の15第１項第６号の規定により、**正しい**。

ポイント

自衛消防組織を設置した場合における届出に関する知識を問うものである。

【正解　(1)】

チェック □□□

問題53　**次は、百貨店、工場等の防火管理者が消防法施行令第３条の２第１項の規定により作成する防火管理に係る消防計画に定めるべき事項として、消防法施行規則第３条第１項第１号に規定する事項の一部の記述であるが、該当しないものはどれか。**

(1)　自衛消防の組織に関すること。
(2)　防火対象物についての火災予防上の自主検査に関すること。
(3)　消防用設備等又は特殊消防用設備等の点検及び整備に関すること。
(4)　避難通路、避難口、安全区画、防煙区画その他の避難施設の維持管理及びその案内に関すること。
(5)　危険物の保安に関する業務を管理する者の職務及び組織に関すること。

要点・解説

危険物の保安に関する業務を管理する者の職務及び組織に関することは、特定の危険物製造所等の予防規程に定める事項である（危規則第60条の２第１項第１号）。

⑴　規則第３条第１項第１号イの規定で、**該当する**。
⑵　規則第３条第１項第１号ロの規定で、**該当する**。
⑶　規則第３条第１項第１号ハの規定で、**該当する**。
⑷　規則第３条第１項第１号ニの規定で、**該当する**。
⑸　危規則第60条の２第１項第１号の規定の予防規程に定める事項で、消防計画に定めなければならない事項には**該当しない**。

ポイント

防火対象物の用途ごとに防火管理者が作成する防火管理に係る消防計画に定めるべき事項についての知識について問うものである。【正解　⑸】

チェック □□□

問題54 **次に掲げる防火対象物の組み合わせのうち、防炎防火対象物でない対象物が含まれているものはどれか。ただし、高層建築物、地下街、準地下街又は工事中の建築物等以外のものとする。**

---

(1) 劇場、映画館、集会場、図書館、博物館
(2) 百貨店、マーケット、物品販売店舗、展示場
(3) 病院、診療所、助産所、幼稚園、児童養護施設
(4) 蒸気浴場、熱気浴場
(5) 映画スタジオ、テレビスタジオ

要点・解説

図書館及び博物館は、防炎防火対象物に規定されていない（法第８条の３第１項、政令第４条の３第１項)。

(1) 法第８条の３第１項及び政令第４条の３第１項の規定で、**防炎防火対象物でない対象物が含まれている。**
(2) 法第８条の３第１項及び政令第４条の３第１項の規定で、**防炎防火対象物でない対象物は含まれていない。**
(3) 法第８条の３第１項及び政令第４条の３第１項の規定で、**防炎防火対象物でない対象物は含まれていない。**
(4) 法第８条の３第１項及び政令第４条の３第１項の規定で、**防炎防火対象物でない対象物は含まれていない。**
(5) 法第８条の３第１項及び政令第４条の３第１項の規定で、**防炎防火対象物でない対象物は含まれていない。**

ポイント

防炎防火対象物は、法第８条の３第１項の規定とともに、政令第４条の３第１項及び第２項に定められており、どのような対象物が防炎防火対象物に該当するのかについての知識について問うものである。 【正解 (1)】

チェック □□□

問題55　次は、消防法第８条の３に規定する防炎規制に関する記述であるが、誤っているものはどれか。

---

(1)　防炎規制の対象とされているじゅうたん等は、すべてのじゅうたん等ではなく、法令上指定されている。
(2)　高層建築物に該当する建築物は、建築物の用途に関係なく防炎規制の対象とされている。
(3)　工事中の化学工業製品製造装置は、防炎規制の対象とされている。
(4)　舞台において使用する大道具用の合板は、防炎規制の対象とされていない。
(5)　防炎性能の基準において、炎を接した場合に溶融する物品と溶融しない物品とでは、防炎性能に関する基準の適用が異なる。

要点・解説

(1)　規則第４条の３第２項の規定で、**正しい**。
(2)　法第８条の３第１項の規定で、**正しい**。
(3)　政令第４条の３第１項及び規則第４条の３第１項第４号の規定で、**正しい**。
(4)　政令第４条の３第３項の規定で、**誤り**。
(5)　政令第４条の３第４項の規定で、**正しい**。

ポイント

法第８条の３に規定する防炎規制についての知識について問うものである。なお、防炎規制の対象等は、政令第４条の３並びに規則第４条の３から第４条の５までに規定されている。この中で、舞台において使用する大道具用の合板については、防炎規制の対象とされている。　【正解　(4)】

チェック □□□

問題56 次のうち、消防法第８条の３第１項の規定による防火対象物に使用する物品で、消防法施行令に定める防炎性能を有するものとしなければならないもの（防炎対象物品）について、誤っているものはどれか。

(1) 壁及び床に貼る合成樹脂製シート
(2) カーテン、布製のブラインド
(3) じゅうたん等
(4) どん帳、暗幕
(5) 展示用合板、工事用シート

要点・解説

壁及び床に貼る合成樹脂製シートは対象とならない。防炎対象物品の種類については、法第８条の３第１項、政令第４条の３第３項、規則第４条の３第２項を参照。

(1) 法第８条の３第１項、政令第４条の３第３項及び規則第４条の３第２項の規定で、**誤り**。
(2) 法第８条の３第１項及び政令第４条の３第３項の規定で、**正しい**。
(3) 法第８条の３第１項及び政令第４条の３第３項の規定で、**正しい**。
(4) 法第８条の３第１項及び政令第４条の３第３項の規定で、**正しい**。
(5) 法第８条の３第１項及び政令第４条の３第３項の規定で、**正しい**。

ポイント

防炎性能を有するものとしなければならないもの（防炎対象物品）についての知識について問うものである。

【正解　(1)】

チェック □□□

問題57 次は、消防法令に定める防炎規制に関する記述であるが、誤っているものはどれか。

---

(1) 消防法施行令別表第１(1)項から(4)項まで、(5)項イ、(6)項、(9)項イ、(12)項ロ、(16)項イ及び（16の３）項に掲げる防火対象物、高層建築物若しくは地下街並びに工事中の建築物は、防炎物品を使用しなければならない防炎防火対象物である。

(2) 防炎対象物品又はその材料は、防炎性能を有するものである旨の表示又は指定表示が附されているものでなければ、防炎物品として販売し、又は販売のために陳列してはならない。

(3) 防炎対象物品とは、カーテン、布製のブラインド、暗幕、じゅうたん等、展示用の合板、どん帳その他舞台において使用する幕及び舞台において使用する大道具用の合板並びに工事用シートをいう。

(4) 防炎対象物品又はその材料に、消防法の規定によらないでこれと紛らわしい表示を附した場合には、30万円以下の罰金又は拘留の罰則規定が定められている。

(5) 防炎物品の防炎性能の基準のうち、炎を接した場合に溶融する性状の物品の残炎時間（着炎後バーナーを取り去ってから炎を上げて燃える状態がやむまでの経過時間をいう。）が、20秒を超えない範囲内において総務省令で定める時間以内であることとされている。

要点・解説

防炎防火対象物は、法第８条の３第１項において、「高層建築物若しくは地下街又は劇場、キャバレー、旅館、病院その他の政令で定める防火対象物」と規定されており、政令で定める防火対象物は、政令第４条の３第１項において、「政令別表第１(1)項から(4)項まで、(5)項イ、(6)項、(9)項イ、(12)項ロ及び（16の３）項に掲げる防火対象物並びに工事中の建築物その他の工作物（総務省令で定めるものを除く。）」と規定されている。

政令別表第１(16)項の防火対象物の取扱いは、政令第４条の３第２項に定められており、「政令別表第１(16)項の防火対象物の部分のうち(1)項から(4)項まで、(5)項イ、(6)項、(9)項イ、(12)項ロ及び（16の３）項の用途に供される部分並びに工事中の建築物その他の工作物（総務省令で定めるものを除く。）」の部分が防炎防火対象物とみなされる。

(1) 法第８条の３第１項、政令第４条の３第１項及び第２項の規定で、**誤り**。
(2) 法第８条の３第４項の規定で、**正しい**。
(3) 政令第４条の３第３項の規定で、**正しい**。
(4) 法第44条第３号の規定で、**正しい**。
(5) 政令第４条の３第４項第１号の規定で、**正しい**。

ポイント

防炎防火対象物はどのように規定されているか。どのようなものが防炎対象物品になるか。防炎物品の表示等の規定はどのようになっているか等、防炎規制についての知識について問うものである。

【正解　(1)】

チェック □□□

問題58 **次のうち、消防法第８条の３の規定による防炎対象物品を使用しなければならない防火対象物の用途（高層建築物及び消防法施行令別表第１（16の２）項及び（16の３）項の防火対象物の用途を除く。）に該当しないものはどれか。**

(1) 旅館、ホテル
(2) 指定数量以上の危険物を取り扱う工場
(3) 病院、診療所
(4) 劇場、映画館
(5) 百貨店、マーケット

要点・解説

危険物の取扱い及びその数量に関係なく工場は、防炎対象物品を使用しなければならない対象ではない。

なお、高層建築物、政令別表第１（16の２）項及び（16の３）項の防火対象物にあっては、その部分の用途に関係なく防炎対象物品を使用しなければならない

（法第８条の３第１項、政令第４条の３第１項及び第２項）。

⑴　政令第４条の３第１項の規定で、**該当する**。
⑵　政令第４条の３第１項の規定で、**該当しない**。
⑶　政令第４条の３第１項の規定で、**該当する**。
⑷　政令第４条の３第１項の規定で、**該当する**。
⑸　政令第４条の３第１項の規定で、**該当する**。

ポイント

防炎対象物品を使用しなければならない防火対象物及びその用途についての知識について問うものである。

【正解　⑵】

チェック□□□

問題59　**次は、火を使用する設備、器具等の位置、構造及び管理に関する条例の基準に係る記述であるが、誤っているものはどれか。**

⑴　対象火気設備等は、火を使用する設備又はその使用に際し、火災の発生のおそれのある設備であって総務省令で定めるものとされている。
⑵　対象火気器具等は、火を使用する器具又はその使用に際し、火災の発生のおそれのある器具であって総務省令で定めるものとされている。
⑶　条例制定基準とは、火を使用する設備、器具等の位置、構造及び管理に関し火災の予防のために必要な事項に係る消防法第９条の規定に基づく条例の制定に関する基準とされている。
⑷　消防庁長官は、予想しない特殊の設備又は器具を用いることにより、条例制定基準に従って定められた条例の規定と同等以上の安全性を確保できると認める場合は、当該条例制定基準に基づき特例として認めることができる。
⑸　市町村は、消防法第９条の規定に基づく条例を定める場合において、その地方の気候又は風土の特殊性により、条例制定基準に従って定められた条例の規定によっては火災の予防の目的を充分に達し難いと認めるときは、当該条例制定基準に従わないことができるとされている。

要点・解説

条例制定基準には、対象火気設備等及び対象火気器具等についての位置、構造及び管理に関し火災の予防のために必要な事項が規定されている。

また、条例制定基準において対応することのできない予想しない特殊の設備又は器具を用いる場合や、その地方の気候又は風土の特殊性により条例制定基準では火災の予防の目的を充分に達し難い場合における特例の取扱いについても規定されている。

(1)　政令第５条の規定で、**正しい**。
(2)　政令第５条の２の規定で、**正しい**。
(3)　政令第５条の規定で、**正しい**。
(4)　政令第５条の４の規定で、**誤り**。
(5)　政令第５条の５の規定で、**正しい**。

ポイント

対象火気設備等、対象火気器具等及び条例制定基準に関する規定についての知識や、条例制定基準における特例の規定の根拠等に関する知識を問うものである。

【正解　(4)】

チェック □□□

問題60　**次は、対象火気設備等及び対象火気器具等についての位置、構造及び管理に関し火災の予防のために必要な事項に係る記述であるが、誤っているものはどれか。**

(1)　対象火気設備等は、防火上支障がないものとして総務省令で定める場合を除くほか、建築物等及び可燃物までの間に、対象火気設備等の種類ごとに総務省令で定める火災予防上安全な距離を保つこと。
(2)　対象火気器具等は、振動又は衝撃により、容易に転倒し、又は落下するおそれのない状態で使用すること。
(3)　対象火気設備等の燃料タンク及び配管は、総務省令で定めるところにより、燃料の漏れを防止し、かつ、異物を除去する措置が講じられた構造とすること。
(4) 対象火気器具等を、祭礼、縁日、花火大会、展示会その他の多数の者の集合する催しに際して使用する場合にあっては、消火器の準備をした上で使用すること。
(5) 総務省令で定める消費熱量以上の対象火気設備等を屋内に設ける場合にあっては、防火上支障がないものとして総務省令で定める場合を除くほか、外部への延焼を防止するための措置が講じられた室に設けること。

要点・解説

対象火気設備等及び対象火気器具等の位置、構造及び管理に関し火災の予防のために必要な事項については、条例制定基準により具体的に規定されている。

対象火気設備等については、一般的に固定して設置されることから、設置場所の位置、構造等が規定されている。

また、対象火気器具等については、使用時に移動して使用されることが想定されることから、設置する位置や周辺の状況等に関する事項が規定されている。

(1) 政令第5条第1項第1号の規定で、**誤り**。
(2) 政令第5条の2第1項第3号の規定で、**正しい**。
(3) 政令第5条第1項第8号の規定で、**正しい**。
(4) 政令第5条の2第1項第6号の規定で、**正しい**。
(5) 政令第5条第1項第4号の規定で、**正しい**。

ポイント

対象火気設備等及び対象火気器具等について、条例制定基準において規定されている位置、構造及び管理に関し火災の予防のために必要な事項についての知識を問うものである。

【正解　(1)】

チェック □□□

問題61 次は、住宅用防災機器に関する記述であるが、誤っているものはどれか。

(1) 住宅用防災警報器は、住宅における火災の発生を未然に又は早期に感知し、及び報知する警報器をいう。
(2) 住宅用防災機器を設置し、及び維持しなければならない住宅には、住宅の用途以外の用途に供される部分も含まれる。
(3) 住宅用防災報知設備は、住宅における火災の発生を未然に又は早期に感知し、及び報知する火災報知設備をいう。
(4) 住宅用防災機器の設置及び維持に関する基準その他住宅における火災の予防のために必要な事項は、政令で定める基準に従い市町村条例で定めるとされている。
(5) 住宅用防災機器の形状、構造、材質及び性能は、総務省令で定める技術上の規格に適合するものでなければならない。

要点・解説

住宅用防災機器の設置対象となる住宅は、住宅の用途に供される防火対象物のうち、その一部が住宅の用途以外の用途に供される防火対象物にあっては、住宅の用途以外の用途に供される部分を除くとされている。

(1) 政令第5条の6第1号の規定により、**正しい**。
(2) 法第9条の2第1項の規定により、**誤り**。
(3) 政令第5条の6第2号の規定により、**正しい**。
(4) 法第9条の2第2項の規定により、**正しい**。
(5) 政令第5条の6本文の規定により、**正しい**。

ポイント

住宅用防災機器の設置対象や用語の意義等に関する知識を有しているかを問うものである。

【正解　(2)】

チェック □□□

問題62 **次は、住宅用防災機器の設置及び維持に関する条例の基準に関する記述であるが、誤っているものはどれか。**

---

(1) 住宅用防災警報器又は住宅用防災報知設備の感知器は、天井又は壁の屋内に面する部分（天井のない場合にあっては、屋根又は壁の屋内に面する部分）に、火災の発生を未然に又は早期に、かつ、有効に感知することができるように設置すること。

(2) 住宅用防災警報器又は住宅用防災報知設備の感知器は、就寝の用に供する居室に設置すること。

(3) 住宅用防災警報器又は住宅用防災報知設備の感知器は、火気を使用する台所や電気又はガスストーブを使用する居室に設置すること。

(4) 住宅の部分に閉鎖型スプリンクラーヘッドを備えたスプリンクラー設備又は自動火災報知設備が設置されている場合には、住宅用防災警報器又は住宅用防災報知設備を設置しないことができる。

(5) 住宅用防災機器の設置及び維持に関する基準等を定める条例には、消防長又は消防署長が、住宅の位置、構造又は設備の状況から判断して、住宅における火災の発生又は延焼のおそれが著しく少なく、かつ、住宅における火災による被害を最少限度に止めることができると認めるときにおける条例の規定の適用の除外に関する規定が定められている。

要点・解説

住宅用防災機器の設置及び維持に関し住宅における火災の予防のために必要な事項に係る法第９条の２第２項の規定に基づく条例の制定に関する基準は、政令第５条の７第１項に定められているが、その中に火気を使用する台所や電気・ガスストーブを使用する居室に関する規定はない。

(1) 政令第５条の７第１項第２号の規定により、**正しい**。
(2) 政令第５条の７第１項第１号イの規定により、**正しい**。
(3) 政令第５条の７第１項の規定により、**誤り**。
(4) 政令第５条の７第１項第３号の規定により、**正しい**。
(5) 政令第５条の８の規定により、**正しい**。

ポイント

住宅用防災機器の設置及び維持に関する条例の基準に関する知識を有しているかを問うものである。　【正解　(3)】

チェック □□□

問題63 次は、立入検査に当たって消防法施行規則第１条の３に規定する「収容人員の算定」についての記述であるが、誤っているものはどれか。

(1)　消防法施行令別表第１(17)項に規定する防火対象物は、床面積を５m²で除して得た数により算定する。
(2)　消防法施行令別表第１(7)項に規定する小学校、中学校、義務教育学校、高等学校、中等教育学校、高等専門学校、大学、専修学校、各種学校その他これらに類するものは、教職員の数と、児童、生徒又は学生の数とを合算して算定する。
(3)　消防法施行令別表第１(4)項に規定する百貨店、マーケットその他の物品販売業を営む店舗又は展示場は、従業者の数に主として従業者以外の者の使用に供する部分で飲食又は休憩の用に供する部分の床面積を３m²で除して得た数とその他の部分の床面積を４m²で除して得た数を合算して算定する。
(4)　消防法施行令別表第１(10)項に規定する車両の停車場又は船舶若しくは航空機の発着場（旅客の乗降又は待合いの用に供する建築物に限る。）は、従業者の数により算定する。
(5)　消防法施行令別表第１(15)項に規定する防火対象物は、従業者の数と、主として従業者以外の者の使用に供する部分の床面積を５m²で除して得た数とを合算して算定する。

要点・解説

政令別表第１(15)項（政令別表第１(1)項から(14)項に該当しない事業場をいう。）の人員算定は、従業者の数と、主として従業者以外の者の使用に供する部分の床面積を３m²で除して得た数とを合算して算定することになっている。

(1)　規則第１条の３第１項、政令別表第１(17)項の規定で、**正しい**。
(2)　規則第１条の３第１項、政令別表第１(7)項の規定で、**正しい**。
(3)　規則第１条の３第１項、政令別表第１(4)項の規定で、**正しい**。
(4)　規則第１条の３第１項、政令別表第１(10)項の規定で、**正しい**。
(5)　規則第１条の３第１項、政令別表第１(15)項の規定で、**誤り**。

ポイント

一定以上の収容人員を有する防火対象物には、防火管理上、消防用設備等の設置等が該当することから収容人員の算定要領についての知識について問うものである。

【正解　(5)】

チェック □□□

問題64　**次は、消防法に規定する法令等違反とその処罰に関するものであるが、誤っているものはどれか。**

---

(1)　消防長（市町村長）又は消防署長による防火管理者の業務が法令の規定又は消防計画に従って行われるよう必要な措置を講ずべきことの命令に違反した者は、１年以下の懲役又は100万円以下の罰金に処せられることがある。なお、情状により懲役と罰金が併科されることがある。

(2)　消防長（市町村長）又は消防署長による防火対象物の使用の禁止、停止又は制限の命令に違反した者は、３年以下の懲役又は300万円以下の罰金に処せられることがある。なお、情状により懲役と罰金が併科されることがある。

(3)　消防長（市町村長）又は消防署長による消防用設備等又は特殊消防用設備等を設備等技術基準又は設備等設置維持計画に従って設置すべきことの命令に違反した者は、１年以下の懲役又は100万円以下の罰金に処せられることがある。なお、情状により懲役と罰金が併科されることがある。

(4)　消防長（市町村長）又は消防署長による防火対象物の改修、移転、除去、工事の停止又は中止その他の必要な措置の命令に違反した者は２年以下の懲役又は200万円以下の罰金に処せられることがある。なお、情状により懲役と罰金が併科されることがある。

(5)　消防長（市町村長）又は消防署長その他の消防吏員による屋外における火災予防の措置命令に従わなかった者は、１年以下の懲役又は100万円以下の罰金に処せられることがある。

要点・解説

消防長（市町村長）又は消防署長その他の消防吏員は、屋外において火災の予防に危険であると認める行為者又は火災の予防に危険であると認める物件若しくは消火、避難その他の消防の活動に支障になると認める物件の所有者等に対して、火遊び、喫煙、たき火、火を使用する設備若しくは器具等の使用の禁止、停止若しくは制限、残火、取灰又は火粉の始末、危険物又は放置され、若しくはみだりに存置された燃焼のおそれのある物件の除去その他の処理等の措置命令を発することができるが、この規定の命令に従わなかった者は、30万円以下の罰金又は拘留に処せられる（法第44条第１号）。

(1)　法第８条第４項、法第41条第１項第２号及び第２項の規定で、**正しい**。
(2)　法第５条の２第１項、法第39条の２の２第１項及び第２項の規定で、**正しい**。
(3)　法第17条の４第１項及び第２項、法第41条第１項第５号及び第２項の規定で、**正しい**。
(4)　法第５条第１項、法第39条の３の２第１項及び第２項の規定で、**正しい**。
(5)　法第３条第１項、法第44条第１号の規定で、**誤り**。

ポイント

消防法に規定する法令違反に対する罰則は、懲役、禁錮、罰金、拘留、過料等があり、これらの知識について問うものである。　【正解　(5)】

チェック □□□

問題65　**次は、防火管理者の設置等において必要となる防火対象物の収容人員の算定に関する記述であるが、正しいものはどれか。**

(1)　当該防火対象物の関係者の申告による。
(2)　総務省令で定めるところによる。
(3)　消防職員の立入検査により行う。
(4)　当該防火対象物の利用者を30日以上測定し、１日当たりの平均利用者数による。

(5)　当該防火対象物の利用者を30日以上測定し、１日当たりの最大利用者数による。

要点・解説

政令第１条の２第４項により「収容人員の算定方法は、総務省令で定める。」と規定され、規則第１条の３の規定により、防火対象物の用途ごとに、その算定方法が定められている。

(1)　該当規定がなく、**誤り**。
(2)　政令第１条の２第４項の規定で、**正しい**。
(3)　該当規定がなく、**誤り**。
(4)　該当規定がなく、**誤り**。
(5)　該当規定がなく、**誤り**。

ポイント

収容人員の算定についての知識について問うものである。　【正解　(2)】

チェック □□□

問題66　**次は、消防法令で定める収容人員の算定方法であるが、誤っているものはどれか。**

(1)　劇　場：従業者の数＋客席部分（固定式いす席数＋立見席部分の床面積／0.2m²＋その他の部分の床面積／0.5m²）
(2)　百貨店：従業者の数＋従業者以外の者の使用に供する部分（飲食、休憩の用に供する部分の床面積／３m²＋その他の部分の床面積／４m²）
(3)　病　院：医師、看護師等その他の従業者の数＋病室内の病床数＋待合室の床面積／３m²
(4)　学　校：教職員の数＋児童、生徒又は学生の数
(5)　一般事務所：従業者の数＋主として従業者以外の者の使用に供する部分の床面積／５m²

要点・解説

収容人員の算定方法は、規則第１条の３に規定されている。

政令別表第１⒂項の対象物は従業者の数と、主として従業者以外の者の使用に供する部分の床面積を３m²で除して得た数とを合算すると規定されている。

⑴　規則第１条の３第１項の政令別表第１⑴項に掲げる防火対象物の算定方法の規定で、**正しい**。
⑵　規則第１条の３第１項の政令別表第１⑷項に掲げる防火対象物の算定方法の規定で、**正しい**。
⑶　規則第１条の３第１項の政令別表第１⑹項イに掲げる防火対象物の算定方法の規定で、**正しい**。
⑷　規則第１条の３第１項の政令別表第１⑺項に掲げる防火対象物の算定方法の規定で、**正しい**。
⑸　規則第１条の３第１項の政令別表第１⒂項に掲げる防火対象物の算定方法の規定で、**誤り**。

ポイント

収容人員の算定における「その他の部分等」を床面積で除す場合、防火対象物の用途に応じて、0.5m²、３m²、４m²及び５m²と定められている。これら収容人員の算定についての知識について問うものである。　【正解　⑸】

チェック □□□

問題67　**次は、防災管理制度に関する記述であるが、誤っているものはどれか。**

⑴　防災管理は、防火対象物内において、火災以外の災害である地震や毒性物質の発散などの特殊な災害が発生した場合に備えた対応等についての業務である。
⑵　防災管理を行う必要のある建築物その他の工作物は、自衛消防組織の設置を要する防火対象物と同じである。
⑶　防災管理者の資格は、防火管理者の資格と同じであり、防火管理者の

資格を有する者は防災管理者になることができる。
(4)　防火管理対象物の管理について権原を有する者は、防災管理者を選任又は解任した場合には、所轄消防長又は消防署長に届け出る。
(5)　一定規模の複合用途防火対象物であって、その管理権原者が複数存する場合には、統括防災管理者を選任し、防災管理対象物全体の防災管理業務を行わせる必要がある。

要点・解説

防災管理制度は、一定規模以上の防火対象物において、火災以外の災害（地震や毒性物質の発散などの特殊な災害）が発生した場合に備えた対応等についての業務を想定したものであり、基本的には、防火管理制度に類似している。

したがって、防災管理業務は、防火対象物における防火管理業務を熟知し、かつ、防災に対する知識も有している必要がある。防火管理者と防災管理者の資格は、次のようになっており、その資格は同等ではない。

防災管理者の資格	防火管理者の資格
次のいずれかに掲げる者で、防災管理対象物において防災管理上必要な業務を適切に遂行することができる管理的又は監督的な地位にある者とする（政令第47条第１項）。	次に掲げる防火対象物の区分に応じて定める者で、当該防火対象物において防火管理上必要な業務を適切に遂行することができる管理的又は監督的な地位にあるものとする（政令第３条第１項）。
1　右欄１①及び②に掲げる者で、防災管理対象物の防災管理に関する講習の課程を修了した者 2　右欄１②に掲げる者で、１年以上防災管理の実務経験を有する者 3　市町村の消防職員で、管理的又は監督的な職に１年以上あった者 4　１から３までに掲げる者に準ずる者で、防災管理者として必要な学識経験を有すると認められるもの	1　甲種防火対象物 →次のいずれかに該当する者 ①　甲種防火対象物の防火管理に関する講習（甲種防火管理講習）の課程を修了した者 ②　学校教育法による大学又は高等専門学校において総務大臣の指定する防災に関する学科又は課程を修めて卒業した者で、１年以上防火管理の実務経験を有するもの ③　市町村の消防職員で、管理的又は監督的な職に１年以上あった者 ④　①から③までに掲げる者に準ずる者で、総務省令で定めるところにより、防火管理者として必要な学識経験を有すると認められるもの 2　乙種防火対象物 →次のいずれかに該当する者

	①　乙種防火対象物の防火管理に関する講習（乙種防火管理講習）の課程を修了した者 ②　1の①から④までに掲げる者

また、防災管理対象物（自衛消防組織の設置を要する対象物）は、次のとおりである（政令第4条の2の4）。

防火対象物の用途	防火対象物の規模	
自衛消防組織設置防火対象物（別表第1(1)項から(4)項まで、(5)項イ、(6)項から(12)項まで、(13)項イ、(15)項及び(17)項に掲げる防火対象物）で、右欄①～③のいずれかに該当するもの	①　地階を除く階数が11以上の防火対象物	延べ面積が10,000m²以上のもの
	②　地階を除く階数が5以上10以下の防火対象物	延べ面積が20,000m²以上のもの
	③　地階を除く階数が4以下の防火対象物	延べ面積が50,000m²以上のもの
別表第1(16)項に掲げる防火対象物（自衛消防組織設置防火対象物の用途に供される部分が存するものに限る。）で、右欄1～3のいずれかに該当するもの	1　地階を除く階数が11以上の次の防火対象物	
	①　自衛消防組織設置防火対象物の用途に供される部分の全部又は一部が11階以上の階に存する防火対象物	当該部分の床面積の合計が10,000m²以上のもの
	②　自衛消防組織設置防火対象物の用途に供される部分の全部が10階以下の階に存し、かつ、当該部分の全部又は一部が5階以上10階以下の階に存する防火対象物	当該部分の床面積の合計が20,000m²以上のもの
	③　自衛消防組織設置防火対象物の用途に供される部分の全部が4階以下の階に存する防火対象物	当該部分の床面積の合計が50,000m²以上のもの
	2　地階を除く階数が5以上10以下の次の防火対象物	
	①　自衛消防組織設置防火対象物の用途に供される部分の全部又は一部が5階以上の階に存する防火対象物	当該部分の床面積の合計が20,000m²以上のもの
	②　自衛消防組織設置防火対象物の用途に供される部分の全部が4階以下の階に存する防火対象物	当該部分の床面積の合計が50,000m²以上のもの

	3　地階を除く階数が４以下の防火対象物で、自衛消防組織設置防火対象物の用途に供される部分の床面積の合計が50,000m²以上のもの
別表第１(16の２)項に掲げる防火対象物（地下街）	延べ面積が1,000m²以上のもの

(1)　法第36条第１項、政令第45条の規定で、**正しい**。

(2)　法第36条第１項、政令第46条の規定で、**正しい**。

(3)　法第36条第１項、政令第47条の規定で、**誤り**。

(4)　法第36条第１項の規定で、**正しい**。

(5)　法第36条第１項の規定で、**正しい**。

ポイント

防災管理制度についての知識、防火管理制度との相異についての知識について問うものである。

【正解　(3)】

チェック □□□

問題68　**次は、統括防災管理者に関する記述であるが、誤っているものはどれか。**

(1)　防災管理対象物についての管理について権原を有する者は、統括防災管理者を選任又は解任した場合には、所轄消防長又は消防署長に届け出る。

(2)　統括防災管理者を選任しなければならない防災管理対象物は、統括防火管理者を選任しなければならない防火対象物と同じである。

(3)　統括防災管理者は、防災管理対象物の全体についての防災管理に係る消防計画を作成し、所轄消防長又は消防署長に届け出なければならない。

(4)　統括防災管理者は、防災管理に係る消防計画に基づいて、避難の訓練の実施、当該防災管理対象物の廊下、階段、避難口その他の避難上必要な施設の管理その他当該防災管理対象物の全体についての防災管理上必要な業務を行う。

(5)　統括防災管理者は、防災管理対象物の全体についての防災管理上必要な業務を行うときは、必要に応じて当該防災管理対象物の管理について権原を有する者の指示を求め、誠実にその職務を遂行する。

要点・解説

統括防災管理者を選任しなければならない要件は、防災管理対象物のうち、管理の権原が分かれるものである。

なお、防災管理対象物は、自衛消防組織の設置を要する防火対象物と同じであることに留意する必要がある。

防災管理対象物（自衛消防組織の設置を要する防火対象物（政令第４条の２の４））
<第１号関係>

<table>
<tr><th colspan="2">対象用途</th><th>規　　模</th></tr>
<tr><td>(1)項</td><td>劇場等</td><td rowspan="15">（地階を除く階数）　→　（延べ面積）
①11以上　→　10,000m²以上
②５以上10以下　→　20,000m²以上
③４以下　→　50,000m²以上</td></tr>
<tr><td>(2)項</td><td>風俗営業店舗等</td></tr>
<tr><td>(3)項</td><td>飲食店等</td></tr>
<tr><td>(4)項</td><td>百貨店等</td></tr>
<tr><td>(5)項イ</td><td>ホテル等</td></tr>
<tr><td>(6)項</td><td>病院・社会福祉施設等</td></tr>
<tr><td>(7)項</td><td>学校等</td></tr>
<tr><td>(8)項</td><td>図書館・博物館等</td></tr>
<tr><td>(9)項</td><td>公衆浴場等</td></tr>
<tr><td>(10)項</td><td>車両の停車場等</td></tr>
<tr><td>(11)項</td><td>神社・寺院等</td></tr>
<tr><td>(12)項</td><td>工場等</td></tr>
<tr><td>(13)項イ</td><td>駐車場等</td></tr>
<tr><td>(15)項</td><td>その他の事業場</td></tr>
<tr><td>(17)項</td><td>文化財である建築物</td></tr>
</table>

<第２号関係>＝複合用途防火対象物（(16)項）

防火対象物の階数（地階を除く）	対象用途に供する部分が存する階	対象用途に供する部分の床面積の合計

11以上	①11階以上（10階以下に一部ある場合もある）	10,000m²以上
	②5階以上10階以下 （11階以上にない・4階以下に一部ある場合もある）	20,000m²以上
	③4階以下（5階以上にない）	50,000m²以上
5以上10以下	④5階以上10階以下（4階以下に一部ある場合もある）	20,000m²以上
	⑤4階以下（5階以上にない）	50,000m²以上
4以下	⑥4階以下	50,000m²以上

＜第3号関係＞＝地下街（(16の2）項）

(16の2）項　地下街	延べ面積1,000m²以上

(1)　法第36条第1項、規則第51条の11の3の規定で、**正しい**。
(2)　法第36条第1項、政令第46条の規定により、**誤り**。
(3)　政令第48条の3第1項の規定により、**正しい**。
(4)　政令第48条の3第2項の規定により、**正しい**。
(5)　政令第48条の3第3項の規定により、**正しい**。

ポイント
統括防災管理者に関する知識について問うものである。　【正解　(2)】

チェック□□□

問題69　**消防法第45条には、消防法の規定違反に対する法人に対しての両罰規定が定められているが、次の規定違反行為のうち両罰の規定が定められていないものはどれか。**

(1)　消防法第4条第1項の規定による資料の提出若しくは報告を求められて、資料の提出をせず、虚偽の資料を提出し、報告をせず、若しくは虚偽の報告をし、又はこれらの規定による立入り、検査若しくは収去を拒み、妨げ、若しくは忌避した場合
(2)　消防法第5条第1項の規定による改修、移転、除去、工事の停止又は中止その他の必要な措置命令に違反した場合

⑶　消防法第５条の３第１項の規定による防火対象物に対する消防吏員による火災予防措置命令に違反した場合
⑷　消防法第８条第３項の規定による防火管理者選任命令に違反した場合
⑸　消防法第17条の４第１項又は第２項の規定による消防用設備等又は特殊消防用設備等の設置又は維持命令に違反した場合

要点・解説

法第４条第１項の規定による資料の提出若しくは報告を求められて、資料の提出をせず、虚偽の資料を提出し、報告をせず、若しくは虚偽の報告をし、又はこれらの規定による立入り、検査若しくは収去を拒み、妨げ、若しくは忌避した者は、法第44条第２号の規定により、30万円以下の罰金又は拘留に処すると規定されており、法第45条の両罰に関する規定には定められていない。

⑴　法第44条第２号に該当するが、法第45条の両罰の規定は、**定められていない**。
⑵　法第39条の３の２第１項に該当し、法第45条第１号の規定で、**定められている**。
⑶　法第41条第１項第１号に該当し、法第45条第３号の規定で、**定められている**。
⑷　法第42条第１項第１号に該当し、法第45条第３号の規定で、**定められている**。
⑸　法第41条第１項第５号及び法第44条第12号に該当し、法第45条第２号及び第３号の規定で、**定められている**。

ポイント

新宿歌舞伎町火災を受けて、平成14年に改正強化された法第45条の両罰規定についての知識について問うものである。　【正解　⑴】

共通科目

専攻科目

防火査察	消防用設備等	危険物

チェック □□□

問題1 **次のうち、消防法令に定める消防用設備等に関する記述として、誤っているものはどれか。**

(1) 消防用設備等の設置義務のある防火対象物の関係者は、消防用設備等について、消火、避難その他の消防の活動のために必要とされる性能を有するように、政令で定める技術上の基準に従って設置し、維持しなければならない。
(2) 市町村は、その地方の気候又は風土の特殊性により、政令で定める技術上の基準又はこれに基づく命令の規定のみによっては防火の目的を充分に達し難いと認めるときは、条例で消防用設備等の技術上の基準に関して、政令で定める技術上の基準又はこれに基づく命令の規定と異なる規定を設けることができる。
(3) 防火対象物の関係者が政令若しくはこれに基づく命令又は条例で定める技術上の基準に従って設置し、及び維持しなければならない消防用設備等に代えて、特殊の消防用設備等であって消防用設備等と同等以上の性能を有し、かつ、特殊消防用設備等の設置及び維持に関する計画に従って設置し、及び維持するものとして総務大臣の認定を受けたものを用いる場合には、政令又は条例の基準によらなくてもよい。
(4) 消防長又は消防署長が、防火対象物の位置、構造又は設備の状況から判断して、消防用設備等の設置及び維持の技術上の基準によらなくとも、火災の発生又は延焼のおそれが著しく少なく、かつ、火災等の災害による被害を最少限度に止めることができると認めるときは、消防用設備等の設置及び維持の技術上の基準によらないことができる。
(5) 消防用設備等の設置義務のある防火対象物に設置するすべての消防用設備等は、検定又は認定を受けたものでなければならない。

要点・解説

検定を受けなければならないものは、政令第37条に定める消防の用に供する機械器具等で消防用設備等のすべてではない。特殊消防用設備等は総務大臣の認定を受けなければならない。その他の消防用設備等又はこれらの部分である機械器具等の登録認定機関の行う認定は、これを受けなければならないものではなく、また、この認定を受けた当該機械器具等は、設置時に消防機関が行う性能検査等を省略してもよいとされている（実際に多くの場合で省略されている。）。

(1) 法第17条第１項の規定で、**正しい**。
(2) 法第17条第２項の規定で、**正しい**。
(3) 法第17条第３項の規定で、**正しい**。
(4) 政令第32条の規定で、**正しい**。
(5) 政令第37条の規定で、**誤り**。

ポイント

防火対象物の関係者の消防用設備等設置維持義務、消防用設備等と条例の関係、予想し得ない新技術等を使用した特殊消防用設備等の総務大臣による認定制度、消防用設備等の設置に関する消防長又は消防署長の権限、検定制度、登録認定機関の行う認定制度などについての知識について問うものである。

【正解　(5)】

チェック □□□

問題 2　**次は、建築確認又は消防同意に関する記述であるが、正しいものはどれか。**

(1) 建築基準法第６条の規定により、建築物の工事に着手しようとする者が、建築物等に関する許可、認可又は確認を行う権限を有する行政庁若しくはその委任を受けた者又は指定確認検査機関（以下「建築主事等」という。）に確認申請を出して確認を受けると同時に、消防長又は消防署長に対して、建築同意の申請をしなければならないこととされている。
(2) 建築主は、建築基準法第６条第１項第１号から第３号までに規定する建築物を建築しようとする場合、当該工事に着手しようとする前に、その計画が建築基準法令の規定に適合するものであることについて、建築主事又は建築副主事の確認を受け、確認済証の交付を受けなければならないこととされている。
(3) 住宅のうち、一戸建ての住宅で住宅の用途以外の用途に供する部分の床面積の合計が75m²以下であれば、消防同意の対象から除外されている。

(4)　消防長又は消防署長は、消防法第７条第１項の規定に基づいて、同意を求められた場合、当該建築物の計画が法律又はこれに基づく命令若しくは条例の規定で建築物の防火の規定に違反をしていないものであるときは、建築基準法第６条第１項第４号の規定に係るものにあっては、７日以内に同意を与えることとされている。

(5)　消防長又は消防署長は、建築物の計画が防火の規定に違反をしていない場合であっても、火災予防の観点から適当でないと認められる場合は、同意できないことができることとされている。

要点・解説

(1)　法第７条第１項の規定で、工事に着手しようとする者が消防同意の申請をすることとされていないので、**誤り**。

(2)　建基法第６条第１項の規定で、**正しい**。

(3)　政令第１条の規定で、消防同意の対象外とされる一戸建ての住宅の条件は、住宅の用途以外の用途に供する部分の床面積の合計が「50m²以下」の場合であり、**誤り**。

(4)　法第７条第２項の規定で、建基法第６条第１項第４号の規定に係るものにあっては、３日以内と規定されており、**誤り**。

(5)　法第７条第２項の規定で、建築物の計画が防火の規定に違反をしていない場合は、同意する旨規定されており、**誤り**。

ポイント

消防同意の手順についての規定、消防同意の対象から除外されている住宅の規模についての知識について問うものである。

【正解　(2)】

チェック

問題 3　消防法第17条第１項では、防火対象物における火災による被害を軽減するために、火災の早期発見・通報、初期消火、安全な避難、消火活動等を効果的に行えるように、一定の防火対象物には、消防用設備等を設置することが規定されている。次のうち、誤っているものはどれか。

⑴　消火設備には、消火器及び簡易消火用具（水槽、乾燥砂、膨張ひる石又は膨張真珠岩）、屋内消火栓設備、スプリンクラー設備、ハロゲン化物消火設備、動力消防ポンプ設備等が該当する。

⑵　消火活動上必要な施設には、消防機関へ通報する火災報知設備、斜降式救助袋、固定はしご、非常用の進入口等が該当する。

⑶　警報設備には、自動火災報知設備、ガス漏れ火災警報設備、放送設備、警鐘、携帯用拡声器、手動式サイレンその他の非常警報器具等が該当する。

⑷　消防用水には、防火水槽又はこれに代わる貯水池その他の用水が該当する。

⑸　避難設備には、すべり台、避難はしご、救助袋、緩降機、避難橋その他の避難器具、誘導灯及び誘導標識が該当する。

要点・解説

消火活動上必要な施設は、火災が発生したときに、火煙により消火活動が阻害されることにより、地下階、深層階あるいは高層建築物等で消防活動が困難となるために消防隊が使用する設備で、排煙設備、連結散水設備、連結送水管、非常コンセント設備及び無線通信補助設備がある。

なお、「非常用の進入口」は、消防隊が進入するために４m以上の道路に面した特定建築物の３階以上31m以下の階に、建基令第126条の６及び第126条の７の規定により設置するものである。

⑴　法第17条第１項及び政令第７条第２項の規定で、**正しい**。
⑵　法第17条第１項及び政令第７条第６項の規定で、**誤り**。
⑶　法第17条第１項及び政令第７条第３項の規定で、**正しい**。
⑷　法第17条第１項及び政令第７条第５項の規定で、**正しい**。

(5)　法第17条第１項及び政令第７条第４項の規定で、**正しい**。

ポイント

消防用設備等の種別、類別と非常用の進入口とは規制根拠が異なることについての知識について問うものである。

【正解　(2)】

チェック □□□

問題４　**次は、消防法第17条第１項の規定に基づく消防用設備等に関する技術上の基準についての記述であるが、誤っているものはどれか。**

(1)　消防用設備等に関する技術上の基準を適用する際、技術上の基準に関する設置単位は、屋外消火栓設備等一部の消防用設備等を除き、原則として棟単位で規定が適用されることとされている。

(2)　一般事務所（消防法施行令（以下「政令」という。）別表第１⒂項に掲げる防火対象物）を倉庫（政令別表第１⒁項に掲げる防火対象物）の用途に用途変更した結果、消防法第17条第１項に規定する、倉庫に係る技術上の基準に適合しない場合であっても、一般事務所に係る技術上の基準に適合していればよいこととされている。

(3)　防火対象物のうち、地下街（政令別表第１（16の２）項に掲げる防火対象物）に該当する場合は、当該地下街がいくつかの防火対象物の用途に供されていても、地下街全体を一の防火対象物として消防用設備等に関する基準が適用される。

(4)　既存の防火対象物の場合でも、非常警報設備に関する基準が改正されれば、すべての用途の防火対象物について、改正後の非常警報設備に係る基準に適合させなければならないこととされている。

(5)　防火対象物がホテル（政令別表第１⑸項イに掲げる防火対象物）の場合、避難設備など特定の消防用設備等に限り、消防用設備等に係る技術上の基準に適合させなければならないこととされている。

要点・解説

特定防火対象物に該当する場合は、すべての消防用設備等について現行の技術上の基準に適合させなければならない。また、非特定防火対象物であっても一定規模以上の増改築がなされた場合又は特定の消防用設備等（消火器、非常警報設備、誘導灯など）に係る技術上の基準については、常に現行の技術上の基準に適合させなければならないこととされている。

⑴　法第17条第１項及び政令第２章第３節の規定並びに設問のとおりで、**正しい**。
⑵　法第17条の３の規定で、**正しい**。
⑶　政令第９条の２の規定で、**正しい**。
⑷　法第17条の２の５第１項及び政令第34条第６号の規定で、**正しい**。
⑸　法第17条の２の５第２項第４号及び政令第34条の４の規定で、**誤り**。

ポイント

現行の「消防の用に供する設備等に関する技術上の基準」が、既存の防火対象物に対しても適用される（いわゆる「遡及適用」といわれる。）場合の条件については、消防設備規制の基本的な事項であり、既存の対象物に対して、①特定用途の防火対象物であるか、②特定の消防用設備等であるか、③法令で定める一定の増改築などがなされているかなどの条件であることなど、消防設備規制に関する基本的な知識について問うものである。　【正解　⑸】

チェック □□□

問題5　**次は、消防法第17条第１項の規定に基づく消防用設備等に関する技術上の基準に関する記述であるが、誤っているものはどれか。**

⑴　消防法施行令（以下「政令」という。）別表第１⑹項ロに掲げる養護老人ホームの場合、消火器、非常警報器具等特定の消防用設備等に限り、常に、改正された後の技術上の基準に適合させなければならないこととされている。
⑵　防火対象物の用途に関係なく、避難器具に関する技術上の基準については、常に、現行の最も新しい技術上の基準に適合させなければならない。

(3)　屋内消火栓設備に関する技術上の基準を適用する際、当該技術上の基準に関する設置単位は、原則として、棟単位で規定を適用することとされている。
(4)　政令別表第１(1)項又は(3)項に掲げる防火対象物の地階で、同表（16の２）項に掲げる防火対象物と一体をなすものとして消防署長が指定したものは、当該地下街の部分としてみなされて自動火災報知設備に関する基準が適用される。
(5)　工場（政令別表第１(12)項イに掲げる防火対象物）を倉庫（政令別表第１(14)項に掲げる防火対象物）に用途変更する場合、特定の消防用設備等に係る基準を除き、倉庫に係る消防用設備等に関する技術上の基準に適合していなくても、工場に係る消防用設備等に関する技術上の基準に適合していればよいこととされている。

要点・解説

特定防火対象物の一つである政令別表第１(6)項ロに掲げる防火対象物にあっては、すべての消防用設備等に係る技術上の基準について、原則、現行の技術上の基準が適用されることとされている。

(1)　法第17条の２の５第２項第４号及び政令第34条の４の規定で、**誤り**。
(2)　法第17条の２の５第１項及び政令第34条の規定で、**正しい**。
(3)　法第17条第１項及び政令第２章第３節の規定及び設問のとおりで、**正しい**。
(4)　政令第９条の２の規定で、**正しい**。
(5)　法第17条の３の規定で、**正しい**。

ポイント

法第17条第１項の規定に基づく消防用設備等の設置・維持の義務付け及び法第17条の２の５の規定に基づく適用除外又は法第17条の３の規定に基づく用途変更の場合の特例の規定についての知識について問うものである。

【正解　(1)】

チェック □□□

問題 6 次は、消防法第17条第1項の規定に係る消防用設備等に関する記述であるが、誤っているものはどれか。

(1) 消防用設備等とは、消防法施行令で定める消防の用に供する設備、消防用水及び消火活動上必要な施設をいう。
(2) 消防法施行令で定める消防の用に供する設備には、消火設備、警報設備及び避難設備がある。
(3) 消防法施行令で定める消防用水には、防火水槽又はこれに代わる貯水池その他の用水がある。
(4) 消防法施行令で定める消火活動上必要な施設には、排煙設備、連結散水設備、連結送水管、非常コンセント設備及び無線通信補助設備がある。
(5) 特殊消防用設備等であって、設置すべき消防用設備等と同等以上の性能を有し、かつ、当該関係者が設備等設置維持計画に従って設置し及び維持するものとして、日本消防検定協会又は法人であって総務大臣の登録を受けたものが行う認定を受けたものを用いる場合は、当該消防用設備等は設置しないことができる。

要点・解説

設置すべき消防用設備等を設置しないことができるために設置する特殊消防用設備等は、総務大臣が行う認定を受けなければならない。特殊消防用設備等に関して日本消防検定協会又は法人であって総務大臣の登録を受けたものが行う業務は、総務大臣の認定を受けようとする者が、その申請書類として必要となる当該特殊消防用設備等の性能評価である（法第17条第3項及び第17条の2）。

(1) 法第17条第1項の規定で、**正しい**。
(2) 政令第7条第1項の規定で、**正しい**。
(3) 政令第7条第5項の規定で、**正しい**。
(4) 政令第7条第6項の規定で、**正しい**。
(5) 法第17条第3項及び第17条の2の規定で、**誤り**。

ポイント

消防用設備等の体系と種類についての知識について問うものである。

【正解　(5)】

チェック □□□

問題 7　次は、消防法第17条第3項に規定する特殊消防用設備等又は消防法第4章の2に規定する検定対象機械器具等に関する記述であるが、誤っているものはどれか。

(1)　検定対象機械器具等で型式適合検定に合格したものについては、法令で定める表示が付されているが、この表示が付されているものでなければ販売し、又は販売の目的で陳列してはならないこととされている。

(2)　設備等設置維持計画に従って設置し、及び維持するものとして総務大臣の認定を受けた特殊消防用設備等を設置する場合、当該部分については、消防法第17条第1項又は第2項の規定は適用されないこととされている。

(3)　総務大臣の認定を受けた特殊消防用設備等でも、認定の効力が失われることがある。

(4)　型式適合検定とは、検定対象機械器具等の形状等が型式承認を受けた検定対象機械器具等の型式に係る形状等に適合しているかどうかについて総務省令で定める方法により行う検定であり、特殊消防用設備等については、検定対象機械器具等の範囲に入らないので、型式適合検定を受ける必要はない。

(5)　消防用設備等の一部に検定対象機械器具等を使用している場合は、当該消防用設備等に係る技術上の基準として、検定対象機械器具等に関する基準にも適合させることは必要ない。

要点・解説

(1)　法第21条の2第4項の規定で、**正しい**。

(2)　法第17条第3項の規定で、**正しい**。

(3)　法第17条の2の3第1項の規定で、**正しい**。

⑷　法第21条の２第３項及び政令第37条の規定で、**正しい**。

⑸　法第17条第１項及び政令第30条の規定で、**誤り**。

ポイント

特殊消防用設備等又は検定対象機械器具等についての知識について問うものである。なお、法第17条第１項に規定する設置及び維持に関する技術上の基準には、政令第30条の規定も含まれ、検定対象機械器具等に関する基準にも適合させることが必要である。

【正解　⑸】

チェック □□□

問題８　次は、消防法令に規定されている特殊消防用設備等についての記述であるが、誤っているものはどれか。

⑴　総務大臣認定を受けた特殊消防用設備等の加圧防煙システムは、耐火構造の床又は壁等で区画するとともに、開口部に特定防火設備である防火戸を設けた特別避難階段の附室、非常用エレベーターの乗降ロビーその他これらに類する場所を消防活動拠点とし、かつ、当該拠点に給気し加圧することにより、一定の耐熱性能と耐煙性能を確保するとともに、火災室において排煙を行い、煙を制御することにより、火災時において消防隊が行う消防活動を支援するものである。

⑵　防火対象物の関係者は、特殊消防用設備等の点検を行ったときには、消防本部、消防署設置市町村にあっては消防長又は消防署長に、消防本部が設置されていない市町村にあっては当該区域を管轄する市町村長に報告書を提出することになっている。

⑶　特殊消防用設備等の点検の期間及び点検結果の報告は、特殊消防用設備等の種類並びに点検内容に応じて総合点検と機器点検とがあり、点検期間は６月ごとと１年ごとに定められている。

⑷　防火対象物の関係者が消防用設備等の設置義務がない対象物に任意に設置した特殊消防用設備等については、定期点検及び報告を行うことは義務付けられていない。

⑸　総務大臣認定を受けた特殊消防設備等の火災温度上昇速度を監視する

機能を付加した火災報知設備とは、従来の自動火災報知設備の感知器による火災感知方法（煙濃度、熱検知）に加え、火災温度上昇速度を監視する機能により、従来の自動火災報知設備より早期に他の消防用設備等及び防火設備等を連動制御することで、避難誘導及び防火区画の形成を行い、より早く安全に避難させる性能を有する設備である。

要点・解説

設置すべき消防用設備等を設置しないことができるために設置する特殊消防用設備等は、新技術の導入により開発されるものであり、その特殊消防用設備等の設置及び維持に関する基準等を定めておくことは困難であるから、特殊消防用設備等ごとに定められる設置及び維持方法に関する計画（設備等設置維持計画）により点検をするものである。

なお、設備等設置維持計画には、特殊消防用設備等の設置方法に関すること、試験の実施に関すること、点検の基準、点検の期間及び点検の結果についての報告の期間に関すること等が規定されている（規則第31条の３の２）。

⑴　設問のとおりで、**正しい**。

⑵　法第17条の３の３及び規則第31条の６第３項の規定で、**正しい**。

⑶　特殊消防用設備等は、法第17条第３項、規則第31条の３の２第６号、消防法施行規則の規定に基づき、消防用設備等又は特殊消防用設備等の種類及び点検内容に応じて行う点検の期間、点検の方法並びに点検の結果についての報告書の様式を定める件（平成16年消防庁告示第９号）第２及び第３に定める設備等設置維持計画によるもので、**誤り**。

⑷　法第17条の３の３の定期点検及び報告を行うことが義務付けられているのは、法第17条第１項の防火対象物であり、消防用設備等の設置が課せられていない対象物（任意に設置したもの）については、点検結果報告が義務付けられていないことから、設問のとおりで、**正しい**。

⑸　設問のとおりで、**正しい**。

ポイント

特殊消防用設備等は、総務大臣が通常の消防用設備等と同等以上の性能を有するものであることの認定をしたものであり、加圧防煙システム（排煙設備）、複数の総合操作盤を用いた総合消防防災システム（総合操作盤）、火災温度上昇速度を監視する機能を付加した火災報知設備（自動火災報知設備）、閉鎖型ヘッドを用いた駐車場用消火設備（泡消火設備）、インバーター制御ポンプを使用するスプリンクラー設備（スプリンクラー設備）等があり、これらの知識について問うものである。　【正解　(3)】

チェック □□□

問題 9　消防法第17条第２項には、「附加条例」についての規定があるが、次のうち、この附加条例に関する記述として、正しいものはどれか。

(1)　附加条例は、法令のみによっては防火の目的を充分に達成することが困難な場合に制定するものであるから、全国的に共通する一般的な理由によっても設けることができる。

(2)　附加条例では、消防法施行令又は消防法施行規則に定める規定を緩和することができる。

(3)　附加条例で規定できるのは、消防用設備等の技術上の基準のうち、消防用設備等の設置及び維持の技術上の基準についてである。

(4)　附加条例は、一般的には市町村条例によるが、消防用設備等については地域性を勘案して都道府県条例で制定されることが多い。

(5)　附加条例は、当該市町村の区域内においては、消防法施行令又はこれに基づく命令の特例としての効力を有しないものである。

要点・解説

法第17条第２項の規定により附加条例を定めることができるのは、「その地方の気候又は風土の特殊性により、国の法令のみによっては防火の目的を充分に達し難いと認められるとき」に限られる。

附加条例は、消防用設備等の技術上の基準に関して規定することができるものであり、消防用設備等の設置及び維持の技術上の基準について規定することができる。

⑴　地方の気候又は風土の特殊性により、国の法令のみによっては防火の目的を充分に達し難いと認めるときに設けるものであるから、全国的に共通する理由によって設けることはできないので、**誤り**。
⑵　技術上の基準に関する政令又はこれに基づく命令の規定のみによっては、防火の目的を充分に達し難い場合に設けられるものであるから、消防法施行令又は消防法施行規則を緩和する規定を設けることはできないので、**誤り**。
⑶　法第17条第２項の規定で、**正しい**。
⑷　附加条例は、市町村条例によるものであるから、**誤り**。ただし、東京都の特別区の区域については、法第37条、消防組織法第28条による。
⑸　附加条例は、当該市町村の区域内においては、消防法施行令又はこれに基づく命令の特例としての効力を有するものであるので、**誤り**。

ポイント

附加条例を制定する根拠及び附加条例に規定する内容等（火災予防条例）についての知識について問うものである。　【正解　⑶】

チェック □□□

問題10　次は、消防法第17条第３項の規定により総務大臣の認定を受けた特殊消防用設備等についての記述であるが、誤っているものはどれか。

⑴　火災温度上昇速度を監視する機能を付加した火災報知設備は、自動火災報知設備に代えられる特殊消防用設備等である。
⑵　特殊消防用設備等は、総務大臣が個別、具体的に特殊消防用設備等としてその性能が消防用設備等と同等以上であるかどうかを認定するもので、対象となる防火対象物について具体的な状況を勘案して認定が行われるものである。
⑶　加圧防煙システムは、特別避難階段の附室、非常用エレベーターの乗降ロビー等の消防活動拠点を給気し加圧することによって、拠点における一定の安全性を確保するとともに、火災室から排煙を行うことにより、

火災時において消防隊を煙や熱から防護し、その消防活動を効果的に支援する性能を有する設備であり、消防用設備等の排煙設備に代えられるものである。

(4)　特殊消防用設備等は、設備等設置維持計画に基づき設置し、この設備等設置維持計画で、特殊消防用設備等の点検の基準、点検の期間及び点検の結果に係る報告の期間等が定められているため、消防用設備等に対する基準とは異なるものである。

(5)　総務大臣の認定を受けた特殊消防用設備等で認定件数が多いのは、総合操作盤に代えられる複数の総合操作盤を用いた総合消防防災システムである。

要点・解説

特殊消防用設備等として認定されているものは、加圧防煙システムが一番多く、次いで閉鎖型ヘッドを用いた駐車場用消火設備、複数の総合操作盤を用いた総合消防防災システム（大規模・高層の防火対象物において、管理区分や建築構造等に応じエリアごとに複数の総合操作盤を設置し、それぞれのエリアごとに消防防災上の分散管理を行うとともに、各総合操作盤の間で情報伝達や連動制御を行い、当該防火対象物全体を有機的に監視・制御するシステムである。）となっている。

なお、一定の知見が蓄積されたものについては順次基準化されることになっている。

(1)　特殊消防用設備等の概要説明であり、設問のとおりで、**正しい**。
(2)　特殊消防用設備等の概要説明であり、設問のとおりで、**正しい**。
(3)　特殊消防用設備等の概要説明であり、設問のとおりで、**正しい**。
(4)　法第17条第３項及び規則第31条の３の２第６号の規定で、**正しい**。
(5)　要点・解説のとおりで、**誤り**。

ポイント

法第17条第３項の性能規定に基づく、特殊消防用設備等についての知識について問うものである。

【正解　(5)】

（参考）　特殊消防用設備等の認定件数：合計78件

（令和５年３月31日現在）

特殊消防用設備等	代えられる消防用設備等	認定件数
加圧防煙システム	排煙設備	26件
ドデカフルオロ－2－メチルペンタン－3－オン（FK－5－1－12）を消火剤とする消火設備	ハロゲン化物消火設備	4件
複数の総合操作盤を用いた総合消防防災システム	総合操作盤	10件
火災温度上昇速度を監視する機能を付加した防災システム	自動火災報知設備	4件
閉鎖型ヘッドを用いた駐車場用消火設備	泡消火設備	10件
インバーター制御ポンプを使用するスプリンクラー設備	スプリンクラー設備	1件
空調設備と配管を兼用するスプリンクラー設備	スプリンクラー設備	1件
閉鎖型水噴霧ヘッドを使用した消火設備	水噴霧消火設備	8件
大空間排煙設備	排煙設備	7件
放射時間を延長した窒素ガス消火設備	不活性ガス消火設備	6件
駐車場排気ダクト兼用排煙設備	排煙設備	1件
合　計		78件

『令和５年版消防白書』より抜粋

チェック □□□

問題11　**次は、消防法第17条第３項に規定する「特殊消防用設備等」に関する事項についての記述であるが、正しいものはどれか。**

(1)　特殊消防用設備等には、避難安全支援性能を有する共同住宅用自動火災報知設備、住戸用自動火災報知設備等がある。

(2)　特殊消防用設備等には、消防活動を効果的に支援する性能を有する加圧防煙システムがある。

(3)　特殊消防用設備等には、初期拡大抑制性能を有するパッケージ型消火設備、パッケージ型自動消火設備等がある。

(4)　特殊消防用設備等には、火災により生ずる炎から放射される赤外線及び紫外線の変化が一定の量以上になったときに作動するもので、一局所の紫外線及び赤外線による受光素子の受光量の変化により作動するものとしては炎複合式スポット型感知器がある。
(5) 特殊消防用設備等には、消防活動支援性能を有する共同住宅用非常コンセント設備、共同住宅用連結送水管等がある。

要点・解説

加圧防煙システムは政令第28条に規定する排煙設備の代替設備として用いられ、法第17条第3項に該当する特殊消防用設備等である。

加圧防煙システムは、設備等設置維持計画、法令によって細かく規定されているが、一般的には大規模な物品販売店、高層建築物等で使用されている。

(1) 避難安全支援性能は、火災が発生した場合に、在館者の避難を迅速かつ安全に行うことを支援するために必要な性能をいうもので、共同住宅用自動火災報知設備等は政令第29条の4第1項の必要とされる防火安全性能を有する消防の用に供する設備等の1つであり、特殊消防用設備等に該当しないので、**誤り**。

(2) 設問のとおりで、**正しい**。

(3) 初期拡大抑制性能は、火災が発生した場合に、それを早期に覚知又は感知し、かつ、初期消火を迅速かつ的確に行うこと等により、当該火災の拡大を抑制するために必要な性能をいうもので、パッケージ型消火設備等は政令第29条の4第1項の必要とされる防火安全性能を有する消防の用に供する設備等の1つであり、特殊消防用設備等に該当しないので、**誤り**。

(4) 炎複合式スポット型感知器は、自動火災報知設備の一種であり、特殊消防用設備等には該当しないので、**誤り**。

(5) 消防活動支援性能は、火災が発生した場合に、消防隊が安全かつ円滑に消防活動を行うために必要な性能をいうもので、共同住宅用非常コンセント設備等は政令第29条の4第1項の必要とされる防火安全性能を有する消防の用に供する設備等の1つであり、特殊消防用設備等に該当しないので、**誤り**。

ポイント

特殊消防用設備等のうち、加圧防煙システムについての知識について問うものである。

【正解 (2)】

チェック

問題12 **次の記述は、特殊消防用設備等に関するものであるが、消防法令上誤っているものはどれか。**

(1)　特殊消防用設備等は、消防法第17条第１項の規定に基づく政令・命令又は消防法第17条第２項の規定に基づく条例で定める技術上の基準に従って設置し、及び維持しなければならない消防用設備等に代えて設置することができる特殊の消防用設備等その他の設備等である。
(2)　特殊消防用設備等を設置した防火対象物の関係者は、設備等設置維持計画に従って設置し、及び維持しなければならない。
(3)　特殊消防用設備等の認定を受けた者が当該認定に係る特殊消防用設備等又は設備等設置維持計画を変更しようとするときは、消防長又は消防署長に届け出なければならない。
(4)　認定を受けた特殊消防用設備等について、偽りその他不正な手段により当該認定を受けたことが判明したときは、総務大臣は、当該認定の効力を失わせることができる。
(5)　特殊消防用設備等についての認定を受けようとする者は、あらかじめ、日本消防検定協会又は法人であって総務大臣の登録を受けたものが行う性能評価を受けなければならない。

要点・解説

特殊消防用設備等について認定を受けた者は、当該認定に係る特殊消防用設備等又は設備等設置維持計画を変更しようとするときは、総務大臣の承認を受ける必要があるが、「総務省令で定める軽微な変更」については、この限りでないとされている（法第17条の２の３第２項）。また、特殊消防用設備等について「総務省令で定める軽微な変更」をしたときは、総務省令で定めるところにより、その旨を消防長又は消防署長に届け出なければならない（同条第４項）。

(1)　法第17条第３項の規定で、**正しい**。
(2)　法第17条第３項の規定で、**正しい**。
(3)　法第17条の２の３第２項の規定で、**誤り**。
(4)　法第17条の２の３第１項の規定で、**正しい**。

(5) 法第17条の２第１項の規定で、**正しい**。

ポイント
特殊消防用設備等の認定等に関する知識を問うものである。 【正解 (3)】

チェック □□□

問題13 次のうち、消防法第17条の14の規定による甲種消防設備士が行う着工届の対象とならない消防用設備等はどれか。

(1) 漏電火災警報器
(2) 自動火災報知設備
(3) ガス漏れ火災警報設備
(4) 消防機関へ通報する火災報知設備
(5) 救助袋

要点・解説

漏電火災警報器は、着工届の対象とならない（法第17条の５及び政令第36条の２）。

なお、選択肢(2)、(3)及び(4)の消防用設備等の電源の部分の電気工事のみの着工届は不要である。

(1) 政令第36条の２第１項の規定で、**対象とならない**。
(2) 政令第36条の２第１項第９号の規定で、**対象となる**。
(3) 政令第36条の２第１項第９号の２の規定で、**対象となる**。
(4) 政令第36条の２第１項第10号の規定で、**対象となる**。
(5) 政令第36条の２第１項第12号の規定で、**対象となる**。

ポイント
着工届が必要となる消防用設備等についての知識について問うものである。
【正解 (1)】

チェック □□□

問題14 **次は、消防法第17条の2の5第1項かっこ書き及び消防法施行令第34条に規定する適用が除外されない消防用設備等の種類であるが、誤っているものはどれか。**

---

(1) 消火器及び避難器具

(2) 自動火災報知設備（消防法施行令別表第1(1)項から(4)項まで、(5)項イ、(6)項、(9)項イ、(16)項イ及び（16の2）項から(17)項までに掲げる防火対象物に設けるものに限る。）

(3) 消防機関へ通報する火災報知設備

(4) 漏電火災警報器、非常警報器具及び非常警報設備

(5) 誘導灯及び誘導標識

要点・解説

適用が除外されない消防用設備等は、法第17条の2の5第1項において除外規定「消火器、避難器具その他政令で定めるものを除く。」とされ、同条の「政令で定めるもの」は、政令第34条に規定されている。

消防機関へ通報する火災報知設備は、適用が除外されない消防用設備等には規定されていない。

(1) 法第17条の2の5第1項かっこ書きの規定で、**正しい**。

(2) 政令第34条第3号の規定で、**正しい**。

(3) 法第17条の2の5第1項かっこ書き及び政令第34条の規定で、**誤り**。

(4) 政令第34条第5号及び第6号の規定で、**正しい**。

(5) 政令第34条第7号の規定で、**正しい**。

ポイント

法第17条の２の５第１項かっこ書き及び政令第34条に規定する適用が除外されない消防用設備等は、特定防火対象物や増築、改築及び大規模な修繕等における法第17条第１項の適用除外と異なり、消防用設備等の種類ごとの適用除外規定であることがポイントであり、これらの知識について問うものである。

【正解　(3)】

チェック □□□

問題15　次の記述は、消防用設備等の遡及適用に関するものであるが、消防法令上誤っているものはどれか。

---

(1)　防火対象物に設置されている自動火災報知設備については、その技術上の基準が改正された場合には、原則として改正後の基準が適用される。
(2)　既存の特定防火対象物について、自動火災報知設備の技術上の基準が改正された場合には、改正後の基準が適用される。
(3)　改正前の技術上の基準に違反していた防火対象物の消防用設備等については、当該関係規定が改正された場合においても、違反しているものとして扱われる。
(4)　大規模増改築等に該当するに至った防火対象物の消防用設備等については、現行の技術上の基準に適合させる必要がある。
(5)　防火対象物に設置されている消火器については、その技術上の基準が改正された場合には、原則として改正後の基準が適用される。

要点・解説

消防用設備等が設置されている防火対象物が一定の要件に該当する場合又は要件に該当するに至った場合には、当該消防用設備等に係る基準の適用に当たっては、現行基準（現に施行されているもの）が適用される（遡及適用。法第17条の２の５第２項）。

(1)　防火対象物に設置されている自動火災報知設備については、その技術上の基準が改正された場合には、原則として改正後の基準が適用されるものは、政令別表第1(1)項から(4)項、(5)項イ、(6)項、(9)項イ、(16)項イ及び（16の2）項から(17)項までに掲げる防火対象物に限られている（政令第34条）。**誤り。**

(2) 既存の特定防火対象物について、自動火災報知設備の技術上の基準が改正された場合には、改正後の基準が適用される（法第17条の2の5第2項第4号）。**正しい。**

(3) 改正前の技術上の基準に違反していた防火対象物の消防用設備等については、当該関係規定が改正された場合においても、違反しているものとして扱われる（法第17条の2の5第2項第1号）。**正しい。**

(4) 大規模増改築等に該当するに至った防火対象物の消防用設備等については、現行の技術上の基準に適合させる必要がある（法第17条の2の5第2項第3号）。**正しい。**

(5) 防火対象物に設置されている消火器については、その技術上の基準が改正された場合には、原則として改正後の基準が適用される（政令第34条）。**正しい。**

ポイント

消防法における遡及制度は、一般的な法の原則である「不遡及の原則」に該当しないものであり、特に消防用設備等に着目して遡及されるものと防火対象物の状況に着目して遡及されるものがあることを十分理解しておく必要がある。

【正解　(1)】

チェック □□□

問題16　**次のうち、消防法第17条第1項に基づく消防用設備等の技術上の基準が改正されたとき、既に設置されている消防用設備等であっても、改正後の基準によらなければならない場合の記述として、誤っているものはどれか。**

(1) 高層建築物（高さ31mを超える建築物）であるすべての防火対象物における消防用設備等

(2) 従前の規定に適合していないことにより、消防法第17条第1項の規定に違反している同条同項の防火対象物における消防用設備等

(3)　工事の着手が改正後の基準の施行又は適用の後である消防法施行令で定める増築、改築又は大規模の修繕若しくは模様替えに係る、消防法第17条第１項の防火対象物における消防用設備等
(4)　改正後の技術上の基準の規定に適合するに至った防火対象物における消防用設備等
(5)　特定防火対象物における消防用設備等又は現に新築、増築、改築、移転、修繕若しくは模様替えの工事中の特定防火対象物に係る消防用設備等

要点・解説

・　高層建築物であるがゆえに、改正後の基準によらなければならないという規定はない。
なお、消防用設備等のうち、防火対象物の用途に関係なく、常に現行基準が適用されるものは、消火器、避難器具その他政令第34条に規定する設備である。
・　選択肢(3)の消防法施行令で定める増築、改築については、当該防火対象物の増築又は改築の床面積の合計が1,000m²以上あるいは当該防火対象物の延べ面積の２分の１以上に至った場合（増築＋改築の場合は当該床面積の合計）に適用される（政令第34条の２第１項）。
なお、大規模の修繕若しくは模様替えにあっては、当該防火対象物の主要構造部（建基法第２条第５号に規定する主要構造部をいう。）である壁について行う過半の修繕又は模様替えに適用される（政令第34条の３）。
・　選択肢(4)の場合は、改正基準の改修等（段階的な改修も含む。）により、改正後の技術上の基準の規定に適合するに至った防火対象物における消防用設備等の場合のことである。

(1)　法第17条の２の５第２項の規定で、**誤り**。
(2)　法第17条の２の５第２項第１号の規定で、**正しい**。
(3)　法第17条の２の５第２項第２号の規定で、**正しい**。
(4)　法第17条の２の５第２項第３号の規定で、**正しい**。
(5)　法第17条の２の５第２項第４号の規定で、**正しい**。

ポイント

消防用設備等の技術上の基準が改正されたとき、改正後の基準が適用される防火対象物についての知識について問うものである。　【正解　(1)】

チェック □□□

問題17　消防法第17条第１項に規定する防火対象物の用途が変更された場合、変更後の用途の防火対象物に、現行の消防用設備等の技術上の基準が適用されることとなるが、次のうち、該当しないものはどれか。

---

(1)　用途が変更される前の当該防火対象物における消防用設備等に係る消防法第17条第１項の技術上の基準に関する政令若しくはこれに基づく命令又は同法第17条第２項の規定に基づく条例の規定に適合していないことにより、同法第17条第１項の規定に違反している当該防火対象物における消防用設備等

(2)　工事の着手が用途の変更の後である消防法施行令で定める増築、改築又は大規模の修繕若しくは模様替えに係る当該防火対象物における消防用設備等

(3)　用途の変更後、当該防火対象物の消防用設備等に係る技術上の基準に至った当該防火対象物における消防用設備等

(4)　変更後の用途が特定防火対象物の用途である場合の当該特定防火対象物における消防用設備等

(5)　用途の変更の際、所有者が変更された場合の当該防火対象物における消防用設備等

要点・解説

・　消防用設備等の技術上の基準の適用は、法第17条第１項の防火対象物であり、その適用となる事項は防火対象物の状態すなわち規模、用途等によって異なるが、所有者の変更とは関係ない。

・　選択肢(1)に関しては、あくまでも用途変更前の防火対象物の消防用設備等が、法第17条第１項の規定に適合していない場合である。

・　選択肢(2)の消防法施行令で定める増築、改築については、当該防火対象物の

増築又は改築の床面積の合計が1,000m²以上あるいは当該防火対象物の延べ面積の2分の1以上に至った場合（増築＋改築の場合は当該床面積の合計）に適用される（政令第34条の2第1項）。

なお、大規模の修繕若しくは模様替えにあっては、当該防火対象物の主要構造部（建基法第2条第5号に規定する主要構造部をいう。）である壁について行う過半の修繕又は模様替えに適用される（政令第34条の3）。

⑴　法第17条の3第2項第1号の規定で、**該当する**。
⑵　法第17条の3第2項第2号の規定で、**該当する**。
⑶　法第17条の3第2項第3号の規定で、**該当する**。
⑷　法第17条の3第2項第4号の規定で、**該当する**。
⑸　法第17条の3第2項の規定で、**該当しない**。

ポイント

防火対象物の用途が変更された場合、現行の消防用設備等の技術上の基準が適用される防火対象物についての知識について問うものである。

【正解　⑸】

チェック□□□

問題18　次は、消防用設備等の検査を受けなければならない防火対象物に関する記述であるが、誤っているものはどれか。

⑴　消防法施行令（以下「政令」という。）別表第1⑯項イのうち、⑹項イ⑷に掲げる防火対象物の用途に供される部分が存するものにあっては、延べ面積が300m²以上のものとされている。
⑵　政令別表第1⑯項ロのうち、⑸項ロに掲げる防火対象物の用途に供される部分が存するものにあっては、延べ面積が300m²以上のもので、消防長等が火災予防上必要があると認めて指定するものとされている。
⑶　政令別表第1⑯項イのうち、⑹項ロに掲げる防火対象物の用途に供される部分が存するものにあっては、延べ面積が300m²以上のものとされている。

(4)　政令別表第1⒂項に掲げる防火対象物にあっては、延べ面積が300m²以上のもので、消防長等が火災予防上必要があると認めて指定するものとされている。
(5)　政令別表第1⑹項に掲げる防火対象物の用途に供される部分が避難階以外の階に存する防火対象物で、当該避難階以外の階から避難階又は地上に直通する階段が2（当該階段が屋外に設けられ、又は総務省令で定める避難上有効な構造を有する場合にあっては、1）以上設けられていないものとされている。

要点・解説

防火対象物の関係者は、消防用設備等又は特殊消防用設備等を設置したとき、その旨を消防機関に届け出て、検査を受け、検査済証の交付を受ける必要がある（法第17条の3の2、規則第31条の3第4項）。

届出の必要な防火対象物は、政令第35条第1項に掲げるものである。

また、検査対象となるものは、消防用設備等（簡易消火用具及び非常警報器具を除く。）及び特殊消防用設備等である（政令第35条第2項）。

(1)　政令第35条第1項第2号の規定で、**正しい**。
(2)　政令第35条第1項第3号の規定で、**正しい**。
(3)　政令第35条第1項第1号の規定で、**誤り**。
(4)　政令第35条第1項第3号の規定で、**正しい**。
(5)　政令第35条第1項第4号の規定で、**正しい**。

ポイント

消防用設備等を設置した場合に消防長等の検査を受けなければならない防火対象物に関する知識を問うものであり、その用途を十分理解しておく必要がある。

【正解　(3)】

チェック □□□

問題19　**次は、消防法令における消防用設備等又は特殊消防用設備等についての記述であるが、誤っているものはどれか。**

---

(1)　消防法第17条第３項の規定に基づき、設備等設置維持計画に従って設置する特殊消防用設備等については、検定対象機械器具等の範囲から除外されている。

(2)　通常用いられる消防用設備等に代えて、特定小規模施設における必要とされる防火安全性能を有する消防の用に供する設備等として、特定小規模施設用自動火災報知設備を消防庁長官が定める基準に従って設置した場合は、消防法施行令第21条第１項又は第２項の規定により設置し、維持しなければならない自動火災報知設備に代えて用いることができることとされている。

(3)　特定共同住宅等における必要とされる防火安全性能を有する共同住宅用スプリンクラー設備は、消防法第17条の５に規定する消防設備士の業務の対象とされている。

(4)　特定共同住宅等における必要とされる防火安全性能を有する共同住宅用非常コンセント設備は、消防設備点検資格者の業務の対象から除外されている。

(5)　防火安全性能のうち、「火災の拡大を初期に抑制する性能」とは、火災が発生した場合に、それを早期に覚知又は感知し、かつ、初期消火を迅速かつ的確に行うこと等により、当該火災の拡大を抑制するために必要とされる性能をいう。

要点・解説

通常用いられる消防用設備等に代えて、必要とされる防火安全性能を有する消防の用に供する設備等として規定されている「共同住宅用非常コンセント設備」は、法第17条の３の３の規定の対象になる。

(1)　政令第37条の規定で、**正しい**。

(2)　特定小規模施設における必要とされる防火安全性能を有する消防の用に供する設備等に関する省令（平成20年総務省令第156号）第３条第１項の規定

で、**正しい**。

(3) 法第17条の５及び政令第36条の２並びに消防設備士免状の交付を受けている者又は総務大臣が認める資格を有する者が点検を行うことができる消防用設備等又は特殊消防用設備等の種類を定める件（平成16年消防庁告示第10号（以下「10号告示」という。））の規定で、**正しい**。

(4) 法第17条の３の３及び10号告示の規定で、**誤り**。

(5) 政令第29条の４第１項の規定及び設問のとおりで、**正しい**。

ポイント

消防用設備等又は特殊消防用設備等についての知識について問うものである。

【正解 (4)】

チェック □□□

問題20 **次のうち、消防法令における消防用設備等に関する記述として、誤っているものはどれか。**

(1) 通常用いられる消防用設備等に代えて、必要とされる防火安全性能を有する消防の用に供する設備等として、パッケージ型自動消火設備を消防庁長官が定める基準に従って設置した場合は、屋内消火栓設備の設置を省略することができることとされている。

(2) 消防法第17条第３項の規定に基づき、設備等設置維持計画に従って設置する特殊消防用設備等については、検定対象機械器具等の範囲から除外されている。

(3) 消防用設備等又は特殊消防用設備等のうち、法令で定められた一定のものだけが消防設備士の業務独占の対象とされている。

(4) 必要とされる防火安全性能を有する消防の用に供する設備等も、消防用設備等の一つである。

(5) 消防法第17条第１項の規定に基づくスプリンクラー設備の基準を適用する場合、防火対象物が開口部のない耐火構造の床又は壁で区画されていれば、当該区画された部分ごとに、スプリンクラー設備に関する基準については別の防火対象物とみなして基準が適用される。

要点・解説

⑴　必要とされる防火安全性能を有する消防の用に供する設備等に関する省令（平成16年総務省令第92号（以下「92号省令」という。））第２条の規定で、**誤り**。
⑵　政令第37条の規定で、**正しい**。
⑶　法第17条の５及び政令第36条の２の規定で、**正しい**。
⑷　政令第29条の４第１項の規定で、**正しい**。
⑸　政令第８条第１号の規定で、**正しい**。

ポイント

法第17条第１項における政令第７条に規定される消防用設備等に係る基準若しくは性能規定化された消防用設備等に係る基準又は法第17条第３項の規定により設置される特殊消防用設備等に係る基準がどのように規定されているかについての知識について問うものである。なお、92号省令第２条で、「パッケージ型自動消火設備」を消防庁長官が定める基準に従って設置し、及び維持する場合（設置対象部分は限定されている。）は、スプリンクラー設備に代えて当該設備を設置することができることとされている。【正解　⑴】

チェック □□□

問題21　**次の消防用機械器具等のうち、消防法第21条の16の２に規定される自主表示対象機械器具等に該当しないものはどれか。**

⑴　エアゾール式簡易消火具
⑵　動力消防ポンプ
⑶　漏電火災警報器
⑷　住宅用防災警報器
⑸　消防用ホース

要点・解説

消防法に基づく「自主表示対象機械器具等の表示等」に係る規定は、法第４章の２第２節で規定されており、その対象は、政令第41条で具体的な消防用機械器具等の範囲について規定されている。また、当該機械器具等の種類に応じて規定されているそれぞれの機械器具等に係る「技術上の基準」に適合している旨の表示については、規則別表第４で規定されている。なお、住宅用防災警報器は、検定対象機械器具等として規定されている。

(1)　政令第41条第５号の規定で、**該当する**。
(2)　政令第41条第１号の規定で、**該当する**。
(3)　政令第41条第６号の規定で、**該当する**。
(4)　政令第41条には規定されておらず、**該当しない**。
(5)　政令第41条第２号の規定で、**該当する**。

ポイント

法第21条の16の２の「政令で定める自主表示対象機械器具等の範囲」について問うものである。具体的な自主表示対象機械器具等については、政令第41条で規定されているが、その対象となる自主表示対象機械器具等について問うものである。

【正解　(4)】

チェック □□□

問題22　**次のうち、消防法第17条第１項の規定に基づく消防用設備規制で「通常用いられる消防用設備等」が有する防火安全性能に関する記述として、誤っているものはどれか。**

---

(1)　防火安全性能とは、消防法施行令第29条の４第１項に規定する「火災の拡大を初期に抑制する性能、火災時に安全に避難することを支援する性能又は消防隊による活動を支援する性能」をいう。
(2)　必要とされる防火安全性能を有する消防の用に供する設備等は、消防用設備等の一つである。
(3)　防火安全性能については、消防法施行令第32条の規定は適用されないこととされている。
(4)　「火災の拡大を初期に抑制する性能」とは、火災が発生した場合に、それを早期に覚知又は感知し、かつ、初期消火を迅速かつ的確に行うこと等により、当該火災の拡大を抑制するために必要とされる性能をいう。
(5)「必要とされる防火安全性能を有する消防の用に供する設備等」の中には、消防設備士の業務独占の対象のものも含まれている。

要点・解説

政令第29条の４第１項に規定する必要とされる防火安全性能を有する消防の用に供する設備等は、法第17条第１項の規定に基づく消防用設備等であり、政令第32条の規定において同条の適用は排除されていないので、同条に基づく特例措置を講じることができることとされている。

(1) 政令第29条の４第１項の規定で、**正しい**。
(2) 政令第29条の４第１項の規定で、**正しい**。
(3) 政令第32条及び要点・解説のとおりで、**誤り**。
(4) 政令第29条の４第１項の規定及び設問のとおりで、**正しい**。
(5) 政令第36条の２の規定で、**正しい**。

ポイント

政令第29条の４に規定する消防の用に供する設備等に係る規定が、法第17条第１項に規定する消防用設備規制の一つであることについて理解しているかどうかの知識について問うものである。

【正解 (3)】

チェック □□□

問題23 **次の記述は、「通常用いられる消防用設備等」に代えて用いることのできる「必要とされる防火安全性能を有する消防の用に供する設備等」に関するものであるが、消防法令上誤っているものはどれか。**

(1)「通常用いられる消防用設備等」に必要とされる防火安全性能は、①「火災の拡大を初期に抑制する性能」、②「火災時に安全に避難することを支援する性能」又は③「消防隊による活動を支援する性能」とされている。
(2)「必要とされる防火安全性能を有する消防の用に供する設備等」は、

「通常用いられる消防用設備等」に代えて、その防火安全性能が当該通常用いられる消防用設備等の防火安全性能と同等以上であると消防長又は消防署長が認めるものであることから、検定対象機械器具等から除外されている。

(3) 「必要とされる防火安全性能を有する消防の用に供する設備等」とは、「通常用いられる消防用設備等」に代えて、設置することができるものであり、その基準は総務省令及び消防庁告示により規定される。

(4) 「必要とされる防火安全性能を有する消防の用に供する設備等」の設置に係る工事は、消防設備士でなければ行ってはならない（消防庁長官が定めるものの電源、水源及び配管の部分を除く。）。

(5) 防火対象物の関係者は、「必要とされる防火安全性能を有する消防の用に供する設備等」を設置する場合は、「通常用いられる消防用設備等」と同等以上の防火安全性能を有するように設置し、及び維持しなければならない。

要点・解説

「必要とされる防火安全性能を有する消防の用に供する設備等」とは、「通常用いられる消防用設備等」（政令第２章第３節第２款から第６款までの規定により設置し、及び維持しなければならない消防用設備等）に代えて、設置することができるものであり、その基準は総務省令及び消防庁告示により規定される。原則として消防法令上の取扱い（設置届出、点検・点検結果の報告、消防設備士の業務独占など）は、「通常用いられる消防用設備等」と同様となっている。

検定対象機械器具等は、消防の用に供する機械器具等のうち、一定の形状等を有しないときは火災の予防若しくは警戒、消火又は人命の救助等のために重大な支障を生ずるおそれのあるもので、あらかじめ検査を受ける必要があると認められるもので政令で定めるものとしている（法第21条の２、政令第37条）。

政令第37条により検定対象機械器具等の範囲から除外されるのは、「通常用いられる消防用設備等」と同等以上の性能を有し、かつ、設備等設置維持計画に従って設置し、及び維持するものとして総務大臣の認定を受けた特殊消防用設備等の部分である。

(1) 政令第29条の４第１項の規定で、**正しい**。

(2) 政令第37条の規定で、検定対象機械器具等の対象外とされているものは、特殊消防用設備等であることから、**誤り**。

(3)　政令第29条の4第1項の規定で、**正しい**。なお、消防庁告示については、個々の総務省令により、委任を受けて規定されている。

(4)　政令第36条の2第1項の規定で、**正しい**。

(5)　政令第29条の4第2項の規定で、**正しい**。

ポイント

「必要とされる防火安全性能を有する消防の用に供する設備等」についての知識を問うものである。

【正解　(2)】

チェック □□□

問題24　**次は、消防用設備等又はその部分である消防用機械器具等に関する記述であるが、誤っているものはどれか。**

(1)　消防用機械器具等とは、検定対象機械器具等及び自主表示対象機械器具等である。

(2)　消防用設備等又はその部分である消防用機械器具等で消防法施行令第37条各号又は同令第41条各号に該当するものは、当該消防用機械器具等に係る技術上の規格に適合するものでなければならない。

(3)　消防用設備等又はその部分には、消防用機械器具等のうち住宅用防災警報器が含まれる。

(4)　消防用設備等の維持に係る基準には、消防用機械器具等に係る技術上の規格が適用される。

(5)　消防用機械器具等である検定対象機械器具等は12品目及び自主表示対象機械器具等は6品目である。

要点・解説

(1)　政令第30条第1項の規定で、**正しい**。

(2)　政令第30条第1項の規定で、**正しい**。

(3)　住宅用防災警報器は、法第9条の2の規定に基づくものであり、法第17条第1項の規定により政令第7条に規定される消防用設備等又はその部分には含まれないので、**誤り**。

(4)　政令第30条第１項の規定で、**正しい**。

(5)　政令第37条及び政令第41条の規定で、**正しい**。

ポイント

消防用設備等又はその部分である消防用機械器具等については、当該消防用機械器具等に係る技術上の規格が適用されることについての知識を問うものである。

【正解　(3)】

チェック □□□

問題25　**次は、消防用機械器具等に係る技術上の規格に関する総務省令の規定（以下「総務省令規定」という。）の施行又は適用の際の、既存又は新築等の工事中の防火対象物における消防用機械器具等に関する記述であるが、誤っているものはどれか。**

---

(1)　総務省令規定の施行又は適用の際、消防法第17条の２の５第１項の規定の適用を受ける消防用設備等に係るものについては、基準の特例の対象とならない。

(2)　既存不遡及の原則が適用されない消防用設備等は、総務省令規定の施行又は適用の際、特例としてなお従前の例によることが認められる。

(3)　総務大臣は、総務省令規定の施行又は適用の際に、当該消防用機械器具等を供用することのできる日を規定することができる。

(4)　遡及の対象となる既存の防火対象物等に設置されている消防用機械器具等については、特例として規定される期間内に技術上の規格に適合するものに交換することができる。

(5)　総務省令規定の施行又は適用の日から総務省令規定による技術上の規格に適合する消防用機械器具等を供用することができる日の前日までの間において新築等の工事が開始された防火対象物に係る消防用機械器具等についても、特例が適用される。

要点・解説

検定対象機械器具等又は自主表示対象機械器具等に係る技術上の規格に関する総務省令の規定（総務省令規定）が改正され、その施行又は適用の際に、現に存する防火対象物における消防用機械器具等（法第17条の２の５第１項の規定の適用を受ける消防用設備等に係るものを除く。）又は現に新築、増築、改築、移転、修繕若しくは模様替えの工事中の防火対象物に係る消防用機械器具等（法第17条の２の５第１項の規定の適用を受ける消防用設備等に係るものを除く。）のうち政令第37条各号又は第41条各号に掲げるものに該当するもので総務省令規定に適合しないものに係る技術上の基準については、総務省令で、一定の期間を限って、政令第30条第１項に規定する維持に係る基準の適用に関する特例を定めることができるとされている（政令第30条第２項）。

この場合において、法第17条の２の５第１項の規定の適用を受ける消防用設備等に係るものが除かれているが、これは既存防火対象物に対する不遡及の原則が適用されるものである。ただし、次の①、②は遡及の対象とされ不遡及の原則の適用は除外されていることに留意することが必要である。

① 法第17条の２の５第１項において、既存防火対象物に設置されている消火器、避難器具その他政令第34条に定める消防用設備等。

② 法第17条の２の５第２項において、既存不遡及の原則が適用されない防火対象物に設置されている消防用設備等。

したがって、遡及の対象となる既存の防火対象物等に設置されている消防用機械器具等については、特例として規定される期間内に技術上の規格に適合するものに交換することが可能となる。

⑴ 政令第30条第２項の規定で、**正しい**。
⑵ 政令第30条第２項の規定で、**誤り**。
⑶ 政令第30条第２項の規定で、**正しい**。
⑷ 政令第30条第２項の規定で、**正しい**。
⑸ 政令第30条第２項の規定で、**正しい**。

ポイント

消防用機械器具等に係る技術上の規格に関する総務省令の規定の施行又は適用の際の遡及の対象及び特例の内容についての知識を問うものである。

【正解 (2)】

チェック

問題26 次は、消防法施行令（以下「政令」という。）第2章第3節に規定する消防用設備等の設置及び維持の技術上の基準に係る特例に関する記述であるが、誤っているものはどれか。

(1) 政令別表第1に掲げる防火対象物の道路の用に供される部分のうち、一定の要件を満たす部分には、特例が認められる。

(2) 政令別表第1⒂項に掲げる防火対象物（事業場）のうち、畜舎等に該当するものには、特例が認められる。

(3) 予想しない特殊の消防用設備等その他の設備については、消防長又は消防署長が消防用設備等の基準による場合と同等以上の効力があると認める場合には、特例が認められる。

(4) 政令別表第1⑿項イに掲げる防火対象物（工場又は作業場）の危険工室については、特例が認められる。

(5) 防火対象物の状況から、消防長又は消防署長が、火災の発生又は延焼のおそれが著しく少なく、かつ、火災等の災害による被害を最少限度に止めることができると認める場合には、政令第2章第3節の規定を適用しない。

要点・解説

(1) 政令第31条第2項第2号及び規則第33条の規定で、**正しい**。

(2) 政令第31条第2項第1号及び規則第32条の3の規定で、**正しい**。

(3) 政令第32条の規定で、**誤り**。

(4) 政令第31条第1項及び規則第32条の2の規定で、**正しい**。

(5) 政令第32条の規定で、**正しい**。

ポイント

消防用設備等の設置及び維持の技術上の基準について、法令上規定されている基準の特例に係る規定についての知識を問うものである。　【正解　(3)】

チェック □□□

問題27　次は、消防法施行令別表第1⒂項に掲げる防火対象物のうち、基準の特例が規定されている畜舎等に関する記述であるが、誤っているものはどれか。

---

(1)　畜舎等には、家畜の飼養の用に供する施設が含まれる。
(2)　畜舎等には、畜舎に付随する施設である貯水施設及び水質浄化施設が含まれる。
(3)　畜舎等には、畜舎に付随する施設である発酵槽が含まれる。
(4)　畜舎等には、畜舎に付随する施設である搾乳施設が含まれる。
(5)　畜舎等には、畜産経営の用に供される居室で不特定又は多数の者が利用する部分が含まれる。

要点・解説

畜舎等は、政令別表第1⒂項に該当するが、出火の危険性が少なく、周囲の状況から延焼拡大の危険性が限定されるなどの事情から、消防用設備等の設置について以前は消防長・消防署長によりそれぞれの状況に応じ、特例が認められていた。

これらを踏まえ、畜舎等について統一的な基準の特例が政令第31条第2項第1号及び規則第32条の3に規定されている。

また、これらの畜舎等が基準の特例を受けるには、防火上及び避難上支障がないもの及び周囲の状況から延焼防止上支障がないものとして、畜舎等に係る基準の特例の細目（令和4年消防庁告示第2号）に適合することが必要である。

(1)　規則第32条の3第1項の規定により、**正しい**。
(2)　規則第32条の3第2項第3号の規定により、**正しい**。
(3)　規則第32条の3第2項第7号の規定により、**正しい**。
(4)　規則第32条の3第2項第1号の規定により、**正しい**。

(5)　畜舎等に係る基準の特例の細目第２第１号(2)イの規定により、**誤り**。

ポイント

基準の特例が適用される畜舎等についての知識を問うものである。

【正解　(5)】

チェック □□□

問題28　次は、畜舎等の特例基準を適用する場合の防火上及び避難上支障がないもの及び周囲の状況から延焼防止上支障がないものとして、消防庁長官が定める基準に関する記述であるが、誤っているものはどれか。

(1)　原則として、平屋建てである。
(2)　延べ面積が3,000m²以下であり、かつ、一定の要件を満たす場合は、階数を２とすることができる。
(3)　畜産経営の用に供される居室があるが、仮眠その他の就寝の用に供する部分がない。
(4)　畜舎等が市街化区域内に設けられている。
(5)　畜舎等から５m離れた部分に木造の作業所が設けられている。

要点・解説

防火上及び避難上支障がないもの及び周囲の状況から延焼防止上支障がないものとして、消防庁長官が定める基準は、畜舎等に係る基準の特例の細目（令和４年消防庁告示第２号）に規定されている。

畜舎等の周囲６m以内に建築物又は工作物（不燃材料で造られたもの、内部に人が立ち入ることのできない構造となっているものを除く。）が存しないものであること（畜舎等に係る基準の特例の細目第２第２号(2)）。

(1)　畜舎等に係る基準の特例の細目第２第１号(1)の規定により、**正しい**。
(2)　畜舎等に係る基準の特例の細目第２第１号(1)の規定により、**正しい**。
(3)　畜舎等に係る基準の特例の細目第２第１号(2)の規定により、**正しい**。
(4)　畜舎等に係る基準の特例の細目第２第２号(1)の規定により、**正しい**。

⑸　畜舎等に係る基準の特例の細目第2第2号⑵の規定により、**誤り**。

ポイント

畜舎等の特例基準を適用する場合の防火上及び避難上支障がないもの及び周囲の状況から延焼防止上支障がないものに関する知識を問うものである。

【正解　⑸】

チェック □□□

問題29　**次は、消防法第17条の3の2の規定に基づき、消防用設備等又は特殊消防用設備等を設置したとき、消防長若しくは消防署長に届け出て検査を受けるべき防火対象物又は消防用設備等の検査に関する事項についての記述であるが、誤っているものはどれか。**

⑴　延べ面積が280m²の消防法施行令（以下「政令」という。）別表第1⑸項イに掲げる防火対象物に特殊消防用設備等を設置する場合は、消防長又は消防署長に届け出て検査を受けなければならない。

⑵　延べ面積が400m²の政令別表第1⑺項に掲げる防火対象物に屋内消火栓設備を設置するときは、消防長又は消防署長の火災予防上必要があると認める指定がない場合は、消防長又は消防署長に届け出て検査を受けなくてもよい。

⑶　政令別表第1⑹項ハに掲げる防火対象物（利用者を入居させ、又は宿泊させるものに限る。）に非常警報設備を設置する場合は、必ず消防長又は消防署長に届け出て検査を受けなければならない。

⑷　消防用設備等を設置し、届け出て検査を受けなければならない場合、消防用設備等の設置工事が完了した日から4日以内に消防長又は消防署長に届け出ればよいこととされている。

⑸　延べ面積が320m²の政令別表第1⒃項ロに掲げる防火対象物に自動火災報知設備を設置する場合は、消防長又は消防署長に届け出て検査を受ける必要はない。

要点・解説

政令別表第１⒃項ロに掲げる防火対象物に消防用設備等又は特殊消防用設備等を設置するときは、当該防火対象物の延べ面積が300m²以上で消防長又は消防署長が指定した場合に限り、消防長又は消防署長に届け出て検査を受けることとされている。

⑴　政令第35条第１項第１号の規定で、**正しい**。
⑵　政令第35条第１項第３号の規定で、**正しい**。
⑶　政令第35条第１項第１号の規定で、**正しい**。
⑷　規則第31条の３第１項の規定で、**正しい**。
⑸　政令第35条第１項第３号の規定で、**誤り**。

ポイント

法第17条の３の２の規定に基づく消防用設備等又は特殊消防用設備等を設置した際、設置を届け出て、消防機関の検査を受けなければならないとする検査制度についての知識について問うものである。

【正解　⑸】

チェック □□□

問題30　**次は、消防法第17条の３の２の規定に基づき消防用設備等又は特殊消防用設備等を設置したとき、消防長又は消防署長に届け出て検査を受けなければならない防火対象物についての記述であるが、正しいものはどれか。**

⑴　消防法施行令（以下「政令」という。）別表第１（16の３）項に掲げる防火対象物（政令別表第１⑶項及び⑷項に掲げる防火対象物の用途が存するもの）で延べ面積が280m²のもの
⑵　延べ面積が500m²の政令別表第１⑻項に掲げる防火対象物で、消防長又は消防署長が火災予防上必要があると認めて指定しているもの
⑶　避難階に該当しない４階の階に存する政令別表第１⑸項ロに掲げる防火対象物で、避難階又は地上に通ずる屋内階段（総務省令で定める避難上有効な構造を有すると認められていないもの）が１であるもの
⑷　政令別表第１⑶項に掲げる防火対象物で延べ面積が265m²のもの

(5)　延べ面積が450m²の政令別表第1⒁項に掲げる防火対象物であるが、特に消防長又は消防署長の指定はないもの

要点・解説

(1)　政令第35条第1項の規定で、**誤り**。
(2)　政令第35条第1項第3号の規定で、**正しい**。
(3)　政令第35条第1項の規定で、**誤り**。
(4)　政令第35条第1項の規定で、**誤り**。
(5)　政令第35条第1項の規定で、**誤り**。

ポイント

消防用設備等又は特殊消防用設備等が設置段階から十分機能しているかどうかをチェックするため、消防機関に届け出て検査を受けるべきこととされている防火対象物についての知識について問うものである。なお、非特定防火対象物であっても延べ面積が300m²以上のもので、消防長又は消防署長が火災予防上必要があると認めて指定した場合は、この規定の対象となることに留意する。

【正解　(2)】

チェック □□□

問題31 次は、消防用設備等である消火器に関する記述であるが、誤っているものはどれか。

---

(1) 消火器は、消防法第21条の2第1項の規定による検定対象機械器具等の一つである。
(2) 消火器には、型式承認を受けた後、型式適合検定を受け、これに合格したものである旨の表示を付さなければならない。
(3) 消火器は、型式適合検定に合格した旨の表示を付したものでなければ、販売し又は販売の目的で陳列してはならない。
(4) 消火器は、型式適合検定に合格した旨の表示を付したものでなければ、設置してはならない。
(5) すべての消火器は、初期のあらゆる燃焼形態の火災に対応できる。

要点・解説

消火器は、その消火薬剤及び放射の状態（消火器の種類若しくは性能）に応じ、消火対象が定められている（政令第10条第2項第1号、政令別表第2）。

(1) 法第21条の2第1項及び政令第37条第1号の規定で、**正しい**。
(2) 法第21条の9第1項の規定で、**正しい**。
(3) 法第21条の2第4項の規定で、**正しい**。
(4) 法第21条の2第4項の規定で、**正しい**。
(5) 政令第10条第2項第1号及び政令別表第2の規定で、**誤り**。

ポイント

消火器は検定対象品目であること、消火器の消火薬剤と放射状態ごとに適応火災が定められていることについての知識について問うものである。

【正解　(5)】

チェック □□□

問題32 次は、消防法令で定める消防用設備等の種類に関する記述であるが、誤っているものはどれか。

(1) 消防の用に供する設備とは、消火設備、警報設備及び避難設備をいう。
(2) 消火活動上必要な施設とは、排煙設備、連結散水設備、連結送水管、非常コンセント設備及び無線通信補助設備をいう。
(3) 消防用水とは、防火水槽又はこれに代わる貯水池その他の用水をいう。
(4) 避難設備とは、火災が発生した場合において避難するために用いる機械器具又は設備をいい、救助袋、緩降機、誘導灯、誘導標識及び放送設備は、この避難設備に該当する。
(5) 消火器、水バケツ、屋内消火栓設備、スプリンクラー設備、泡消火設備、屋外消火栓設備及び動力消防ポンプ設備は、消火設備に該当する。

要点・解説

消防用設備等の種類は、政令第7条に規定されている。放送設備は、警報設備の一種である（政令第7条第3項）。

(1) 政令第7条第1項の規定で、**正しい**。
(2) 政令第7条第6項の規定で、**正しい**。
(3) 政令第7条第5項の規定で、**正しい**。
(4) 政令第7条第4項の規定で、**誤り**。
(5) 政令第7条第2項各号の規定で、**正しい**。

ポイント

消防の用に供する設備とは何か。消火設備、警報設備、避難設備にはどのような設備の種類があるか。また、消火活動上必要な施設にはどのようなものがあるか等、消防用設備等の種類についての知識について問うものである。

【正解 (4)】

チェック □□□

問題33 次の消防用設備等のうち、消防法施行令第7条第3項に規定する警報設備でないものはどれか。

---

(1)　無線通信補助設備
(2)　自動火災報知設備及びガス漏れ火災警報設備
(3)　漏電火災警報器
(4)　消防機関へ通報する火災報知設備
(5)　警鐘、携帯用拡声器、非常ベル、手動式又は自動式サイレン、放送設備

要点・解説

消防用設備等とは、消防法施行令で定める消防の用に供する設備、消防用水及び消火活動上必要な施設をいい、消防の用に供する設備には、消火設備、警報設備及び避難設備があるが、無線通信補助設備はこの警報設備ではなく、消火活動上必要な施設に該当する（政令第7条第6項）。

(1)　政令第7条第6項の規定で、**警報設備でない**。
(2)　政令第7条第3項第1号及び第1号の2の規定で、**警報設備である**。
(3)　政令第7条第3項第2号の規定で、**警報設備である**。
(4)　政令第7条第3項第3号の規定で、**警報設備である**。
(5)　政令第7条第3項第4号の規定で、**警報設備である**。

ポイント

警報設備の種類についての知識について問うものである。　【正解　(1)】

チェック □□□

問題34 次のうち、消防法施行令第7条第4項に規定する避難設備でないものはどれか。

(1) すべり台
(2) 避難はしご
(3) 救助袋及び緩降機
(4) 非常用の照明装置
(5) 誘導灯及び誘導標識

要点・解説

非常用の照明装置は、建基令第126条の4に規定されているものである。

(1) 政令第7条第4項第1号の規定で、**避難設備である。**
(2) 政令第7条第4項第1号の規定で、**避難設備である。**
(3) 政令第7条第4項第1号の規定で、**避難設備である。**
(4) 政令第7条第4項各号の規定に該当せず、**避難設備でない。**
(5) 政令第7条第4項第2号の規定で、**避難設備である。**

ポイント

消防用設備等の体系、種類及び用途等と併せて建築基準法令関係に規定する避難施設等についての知識について問うものである。　【正解　(4)】

チェック □□□

問題35 次のうち、消防法上に定める無線通信補助設備に関する記述として、誤っているものはどれか。

(1) 無線通信補助設備は、消火活動上必要な施設で、消防法施行令別表第1（16の2）項に掲げる防火対象物で延べ面積が1,000m²以上のものに設置しなければならない。
(2) 無線通信補助設備は、点検に便利で、かつ、火災等の災害による被害を受けるおそれが少ないように設置しなければならない。
(3) 無線通信補助設備は、設置される当該防火対象物における消防隊相互の無線連絡が容易に行われるように設置しなければならない。
(4) 無線通信補助設備は、漏洩同軸ケーブル、漏洩同軸ケーブルとこれに接続する空中線又は同軸ケーブルとこれに接続する空中線によるものとし、消防隊相互の無線連絡が容易に行われるものとして消防長又は消防署長が指定する周波数帯における電波の伝送又は輻射に適するものでなければならない。
(5) 無線通信補助設備は消防隊専用とし、他の用途と共用してはならない。

要点・解説

消防用設備等としての無線通信補助設備を他の用途と共用してはならないという規定はない。規則第31条の２の２第10号では「警察の無線通信その他の用途と共用する場合は、消防隊相互の無線連絡に支障のないような措置を講じること」と規定されている。

(1) 政令第７条第６項及び政令第29条の３第１項の規定で、**正しい**。
(2) 政令第29条の３第２項第１号の規定で、**正しい**。
(3) 政令第29条の３第２項第２号の規定で、**正しい**。
(4) 規則第31条の２の２第１号の規定で、**正しい**。
(5) 規則第31条の２の２第10号の規定で、**誤り**。

ポイント

無線通信補助設備について設置しなければならない防火対象物、設置方法、構造、性能、消防隊以外のものとの共用の是非等についての知識について問うものである。

【正解 (5)】

チェック □□□

問題36 **次は、消防法施行令第8条第1号に規定される消防用設備等の一棟一設置単位の原則の例外に関する記述であるが、（　）内の①、②、③に当てはまる語句の組み合わせとして、正しいものはどれか。**

防火対象物が（　①　）のない（　②　）（建築基準法第2条第7号に規定する（　②　）をいう。）の（　③　）で区画されているときは、その区画された部分は、消防法施行令第2章第3節（消防用設備等の設置及び維持の技術上の基準）の規定の適用については、それぞれ別の防火対象物とみなす。

(1)　①開口部　②耐火構造　③床又は壁
(2)　①出入口　②耐火構造　③床又は壁
(3)　①開口部　②不燃材料　③防火シャッター
(4)　①出入口　②不燃材料　③自動閉鎖式の防火シャッター
(5)　①開口部　②準耐火構造　③自動閉鎖式の防火シャッター

要点・解説

(1)　政令第8条第1号の規定で、**正しい**。
(2)　政令第8条第1号の規定で、**誤り**。
(3)　政令第8条第1号の規定で、**誤り**。
(4)　政令第8条第1号の規定で、**誤り**。
(5)　政令第8条第1号の規定で、**誤り**。

ポイント

消防用設備等の設置は、一棟ごとにその基準が適用されることが原則であるが、一棟であっても開口部のない耐火構造の床又は壁で区画されているときは、その区画された部分は、消防用設備等の設置及び維持の技術上の基準の規定の適用については、それぞれ別の防火対象物とみなされることについての知識とその区画の細部についての知識について問うものである。

【正解　(1)】

チェック □□□

問題37 次の記述は、防火対象物に対する消防用設備等の設置単位に関するものであるが、誤っているものはどれか。

---

(1)　近接する建物が、渡り廊下、地下連絡路又は洞道等により、相互に構造的に接続されていない場合には、原則として別棟として扱われる。

(2)　防火対象物が開口部のない耐火構造（建築基準法第２条第７号に規定する耐火構造をいう。）の床又は壁で区画されているときは、その区画された部分における消防用設備等の設置については、それぞれ別の防火対象物とみなされる。

(3)　複合用途防火対象物の部分に対する消防用設備等の設置については、全ての消防用設備等を当該部分を当該用途に供される一の防火対象物とみなして設置することとされている。

(4)　渡り廊下で接続されている防火対象物は、当該渡り廊下の幅員、接続する建築物相互の距離・構造、用途等が一定の要件を満たす場合、別棟として取り扱うことができる。

(5)　地下連絡路で接続されている防火対象物は、当該地下連絡路の構造、長さ、幅員等が一定の要件を満たす場合、別棟として取り扱うことができる。

要点・解説

1　消防用設備等の設置単位

消防法令の規定に基づき、消防用設備等を設置する場合における防火対象物の取扱いについては、「消防法施行令の一部を改正する政令等の運用について（通知）」（令和６年３月29日消防予第155号）において示されており、政令第９条では、「別表第１⒃項に掲げる防火対象物の部分で、同表各項（⒃項から⒇項までを除く。）の防火対象物の用途のいずれかに該当する用途に供されるものは、この節（第12条第１項第３号及び第10号から第12号まで、第21条第１項第３号、第７号、第10号及び第14号、第21条の２第１項第５号、第22条第１項第６号及び第７号、第24条第２項第２号並びに第３項第２号及び第３号、第25条第１項第５号並びに第26条を除く。）の規定の適用については、当該用途に供される一の防火対象物とみなす」とされている。

⑴　近接する建物が、渡り廊下、地下連絡路又は洞道等により、相互に構造的に接続されていない場合には、原則として別棟として扱われる。行政実例、昭和53年消防予第32号、昭和54年消防予第173号により、**正しい**。

⑵　政令第８条第１号の規定で、**正しい**。

⑶　政令第９条の規定で、**誤り**。

⑷及び⑸　政令第８条第２号、規則第５条の３、「防火上有効な措置が講じられた壁等の基準」（令和６年消防庁告示第７号）により、**正しい**。

ポイント

防火対象物に消防用設備等を設置する場合におけるその設置単位についての知識であり、基準を適用する場合の基礎的な知識である。　【正解　⑶】

チェック □□□

問題38 **消防法令における消防用設備等の規制は、原則として棟単位とされているが、一定の区画等をすることにより、それぞれ別の防火対象物とみなされる場合がある。これらの取り扱いに関する次の記述について、誤っているものはどれか。**

---

(1) 開口部のない耐火構造の壁等は、鉄筋コンクリート造、鉄骨鉄筋コンクリート造その他これらに類する堅ろうで、かつ、容易に変更できない構造であること。

(2) 開口部のない耐火構造の壁等の両端又は上端は、防火対象物の外壁又は屋根から50cm以上突き出していること。

(3) 開口部のない耐火構造の壁等は、配管を貫通させないこととされているが、配管及び当該配管が貫通する部分が一定の要件を満たす場合は、当該区画を貫通することが認められている。

(4) 床、壁その他の建築物の部分又は防火設備（防火戸・防火シャッター・耐火クロススクリーンに限る。）のうち、防火上有効な措置として総務省令で定める措置が講じられたもの（開口部のない耐火構造の壁等を除く。）で区画された場合は、それぞれ別の防火対象物とみなされる。

(5) 渡り廊下等の壁等により区画された部分のそれぞれの避難階以外の階に、避難階又は地上に通ずる直通階段（傾斜路を含む。）が設けられていること。

要点・解説

一棟でも防火対象物が次に掲げる当該防火対象物の部分で区画されているときは、その区画された部分は、消防用設備等の設置及び維持の技術上の基準の規定の適用については、それぞれ別の防火対象物とみなされる（政令第8条）。

① 開口部のない耐火構造（建基法第2条第7号に規定する耐火構造をいう。）の床又は壁

② 床、壁その他の建築物の部分又は建基法第2条第9号の2ロに規定する防火設備（防火戸その他の総務省令で定めるものに限る。）のうち、防火上有効な措置として総務省令で定める措置が講じられたもの（①に掲げるものを除く。）

総務省令で定める防火設備は防火戸であり、防火シャッター及び耐火クロススクリーンは規定されていない（規則第５条の３第１項）。

なお、開口部のない耐火構造の壁等や防火上有効な措置等に関する基準は、規則第５条の２及び第５条の３第２項において規定されている。

⑴　政令第８条第１号、規則第５条の２第１号の規定により、**正しい**。

⑵　政令第８条第１号、規則第５条の２第３号の規定により、**正しい**。

⑶　政令第８条第１号、規則第５条の２第４号の規定により、**正しい**。

⑷　政令第８条第２号、規則第５条の３第１項の規定により、**誤り**。

⑸　政令第８条第２号、規則第５条の３第２項第１号ロの規定により、**正しい**。

ポイント

政令第８条の消防用設備等の技術基準に係る別棟みなし規定についての知識を問うものである。

【正解　⑷】

チェック □□□

問題39　**令８区画の開口部のない耐火構造の壁等に配管を貫通させる場合において、配管及び当該配管が貫通する部分に関する次の記述について、誤っているものはどれか。**

⑴　貫通部の内部の断面積が、直径300mmの円の面積以下であること。

⑵　配管には、その表面に可燃物が接触しないような措置を講じること。ただし、当該配管に可燃物が接触しても発火するおそれがないと認められる場合は、この限りでない。

⑶　配管の用途は、原則として給排水管であること。

⑷　貫通部を２以上設ける場合にあっては、当該貫通部相互間の距離は、当該貫通部のうち直径が大きい貫通部の直径の長さ（当該直径が300mm以下の場合にあっては、300mm）以上とすること。

⑸　配管と貫通部の隙間を不燃材料（建築基準法第２条第９号に規定する不燃材料をいう。）により埋める方法その他これに類する方法により、火災時に生ずる煙を有効に遮ること。

要点・解説

一棟でも防火対象物が一定の要件により当該防火対象物の部分で区画されているときは、その区画された部分は、消防用設備等の設置及び維持の技術上の基準の規定の適用については、それぞれ別の防火対象物とみなされることとなっている（政令第8条）。

この場合に耐火構造の壁等は、配管を貫通させないこととされているが、配管及び当該配管が貫通する部分が一定の基準に適合する場合は、当該区画を貫通することが認められている（規則第5条の2第4号）。

貫通部を2以上設ける場合にあっては、当該貫通部相互間の距離は、当該貫通部のうち直径が大きい貫通部の直径の長さ（当該直径が200mm以下の場合にあっては、200mm）以上とすること。

(1)　規則第5条の2第4号ハの規定により、**正しい**。
(2)　規則第5条の2第4号トの規定により、**正しい**。
(3)　規則第5条の2第4号イの規定により、**正しい**。
(4)　規則第5条の2第4号ニの規定により、**誤り**。
(5)　規則第5条の2第4号ホの規定により、**正しい**。

ポイント

令8区画の開口部のない耐火構造の壁等に配管を貫通させる場合の知識を問うものである。

【正解　(4)】

チェック □□□

問題40　消防法施行令第９条の規定により、消防用設備等の一棟一設置単位の原則の例外として、同法施行令別表第１⒃項に掲げる防火対象物の部分で、同表⑴項から⒂項の防火対象物の用途に供されるものは、同法施行令第２章第３節（消防用設備等の設置及び維持の技術上の基準）の規定の適用については、当該用途に供される一の防火対象物（同一用途部分ごとに、当該部分を別の防火対象物）とみなされるが、次のうち、一定の条件下又は無条件下の防火対象物で全体を１つの防火対象物として適用される消防用設備等として、誤っているものはどれか。

⑴　スプリンクラー設備
⑵　屋内消火栓設備
⑶　自動火災報知設備、ガス漏れ火災警報設備、漏電火災警報器
⑷　非常警報設備
⑸　避難器具、誘導灯、誘導標識

要点・解説

屋内消火栓設備は、同一用途部分ごとに、当該部分を別の防火対象物として設置される。

⑴　政令第９条の規定で、**正しい**。
⑵　政令第９条の規定で、**誤り**。
⑶　政令第９条の規定で、**正しい**。
⑷　政令第９条の規定で、**正しい**。
⑸　政令第９条の規定で、**正しい**。

ポイント

消防用設備等の一棟一設置単位の原則の例外として、複合用途防火対象物にあっては、同一用途部分ごとに当該部分を別の防火対象物とみなして消防用設備等の設置が定められていることについての知識について問うものである。

【正解　⑵】

チェック □□□

問題41 次のうち、消防法施行令別表第1⑴項から⑷項まで、⑸項イ、⑹項、⑼項イ又は⒃項イに掲げる防火対象物の地階で、地下街と一体を成すものとして消防長又は消防署長が指定した場合に、地下街の部分であるとみなされて設置に係る基準が適用される消防用設備等として、誤っているものはどれか。

⑴ スプリンクラー設備
⑵ 自動火災報知設備
⑶ ガス漏れ火災警報設備
⑷ 非常警報設備
⑸ 無線通信補助設備

要点・解説

本条は消防用設備等の一棟一設置単位の例外であり、政令別表第1⑴項から⑷項まで、⑸項イ、⑹項、⑼項イ又は⒃項イに掲げる防火対象物の地階と地下街とが一体となっている場合においては、当該地階のスプリンクラー設備、自動火災報知設備、ガス漏れ火災警報設備及び非常警報設備の設置に係る基準については、当該地階を地下街の一部とみなして適用される。

⑴ 政令第9条の2の規定で、**正しい**。
⑵ 政令第9条の2の規定で、**正しい**。
⑶ 政令第9条の2の規定で、**正しい**。
⑷ 政令第9条の2の規定で、**正しい**。
⑸ 政令第9条の2の規定で、**誤り**。

ポイント

防火対象物の地階で地下街に面し、地下街と一体を成すものとして消防長又は消防署長が指定した場合の消防用設備等の設置についての知識について問うものである。

【正解　⑸】

チェック □□□

問題42 **次は、消防法施行令に規定されている消防用設備等の設置基準についての記述であるが、誤っているものはどれか。**

⑴ 消防法施行令（以下「政令」という。）別表第1⒄項に規定する文化財は、文化財保護法の規定によって重要文化財等として指定され、又は旧重要美術品等の保存に関する法律の規定によって重要美術品として認定された建造物等が該当し、延べ面積に関係なく漏電火災警報器を設置しなければならない。

⑵ 政令別表第1⑷項に規定する百貨店、マーケットその他の物品販売業を営む店舗又は展示場には、延べ面積に関係なく避難口誘導灯、通路誘導灯、誘導標識を設置しなければならない。

⑶ 政令別表第1⒇項に規定する舟車は、船舶安全法第2条第1項の規定を適用しない船舶、端舟、はしけ等が該当し、これらには大型消火器の基準に従って設置しなければならない。

⑷ 政令別表第1⒀項ロに規定する飛行機又は回転翼航空機の格納庫に該当する防火対象物には延べ面積に関係なく自動火災報知設備を設置しなければならない。

⑸ 政令別表第1⑻項に規定する図書館、博物館、美術館その他これらに類するもので、地階を除く階数が11以上のものには非常コンセント設備を設置しなければならない。

要点・解説

政令別表第1⒇項に規定する舟車は、大型消火器には該当しない。なお、舟車とは、「船舶安全法第2条第1項の規定を適用しない船舶、端舟、はしけ、被曳船その他の舟及び車両をいう。」とされ、航行中、運行中又は停まっているものも含まれるが、政令別表第1⒇項では、総トン数5トン以上の舟で、推進機関を有するもの及び鉄道営業法、軌道法若しくは道路運送車両法又はこれらに基づく命令の規定により消火器具を設置することとされる車両が該当するとされている（規則第5条第10項）。

⑴ 政令第22条第1項第1号の規定で、**正しい**。

⑵　政令第26条第１項第１号、第２号、第４号の規定で、**正しい**。
⑶　政令第10条第１項第１号の規定で、**誤り**。
⑷　政令第21条第１項第１号の規定で、**正しい**。
⑸　政令第29条の２第１項第１号の規定で、**正しい**。

ポイント

消防用設備等の設置基準についての知識について問うものである。

【正解　⑶】

チェック □□□

問題43　**次は、消防法令に規定する消火器具の設置及び維持に関する技術上の基準であるが、誤っているものはどれか。**

⑴　消火器具は、通行又は避難に支障がなく、かつ、使用に際して容易に持ち出すことができる箇所に設置しなければならない。
⑵　消火器具は、防火対象物の階ごとに防火対象物の各部分から一の消火器具に至る歩行距離が20m以下となるように配置しなければならない。
⑶　消火器具は、床面からの高さが1.8m以下の箇所に設けなければならない。
⑷　消火器は、粉末消火器その他転倒により消火剤が漏出するおそれのないものを除き、地震による震動等による転倒を防止するための適当な措置を講じなければならない。
⑸　消火器具を設置した箇所には、消火器にあっては「消火器」、水バケツにあっては「消火バケツ」、水槽にあっては「消火水槽」、乾燥砂にあっては「消火砂」、膨張ひる石又は膨張真珠岩にあっては「消火ひる石」と表示した標識を見やすい位置に設けなければならない。

要点・解説

規則第９条第１号に、「消火器具は、床面からの高さが1.5m以下の箇所に設けること」と規定されている。

⑴　政令第10条第２項第２号の規定で、**正しい**。
⑵　規則第６条第６項の規定で、**正しい**。
⑶　規則第９条第１号の規定で、**誤り**。
⑷　規則第９条第３号の規定で、**正しい**。
⑸　規則第９条第４号の規定で、**正しい**。

ポイント

消火器又は簡易消火用具の設置距離や取付位置、標識等の設置及び維持に関する基本的な事項についての知識について問うものである。　【正解　⑶】

チェック □□□

問題44　**次は、防火対象物に設置する大型消火器に関する記述であるが、誤っているものはどれか。**

⑴　消火薬剤としてりん酸塩類等を使用する大型消火器は、建築物その他の工作物の消火に適応するものとされている。
⑵　大型消火器を技術上の基準に従い設置したときは、その有効範囲において、同一適応性の消火器具の能力単位の数値の３分の１まで減少することができることとされている。
⑶　消火薬剤として炭酸水素塩類等を使用する大型消火器は、禁水性物品以外の第３類の危険物の火災には適応性はないものとされている。
⑷　大型消火器は、指定可燃物を貯蔵し、又は取り扱う場所の各部分から、当該大型消火器に至る歩行距離が30m以下となるように設けなければならない。
⑸　防火対象物又はその部分で、指定可燃物のうち可燃性液体類を危険物の規制に関する政令別表第４に定める数量の500倍以上貯蔵し、又は取り扱うものには、当該可燃性液体類の消火に適応する大型消火器を設置しなければならないこととされている。

要点・解説

選択肢⑵は規則第７条第２項の規定で、大型消火器を技術上の基準に従い設置した場合において、設置すべき消火器具の適応性と同一であるときは、当該消火器具の能力単位数値の合計数の2分の1までを減少した数値とすることができると規定されている。

(1) 政令第10条第2項第1号及び政令別表第2の規定で、**正しい**。
(2) 規則第7条第2項の規定で、**誤り**。
(3) 政令第10条第2項第1号及び政令別表第2の規定で、**正しい**。
(4) 規則第7条第1項の規定で、**正しい**。
(5) 規則第7条第1項の規定で、**正しい**。

ポイント

消火器具の設置対象物の区分に応じて規定されている消火器具の適応性及びこの対象物に適応する消火器具の設置個数の減少についての知識について問うものである。

【正解 (2)】

チェック □□□

問題45 **次のうち、変電設備、発電設備等の電気設備の火災の消火に適応する消火器として、誤っているものはどれか。**

(1) 霧状の水を放射する消火器
(2) 消火粉末（りん酸塩類等を使用するもの）を放射する消火器
(3) 二酸化炭素を放射する消火器
(4) 棒状の強化液を放射する消火器
(5) ハロゲン化物を放射する消火器

要点・解説

棒状の強化液を放射する消火器は、電気設備の火災の消火には適応しない（政令別表第2）。

(1) 政令第10条第2項第1号及び政令別表第2の規定で、**正しい**。
(2) 政令第10条第2項第1号及び政令別表第2の規定で、**正しい**。

(3)　政令第10条第２項第１号及び政令別表第２の規定で、**正しい**。

(4)　政令第10条第２項第１号及び政令別表第２の規定で、**誤り**。

(5)　政令第10条第２項第１号及び政令別表第２の規定で、**正しい**。

ポイント

電気に起因する火災の消火に適応する消火器についての知識について問うものである。

【正解　(4)】

チェック □□□

問題46　**次は、屋内消火栓設備の設置及び維持に関する技術上の基準についての記述であるが、誤っているものはどれか。**

(1)　屋内消火栓設備には非常電源を附置するよう規定されており、このうち、延べ面積が1,000m²以上の特定防火対象物に設置する屋内消火栓設備の非常電源は、非常電源専用受電設備、自家発電設備又は蓄電池設備によるものとされている。

(2)　消防法施行令（以下「政令」という。）別表第１⑿項イに掲げる防火対象物（工場又は作業場）に設置する屋内消火栓設備の水源は、その水量が屋内消火栓の設置個数が最も多い階における当該設置個数（２を超えるときは、２とする。）に2.6m³を乗じて得た量以上の量とされている。

(3)　水源に連結する加圧送水装置は、点検に便利で、かつ、火災等の災害による被害を受けるおそれが少ない箇所に設けることができるとされている。

(4)　屋内消火栓設備の設置基準の延べ面積又は床面積の数値は、防火対象物又はその部分の特定主要構造部の構造と壁及び天井の室内に面する部分の仕上げによって、設置基準の数値を倍読み又は３倍読みとすることとされている。

(5)　政令別表第１⑿項イに掲げる防火対象物（工場又は作業場）に設置する屋内消火栓設備の屋内消火栓は、防火対象物の階ごとに、その階の各部分から一のホース接続口までの水平距離が、25m以下となることとされている。

要点・解説

政令第11条第３項第１号へにおいて、屋内消火栓設備には非常電源を附置することと規定されている。また、規則第12条第１項第４号により、屋内消火栓設備の非常電源は、非常電源専用受電設備、自家発電設備、蓄電池設備又は燃料電池設備によるものとされている。

このうち、延べ面積が1,000m²以上の特定防火対象物（規則第13条第１項第２号に規定する小規模特定用途複合防火対象物を除く。）に設置する屋内消火栓設備の非常電源は、自家発電設備、蓄電池設備又は燃料電池設備によるものとされている。

(1)　政令第11条第３項第１号へ及び規則第12条第１項第４号の規定で、**誤り**。
(2)　政令第11条第３項第１号ハの規定で、**正しい**。
(3)　政令第11条第３項第１号ホの規定で、**正しい**。
(4)　政令第11条第２項の規定で、**正しい**。
(5)　政令第11条第３項第１号イの規定で、**正しい**。

ポイント

屋内消火栓設備の設置基準や非常電源、水源、放水量、放水圧力等の基本的な技術基準についての知識について問うものである。　【正解　(1)】

チェック □□□

問題47　**次は、消火設備の性能又は構造に関する記述であるが、誤っているものはどれか。**

(1)　Ｉ型のパッケージ型消火設備のホースの長さは25m以上である。
(2)　パッケージ型消火設備の放射性能は充塡された消火薬剤の容量又は質量の90%以上の量を放射できるものでなければならない。
(3)　１号消火栓の放水圧力は0.17MPa以上でなければならない。
(4)　不活性ガス消火設備の消火剤貯蔵容器は、防護区画の内側に設置しなければならない。
(5)　不活性ガス消火設備に用いられる消火剤の一つとして、IG－55（窒素50%、アルゴン50%）がある。

要点・解説

不活性ガス消火設備の消火剤貯蔵容器は、防護区画以外の場所に設置することとされている。

⑴　パッケージ型消火設備の設置及び維持に関する技術上の基準を定める件（平成16年消防庁告示第12号（以下「12号告示」という。））第5第8号の規定で、**正しい**。
⑵　12号告示第6第4号の規定で、**正しい**。
⑶　政令第11条第3項第1号ニの規定で、**正しい**。
⑷　規則第19条第5項第6号イの規定で、**誤り**。
⑸　規則第19条第2項第2号ロの規定で、**正しい**。

ポイント

消火剤貯蔵容器の消火剤は、加圧状態で貯蔵されている。火災の熱により消火剤が消火以外の目的で噴出したり、容器が破裂しないように維持管理される状態で設置される必要性についての知識について問うものである。

【正解　⑷】

チェック □□□

問題48　**次は、広範囲型2号消火栓（消防法施行令第11条第3項2号ロに規定するものをいう。）に関する記述であるが、正しいものはどれか。**

⑴　広範囲型2号消火栓は、従来の2号消火栓と同様に防火対象物の階ごとに、その階の各部分から一のホース接続口までの水平距離が25m以下となるように設けることができること。
⑵　主配管のうち、立上り管は、管の呼びで32mm以上のものとすること。
⑶　広範囲型2号消火栓は、消防法施行令別表第1⑿項イ（工場又は作業場）や同表⒁項（倉庫）に掲げる防火対象物において、1号消火栓に代えて設置することができること。

(4)　ポンプを用いる加圧送水装置のポンプの吐出量は、屋内消火栓の設置個数が最も多い階における当該設置個数（設置個数が２を超えるときは、２とする。）に90L/minを乗じて得た量以上の量とすること。

(5)　加圧送水装置の起動装置は、直接操作できるものであり、かつ、屋内消火栓箱の内部又はその直近の箇所に設けられた操作部（自動火災報知設備のＰ型発信機を含む。）から遠隔操作できるものであること。

要点・解説

選択肢(1)の広範囲型２号消火栓は、防火対象物の階ごとに、その階の各部分から一のホース接続口までの水平距離が25m以下となるように設けることとされており、従来の２号消火栓（政令第11条第３項２号イに規定するものをいう。）は、防火対象物の階ごとに、その階の各部分から一のホース接続口までの水平距離が15m以下となるように設けることとされている。

選択肢(2)の広範囲型２号消火栓の主配管のうち、立上り管は、管の呼びで40mm以上のものとすることとされている。

選択肢(3)の広範囲型２号消火栓は、従来の２号消火栓と同様に工場又は作業場、倉庫、指定可燃物を貯蔵し、取り扱う部分には、設置することができないとされている。

選択肢(5)の加圧送水装置は、直接操作により起動できるものであり、かつ、開閉弁の開放、消防用ホースの延長操作等と連動して、起動することができるものとされている。

２号消火栓や広範囲型２号消火栓は、１人操作ができるように、加圧送水装置の起動は開閉弁の開放、消防用ホースの延長操作等と連動して行えるとともに、ノズルには容易に開閉できる装置を設けることとされている。

(1)　政令第11条第３項第２号イ(1)及び同号ロ(1)により、**誤り**。
(2)　規則第12条第３項第１号により、**誤り**。
(3)　政令第11条第３項第１号本文及び第２号本文により、**誤り**。
(4)　規則第12条第３項第２号により、**正しい**。
(5)　規則第12条第３項において準用する同条第２項第６号により、**誤り**。

ポイント

屋内消火栓の種類と用途に応じて設置することが可能な消火栓や広範囲型2号消火栓の性能に関する知識を問うものである。　【正解 (4)】

チェック □□□

問題49 消防法施行令第11条第3項第2号イに規定する防火対象物又はその部分に設置する屋内消火栓設備のうち、次の「1人で操作することができる屋内消火栓設備」に関する記述として、誤っているものはどれか。

---

(1) 屋内消火栓設備の消防用ホースは、「消防用ホースの技術上の規格を定める省令」第2条第3号に規定する「保形ホース」であること。

(2) 屋内消火栓は、防火対象物の階ごとに、その階の各部分から一のホース接続口までの水平距離が30m以下となるように設けること。

(3) 屋内消火栓設備には、非常電源を附置すること。

(4) 屋内消火栓設備は、いずれの階においても、当該階の全ての屋内消火栓（設置個数が2を超えるときは、2個の屋内消火栓とする。）を同時に使用した場合に、それぞれのノズルの先端において、放水圧力が0.25MPa以上で、かつ、放水量が60L／分以上の性能のものとすること。

(5) 簡易操作型放水用設備の消防用ホース収納部で、しゅう動部又は回転部を有するものにあっては、当該部分も耐食性材料で造り、かつ、しゅう動又は回転によって機能に異常を生じない構造であること。

要点・解説

1人で操作する屋内消火栓設備に係る基準については、政令第11条第3項第2号イ並びに規則第11条の2及び第12条で規定されている。この規定において、屋内消火栓の設置間隔は、一のホース接続口までの水平距離が15m以下となるように設置する旨規定されている。

(1) 規則第11条の2の規定で、**正しい**。

(2) 政令第11条第3項第2号イ(1)の規定で、**誤り**。

(3) 政令第11条第3項第2号イ(7)の規定で、**正しい**。

(4)　政令第11条第３項第２号イ(5)の規定で、**正しい**。

(5)　屋内消火栓設備の屋内消火栓等の基準（平成25年消防庁告示第２号）第３第４号(4)の規定で、**正しい**。

ポイント

屋内消火栓設備の設置及び維持に関する技術上の基準のうち、１人で操作することができる屋内消火栓設備の基準について問うものである。屋内消火栓設備の屋内消火栓等については、平成25年消防庁告示第２号で「消防用ホースの収納部」等についても技術上の基準で規定されており、この基準の内容について問うものである。

【正解　(2)】

チェック □□□

問題50　消防法施行令第11条に規定する屋内消火栓設備に関する記述として、誤っているものはどれか。

(1)　屋内消火栓設備に使用する保形ホースとは、ホースの断面が常時円形に保たれている消防用のホースのことをいう。

(2)　屋内消火栓設備のうち、１人で操作することができる屋内消火栓設備に使用するホースは、「消防用ホースの技術上の規格を定める省令」に規定する消防用保形ホースとしなければならない。

(3)　屋内消火栓の自動式開閉弁は、必ず地上に設置しなければならない。

(4)　飲食店に設置する屋内消火栓設備の加圧送水装置には、当該屋内消火栓設備のノズルの先端における放水圧力が0.7MPaを超えない措置を講じなければならない。

(5)　屋内消火栓設備の配管は、技術上の基準で定める一定の要件を満たす場合は、必ずしも専用としないことができる。

要点・解説

「屋内消火栓設備の設置に関する技術上の基準及び屋内消火栓設備を構成する機器類に関する基準」についての問題である。

⑴　消防用ホースの技術上の規格を定める省令（平成25年総務省令第22号）第2条第3号の規定で、**正しい**。

⑵　政令第11条第3項第2号及び規則第11条の2の規定で、**正しい**。

⑶　規則第12条第1項第1号の規定で、「屋内消火栓の開閉弁は、床面からの高さが1.5m以下の位置又は天井（天井に設ける場合にあっては、開閉弁は自動式とすること）に設けること」と規定されており、**誤り**。

⑷　規則第12条第1項第7号ホの規定で、**正しい**。

⑸　規則第12条第1項第6号イのただし書きの規定で、**正しい**。

ポイント

屋内消火栓設備に関する設置及び維持に関する技術上の基準についての知識のほか、屋内消火栓設備を構成する機器に関する基準についての知識について問うものである。

【正解　⑶】

チェック□□□

問題51　次は、広範囲型2号消火栓（消防法施行令第11条第3項第2号ロに規定するものをいう。）に関する記述であるが、誤っているものはどれか。

⑴　水源に連結する加圧送水装置は、点検に便利で、かつ、火災等の災害による被害を受けるおそれが少ない箇所に設けること。

⑵　水源は、その水量が屋内消火栓の設置個数が最も多い階における当該設置個数（当該設置個数が2を超えるときは、2とする。）に1.6m³を乗じて得た量以上の量となるように設けること。

⑶　広範囲型2号消火栓は、屋内消火栓設備の設置が義務付けられている全ての防火対象物又はその部分に設置することができる。

⑷　屋内消火栓設備は、いずれの階においても、当該階の全ての屋内消火栓（設置個数が2を超えるときは、2個の屋内消火栓とする。）を同時に使用した場合に、それぞれのノズルの先端において、放水圧力が0.17MPa以上で、かつ、放水量が80L/min以上の性能のものとすること。

⑸　屋内消火栓は、防火対象物の階ごとに、その階の各部分から一のホー

ス接続口までの水平距離が25m以下となるように設けること。

要点・解説

屋内消火栓の種類、設置対象及び仕様は、次表のとおりとなっている。

屋内消火栓の種別と設置対象防火対象物

種類 設置対象防火対象物	1号消火栓 易操作性1号消火栓	2号消火栓 広範囲型2号消火栓
工場又は作業場、倉庫、指定可燃物を貯蔵し、又は取り扱うもの	○	×
その他の防火対象物	○	○※

※　ホテル、旅館、病院、社会福祉施設等には、1人で容易に操作できる2号消火栓又は広範囲型2号消火栓が推奨される。

屋内消火栓の仕様

	1号消火栓	易操作性 1号消火栓	2号消火栓	広範囲型 2号消火栓
操作	2人操作	1人で操作可能	1人で操作可能	
放水量	130L/min以上		60L/min以上	80L/min以上
水平距離	25m以下		15m以下	25m以下
放水圧力	0.17～0.7MPa		0.25～0.7MPa	0.17～0.7MPa
起動	・起動用押しボタン操作 ・手動起動	・ホースの延長操作又は開閉弁の開閉と連動 ・自動起動		
ノズル	棒状ノズル	・手元開閉機能付 ・棒状・噴霧切替式	・手元開閉機能付 ・棒状又は棒状・噴霧切替式	・手元開閉機能付 ・棒状又は棒状・噴霧切替式
ホース	平ホース 40A×15m×2本	保形ホース 30A×30m	保形ホース 20A×20m	保形ホース 25A×30m
ホースの収納	ホース架 くし掛け式	ホースリール、内巻き式等延長操作が容易なもの		
立上り管	呼び50mm以上		呼び32mm以上	呼び40mm以上
水源水量	2.6m³×消火栓設置個数（最大2）		1.2m³×消火栓設置個数（最大2）	1.6m³×消火栓設置個数（最大2）

ポンプ送水量	150L/min×消火栓設置個数（最大2）	70L/min×消火栓設置個数（最大2）	90L/min×消火栓設置個数（最大2）

したがって、広範囲型2号消火栓は、従来の2号消火栓と同様に、工場又は作業場、倉庫、指定可燃物を貯蔵し、取り扱う部分には設置することができない。

(1)　政令第11条第3項第2号ロ(6)により、**正しい**。
(2)　政令第11条第3項第2号ロ(4)により、**正しい**。
(3)　政令第11条第3項第2号本文により、**誤り**。
(4)　政令第11条第3項第2号ロ(5)により、**正しい**。
(5)　政令第11条第3項第2号ロ(1)により、**正しい**。

ポイント

屋内消火栓の種類と用途に応じて設置することが可能な消火栓や広範囲型2号消火栓の性能に関する知識を問うものである。　【正解　(3)】

チェック □□□

問題52　**次の消火設備のホースの長さに関する記述のうち、誤っているものはどれか。**

(1)　移動式の泡消火設備の消防用ホースの長さは、当該泡消火設備のホース接続口からの水平距離が15mの範囲内の当該防護対象物の各部分に有効に放射することができる長さとすること。
(2)　屋内消火栓設備のうち広範囲型2号消火栓の消防用ホースの長さは、当該屋内消火栓設備のホース接続口からの水平距離が25mの範囲内の当該階の各部分に有効に放水することができる長さとすること。
(3)　移動式の不活性ガス消火設備のホースの長さは、当該不活性ガス消火設備のホース接続口からの水平距離が15mの範囲内の当該防護対象物の各部分に有効に放射することができる長さとすること。
(4)　屋外消火栓設備の消防用ホースの長さは、当該屋外消火栓設備のホース接続口からの水平距離が40mの範囲内の当該建築物の各部分に有効に放水することができる長さとすること。
(5)　動力消防ポンプ設備の消防用ホースの長さは、当該動力消防ポンプ設備の水源からの水平距離が100mの範囲内の当該建築物の各部分に有効に放水することができる長さとすること。

要点・解説

消火設備のうち、ホースを必要とするものに係るホースの長さについては、従来、当該設備の消火栓やホース接続口の設置が必要となる防護対象物、各階、建築物などの各部分からの水平距離に応じて、一律に定められていたり、ホース長さに関する明確な規定が定められていなかったが、平成25年３月の政令改正によりこれらの規定が明確にされた。

消火設備の種別		ホース長さに関する規定	関係条文
屋内消火栓設備	１号消火栓	屋内消火栓設備の消防用ホースの長さは、当該屋内消火栓設備のホース接続口からの水平距離が25mの範囲内の当該階の各部分に有効に放水することができる長さとすること。	政令第11条第３項第１号ロ
	２号消火栓	屋内消火栓設備の消防用ホースの長さは、当該屋内消火栓設備のホース接続口からの水平距離が15mの範囲内の当該階の各部分に有効に放水することができる長さとすること。	政令第11条第３項第２号イ(2)
	広範囲型２号消火栓	屋内消火栓設備の消防用ホースの長さは、当該屋内消火栓設備のホース接続口からの水平距離が25mの範囲内の当該階の各部分に有効に放水することができる長さとすること。	政令第11条第３項第２号ロ(2)
スプリンクラー設備補助散水栓		補助散水栓を設置する階における消防用ホースの長さは、補助散水栓のホース接続口からの水平距離が15mの範囲内の当該階の各部分に有効に放水することができる長さとすること。ただし、スプリンクラーヘッドが設けられている部分に補助散水栓を設ける場合にあっては、この限りでない。	規則第13条の６第４項第６号ロ
移動式の泡消火設備		移動式の泡消火設備の消防用ホースの長さは、当該泡消火設備のホース接続口からの水平距離が15mの範囲内の当該防護対象物の各部分に有効に放射することができる長さとすること。	政令第15条第３号
移動式の不活性ガス消火設備		移動式の不活性ガス消火設備のホースの長さは、当該不活性ガス消火設備のホース接続口からの水平距離が15mの範囲内の当該防護対象物の各部分に有効に放射	政令第16条第４号

	することができる長さとすること。	
移動式のハロゲン化物消火設備	移動式のハロゲン化物消火設備のホースの長さは、当該ハロゲン化物消火設備のホース接続口からの水平距離が20mの範囲内の当該防護対象物の各部分に有効に放射することができる長さとすること。	政令第17条第3号
移動式の粉末消火設備	移動式の粉末消火設備のホースの長さは、当該粉末消火設備のホース接続口からの水平距離が15mの範囲内の当該防護対象物の各部分に有効に放射することができる長さとすること。	政令第18条第3号
屋外消火栓設備	屋外消火栓設備の消防用ホースの長さは、当該屋外消火栓設備のホース接続口からの水平距離が40mの範囲内の当該建築物の各部分に有効に放水することができる長さとすること。	政令第19条第3項第2号
動力消防ポンプ設備	動力消防ポンプ設備の消防用ホースの長さは、当該動力消防ポンプ設備の水源からの水平距離が当該動力消防ポンプの規格放水量が0.5m³/min以上のものにあつては100m、0.4m³/min以上0.5m³/min未満のものにあつては40m、0.4m³/min未満のものにあつては25mの範囲内の当該防火対象物の各部分に有効に放水することができる長さとすること。	政令第20条第4項第2号

(1)　政令第15条第3号の規定で、**正しい**。

(2)　政令第11条第3項第2号ロ(2)の規定で、**正しい**。

(3)　政令第16条第4号の規定で、**正しい**。

(4)　政令第19条第3項第2号の規定で、**正しい**。

(5)　政令第20条第4項第2号の規定で、**誤り**。

ポイント

消火設備のうちホースを必要とするもののホースの長さに関する規定についての知識を問うものである。

【正解　(5)】

チェック □□□

問題53 次の記述は、消火設備を設置する場合、他の消火設備が設置されている場合の取扱いに関するものであるが、消防法令上誤っているものはどれか。

---

(1) 屋内消火栓設備は、防火対象物又はその部分にスプリンクラー設備が消防法施行令（以下「政令」という。）第12条に定める技術上の基準に従い、又は当該技術上の基準の例により設置されている場合には、当該スプリンクラー設備の有効範囲内の部分に設置する必要はない。

(2) 屋外消火栓設備は、耐火建築物の床面積が（地階を除く階数が1であるものにあっては1階の床面積を、地階を除く階数が2以上であるものにあっては1階及び2階の部分の床面積の合計をいう。）9,000m²以上である当該建築物に屋内消火栓設備が政令第11条に定める技術上の基準に従い、又は当該技術上の基準の例により設置されている場合には、当該屋内消火栓設備の有効範囲内の部分に設置する必要はない。

(3) 水噴霧消火設備は、指定可燃物（可燃性液体類に係るものを除く。）を貯蔵し、又は取り扱う建築物その他の工作物にスプリンクラー設備が政令第12条に定める技術上の基準に従い、又は当該技術上の基準の例により設置されている場合には、当該スプリンクラー設備の有効範囲内の部分に設置する必要はない。

(4) スプリンクラー設備は、防火対象物又はその部分に不活性ガス消火設備が政令第16条に定める技術上の基準に従い、又は当該技術上の基準の例により設置されている場合には、当該不活性ガス消火設備の有効範囲内の部分に設置する必要はない。

(5) 屋内消火栓設備は、防火対象物又はその部分に粉末消火設備が政令第18条に定める技術上の基準に従い、又は当該技術上の基準の例により設置されている場合には、当該粉末消火設備の有効範囲内の部分に設置する必要はない。

要点・解説

防火対象物又はその部分に、それぞれの規定により消火設備の設置が必要となった場合に、原則としてどちらかの消火設備が技術上の基準に従い、又は当該技術上の基準の例により設置されているときには、当該消火設備の有効範囲内の部分には設置しないことができるとされている。

屋外消火栓設備の設置の緩和に係る規定は、次のとおりである。

スプリンクラー設備、水噴霧消火設備、泡消火設備、不活性ガス消火設備、ハロゲン化物消火設備、粉末消火設備又は動力消防ポンプ設備を技術上の基準に従い、又は当該技術上の基準の例により設置したときは、当該設備の有効範囲内の部分について屋外消火栓設備を設置しないことができる（政令第19条第4項）。

屋外消火栓設備の場合、屋内消火栓設備を設置しても、当該屋内消火栓設備の有効範囲内の部分についての設置の緩和は認められていない。

(1)　政令第11条第4項の規定で、**正しい**。
(2)　政令第19条第4項の規定で、**誤り**。
(3)　政令第13条第2項の規定で、**正しい**。
(4)　政令第12条第3項の規定で、**正しい**。
(5)　政令第11条第4項の規定で、**正しい**。

ポイント

同一の防火対象物又はその部分に複数の消火設備の設置を必要とするときに、技術上の基準に従い、又は当該技術上の基準の例により設置されているときには、当該消火設備の有効範囲内の部分相互補完のできる消火設備についての知識を求めるものであり、把握しておく必要がある。　【正解　(2)】

チェック □□□

問題54 消防法施行令第12条第１項第１号において、同令別表第１⑹項ロに掲げる防火対象物に係るスプリンクラー設備の設置に係る規定の適用については、原則として、火災発生時の延焼を抑制する機能を備える構造として総務省令で定める構造を有するもの以外のものとされている。この場合の火災発生時の延焼を抑制する機能を備える構造として総務省令で定める構造を有するものに関する記述として、誤っているものは次のうちどれか。ただし、基準面積が1,000m²以上のものに適用される場合とする。

⑴　防火対象物又はその部分の居室を耐火構造の壁及び床で区画されたものであること。

⑵　壁及び天井（天井のない場合にあっては、屋根）の室内に面する部分（回り縁、窓台その他これらに類する部分を除く。）の仕上げを地上に通ずる主たる廊下その他の通路にあっては準不燃材料で、その他の部分にあっては難燃材料でしたものであること。

⑶　区画する壁及び床の開口部の面積の合計が８m²以下であり、かつ、一の開口部の面積が４m²以下であること。

⑷　開口部には、防火戸（廊下と階段とを区画する部分以外の開口部にあっては、防火シャッターを除く。）で、自動閉鎖装置付きのものが設けられていること。

⑸　区画された部分すべての床の面積が200m²以下であること。

要点・解説

政令別表第１⑹項イ⑴及び⑵並びにロ、⒃項イ並びに（16の２）項に掲げる防火対象物で、基準面積が1,000m²以上のものであり、次のように規定されている（規則第12条の２第１項第２号）。

イ　当該防火対象物又はその部分の居室を耐火構造の壁及び床で区画したものであること。

ロ　壁及び天井（天井のない場合にあっては、屋根）の室内に面する部分（回り縁、窓台その他これらに類する部分を除く。）の仕上げを地上に通ずる主たる廊下その他の通路にあっては準不燃材料で、その他の部分にあっては難燃材料でしたものであること。

ハ　区画する壁及び床の開口部の面積の合計が8m²以下であり、かつ、一の開口部の面積が4m²以下であること。

ニ　ハの開口部には、建基令第112条第1項に規定する特定防火設備である防火戸（廊下と階段とを区画する部分以外の開口部にあっては、防火シャッターを除く。）で、随時開くことができる自動閉鎖装置付きのもの若しくは次に定める構造のもの又は防火戸（防火シャッター以外のものであって、2以上の異なった経路により避難することができる部分の出入口以外の開口部で、直接外気に開放されている廊下、階段その他の通路に面し、かつ、その面積の合計が4m²以内のものに設けるものに限る。）を設けたものであること。

(イ)　随時閉鎖することができ、かつ、煙感知器の作動と連動して閉鎖すること。

(ロ)　居室から地上に通ずる主たる廊下、階段その他の通路に設けるものにあっては、直接手で開くことができ、かつ、自動的に閉鎖する部分を有し、その部分の幅、高さ及び下端の床面からの高さが、それぞれ、75cm以上、1.8m以上及び15cm以下であること。

ホ　区画された部分すべての床の面積が200m²以下であること。

(1)　規則第12条の2第1項第2号イの規定により、**正しい**。
(2)　規則第12条の2第1項第2号ロの規定により、**正しい**。
(3)　規則第12条の2第1項第2号ハの規定により、**正しい**。
(4)　規則第12条の2第1項第2号ニの規定により、**誤り**。
(5)　規則第12条の2第1項第2号ホの規定により、**正しい**。

ポイント

スプリンクラー設備の設置を要さない場合の区画の構造について、防火対象物又は部分に応じた要件に関する知識を問うものである。　【正解　(4)】

チェック □□□

問題55 **消防法施行令（以下「政令」という。）別表第1(6)項ロに掲げる防火対象物に係るスプリンクラー設備の設置に関する記述として、誤っているものは次のうちどれか。ただし、火災発生時の延焼を抑制する機能を備える構造として総務省令で定める構造を有するもの以外のものとする。**

(1)　政令別表第1(6)項ロ(1)に掲げる防火対象物は、面積のいかんにかかわらずスプリンクラー設備を設置しなければならない。
(2)　政令別表第1(6)項ロ(2)に掲げる防火対象物は、面積のいかんにかかわらずスプリンクラー設備を設置しなければならない。
(3)　政令別表第1(6)項ロ(3)に掲げる防火対象物は、面積のいかんにかかわらずスプリンクラー設備を設置しなければならない。
(4)　政令別表第1(6)項ロ(4)に掲げる防火対象物は、面積のいかんにかかわらずスプリンクラー設備を設置しなければならない。ただし、介助がなければ避難できない者として総務省令で定める者を主として入所させるもの以外のものにあっては、延べ面積が275m²以上とされている。
(5)　政令別表第1(6)項ロ(5)に掲げる防火対象物は、面積のいかんにかかわらずスプリンクラー設備を設置しなければならない。ただし、介助がなければ避難できない者として総務省令で定める者を主として入所させるもの以外のものにあっては、延べ面積が275m²以上とされている。

要点・解説

平成25年3月に政令別表第1(6)項ロ及びハについての改正が行われている。

この改正では、政令別表第1(6)項ハに掲げる社会福祉施設において、自力避難が困難な者の利用が多く、(6)項ロと同様の火災危険性を有する施設が存在している実態があり、このような施設について実態に応じた取扱いを可能とするとともに、保育所に類似する施設について、(6)項ハの規定上不明確なものがあることから、当該施設に関する取扱いの明確化が図られている。

さらに、(6)項ロに該当する高齢者施設として、軽費老人ホームのうち避難が困難な要介護者を主として入居させるもの、小規模多機能型居宅介護施設のうち避難が困難な要介護者を主として宿泊させるもの及びその他既定の施設に類するもの（避難が困難な要介護者を主として入居又は宿泊させて業として入浴、排せつ及び食事等の介護、機能訓練又は看護若しくは療養上の管理その他の医療を提供する施設）が位置付けられている。

なお、その他避難が困難な要介護者を主として入居又は宿泊させて業とし、入浴、排せつ及び食事等の介護を提供する施設としては、いわゆる「お泊まりデイサービス」などが想定されている。

また、業として入浴、排せつ及び食事等の介護、機能訓練又は看護若しくは療養上の管理その他の医療を提供する施設としては、介護保険法上の「複合型サービス」を行う施設等が想定されている。

さらに、平成25年２月８日に発生した長崎県長崎市の認知症高齢者グループホーム火災を契機に、認知症高齢者等が入所する施設における火災対策のあり方が検討された。これにより平成25年12月に政令が改正され、スプリンクラー設備を設置しなければならない防火対象物又はその部分に、次に掲げるもの（火災発生時の延焼を抑制する機能を備える構造として総務省令で定める構造を有するものを除く。）で延べ面積が275m²未満のものが追加されている。

① 政令別表第１(6)項ロ(1)及び(3)に掲げる防火対象物

② 政令別表第１(6)項ロ(2)、(4)及び(5)に掲げる防火対象物（介助がなければ避難できない者として総務省令で定める者を主として入所させるものに限る。）

(1) 政令第12条第１項第１号ロの規定で、**正しい**。

(2) 政令第12条第１項第１号ハの規定で、**誤り**。

(3) 政令第12条第１項第１号ロの規定で、**正しい**。

(4) 政令第12条第１項第１号ハの規定で、**正しい**。

(5) 政令第12条第１項第１号ハの規定で、**正しい**。

ポイント

政令別表第１(6)項ロの用途が(1)から(5)までに細区分され、それぞれの区分に応じてスプリンクラー設備の設置が義務付けられており、義務付けに係る条件等に関する知識を問うものである。

【正解　(2)】

チェック □□□

問題56 消防法施行令（以下「政令」という。）第12条第1項第1号において、政令別表第1(6)項ロに掲げる防火対象物に係るスプリンクラー設備の設置に係る規定の適用については、原則として、火災発生時の延焼を抑制する機能を備える構造として総務省令で定める構造を有するもの以外のものとされている。この場合の火災発生時の延焼を抑制する機能を備える構造として総務省令で定める構造を有するものに関する記述として、誤っているものは次のうちどれか。ただし、基準面積が1,000m²未満のものに適用される場合とする。

---

(1) 防火対象物又はその部分の居室を準耐火構造の壁及び床で区画されたものであること。
(2) 壁及び天井（天井のない場合にあっては、屋根）の室内に面する部分（回り縁、窓台その他これらに類する部分を除く。）の仕上げは、原則として、地上に通ずる主たる廊下その他の通路にあっては準不燃材料で、その他の部分にあっては難燃材料でしたものであること。
(3) 区画する壁及び床の開口部の面積の合計が8m²以下であり、かつ、一の開口部の面積が4m²以下であること。
(4) 開口部には、防火戸（廊下と階段とを区画する部分以外の開口部にあっては、防火シャッターを除く。）で、随時開くことができる自動閉鎖装置付きのものが設けられていること。
(5) 区画された部分すべての床の面積が200m²以下であること。

要点・解説

政令第12条第1項第1号及び第9号において、スプリンクラー設備を設置することを要しない構造として、防火対象物又はその部分の区分に応じ、当該防火対象物又はその部分に設置される区画が定められている。

この場合の防火対象物又はその部分の区分としては、次のとおりである（規則第12条の2）。

① 政令別表第1(6)項イ(1)及び(2)並びにロ、(16)項イ並びに（16の2）項に掲げる防火対象物（同表(16)項イ及び（16の2）項に掲げる防火対象物にあつては、同表(6)項イ(1)若しくは(2)又はロに掲げる防火対象物の用途に供される部分に

限る。次号において同じ。）で、基準面積（政令第12条第２項第３号の２に規定する床面積の合計をいう。以下同じ。）が1,000m²未満のもの

② 政令別表第１⑹項イ⑴及び⑵並びにロ、⒃項イ並びに（16の２）項に掲げる防火対象物で、基準面積が1,000m²以上のもの

③ ①又は②にかかわらず、政令別表第１⑹項イ⑴及び⑵並びにロに掲げる防火対象物のうち、入居者等の利用に供する居室が避難階のみに存するもので、延べ面積が100m²未満のもの（①により設置される区画を有するものを除く。）

④ ①又は②にかかわらず、政令別表第１⒃項イに掲げる防火対象物（同表⑸項ロ及び⑹項ロに掲げる防火対象物の用途以外の用途に供される部分が存しないものに限る。）の部分で同表⑹項ロに掲げる防火対象物の用途に供される部分のうち、延べ面積が275m²未満のもの（①により設置される区画を有するものを除く。）

この設問は、①に関するものであり、次のように規定されている（規則第12条の２第１項第１号）。

イ 当該防火対象物又はその部分の居室を準耐火構造（建基法第２条第７号の２に規定する準耐火構造をいう。）の壁及び床で区画したものであること。

ロ 壁及び天井（天井のない場合にあっては、屋根）の室内に面する部分（回り縁、窓台その他これらに類する部分を除く。）の仕上げを地上に通ずる主たる廊下その他の通路にあっては準不燃材料（建基令第１条第５号に規定する準不燃材料をいう。）で、その他の部分にあっては難燃材料でしたものであること。ただし、居室（もっぱら当該施設の職員が使用することとされているものを除く。）が避難階のみに存する防火対象物で、延べ面積が275m²未満のもののうち、規則第12条の２第２項第２号の規定の例によるものにあっては、この限りでない。

ハ 区画する壁及び床の開口部の面積の合計が８m²以下であり、かつ、一の開口部の面積が４m²以下であること。

ニ ハの開口部には、防火戸（廊下と階段とを区画する部分以外の開口部にあっては、防火シャッターを除く。）で、随時開くことができる自動閉鎖装置付きのもの又は次に定める構造のものを設けたものであること。

⑴ 随時閉鎖することができ、かつ、煙感知器（イオン化式スポット型感知器、光電式感知器及び煙複合式スポット型感知器をいう。）の作動と連動

して閉鎖すること。

(ロ) 居室から地上に通ずる主たる廊下、階段その他の通路に設けるものにあっては、直接手で開くことができ、かつ、自動的に閉鎖する部分を有し、その部分の幅、高さ及び下端の床面からの高さが、それぞれ、75cm以上、1.8m以上及び15cm以下であること。

ホ　区画された部分すべての床の面積が100m²以下であり、かつ、区画された部分すべてが4以上の居室を含まないこと。

(1) 規則第12条の2第1項第1号イの規定により、**正しい**。
(2) 規則第12条の2第1項第1号ロの規定により、**正しい**。
(3) 規則第12条の2第1項第1号ハの規定により、**正しい**。
(4) 規則第12条の2第1項第1号ニの規定により、**正しい**。
(5) 規則第12条の2第1項第1号ホの規定により、**誤り**。

ポイント

スプリンクラー設備の設置を要さない場合の区画の構造について、防火対象物又は部分に応じた要件に関する知識を問うものである。【正解　(5)】

チェック □□□

問題57 **次の記述は、特定施設水道連結型スプリンクラー設備に関するものであるが、消防法令上誤っているものはどれか。なお、防火対象物又はその部分については、延べ面積が1,000m²未満であるものとする。**

---

(1) 非常電源及び双口形の送水口を設けないことができる。
(2) 自動警報装置は設けなければならない。
(3) 呼水装置を設けないことができる。
(4) 床面から天井までの高さが3m未満の部分は小区画型ヘッドを設けなければならない。
(5) 制御弁を設けないことができる。

要点・解説

特定施設水道連結型スプリンクラー設備には、スプリンクラー設備を構成する装置・機器等のうち、次のものを設けないことができるとされている。

① 水源として規定水量を貯留するための施設（政令第12条第２項第４号）
② 水源に連結する加圧送水装置（政令第12条第２項第６号）
③ 非常電源及び双口形の送水口（政令第12条第２項第７号）
④ 制御弁（規則第14条第１項第３号）
⑤ 自動警報装置（規則第14条第１項第４号）
⑥ 呼水装置（規則第14条第１項第５号）
⑦ 開放型スプリンクラーヘッドを用いるものについては、一斉開放弁又は手動式開放弁の二次側配管の部分に、放水区域に放水することなく当該弁の作動を試験するための装置及び自動式の起動装置（規則第14条第１項第１号ニ及び第８号イ(イ)）
⑧ 閉鎖型スプリンクラーヘッドを用いるものについては、流水検知装置及び末端試験弁（規則第14条第１項第４号の２及び第５号の２）

(1) 非常電源及び双口形の送水口は、政令第12条第２項第７号の規定で設けないことができることから、**正しい**。
(2) 自動警報装置は、規則第14条第１項第４号の規定で設けないことができることから、**誤り**。
(3) 呼水装置は、規則第14条第１項第５号の規定で設けないことができることから、**正しい**。
(4) 床面から天井までの高さが３m未満の部分は小区画型ヘッドとされており、規則第13条の５第１項の規定で、**正しい**。
(5) 制御弁は、規則第14条第１項第３号の規定で設けないことができることから、**正しい**。

ポイント

特定施設水道連結型スプリンクラー設備は、水源・加圧源等に水道を利用し、防火上有効な措置が講じられた構造を有する部分以外の部分の床面積の合計が1,000m²未満のものに設置することができるものでその基準についての知識を問うものである。

【正解　(2)】

チェック □□□

問題58 次のうち、消防法施行令第12条第１項の規定によりスプリンクラー設備を設置しなければならない防火対象物又はその部分において、一定の消防用設備等が技術上の基準に従って設置されていればスプリンクラー設備を設置しないことができる部分の記述として、誤っているものはどれか。

---

(1)　水噴霧消火設備の有効範囲内の部分
(2)　連結散水設備の有効範囲内の部分
(3)　泡消火設備の有効範囲内の部分
(4)　不活性ガス消火設備又はハロゲン化物消火設備の有効範囲内の部分
(5)　粉末消火設備の有効範囲内の部分

要点・解説

連結散水設備を設置しても、スプリンクラー設備を設置しないことができることにはならない（政令第12条第３項)。

逆に、連結散水設備を設置しなければならない部分に送水口を附置したスプリンクラー設備を技術上の基準により設置したときは、その有効範囲内の部分には連結散水設備を設置しないことができる（政令第28条の２第３項)。

(1)　政令第12条第３項の規定で、**正しい**。
(2)　政令第12条第３項の規定で、**誤り**。
(3)　政令第12条第３項の規定で、**正しい**。
(4)　政令第12条第３項の規定で、**正しい**。
(5)　政令第12条第３項の規定で、**正しい**。

ポイント

スプリンクラー設備を設置しなければならない防火対象物又はその部分で、水噴霧消火設備、泡消火設備、不活性ガス消火設備、ハロゲン化物消火設備又は粉末消火設備が技術上の基準に従って設置されている場合、その有効範囲内の部分についてはスプリンクラー設備を設置しないことができることについての知識について問うものである。

【正解　(2)】

チェック □□□

問題59 **次は、消防法施行令第13条第１項の規定による防火対象物又はその部分と適用消火設備の組み合せであるが、誤っているものはどれか。**

(1)　飛行機又は回転翼航空機の格納庫並びに防火対象物の屋上部分で回転翼航空機又は垂直離着陸航空機の発着の用に供されるものにあっては、泡消火設備及び粉末消火設備

(2)　防火対象物の自動車の修理又は整備の用に供される部分で、床面積が地階又は２階以上の階にあっては200m²以上、１階にあっては500m²以上の場合は、泡消火設備、粉末消火設備、不活性ガス消火設備及びハロゲン化物消火設備

(3)　防火対象物の駐車の用に供される部分で、当該部分の存する階（屋上部分を含み、駐車するすべての車両が同時に屋外に出ることができる構造の階を除く。）における当該部分の床面積が地階又は２階以上の階にあっては200m²以上、１階にあっては500m²以上、屋上部分にあっては300m²以上のもの若しくは昇降機等の機械装置により車両を駐車させる構造のもので、車両の収容台数が10以上のものにあっては、泡消火設備、粉末消火設備、不活性ガス消火設備、ハロゲン化物消火設備及び水噴霧消火設備

(4)　防火対象物の発電機、変圧器その他これらに類する電気設備が設置されている部分若しくは鍛造場、ボイラー室、乾燥室その他多量の火気を使用する部分で床面積が200m²以上のものにあっては、粉末消火設備、不活性ガス消火設備及びハロゲン化物消火設備

(5)　防火対象物の通信機器室で床面積が500m²以上のものにあっては、粉末消火設備、不活性ガス消火設備、ハロゲン化物消火設備及び水噴霧消火設備

要点・解説

当該通信機器室には、水噴霧消火設備の設置は認められていない。

(1)　政令第13条第１項の規定で、**正しい**。

(2)　政令第13条第１項の規定で、**正しい**。

(3)　政令第13条第１項の規定で、**正しい**。

(4)　政令第13条第１項の規定で、**正しい**。

(5)　政令第13条第１項の規定で、**誤り**。

ポイント

防火対象物の一定規模以上の特殊な用途の部分には、その用途に適応した消火設備の設置が義務付けられていることについての知識について問うものである。

【正解　(5)】

チェック □□□

問題60　**次のうち、消防法施行令に規定する水噴霧消火設備等（水噴霧消火設備、泡消火設備、不活性ガス消火設備、ハロゲン化物消火設備又は粉末消火設備）を設置すべき防火対象物又はその部分に適応する消火設備の種類に関して、誤っているものはどれか。**

---

(1)　飛行機又は回転翼航空機の格納庫：泡消火設備又は粉末消火設備

(2)　ボイラー室：不活性ガス消火設備、ハロゲン化物消火設備又は粉末消火設備

(3)　通信機器室：水噴霧消火設備、不活性ガス消火設備又は粉末消火設備

(4)　発電機室：不活性ガス消火設備、ハロゲン化物消火設備又は粉末消火設備

(5)　自動車の修理工場：泡消火設備、不活性ガス消火設備、ハロゲン化物消火設備又は粉末消火設備

要点・解説

政令第13条第１項において、防火対象物又はその部分に応じて設置すべき水噴霧消火設備等の種類を規定している。

通信機器室にあっては、水噴霧消火設備等のうち、不活性ガス消火設備、ハロゲン化物消火設備又は粉末消火設備のいずれかを設置するものと規定しており、水噴霧消火設備は通信機器室には不適応である。

⑴　政令第13条第１項の規定で、**正しい**。
⑵　政令第13条第１項の規定で、**正しい**。
⑶　政令第13条第１項の規定で、**誤り**。
⑷　政令第13条第１項の規定で、**正しい**。
⑸　政令第13条第１項の規定で、**正しい**。

ポイント

政令第13条第１項は、防火対象物又はその部分のうち、自動車の修理工場や車庫、電気室、ボイラー室、通信機器室等の特殊用途における消火設備について規定している。これらについての適応消火設備と設置基準についての知識について問うものである。

【正解　⑶】

チェック □□□

問題61　次は、水噴霧消火設備等を設置すべき防火対象物に関する記述であるが、誤っているものはどれか。

⑴　防火対象物の発電機、変圧器その他これらに類する電気設備が設置されている部分には、水噴霧消火設備及び泡消火設備を設置することができない。
⑵　防火対象物の道路（車両の交通の用に供されるものであって総務省令で定めるものに限る。）の用に供される部分には、ハロゲン化物消火設備を設置することができない。
⑶　防火対象物の鍛造場、ボイラー室、乾燥室その他多量の火気を使用する部分には、水噴霧消火設備及び泡消火設備を設置することができない。
⑷　建築物その他の工作物で、指定可燃物（木材加工品及び木くずに係るもの）を危険物の規制に関する政令別表第４で定める数量の1,000倍以上貯蔵し、又は取り扱うものには、不活性ガス消火設備（全域放出方式のものに限る。）を設置することができない。
⑸　建築物その他の工作物で、指定可燃物（ぼろ及び紙くず（動植物油がしみ込んでいる布又は紙及びこれらの製品に限る。）又は石炭・木炭類に係るもの）を危険物の規制に関する政令別表第４で定める数量の1,000

倍以上貯蔵し、又は取り扱うものには、不活性ガス消火設備、ハロゲン化物消火設備又は粉末消火設備を設置することができない。

要点・解説

水噴霧消火設備等は、防火対象物又はその部分において、原則として、水を用いて消火することが困難なもの又は危険性が拡大するおそれのある部分に設置することが義務付けられている。

水噴霧消火設備等の消火特性・適応火災等は、次の表のとおりであり、消火設備を選択するときは、これらを考慮することが重要である。

消火設備	消火特性				適応火災			屋内	屋外
	冷却	窒息	酸素濃度の希釈	抑制	普通火災	油火災	電気火災	閉鎖空間	開放空間
水噴霧消火設備	○	○			○	○		○	○
泡消火設備	○	○			○	○		○	○
不活性ガス消火設備			○			○	○	○	
ハロゲン化物消火設備			○	○		○	○	○	△
粉末消火設備			○	○	○	○	○	○	△

また、水噴霧消火設備等には、その種類によって全域方式、局所方式及び移動式があり、消火対象物や消火活動の環境により選択設置することができる。

① 全域方式……消火対象とする部分全体を包含するように設置するもの。

② 局所方式……消火対象とする部分に対してのみ消火剤を集中して放射するように設置するもの。

③ 移動式……ホースを延長して人が消火するものであり、消火が必要な部分を対象に設置するもの。

消火設備	区分		
	全域方式	局所方式	移動式
水噴霧消火設備	○	○	
泡消火設備	○	○	○
不活性ガス消火設備	○	○	○
ハロゲン化物消火設備	○	○	○
粉末消火設備	○	○	○

(1)　政令第13条第1項で、**正しい**。
(2)　政令第13条第1項で、**正しい**。
(3)　政令第13条第1項で、**正しい**。
(4)　政令第13条第1項で、**誤り**。
(5)　政令第13条第1項で、**正しい**。

ポイント

水噴霧消火設備等は、消火対象とするもの又は設置する場所の状況に応じて最適なものを選択設置することが必要であり、その特性を十分理解しているかを問うものである。

この設問は、設置できないものについての知識を問うものである。

【正解　(4)】

チェック □□□

問題62　次は、駐車場に設置する泡消火設備の技術上の基準に関する記述であるが、誤っているものはどれか。

---

(1)　固定式の泡消火設備の泡放出口は、防護対象物の形状、構造、性質、数量又は取扱いの方法に応じ、標準放射量で当該防護対象物の火災を有効に消火することができるように、総務省令で定めるところにより、必要な個数を適当な位置に設けること。
(2)　移動式の泡消火設備のホース接続口は、すべての防護対象物について、当該防護対象物の各部分から一のホース接続口までの水平距離が15m以下となるように設けること。
(3)　移動式の泡消火設備の泡放射用器具を格納する箱は、ホース接続口から5m以内の距離に設けること。
(4)　水源の水量又は泡消火薬剤の貯蔵量は、総務省令で定めるところにより、防護対象物の火災を有効に消火することができる量以上の量となるようにすること。
(5)　泡消火薬剤の貯蔵場所及び加圧送液装置は、点検に便利で、火災の際の延焼のおそれ及び衝撃による損傷のおそれが少なく、かつ、薬剤が変質するおそれが少ない箇所に設けること。ただし、保護のための有効な措置を講じたときは、この限りでない。

要点・解説

選択肢(3)の移動式の泡消火設備の泡放射用器具を格納する箱は、ホース接続口から３m以内の距離に設けることと規定されている（政令第15条第４号）。

(1) 政令第15条第１号の規定で、**正しい**。
(2) 政令第15条第２号の規定で、**正しい**。
(3) 政令第15条第４号の規定で、**誤り**。
(4) 政令第15条第５号の規定で、**正しい**。
(5) 政令第15条第６号の規定で、**正しい**。

ポイント

政令第15条に定める泡消火設備に関する共通的な設置及び維持基準についての知識について問うものである。

【正解 (3)】

チェック □□□

問題63 **次は、泡消火設備の設置に関する記述であるが、誤っているものはどれか。**

(1) 火災のとき著しく煙が充満するおそれのある場所に設けるものは、固定式のものとすること。
(2) 道路の用に供される部分には、固定式の泡消火設備を設けること。ただし、屋上部分に設けられるものにあっては、この限りでない。
(3) 移動式の泡消火設備に用いる泡消火薬剤は、低発泡のものに限ること。
(4) 防護対象物のうち床面からの高さが５mを超える場所に設ける高発泡用泡放出口を用いる泡消火設備は、全域放出方式のものとすること。
(5) 常時人のいない部分以外の部分には、全域放出方式のものを設けること。

要点・解説

「常時人のいない部分」とは、当該部分について出入口が施錠されているなど人の出入りが管理されている部分であり、一方、「常時人のいない部分以外の部分」とは、人のいる可能性のある部分である。したがって、ガス系消火設備の全域放出方式を設置する部分は、当該部分に消火剤が放出されることにより、当該消火剤、消火に伴う燃焼生成ガス等の影響があることから、設置する場合に制限をつける場合がある。なお、泡消火薬剤は、このような危険性が少ないことから、設置上の制約は規定されていない。

⑴　規則第18条第４項第１号で、**正しい**。
⑵　規則第18条第４項第１号の２で、**正しい**。
⑶　規則第18条第４項第３号で、**正しい**。
⑷　規則第18条第４項第２号で、**正しい**。
⑸　要点・解説のとおりで、**誤り**。

ポイント

泡消火設備の泡の放出方式や設置方法等に関する知識を問うものである。

【正解　⑸】

チェック □□□

問題64　**次は、泡消火設備の泡ヘッドを設置する場合の防火対象物又はその部分と泡ヘッドの組み合わせであるが、誤っているものはどれか。**

⑴　指定可燃物を貯蔵し、又は取り扱う防火対象物又はその部分→フォーム・ウォーター・スプリンクラーヘッド
⑵　自動車の修理又は整備の用に供される部分→フォームヘッド
⑶　屋上部分の回転翼航空機又は垂直離着陸航空機の発着の用に供されるもの→フォーム・ウォーター・スプリンクラーヘッド
⑷　駐車の用に供される部分→フォームヘッド
⑸　道路の用に供される部分→フォーム・ウォーター・スプリンクラーヘッド

要点・解説

泡消火設備の泡放出口である泡ヘッドは、対象とする防火対象物又はその部分に応じて、使い分けをする必要がある。

泡ヘッドは、ヘッドから放出するときに空気を取り込み、これにより泡を発生させるもので、フォーム・ウォーター・スプリンクラーヘッドは、空気泡を用いる泡消火設備に使用されるヘッドであり、開放型スプリンクラーヘッドとフォームヘッドとしての性能を併せ持つものである。一方、フォームヘッドは、空気泡又は化学泡を放射することができるものである。

泡消火設備を設置する防火対象物又はその部分に応じた泡ヘッドの種類は、次表のとおりである。

設置する防火対象物又はその部分	泡ヘッドの種類
①　飛行機又は回転翼航空機の格納庫 ②　屋上部分の回転翼航空機又は垂直離着陸航空機の発着の用に供されるもの	フォーム・ウォーター・スプリンクラーヘッド
①　道路の用に供される部分 ②　自動車の修理又は整備の用に供される部分 ③　駐車の用に供される部分	フォームヘッド
①　指定可燃物を貯蔵し、又は取り扱う防火対象物又はその部分	フォーム・ウォーター・スプリンクラーヘッド フォームヘッド

(1)　規則第18条第1項第2号で、**正しい**。

(2)　規則第18条第1項第2号で、**正しい**。

(3)　規則第18条第1項第2号で、**正しい**。

(4)　規則第18条第1項第2号で、**正しい**。

(5)　規則第18条第1項第2号で、**誤り**。

ポイント

泡消火設備を設置する場合の防火対象物又はその部分に応じた泡ヘッドの種類についての知識を問うものである。　【正解　(5)】

チェック □□□

問題65 次は、不活性ガス消火設備に関する記述であるが、誤っているものはどれか。

---

(1) 常時人がいない部分以外の部分には、全域放出方式又は局所放出方式の不活性ガス消火設備を設けてはならない。
(2) 局所放出方式の不活性ガス消火設備に使用する消火剤は、窒素、IG－55又はIG－541とすること。
(3) 駐車の用に供される部分及び通信機器室であって常時人がいない部分には、全域放出方式の不活性ガス消火設備を設けること。
(4) 不活性ガス消火設備を設置した場所には、その放出された消火剤及び燃焼ガスを安全な場所に排出するための措置を講じること。
(5) 移動式の不活性ガス消火設備は、火災のとき煙が著しく充満するおそれのある場所以外の場所に設置すること。

要点・解説

不活性ガス消火設備に使用される消火剤は、二酸化炭素のほかに窒素、IG－55、IG－541がある。二酸化炭素は窒息消火と冷却により消火するのに対し、窒素、IG－55、IG－541は酸素濃度を低下させることにより消火する。したがって、窒素、IG－55又はIG－541を用いるものは、全域放出方式についてのみ使用できる。

これについては、「局所放出方式の不活性ガス消火設備に使用する消火剤は、二酸化炭素とすること」（規則第19条第5項第2号の3）及び「移動式の不活性ガス消火設備に使用する消火剤は、二酸化炭素とすること」（規則第19条第6項第1号）とされていることからも明らかである。

(1) 規則第19条第5項第1号の2の規定で、**正しい**。
(2) 規則第19条第5項第2号の3で、**誤り**。
(3) 規則第19条第5項第1号の規定で、**正しい**。
(4) 規則第19条第5項第18号の規定で、**正しい**。
(5) 規則第19条第6項第5号の規定で、**正しい**。

ポイント

不活性ガス消火設備に使用する消火剤の種類によって設置することができる防火対象物又はその部分や選択できる放出方式を正しく理解しているかを問うものである。

【正解 (2)】

チェック □□□

問題66 次は、ハロゲン化物消火設備に関する記述であるが、誤っているものはどれか。

---

(1) 指定可燃物（可燃性固体類及び可燃性液体類を除く。）を貯蔵し、又は取り扱う防火対象物又はその部分には、全域放出方式のハロゲン化物消火設備を設けること。
(2) 局所放出方式のハロゲン化物消火設備に使用する消火剤は、ハロン2402、ハロン1211又はハロン1301とすること。
(3) 指定可燃物を貯蔵し、又は取り扱う防火対象物又はその部分に設けるハロゲン化物消火設備に使用する消火剤は、ハロン2402、ハロン1211又はハロン1301とすること。
(4) 駐車の用に供される部分には、局所放出方式のハロゲン化物消火設備を設けること。
(5) 移動式のハロゲン化物消火設備に使用する消火剤は、ハロン2402、ハロン1211又はハロン1301とすること。

要点・解説

ハロゲン化物消火設備に使用することができる消火剤は、ハロン2402、ハロン1211、ハロン1301、HFC－23、HFC－227ea及びFK－5－1－12である。このうち、局所放出方式及び移動式のハロゲン化物消火設備に使用する消火剤は、ハロン2402、ハロン1211又はハロン1301とすることとされている。

また、駐車の用に供される部分、通信機器室及び指定可燃物（可燃性固体類及び可燃性液体類を除く。）を貯蔵し、又は取り扱う防火対象物又はその部分には、全域放出方式のハロゲン化物消火設備を設けることとされている。

(1)　規則第20条第４項第１号の規定で、**正しい**。
(2)　規則第20条第４項第２号の３の規定で、**正しい**。
(3)　規則第20条第４項第２号の２の規定で、**正しい**。
(4)　規則第20条第４項第１号の規定で、**誤り**。
(5)　規則第20条第５項第１号の規定で、**正しい**。

ポイント

ハロゲン化物消火設備に使用する消火剤の種類によって設置することができる防火対象物又はその部分や選択できる放出方式を正しく理解しているかを問うものである。

【正解　(4)】

チェック□□□

問題67　次は、粉末消火設備に関する記述であるが、誤っているものはどれか。

(1)　粉末消火設備に使用する消火剤は、第一種粉末、第二種粉末、第三種粉末又は第四種粉末とすること。
(2)　駐車の用に供される部分に設ける粉末消火設備に使用する消火剤は、第三種粉末とするものとする。
(3)　常時人がいない部分以外の部分には、全域放出方式又は局所放出方式の粉末消火設備を設けてはならない。
(4)　道路の用に供される部分には、全域放出方式又は局所放出方式の粉末消火設備を設けてはならない。
(5)　道路の用に供される部分に設ける粉末消火設備に使用する消火剤は、第三種粉末とすること。

要点・解説

(1)　規則第21条第４項第１号の規定で、**正しい**。
(2)　規則第21条第４項第１号の規定で、**正しい**。
(3)　特段の規定がされていないので、**誤り**。
(4)　規則第21条第４項第１号の２の規定で、**正しい**。

⑸　規則第21条第５項第１号の規定で、**正しい**。

ポイント

粉末消火設備に使用する消火剤の種類によって設置することができる防火対象物又はその部分や選択できる放出方式を正しく理解しているかを問うものである。

【正解　⑶】

チェック □□□

問題68　次は、消防法施行令第20条に規定する動力消防ポンプ設備に関する基準であるが、誤っているものはどれか。

⑴　規格放水量は、設置する防火対象物又はその部分に応じて0.2m³／分以上又は0.4m³／分以上と規定されている。

⑵　水源は、防火対象物の各部分から一の水源までの水平距離が、規格放水量が0.5m³／分以上のものにあっては100m以下、0.4m³／分以上0.5m³／分未満のものにあっては40m以下、0.4m³／分未満のものにあっては25m以下となるように設けることとされている。

⑶　水源は、その水量が当該動力消防ポンプを使用した場合に規格放水量で20分間放水することができる量（その量が20m³以上となることとなる場合にあっては、20m³）以上の量となるように設けることとされている。

⑷　動力消防ポンプは、消防ポンプ自動車又は自動車によって牽引されるものにあっては水源からの歩行距離が1,000m以内の場所に、その他のものにあっては水源の直近の場所に常置することと定められている。

⑸　屋外消火栓設備を技術上の基準に従い設置している場合であっても、動力消防ポンプ設備の設置義務は免れない。

要点・解説

政令第20条第５項第１号に、屋外消火栓設備を技術上の基準に従い設置している場合は、当該設備の有効範囲内の部分について動力消防ポンプ設備を設置しないことができると規定されている。

(1)　政令第20条第３項の規定で、**正しい**。
(2)　政令第20条第４項第１号の規定で、**正しい**。
(3)　政令第20条第４項第３号の規定で、**正しい**。
(4)　政令第20条第４項第４号の規定で、**正しい**。
(5)　政令第20条第５項第１号の規定で、**誤り**。

ポイント

政令第20条に定める動力消防ポンプ設備の設置基準とともに、規格放水量、水源、常置場所、減免規定等の基本的な事項についての知識について問うものである。

【正解　(5)】

チェック □□□

問題69　**次は、消防法施行令第21条第２項に規定する自動火災報知設備の設置及び維持に関する技術上の基準についてであるが、誤っているものはどれか。**

(1)　警戒区域は、防火対象物の２以上の階にわたらないものとすること。ただし、総務省令で定める場合は、この限りでない。
(2)　一の警戒区域の面積は、500m²以下とし、その一辺の長さは、60m以下（光電式分離型感知器を設置する場合にあっては、100m以下）とすること。ただし、当該防火対象物の主要な出入口からその内部を見通すことができる場合にあっては、その面積を800m²以下とすることができる。
(3)　感知器は、総務省令で定めるところにより、天井又は壁の屋内に面する部分及び天井裏の部分（天井のない場合にあっては、屋根又は壁の屋内に面する部分）に、有効に火災の発生を感知することができるように設けること。ただし、特定主要構造部を耐火構造とした建築物にあっては、天井裏の部分に設けないことができる。
(4)　自動火災報知設備には、非常電源を附置すること。
(5)　自動火災報知設備を設置すべき防火対象物又はその部分（総務省令で定めるものを除く。）に、スプリンクラー設備、水噴霧消火設備又は泡消火設備（いずれも総務省令で定める閉鎖型スプリンクラーヘッドを備えているものに限る。）を、それぞれの消火設備の技術上の基準に従い、又は当該技術上の基準の例により設置したときは、その有効範囲内の部分について自動火災報知設備を設置しないことができる。

要点・解説

政令第21条第２項第２号に、「（自動火災報知設備の）一の警戒区域の面積は、600m²以下とし、その一辺の長さは、50m以下（政令別表第３に定める光電式分離型感知器を設置する場合にあっては、100m以下）とすること。ただし、当該防火対象物の主要な出入口からその内部を見通すことができる場合にあっては、その面積を1,000m²以下とすることができる。」と規定されている。

⑴　政令第21条第２項第１号の規定で、**正しい**。
⑵　政令第21条第２項第２号の規定で、**誤り**。
⑶　政令第21条第２項第３号の規定で、**正しい**。
⑷　政令第21条第２項第４号の規定で、**正しい**。
⑸　政令第21条第３項の規定で、**正しい**。

ポイント

政令第21条第２項及び第３項の警戒区域、非常電源、設置等、自動火災報知設備の設置及び維持に関する共通的な基準についての知識について問うものである。

【正解　⑵】

チェック□□□

問題70　次は、消防法施行令第25条及び消防法施行規則第27条に定めるすべり台の基準に関する記述であるが、誤っているものはどれか。

---

(1)　すべり台は、防火対象物の柱、床、はりその他構造上堅固な部分又は堅固に補強された部分に取り付けること。
(2)　すべり台は、ボルト締め、埋込み、溶接その他の方法で堅固に取り付けること。
(3)　避難上支障がなく、かつ、安全な降下速度を保つことができるように設けること。
(4)　転落を防止するための適当な措置を講じたものであること。
(5)　消防法施行令別表第1(6)項ロ及びハに掲げる防火対象物に設置するすべり台にあっては、階段又はステップ等の介助施設を併設すること。

要点・解説

避難器具に関する基準は、政令第25条に基準が、規則第27条に細目（すべり台は同条第1項第7号）が定められているが、選択肢(5)に記述する規定はない。なお、規則第27条第2項に定める消防庁長官が定める告示にあっても、同様の定めはない。

(1)　規則第27条第1項第7号イの規定で、**正しい**。
(2)　規則第27条第1項第7号ロの規定で、**正しい**。
(3)　規則第27条第1項第7号ハの規定で、**正しい**。
(4)　規則第27条第1項第7号ニの規定で、**正しい**。
(5)　政令第25条及び規則第27条の規定で、**誤り**。

ポイント

政令第25条及び規則第27条に定めるすべり台の規定についての知識について問うものである。

【正解　(5)】

チェック □□□

問題71 次は、消防法施行令（以下「政令」という。）第25条第１項の規定に基づき、政令別表第１(6)項に掲げる防火対象物の３階に設ける避難器具の種類についての記述であるが、誤っているものはどれか。

(1) 滑り台
(2) 避難はしご
(3) 緩降機
(4) 避難橋
(5) 救助袋

要点・解説

(1) 政令第25条第２項第１号の規定で、**正しい**。
(2) 政令第25条第２項第１号の規定で、**誤り**。
(3) 政令第25条第２項第１号の規定で、**正しい**。
(4) 政令第25条第２項第１号の規定で、**正しい**。
(5) 政令第25条第２項第１号の規定で、**正しい**。

ポイント

避難器具に関する防火対象物の用途及び設置義務のある階に適応する避難器具の種類についての知識について問うものである。なお、政令別表第１(6)項に掲げる防火対象物の３階に適応する避難器具に、避難はしごは規定されていない。

【正解　(2)】

チェック □□□

問題72 次は、避難器具の設置個数の減免に関する記述であるが、誤っているものはどれか。

(1) 避難器具の設置個数の算定に当たって、収容人員の数値の倍読みができるのは、特定主要構造部が耐火構造であり、かつ、直通階段を避難階段又は特別避難階段としたものが2以上設けられている場合である。

(2)　避難器具の設置を要する階に直通階段である避難階段又は特別避難階段がある場合、その階段の数だけ避難器具を減らすことができるが、減じた結果が1未満となる場合には、1設置する必要がある。

(3)　直通階段である避難階段は、屋外避難階段又は消防庁長官が定める規定を満足する屋内避難階段でなければならない。

(4)　避難器具の設置個数を減免することができる場合の渡り廊下は、避難、通行及び運搬以外の用途に供しないこととされている。

(5)　避難橋を設けることにより、避難器具の設置個数を減免することができる場合は、直下階から屋上に通じる避難階段又は特別避難階段が2以上設けられていることが必要である。

要点・解説

避難器具は、防火対象物の用途、階ごとの収容人員等に応じて、設置が義務付けられ、階ごとに設置すべき個数が規定されている（政令第25条第2項第1号）。

避難器具の設置を要する階に、避難階へ通じる避難階段・特別避難階段がある場合、その階段の数だけ避難器具を減らすことができる。

なお、減じた結果が1未満となる場合は、避難器具を設置しないことができるので、設置免除となる（規則第26条第2項）。

(1)　規則第26条第1項の規定で、**正しい**。

(2)　規則第26条第2項の規定で、1未満となる場合には設置を要さないので**誤り**。

(3)　規則第26条第2項の規定で、**正しい**。

(4)　規則第26条第3項第3号の規定で、**正しい**。

(5)　規則第26条第4項の規定で、**正しい**。

ポイント

避難器具の設置個数の算出の特例及び設置個数の減免に関する知識を問うものであり、政令第25条第2項及び規則第26条に係る規定を正確に把握しておくことが必要である。

【正解　(2)】

チェック □□□

問題73 次は、誘導灯又は誘導標識に関する記述であるが、誤っているものはどれか。

(1) 通路誘導灯は、消防法施行令（以下「政令」という。）別表第１(1)項から(4)項まで、(5)項イ、(6)項、(9)項、(16)項イ、（16の２）項及び（16の３）項に掲げる防火対象物については、当該防火対象物の規模、階数等にかかわらず設置の対象とされている。
(2) 誘導標識は、政令別表第１(1)項から(16)項までに掲げる防火対象物が設置義務の対象とされている。
(3) 避難口誘導灯は、避難口である旨を表示した緑色の灯火とし、防火対象物又はその部分の避難口に、避難上有効なものとなるように設けることとされている。
(4) 誘導灯は、避難口（非常口）の位置又は避難口に至る方向を明示するもので、常時点灯していることが原則である。
(5) 避難口誘導灯は、政令別表第１(1)項から(16)項まで、（16の２）項及び（16の３）項に掲げる防火対象物について、規模又は階数にかかわらず設置の対象とされている。

要点・解説

避難口誘導灯は、政令別表第１(1)項から(4)項まで、(5)項イ、(6)項、(9)項、(16)項イ、（16の２）項及び（16の３）項に掲げる防火対象物並びに同表(5)項ロ、(7)項、(8)項、(10)項から(15)項まで及び(16)項ロに掲げる防火対象物の地階、無窓階及び11階以上の部分に設けることとされている。

(1) 政令第26条第１項第２号の規定で、**正しい**。
(2) 政令第26条第１項第４号の規定で、**正しい**。
(3) 政令第26条第２項第１号の規定で、**正しい**。
(4) 設問のとおりで、**正しい**。
(5) 政令第26条第１項第１号の規定で、**誤り**。

ポイント

避難設備の一つである誘導灯及び誘導標識についての設置対象物及びその設置に関する基礎知識について問うものである。　【正解　(5)】

チェック □□□

問題74　次は、誘導灯及び誘導標識の設置及び維持に関する技術上の基準についての記述であるが、誤っているものはどれか。

---

(1)　避難口誘導灯は、避難口である旨を表示した緑色の灯火とし、防火対象物又はその部分の避難口に、避難上有効なものとなるよう設けること。

(2)　通路誘導灯は、避難の方向を明示した緑色又は白色の灯火とし、防火対象物又はその部分の廊下、階段、通路その他避難上の設備がある場所に、避難上有効なものとなるように設けること。ただし、階段に設けるものにあっては、避難の方向を明示したものとすることを要しない。

(3)　客席誘導灯は、客席に、総務省令で定めるところにより計った客席の照度が0.2ルクス以上となるように設けること。

(4)　誘導灯には、非常電源を附置すること。

(5)　誘導標識は、避難口である旨又は避難の方向を明示した緑色の標識とし、多数の者の目に触れやすい箇所に、避難上有効なものとなるように設けること。

要点・解説

政令第26条第２項に、誘導灯及び誘導標識の設置及び維持に関する技術上の基準が規定されている。

政令第26条第２項第２号には、通路誘導灯の基準として「避難の方向を明示した緑色の灯火とし、…」と規定されており、選択肢(2)の「緑色又は白色の灯火」は誤りである。

(1)　政令第26条第２項第１号の規定で、**正しい**。
(2)　政令第26条第２項第２号の規定で、**誤り**。
(3)　政令第26条第２項第３号の規定で、**正しい**。

⑷　政令第26条第２項第４号の規定で、**正しい**。

⑸　政令第26条第２項第５号の規定で、**正しい**。

ポイント

誘導灯及び誘導標識の種類と設置場所、灯火の色や照度、その他設置維持に関する基本的事項についての知識について問うものである。　【正解　⑵】

チェック □□□

問題75　次は、消防法施行令（以下「政令」という。）第２章第３節第６款に規定する「消火活動上必要な施設」及び政令第29条の４に規定する「消防活動支援性能」に関する記述であるが、誤っているものはどれか。

⑴　消防活動支援性能の目的は、消防活動が円滑、かつ、安全に行われることを確保することであり、消防活動拠点の性能及び消防活動上必要な施設及び設備の性能が求められる。

⑵　消防活動支援性能とは、火災が発生した場合に、消防隊が安全かつ円滑に消防活動を行うために必要な性能とされている。

⑶　消火活動上必要な施設の一つである連結送水管は、高層階においては消防ポンプ自動車から送水することが困難であることから、あらかじめ建築物に配管し、地上部分に送水口を、建築物の各階に放水口を設置し、火災時には消防ポンプ自動車から送水して各階の放水口から取水できるようにした設備である。

⑷　消火活動上必要な施設には、無線通信補助設備、非常コンセント設備、非常用進入口及び非常用の昇降機が含まれる。

⑸　消火活動上必要な施設の一つである無線通信補助設備は、地下街において、その閉鎖性から消防活動上必要である無線による交信ができにくいことが予想されることから、あらかじめ、地下街に無線通信用のケーブル等を設置しておくことにより、無線通信が円滑に行えるようにするための設備である。

要点・解説

(1)　政令第29条の4第1項の規定及び設問のとおりで、**正しい**。
(2)　政令第29条の4第1項の規定及び設問のとおりで、**正しい**。
(3)　政令第29条の規定及び設問のとおりで、**正しい**。
(4)　政令第2章第3節第6款の規定で、**誤り**。
(5)　政令第29条の3の規定及び設問のとおりで、**正しい**。

ポイント

消防法令で規定する「消火活動上必要な施設」の対象となる消防用設備等の範囲についての知識について問うものである。なお、非常用進入口及び非常用の昇降機は、建築基準法令に基づく設備等であり、消防用設備等には該当しない。

【正解　(4)】

チェック □□□

問題76　次は、消火活動上必要な施設としての「排煙設備」に関する技術上の基準についての記述であるが、正しいものはどれか。

(1)　排煙設備を設置すべき防火対象物の規模にかかわらず、当該排煙設備に附置すべき非常電源は、自家発電設備に限定されている。
(2)　排煙設備を設置しなければならない地下街に、排煙上有効な開口部（常時開放されていないが、火災発生時に手動で開放できるもの）を設けた場合は、排煙設備を設置しないことができる。
(3)　消防法施行令別表第1(1)項に掲げる防火対象物の舞台部で、床面積が300m²以上のものには排煙設備を設置しなければならない。
(4)　排煙設備の風道で、消火活動拠点に設ける排煙口又は給気口に接続する風道には、自動閉鎖装置を設けたダンパーを設置しなければならない。
(5)　排煙設備には、火災の発生を感知した場合に作動する自動起動装置又は手動起動装置を設けなければならない。

要点・解説

排煙設備の設置対象物については、政令第28条第1項で、設置及び維持の基準については、政令第28条第２項及び規則第30条で、排煙設備の設置の省略については、政令第28条第３項及び規則第29条で規定されている。選択肢(1)は、自家発電設備に限定されていない。(2)は、排煙上有効な開口部については常時開放されているものに限定されている。(3)は、舞台部の床面積が500m²以上のものとされている。(4)は、自動閉鎖装置を設けたダンパーを設置してはならないとされている。

(1)　規則第30条第８号（規則第12条第１項第４号の規定を準用）の規定で、**誤り**。
(2)　政令第28条第３項及び規則第29条第１号イの規定で、**誤り**。
(3)　政令第28条第１項第２号の規定で、**誤り**。
(4)　規則第30条第３号ホ(ニ)の規定で、**誤り**。
(5)　政令第28条第２項第２号の規定で、**正しい**。

ポイント

消火活動上必要な施設としての排煙設備に関する技術上の基準についての知識について問うものである。特に、排煙上有効な開口部の状態、風道及びダンパーについての技術基準がどのように規定されているかチェックしておくことが重要である。

【正解　(5)】

チェック□□□

問題77　**次は、消防法令に規定されている消火活動上必要な施設のうち、排煙設備についての記述であるが、誤っているものはどれか。**

(1)　排煙設備は、火災時に発生する煙が防火対象物内に充満し消防隊の消火活動に障害となるのを防ぐために煙を屋外に排出し、消防活動を円滑に行うことを目的とするものである。
(2)　排煙設備の排煙方式には、排煙機を用いて行う機械排煙と直接外気に接する開口部から排煙する自然排煙の２種類があるが、最近では当該防煙区画を加圧することにより排煙する加圧排煙も活用されている。
(3)　建築基準法に規定する排煙設備の基準を満たしているものであれば、

消防法の基準を満たしているものとみなされることになっている。

(4) 排煙設備を設置しなければならないのは、消防法施行令別表第1に掲げる遊技場、百貨店、車両の停車場、自動車車庫の地階又は無窓階で床面積が1,000m²以上のものである。

(5) 排煙設備の非常電源は、自家発電設備、蓄電池設備又は燃料電池設備等によるものとし、操作回路の配線は、電気工作物に係る法令の規定によるほか、600V 2種ビニル絶縁電線又はこれと同等以上の耐熱性を有する電線等を使用することになっている。

要点・解説

消防法及び建築基準法に規定されている排煙設備の基準は、基本的には整合性が図られているが、消防法では消防隊の安全・円滑な消防活動が行えることを主目的にしている。建築基準法では、在館者の安全・円滑な初期避難の確保を目的としており、消防法とは排煙設備設置の趣旨が異なることから、排煙設備設置基準等にも差異がある。

例として、建築基準法では、一定の区画・内装制限を行った部分には排煙設備について設置が免除されるが、消防法では設置免除の対象外とされているほか、対象物の用途、延べ面積等にも差異がある。

(1) 排煙設備の主たる目的の概要であり、**正しい**。

(2) 排煙設備の種別等に関するもので、**正しい**。

(3) 要点・解説のとおりで、**誤り**。

(4) 政令第28条第1項第3号の規定で、**正しい**。

(5) 政令第28条第2項第4号及び規則第12条第1項第4号及び第5号、規則第30条第8号及び第9号の規定で、**正しい**。

ポイント

防火対象物に設置する排煙設備は、消防法と建築基準法では一般的には整合性が図られているが、その設置目的を異にすることについての知識について問うものである。

【正解 (3)】

チェック □□□

問題78 **次に掲げる防火対象物のうち、消防法施行令第29条第１項で連結送水管の設置が規定されていないものはどれか。**

(1)　延長60mのアーケード
(2)　地上７階建で延べ面積が3,000m²の共同住宅
(3)　延べ面積が1,000m²の地下街
(4)　地上５階建で延べ面積が5,000m²の複合用途防火対象物
(5)　消防法施行令別表第１に掲げる防火対象物で、道路の用に供される部分を有するもの

要点・解説

(1)　政令第29条第１項第４号の規定で、**規定されている**。
(2)　政令第29条第１項第１号の規定で、**規定されている**。
(3)　政令第29条第１項第３号の規定で、**規定されている**。
(4)　政令第29条第１項第２号の規定で延べ面積が6,000m²以上のものであるから、**規定されていない**。
(5)　政令第29条第１項第５号の規定で、**規定されている**。

ポイント

政令第29条第１項の設置基準は、階数によるもの、階数と面積によるもの、用途と面積によるもの、用途のみで設置を要するものがある。また、本条の規定のほか、法第17条第２項の規定に基づく市町村の条例により設置を要する場合があり、これらの設置基準についての知識について問うものである。

【正解　(4)】

チェック □□□

問題79 次のうち、消防法施行令第10条第2項第1号の規定による同法施行令別表第2に掲げる建築物その他の工作物の火災に適応する消火器の消火薬剤とその放射状態として、誤っているものはどれか。ただし、建築物その他の工作物には、電気設備、危険物、指定可燃物は含まない。

---

(1) 棒状又は霧状の水を放射するもの
(2) 棒状又は霧状の強化液を放射するもの
(3) 二酸化炭素又はハロゲン化物を放射するもの
(4) 消火粉末を放射するもののうち、りん酸塩類等を使用するもの
(5) 泡を放射するもの

要点・解説

二酸化炭素又はハロゲン化物を放射する消火器は、電気設備火災や危険物第2類のうち引火性固体の火災及び危険物第4類の火災等に適応するが、建築物火災には適応しない。また、この消火器（総務省令で定めるものを除く。）は、政令別表第1（16の2）項及び（16の3）項に掲げる防火対象物並びに総務省令で定める地階、無窓階その他の場所には設置してはならないとされている（政令第10条第2項第1号及び政令別表第2）。

(1) 政令別表第2の規定で、**正しい**。
(2) 政令別表第2の規定で、**正しい**。
(3) 政令別表第2の規定で、**誤り**。
(4) 政令別表第2の規定で、**正しい**。
(5) 政令別表第2の規定で、**正しい**。

ポイント

消火器の種類と適応火災についての知識について問うものである。

【正解 (3)】

チェック □□□

問題80 **消防法令では、建築物の地上階のうち、総務省令で定める避難上又は消火活動上有効な開口部を有しない階を「無窓階」、それ以外の階を「普通階」と定義しているが、次のうち、この避難上又は消火活動上有効な開口部の条件として、誤っているものはどれか。**

---

(1) 11階以上の階における「避難上又は消火活動上有効な開口部」の条件として、直径50cm以上の円が内接することができ、床面から開口部の下端までの高さが1.2m以内でなければならない。

(2) 「避難上又は消火活動上有効な開口部」の条件として、開口のため常時良好な状態に維持されていなければならない。

(3) 10階以下の階における「避難上又は消火活動上有効な開口部」の条件として、道又は道に通ずる幅員1m以上の通路その他の空地に面するとともに、床面から開口部の下端までの高さが1.2m以内でなければならない。

(4) 11階以上の階の「避難上又は消火活動上有効な開口部」の条件として、道又は道に通ずる幅員1m以上の通路その他の空地に面するものでなければならない。

(5) 「避難上又は消火活動上有効な開口部」の条件として、格子その他の内部から容易に避難することを妨げる構造を有しないものであり、かつ、外部から開放し、又は容易に破壊することにより進入できるものでなければならない。

要点・解説

11階以上の階における「避難上又は消火活動上有効な開口部」の条件として、「道又は道に通ずる幅員1m以上の通路その他の空地に面すること」は定められていない（規則第5条の5第2項）。

消防法令では、11階以上又は10階以下の開口部の条件に適合する開口部の面積の合計が当該階の床面積の30分の1を超える階を「普通階」、それ以外の階を「無窓階」と定義している（政令第10条第1項第5号、規則第5条の5第1項）。

なお、10階以下の階における「避難上又は消火活動上有効な開口部」の条件としては、「直径1m以上の円が内接することができる開口部又はその幅及び高さがそれぞれ75cm以上及び1.2m以上の開口部を２以上有する普通階」とされている。

(1)　規則第５条の５第１項及び第２項第１号の規定で、**正しい**。
(2)　規則第５条の５第２項第４号の規定で、**正しい**。
(3)　規則第５条の５第１項、第２項第１号及び第２号の規定で、**正しい**。
(4)　規則第５条の５第２項の規定で、**誤り**。
(5)　規則第５条の５第２項第３号の規定で、**正しい**。

ポイント

消防法令で定める消防用設備等の設置基準は、防火対象物の用途や面積、階数、収容人員のほか、地階や無窓階に関して規定している場合が多く、「普通階」及び「無窓階」の定義について理解が必要であり、これらの知識について問うものである。

【正解　(4)】

チェック □□□

問題81　**次のうち、消防用設備等に附置する非常電源に関する記述として、適切でないものはどれか。**

(1)　非常電源は、非常電源専用受電設備、自家発電設備、蓄電池設備、燃料電池設備に大別することができる。
(2)　非常電源専用受電設備は、当該防火対象物の火災による影響が少ないように設置されるが、外部からの電力供給が断たれた場合には非常電源として対応できない。
(3)　自家発電設備は、外部からの電力供給が断たれた場合に有効で、発電容量も大きいものがあり、エンジンの冷却方式や燃料の増強等を工夫すれば、長時間の使用ができる。
(4)　蓄電池設備は、直流電源を使用する消防用設備等へ外部からの電力供給が断たれた場合、即時に電力を供給することができる。また、交流電源を使用する消防用設備等にあっても逆変換装置を用いて電力を供給することができる。

(5) 燃料電池設備は、外部からの電力供給が断たれた場合に有効で、すべての消防用設備等の非常電源として用いることができる。

要点・解説

燃料電池設備は、常用電源が停電してから起動する場合に一定の時間を要するため、自動火災報知設備及び非常警報設備などでは単独の非常電源としては認められていない。

なお、各消防用設備等の適応非常電源については、防火対象物の用途、規模、消防用設備等の種類ごとに確認する必要がある。

(1) 規則第12条第１項第４号の規定で、**適切である**。
(この規定は、屋内消火栓設備の非常電源に関する規定であるが、他の消防用設備等の非常電源として全部又は一部の規定が準用されている。)

(2) 規則第12条第１項第４号イ(イ)の規定及び非常電源専用受電設備の構造から、**適切である**。

(3) 自家発電設備の構造から、**適切である**。

(4) 蓄電池設備の構造から、**適切である**。

(5) 要点・解説のとおりで、**適切でない**。

ポイント

消防用設備等に対する非常電源の種類とその特徴についての知識について問うものである。

【正解 (5)】

チェック □□□

問題82 **次は、常用電源が停電をしても消防用設備等が有効に機能するために附置する非常電源の種類とその容量について述べたものであるが、誤っているものはどれか。**

(1) 連結送水管に設置する加圧送水装置（ブースターポンプ）用の非常電源は、自家発電設備の場合その容量は120分間以上である。

(2) 非常コンセント設備の非常電源は、蓄電池設備又は燃料電池設備の場合その容量は30分間以上である。
(3) 不活性ガス消火設備、ハロゲン化物消火設備、粉末消火設備の非常電源は、自家発電設備、蓄電池設備又は燃料電池設備の場合その容量は60分間以上である。
(4) 屋内消火栓設備、スプリンクラー設備、水噴霧消火設備、泡消火設備の非常電源は、自家発電設備又は蓄電池設備又は燃料電池設備の場合その容量は30分間以上である。
(5) 自動火災報知設備、非常警報設備、誘導灯、無線通信補助設備の非常電源は、自家発電設備の場合その容量は20分間以上である。

要点・解説

非常電源には、非常電源専用受電設備、自家発電設備、蓄電池設備又は燃料電池設備があるが、自動火災報知設備、非常警報設備、無線通信補助設備等の非常電源としては、常用電源が停電してから非常電源に切り替わるまでの間若干の時間を要することから自家発電設備は不適当であるとされている。

なお、特定防火対象物で延べ面積が1,000m²以上のもの（規則第13条第１項第２号に規定する小規模特定用途複合防火対象物を除く。）にあっては、自家発電設備、蓄電池設備又は燃料電池設備に限定される。

(1) 規則第31条第７号の規定で、**正しい**。
(2) 規則第31条の２第８号の規定で、**正しい**。
(3) 規則第19条第５項第20号、規則第20条第４項第15号、規則第21条第４項第17号の規定で、**正しい**。
(4) 規則第12条第１項第４号、規則第14条第１項第６号の２、規則第16条第３項第２号、規則第18条第４項第13号の規定で、**正しい**。
(5) 規則第24条第４号、規則第25条の２第２項第５号、規則第28条の３第４項第10号、規則第31条の２の２第７号の規定で、**誤り**。

ポイント

非常電源の種類と消防用設備等の容量についての知識について問うものである。

【正解 (5)】

チェック □□□

問題83 **次は、消防法第17条第１項の規定による消防用設備等のうち、消火設備に附置しなければならない非常電源に関する記述であるが、誤っているものはどれか。**

---

(1) 非常電源の種類は、非常電源専用受電設備、自家発電設備、蓄電池設備、燃料電池設備に大別される。

(2) 非常電源専用受電設備は、ガス系消火設備には適用されない。

(3) 非常電源専用受電設備は、特定防火対象物の消火設備には適用されない。

(4) 水系消火設備の非常電源の容量（作動できる時間）は、30分間以上としなければならない。

(5) ガス系消火設備の非常電源の容量（作動できる時間）は、60分間以上としなければならない。

要点・解説

・　非常電源専用受電設備は、特定防火対象物で延べ面積が1,000m²未満のもの及び特定防火対象物以外のものの消火設備の非常電源として設置が認められる。ただし、非常電源専用受電設備は、ガス系消火設備の非常電源としては防火対象物の用途、規模に関係なく認められていない。

・　水系消火設備の非常電源に係る規定にあっては、規則第12条第１項第４号（屋内消火栓設備関係）、規則第14条第１項第６号の２（スプリンクラー設備関係）、規則第16条第３項第２号（水噴霧消火設備関係）、規則第18条第４項第13号（泡消火設備関係）、規則第22条第６号（屋外消火栓設備関係）を参照。

・　ガス系消火設備の非常電源に係る規定にあっては、規則第19条第５項第20号（不活性ガス消火設備関係）、規則第20条第４項第15号（ハロゲン化物消火設備関係）、規則第21条第４項第17号（粉末消火設備関係）を参照。

(1) 規則第12条第１項第４号の規定で、**正しい**。
（この規定は、屋内消火栓設備の非常電源に関する規定であるが、他の消防用設備等の非常電源として全部又は一部の規定が準用されている。）

(2) 規則第19条第５項第20号の規定で、**正しい**。

（この規定は、不活性ガス消火設備の非常電源に関する規定であるが、他のガス系消火設備の非常電源において、準用されている。）

⑶　規則第12条第１項第４号の規定で、**誤り**。

（この規定は、屋内消火栓設備の非常電源に関する規定であるが、他の消火設備において、準用されている。）

⑷　規則第12条第１項第４号ロ(イ)及び同号ハ、ニの規定で、**正しい**。

（この規定は、屋内消火栓設備の非常電源に関する規定であるが、他の水系消火設備の非常電源において、準用されている。）

⑸　規則第19条第５項第20号の規定で、**正しい**。

（この規定は、不活性ガス消火設備の非常電源に関する規定であるが、他のガス系消火設備の非常電源において、準用されている。）

ポイント

消防用設備等に附置する非常電源の種類と防火対象物の用途、規模並びに消火設備別適応非常電源についての知識について問うものである。

【正解　⑶】

チェック □□□

問題84　**次は、消防法施行規則第12条第１項第４号ホ及び第５号の規定による屋内消火栓設備の電気配線工事に関する記述であるが、誤っているものはどれか。ただし、この電気配線は電気工作物に係る法令の規定に適合しているものとする。**

⑴　非常電源から加圧送水装置を駆動する電動機までの配線に、消防庁長官が定める基準に適合する電線（耐火電線）を用いた。

⑵　非常電源から加圧送水装置を駆動する電動機までの配線に、MIケーブルを用いた。

⑶　非常電源から加圧送水装置を駆動する電動機までの配線を600V２種ビニル絶縁電線を用い、金属管工事として耐火構造とした主要構造部に埋設した。

⑷　制御盤及び手元起動装置に接続する起動装置回路及び始動表示部の回

路に消防庁長官が定める基準に適合する電線（耐熱電線）を用いた。

(5) 制御盤及び手元起動装置に接続する起動装置回路及び始動表示部の回路で倉庫、機械室などの一般居室内を通過する部分を600V 2種ビニル絶縁電線を用い、碍子引工事とした。

要点・解説

選択肢(5)の回路は、耐熱配線とした場合と同等以上の耐熱性を有しなければならないが、600V 2種ビニル絶縁電線を用いた一般居室内の碍子引工事では、耐熱配線とはならない。一般居室内でこの電線を用いて耐熱配線とする場合は、金属管工事、可とう電線管工事、金属ダクト工事などとしなければならない（規則第12条第1項第5号ロ）。

(1) 規則第12条第1項第4号ホ(ロ)の規定及び設問のとおりで、**正しい**。
(2) 規則第12条第1項第4号ホ(ロ)の規定及び設問のとおりで、**正しい**。
(3) 規則第12条第1項第4号ホ(イ)及び(ロ)の規定及び設問のとおりで、**正しい**。
(4) 規則第12条第1項第5号ロの規定及び設問のとおりで、**正しい**。
(5) 規則第12条第1項第5号ロの規定及び要点・解説のとおりで、**誤り**。

ポイント

電源回路及び操作回路等に用いる電線の種類と工事方法についての知識について問うものである。

【正解 (5)】

チェック □□□

問題85 **高層建築物、大規模な建築物その他の防火対象物で、一定のものに設置される屋内消火栓設備等には、当該設備の監視、操作等を行うことができ、かつ、消防庁長官が定める基準に適合する総合操作盤を、消防庁長官が定めるところにより防災センター等に設けることとされているが、次のうち、防災センター等に総合操作盤を設ける要件に該当する防火対象物として、正しいものはどれか。**

---

(1) 消防法施行令（以下「政令」という。）別表第1(7)項に掲げる防火対

象物で、地階を除く階数が４で、延べ面積が20,000m²以上のもの
⑵ 政令別表第１（16の２）項に掲げる防火対象物で、延べ面積が1,000m²以上のもの
⑶ 政令別表第１⑻項に掲げる防火対象物のうち、地階を除く階数が10で、かつ、延べ面積が10,000m²以上のもの
⑷ 政令別表第１⑷項に掲げる防火対象物のうち、地階を除く階数が10以上で、かつ、延べ面積が10,000m²以上のもの
⑸ 政令別表第１⑸項イに掲げる防火対象物のうち、地階を除く階数が６以上で、かつ、延べ面積が10,000m²以上のもの

要点・解説

消防用設備等又は特殊消防用設備等その他これらに類する防災のための設備の監視、操作等を行うことができ、かつ、消防庁長官が定める基準に適合する総合操作盤を設置することとされている防火対象物は、次のとおりとされている。

イ 政令別表第１⑴項から⒃項までに掲げる防火対象物で、次のいずれかに該当するもの
　㈠ 延べ面積が50,000m²以上の防火対象物
　㈡ 地階を除く階数が15以上で、かつ、延べ面積が30,000m²以上の防火対象物

ロ 延べ面積が1,000m²以上の地下街

ハ 次に掲げる防火対象物（イ又はロに該当するものを除く。）のうち、消防長又は消防署長が火災予防上必要があると認めて指定するもの
　㈠ 地階を除く階数が11以上で、かつ、延べ面積が10,000m²以上の防火対象物
　㈡ 地階を除く階数が５以上で、かつ、延べ面積が20,000m²以上の特定防火対象物
　㈢ 地階の床面積の合計が5,000m²以上の防火対象物

⑴ 規則第12条第１項第８号の規定で、**誤り**。
⑵ 規則第12条第１項第８号ロの規定で、**正しい**。
⑶ 規則第12条第１項第８号の規定で、**誤り**。
⑷ 規則第12条第１項第８号の規定で、**誤り**。
⑸ 規則第12条第１項第８号の規定で、**誤り**。

ポイント

消防用設備等又は特殊消防用設備等その他これらに類する設備の監視、操作等を行うことが法令上義務付けられている防火対象物についての知識について問うものである。

【正解　(2)】

チェック □□□

問題86　次は、消防法施行規則第12条第１項により消防法施行令別表第１に掲げる大規模な建築物等には、防災センター等に総合操作盤を設置しなければならないとされているものに関する記述であるが、適当でないものはどれか。

---

(1)　地階の床面積の合計が5,000m²以上の防火対象物で消防長又は消防署長が火災予防上必要があると認めて指定するもの
(2)　延べ面積が50,000m²以上の防火対象物
(3)　地階を除く階数が15以上で、かつ、延べ面積が30,000m²以上の防火対象物
(4)　延べ面積が1,000m²以上の地下街
(5)　地階を除く階数が３以上で、かつ、延べ面積が10,000m²以上の特定防火対象物で消防長又は消防署長が火災予防上必要があると認めて指定するもの

要点・解説

消防庁長官が定める基準に適合する総合操作盤を設置しなければならないのは、高層の建築物、大規模な建築物その他の防火対象物のうち、一定規模以上の建築物、消防長又は消防署長が火災予防上必要があると認めて指定するもの等である。

(1)　規則第12条第１項第８号ハ(ハ)の規定で、**適当である**。
(2)　規則第12条第１項第８号イ(イ)の規定で、**適当である**。
(3)　規則第12条第１項第８号イ(ロ)の規定で、**適当である**。
(4)　規則第12条第１項第８号ロの規定で、**適当である**。
(5)　規則第12条第１項第８号ハ(ロ)の規定で、地階を除く階数が５以上で、かつ、

延べ面積が20,000m²以上の特定防火対象物で消防長又は消防署長が火災予防上必要があると認めて指定するものであるから、**適当でない**。

ポイント

総合操作盤を設置しなければならない大規模な建築物等についての知識について問うものである。

【正解 (5)】

チェック □□□

問題87 **次は、6階建てで、延べ面積が1,100m²の老人短期入所施設にスプリンクラー設備を設置する代わりに設ける「火災発生時の延焼を抑制する構造」としての防火区画についての記述であるが、誤っているものはどれか。**

---

(1) 居室を準耐火構造の壁及び床で区画したものであること。

(2) 区画する壁及び床の開口部の面積の合計が8m²以下であり、かつ、一の開口部の面積が4m²以下であること。

(3) 区画された部分すべての床の面積が200m²以下であること。

(4) 壁及び天井（天井のない場合にあっては、屋根）の室内に面する部分（回り縁、窓台その他これらに類する部分を除く。）の仕上げを地上に通ずる主たる廊下その他の通路にあっては準不燃材料で、その他の部分にあっては難燃材料でしたものであること。

(5) 防火区画の開口部には、建築基準法施行令に規定する特定防火設備である防火戸を、消防法令で規定する条件で設置すること。

要点・解説

(1) 規則第12条の2第1項第2号イの規定で、耐火構造の壁及び床とされており、**誤り**。

(2) 規則第12条の2第1項第2号ハの規定で、**正しい**。

(3) 規則第12条の2第1項第2号ホの規定で、**正しい**。

(4) 規則第12条の2第1項第2号ロの規定で、**正しい**。

(5) 規則第12条の2第1項第2号ニの規定で、**正しい**。

ポイント

　スプリンクラー設備の設置を要しない防火区画についての知識について問うものである。規則第12条の２のスプリンクラー設備の設置を免除することができる条件について、政令別表第１(6)項ロに掲げる防火対象物の延べ面積が「1,000m²未満」か「1,000m²以上」かということ及び区画する耐火性能が、「耐火構造」か「準耐火構造」かということに留意する。　【正解　(1)】

チェック□□□

問題88　消防法施行令別表第１(6)項ロに掲げる防火対象物で延べ面積が100m²未満の小規模な施設のうち、スプリンクラー設備の設置を要しないこととされている構造等の要件として、不適切なものは次のうちどれか。

(1)　入居者等の利用に供する居室が避難階のみに存するものであること。
(2)　壁及び天井（天井のない場合にあっては、屋根）の室内に面する部分（回り縁、窓台その他これらに類する部分を除く。）の仕上げを地上に通ずる主たる廊下その他の通路にあっては準不燃材料で、その他の部分にあっては難燃材料でしたものであること。
(3)　入居者等の利用に供する居室は、直接外気に開放され、かつ、当該部分における火災時に生ずる煙を有効に排出することができる廊下に面していること。
(4)　居室を壁、柱、床及び天井（天井のない場合にあっては、屋根）で区画し、出入口に戸（随時開くことができる自動閉鎖装置付きのものに限る。）を設けたもので、避難が容易な構造を有していること。
(5)　入居者等の避難に要する時間として消防庁長官が定める方法により算定した時間が、火災発生時に確保すべき避難時間として消防庁長官が定める時間を超えないものであること。

要点・解説

　政令別表第１(6)項ロに掲げる防火対象物で延べ面積が100m²未満の小規模な施設のうち、次のいずれかに定める構造を有するものには、スプリンクラー設備の設置を要しないこととされている（規則第12条の２第２項）。

⑴　壁及び天井（天井のない場合にあっては、屋根）の室内に面する部分（回り縁、窓台その他これらに類する部分を除く。）の仕上げを地上に通ずる主たる廊下その他の通路にあっては準不燃材料で、その他の部分にあっては難燃材料でしたもの。

⑵　居室を壁、柱、床及び天井（天井のない場合にあっては、屋根）で区画し、出入口に戸（随時開くことができる自動閉鎖装置付きのものに限る。）を設けたもので、次のイからホまでに適合するもののうち、入居者等の避難に要する時間として消防庁長官が定める方法により算定した時間が、火災発生時に確保すべき避難時間として消防庁長官が定める時間を超えないもの。

イ　規則第23条第４項第１号ニに掲げる場所を除き、自動火災報知設備の感知器は、煙感知器であること。

ロ　入居者等の利用に供する居室に、火災発生時に当該施設の関係者が屋内及び屋外から容易に開放することができる開口部を設けたものであること。

ハ　ロの開口部は、道又は道に通ずる幅員１m以上の通路その他の空地に面したものであること。

ニ　ロの開口部は、その幅、高さ及び下端の床面からの高さその他の形状が、入居者等が内部から容易に避難することを妨げるものでないものであること。

ホ　入居者等の利用に供する居室から２以上の異なった避難経路を確保していること。

⑴　規則第12条の２第２項本文の規定により、**正しい**。
⑵　規則第12条の２第２項第１号の規定により、**正しい**。
⑶　規則第12条の２第３項第２号の規定により、**誤り**。
⑷　規則第12条の２第２項第２号本文前段の規定により、**正しい**。
⑸　規則第12条の２第２項第２号本文後段の規定により、**正しい**。

ポイント

延べ面積が100m²未満の小規模な施設において、スプリンクラー設備の設置が免除される場合の要件に関する知識を問うものである。　【正解　⑶】

チェック □□□

問題89 共同住宅の住戸が消防法施行令（以下「政令」という。）別表第1(6)項ロの用途に供される場合において、スプリンクラー設備の設置を要しないこととされている構造等の要件として、不適切なものは次のうちどれか。

(1) 政令別表第1(6)項ロの用途に供する住戸全体の延べ面積が275m²未満のものであること。
(2) 特定住戸部分の各住戸を耐火構造の壁及び床で区画したものであること。
(3) 壁及び天井（天井のない場合にあっては、屋根）の室内に面する部分（回り縁、窓台その他これらに類する部分を除く。）の仕上げを消防法施行規則第12条の2第3項第2号の廊下に通ずる通路にあっては準不燃材料で、その他の部分にあっては難燃材料でしたものであること。
(4) 居室及び通路に煙感知器を設けたものであること。
(5) 特定住戸部分の各住戸の床の面積が100m²以下であること。

要点・解説

共同住宅の住戸を政令別表第1(6)項ロの用途に供する場合において、(6)項ロの用途に供する住戸全体の延べ面積が275m²未満のもののうち、次の(1)から(7)までの区画を設けたものには、スプリンクラー設備の設置を要しないこととされている（規則第12条の2第3項）。

(1) 特定住戸部分の各住戸を準耐火構造の壁及び床で区画したものであること。
(2) 特定住戸部分の各住戸の主たる出入口が、直接外気に開放され、かつ、当該部分における火災時に生ずる煙を有効に排出することができる廊下に面していること。
(3) (2)の主たる出入口は、規則第12条の2第1項第1号ニの規定による構造を有するものであること。
(4) 壁及び天井（天井のない場合にあっては、屋根）の室内に面する部分（回り縁、窓台その他これらに類する部分を除く。）の仕上げを(2)の廊下に通ずる通路にあっては準不燃材料で、その他の部分にあっては難燃材料でしたものであること。
(5) (2)の廊下に通ずる通路を消防庁長官が定めるところにより設けたものであ

ること。

(6)　居室及び通路に煙感知器を設けたものであること。

(7)　特定住戸部分の各住戸の床の面積が100m²以下であること。

(1)　規則第12条の２第３項本文の規定により、**正しい**。

(2)　規則第12条の２第３項第１号の規定により、**誤り**。

(3)　規則第12条の２第３項第４号の規定により、**正しい**。

(4)　規則第12条の２第３項第６号の規定により、**正しい**。

(5)　規則第12条の２第３項第７号の規定により、**正しい**。

ポイント

共同住宅の住戸を政令別表第１(6)項ロの用途に供する場合において、(6)項ロの用途に供する住戸全体の延べ面積が275m²未満のものについて、スプリンクラー設備の設置が免除される場合の要件に関する知識を問うものである。

【正解　(2)】

チェック □□□

問題90　次は、閉鎖型スプリンクラーヘッドのうち標準型ヘッドの設置方法に関する記述であるが、誤っているものはどれか。

(1)　スプリンクラーヘッドは、当該ヘッドの軸心が当該ヘッドの取付け面に対して直角となるように設けること。

(2)　給排気用ダクト、棚等（以下「ダクト等」という。）でその幅又は奥行が1.2mを超えるものがある場合には、当該ダクト等の下面にもスプリンクラーヘッドを設けること。

(3)　他のスプリンクラーヘッドから散水された水がかかるおそれのある場合には、当該散水を防止するための措置を講ずること。

(4)　乾式又は予作動式の流水検知装置の二次側に設けるスプリンクラーヘッドは、原則として、デフレクターがスプリンクラーヘッドの取付け部より上方になるように取り付けて使用するスプリンクラーヘッドとすること。

(5) スプリンクラーヘッドのデフレクターと当該ヘッドの取付け面との距離は、0.3m以下であること。

要点・解説

(1) 規則第13条の２第４項第１号ニの規定で、**正しい**。
(2) 規則第13条の２第４項第１号ロの規定で、**正しい**。
(3) 規則第13条の２第４項第１号の規定で、**誤り**。
(4) 規則第13条の２第４項第１号トの規定で、**正しい**。
(5) 規則第13条の２第４項第１号ハの規定で、**正しい**。

ポイント

閉鎖型スプリンクラーヘッドのうち標準型ヘッドの設置方法に関する知識を問うものである。

【正解　(3)】

チェック □□□

問題91 次の①～⑤のうち、スプリンクラー設備を設けなければならないラック式倉庫のラック等を設けた部分以外の部分について、消防法施行規則第13条の５第５項第２号の規定により、スプリンクラーヘッドを設けないことができる場所等の記述として、正しいものはいくつあるか。選択肢(1)～(5)の中から正しいものを選べ。

① 階段、浴室、便所その他これらに類する場所
② 通信機器室、電子計算機器室その他これらに類する室
③ 発電機、変圧器その他これらに類する電気設備が設置されている場所
④ ボイラー室、湯沸かし室その他これらに類する室
⑤ 陶磁器製品、ガラス製品その他これらに類する物を展示する場所

---

(1) 1つ
(2) 2つ
(3) 3つ
(4) 4つ
(5) 5つ

要点・解説

ラック等を設けた部分以外の部分についてスプリンクラーヘッドを設けないことができる場所等は、設問①、②及び③に記述する場所等で、④及び⑤に記述する場所等は、スプリンクラーヘッドを設けなければならない（規則第13条の5第5項第2号）。

①　規則第13条の5第5項第2号イの規定で、**正しい**。
②　規則第13条の5第5項第2号ロの規定で、**正しい**。
③　規則第13条の5第5項第2号ハの規定で、**正しい**。
④　規則第13条の5第5項第2号の規定で、**誤り**。
⑤　規則第13条の5第5項第2号の規定で、**誤り**。

したがって、設問①、②及び③の3つが正しいので、選択肢(3)が正解となる。

ポイント

ラック式倉庫の場合、政令第12条第2項第2号ハの規定により、スプリンクラーヘッドの設置については規則第13条の5第5項に規定されている。ラック等を設けた部分以外の部分におけるスプリンクラーヘッドを設けないことができる場所等についての知識について問うものである。　【正解　(3)】

チェック □□□

問題92　**次のうち、泡消火設備の設置及び維持に関する技術上の基準についての記述として、誤っているものはどれか。**

---

(1)　高発泡用泡放出口を用いる泡消火設備には、泡の放出を停止するための装置を設けなければならない。
(2)　道路の用に供される部分（屋上の部分に設けられるものを除く。）には、移動式の泡消火設備を設けなければならない。
(3)　移動式の泡消火設備に用いる泡消火薬剤は、低発泡のものとしなければならない。
(4)　火災のときに著しく煙が充満するおそれのある場所に設ける泡消火設

備は、固定式のものとしなければならない。
(5)　移動式の泡消火設備で、泡放射用器具を格納する箱の上部には赤色の灯火を設けなければならない。

要点・解説

泡消火設備の設置及び維持に関する技術上の基準の細目は、規則第18条第４項で規定されている。

(1)　規則第18条第４項第11号の規定で、**正しい**。
(2)　規則第18条第４項第１号の２の規定で、**誤り**。
(3)　規則第18条第４項第３号の規定で、**正しい**。
(4)　規則第18条第４項第１号の規定で、**正しい**。
(5)　規則第18条第４項第４号ロの規定で、**正しい**。

ポイント

泡消火設備の設置及び維持に関する技術上の基準について問うものである。特に、防護対象物の種類又は火災時に発生する煙が充満するおそれがあるかどうか等に応じ、固定式の泡消火設備としなければならないのかどうか、移動式のものとすることができるかどうか等の基準について問うものである。

【正解　(2)】

チェック □□□

問題93　**次のうち、消防法第17条第１項の規定に基づく「不活性ガス消火設備」の技術上の基準に関する記述として、誤っているものはどれか。**

(1)　全域放出方式の噴射ヘッドは、放射された消火剤が防護区画の全域に均一に、かつ、速やかに拡散することができるように設けられている。
(2)　二酸化炭素を放射する不活性ガス消火設備のうち、高圧式のもの（二酸化炭素が常温で容器に貯蔵されているものをいう。）の噴射ヘッドの放射圧力は、1.4MPa以上とされている。
(3)　全域放出方式である不活性ガス消火設備の消火剤にIG－55（窒素と

アルゴンとの容量比が50対50の混合物をいう。以下同じ。）を用いる消火剤の量は、防護区画の体積１m³当たり0.477以上0.562以下の量の割合となるように計算されている。
(4)　常時人がいない部分以外の部分に、消火剤としてIG－55を用いる場合は、全域放出方式の不活性ガス消火設備が設けられている。
(5)　IG－55を放射する不活性ガス消火設備の起動装置は、自動式のものとする。

要点・解説

常時人がいない部分以外の部分には、安全の確保の観点から、全域放出方式又は局所放出方式の不活性ガス消火設備を設けてはならないこととされている。

(1)　規則第19条第２項第１号の規定で、**正しい**。
(2)　規則第19条第２項第２号イの規定で、**正しい**。
(3)　規則第19条第４項第１号ロの規定で、**正しい**。
(4)　規則第19条第５項第１号の２の規定で、**誤り**。
(5)　規則第19条第５項第14号ロの規定で、**正しい**。

ポイント

不活性ガスが放射された場合の安全性を確保するため、当該消火設備の設置場所に応じて、消火設備の放出方式について制限する規定が設けられている等保安の確保についての知識について問うものである。　【正解　(4)】

チェック □□□

問題94　**次は、二酸化炭素を放射する全域放出方式の不活性ガス消火設備の保安のための措置に関する記述であるが、誤っているものはどれか。**

(1)　集合管（集合管に選択弁を設ける場合にあっては、貯蔵容器と選択弁の間に限る。）又は操作管（起動用ガス容器と貯蔵容器の間に限る。）に消防庁長官が定める基準に適合する閉止弁を設けること。
(2)　二酸化炭素を貯蔵する貯蔵容器を設ける場所及び防護区画の出入口等

の見やすい箇所に「二酸化炭素が人体に危害を及ぼすおそれがあること。」を表示した標識を設けること。

(3)　自動式の起動装置には、自動火災報知設備の感知器の作動から貯蔵容器の容器弁又は放出弁の開放までの時間が20秒以上となる遅延装置を設けること。

(4)　防護区画の出入口等の見やすい箇所に消火剤が放出された旨を表示する表示灯を設けること。

(5)　起動装置の放出用スイッチ、引き栓等の作動から貯蔵容器の容器弁又は放出弁の開放までの時間が20秒以上となる遅延装置を設けること。

要点・解説

全域放出方式の不活性ガス消火設備のうち二酸化炭素を放射するものは、防護区画内に人がいた場合の避難時間や誤放出をした場合の緊急措置、防護区画内にガスが放出された場合さらには特種な消火設備が設けられていることを周知するために、保安のための措置を講じることとされている（規則第19条第５項第19号）。

(1)　規則第19条第５項第19号イ（ハ）の規定で、**正しい**。
(2)　規則第19条第５項第19号イ（ホ）の規定で、**正しい**。
(3)　規則第19条第５項第16号イ（ロ）の規定で、**誤り**。
(4)　規則第19条第５項第19号イ（ニ）の規定で、**正しい**。
(5)　規則第19条第５項第19号イ（イ）の規定で、**正しい**。

ポイント

二酸化炭素を放射する全域放出方式の不活性ガス消火設備の保安のための措置に関する知識を問うものである。

【正解　(3)】

チェック □□□

問題95 **次は、全域放出方式の不活性ガス消火設備うち、二酸化炭素を放射するものを設置した防護区画に隣接する部分における保安のための措置に関する記述であるが、誤っているものはどれか。**

---

(1)　二酸化炭素を放射するものを設置した防護区画と当該防護区画に隣接する部分（以下「防護区画に隣接する部分」という。）を区画する壁、柱、床又は天井（以下「壁等」という。）に開口部が存する場合が対象となる。

(2)　消火剤を安全な場所に排出するための措置を講じること。

(3)　音響警報装置は、手動又は自動による起動装置の操作又は作動と連動して自動的に警報を発するものであり、かつ、消火剤放射前に遮断されないものであること。

(4)　この保安のための措置は、防護区画において放出された消火剤が開口部から防護区画に隣接する部分に流入するおそれがない場合又は保安上の危険性がない場合にあっては、講じる必要はないとされている。

(5)　防護区画に隣接する部分の出入口等及び防護区画と防護区画に隣接する部分を区画する壁等に存する出入口等の見やすい箇所に防護区画内で消火剤が放出された旨を表示する表示灯を設けること。

要点・解説

全域放出方式の不活性ガス消火設備うち、二酸化炭素を放射するものを設置した防護区画と当該防護区画に隣接する部分を区画する壁、柱、床又は天井に開口部が存する場合にあっては、当該開口部から二酸化炭素が漏洩するおそれがあることから、隣接する部分においても保安のための措置を講じる必要がある。

ただし、防護区画において放出された消火剤が開口部から防護区画に隣接する部分に流入するおそれがない場合又は保安上の危険性がない場合にあっては、この措置を講じる必要はないとされている（規則第19条第５項第19号の２）。

(1)　規則第19条第５項第19号の２本文の規定で、**正しい**。

(2)　規則第19条第５項第19号の２イの規定で、**正しい**。

(3)　規則第19条第５項第19号の２ハで準用する同項第17号イの規定で、**正しい**。

⑷　規則第19条第５項第19号の２本文ただし書の規定で、**正しい**。

⑸　規則第19条第５項第19号の２ロの規定で、**誤り**。

ポイント

全域放出方式の不活性ガス消火設備のうち、二酸化炭素を放射するものを設置した防護区画に隣接する部分における保安のための措置に関する知識を問うものである。

【正解　⑸】

チェック □□□

問題96　**次は、二酸化炭素を放射する全域放出方式の不活性ガス消火設備の維持に関する技術上の基準に関する記述であるが、誤っているものはどれか。**

⑴　制御盤の付近に設備の構造並びに工事、整備及び点検時においてとるべき措置の具体的内容及び手順を定めた図書を備えておくこと。

⑵　自動手動切替え装置は、工事、整備、点検その他の特別の事情により防護区画内に人が立ち入る場合は、手動状態に維持すること。

⑶　開閉弁の直近の見やすい箇所に、その開閉状態について「常時開放し点検時に閉止する旨」の表示をした標識を設けること。

⑷　閉止弁は、工事、整備、点検その他の特別の事情により防護区画内に人が立ち入る場合は、閉止された状態であること。

⑸　消火剤が放射された場合は、防護区画内の消火剤が排出されるまでの間、当該防護区画内に人が立ち入らないように維持すること。

要点・解説

二酸化炭素を放射する全域放出方式の不活性ガス消火設備の維持に関する技術上の基準は規則第19条に定めるもののほか、規則第19条の２に定められている。なお、この規定は、二酸化炭素消火設備に係る事故が工事、整備、点検等の際に発生していることから、これらの再発防止策等を踏まえ、規定されている。

⑴　規則第19条の２第４号の規定で、**正しい**。

(2)　規則第19条の2第2号の規定で、**正しい**。

(3)　規則第19条及び規則第19条の2に規定されていないことから、**誤り**。

(4)　規則第19条の2第1号イの規定で、**正しい**。

(5)　規則第19条の2第3号の規定で、**正しい**。

ポイント

二酸化炭素を放射する全域放出方式の不活性ガス消火設備の維持に関する技術上の基準に関する知識を問うものである。

【正解　(3)】

チェック □□□

問題97　**次は、消防法施行規則第23条第4項第7号に規定する自動火災報知設備の煙感知器（光電式分離型感知器を除く。）の設置基準に関する記述であるが、誤っているものはどれか。**

---

(1)　天井が低い居室又は狭い居室にあっては、入口付近に設けることとされている。

(2)　天井付近に排気口のある居室にあっては、当該排気口付近に設けることとされている。

(3)　感知器の下端は、取付け面の下方0.6m以内の位置に設けることとされている。

(4)　感知器は、壁又ははりから0.6m以上離れた位置に設けることとされている。

(5)　1種及び2種の感知器を廊下、通路、階段及び傾斜路を除く取付け面の高さが4m未満の場所に設ける場合には、感知区域ごとに床面積が150m^2につき1個以上の個数を、火災を有効に感知するように設けることとされている。

要点・解説

天井付近に吸気口のある居室にあっては、当該吸気口付近に設けることと規定されている（規則第23条第4項第7号ロ）。

(1)　規則第23条第４項第７号イの規定で、**正しい**。
(2)　規則第23条第４項第７号ロの規定で、**誤り**。
(3)　規則第23条第４項第７号ハの規定で、**正しい**。
(4)　規則第23条第４項第７号ニの規定で、**正しい**。
(5)　規則第23条第４項第７号ホの規定で、**正しい**。

ポイント

自動火災報知設備の感知器の設置は、防火対象物やその部分によって種類や設置基準が定められており、その設置基準についての知識について問うものである。

【正解　(2)】

チェック

問題98　**次のうち、消防法施行令（以下「政令」という。）第21条第１項（第12号を除く。）の規定により、自動火災報知設備を設置しなければならない防火対象物又はその部分の場所に設ける感知器の記述として、誤っているものはどれか。**

---

(1)　階段及び傾斜路、エレベーターの昇降路、リネンシュート、パイプダクトその他これらに類する場所にあっては、定温式感知器
(2)　廊下及び通路（政令別表第１(1)項から(6)項まで、(9)項、(12)項、(15)項、(16)項イ、（16の２）項及び（16の３）項に掲げる防火対象物の部分に限る。）及び遊興のための設備又は物品を客に利用させる役務の用に供する個室（これに類する施設を含む。）（政令別表第１(2)項ニ、(16)項イ、（16の２）項及び（16の３）項に掲げる防火対象物（同表(16)項イ、（16の２）項及び（16の３）項に掲げる防火対象物にあっては、同表(2)項ニに掲げる防火対象物の用途に供される部分に限る。）の部分に限る。）の場所にあっては、煙感知器又は熱煙複合式スポット型感知器
(3)　感知器を設置する区域の天井等の高さが15m以上20m未満の場所にあっては、煙感知器又は炎感知器
(4)　感知器を設置する区域の天井等の高さが20m以上の場所にあっては、炎感知器

(5)　選択肢(1)から(4)までの場所以外の地階、無窓階及び11階以上の部分（政令別表第１(1)項から(4)項まで、(5)項イ、(6)項、(9)項イ、(15)項、(16)項イ、（16の２）項及び（16の３）項に掲げる防火対象物又はその部分に限る。）の場所にあっては、煙感知器、熱煙複合式スポット型感知器又は炎感知器

要点・解説

選択肢(1)の場所にあっては、煙感知器を設置しなければならない（規則第23条第５項）。なお、選択肢(1)から(5)までの場所以外の場所にあっては、規則第23条第６項を参照。

(1)　規則第23条第５項第１号及び第３号の規定で、**誤り**。
(2)　規則第23条第５項第２号及び第３号の２の規定で、**正しい**。
(3)　規則第23条第５項第４号の規定で、**正しい**。
(4)　規則第23条第５項第５号の規定で、**正しい**。
(5)　規則第23条第５項第６号の規定で、**正しい**。

ポイント

感知器の種類とその適応場所についての知識について問うものである。

【正解　(1)】

チェック □□□

問題99　**次は、消防機関に通報する火災報知設備に関する記述であるが、誤っているものはどれか。**

(1)　自動火災報知設備の感知器の作動と連動して起動する火災通報装置を設置しなければならない防火対象物には、消防法施行令別表第１(6)項イ及びロが含まれる。
(2)　火災通報装置は、防災センター等に設置する。
(3)　消防機関へ常時通報することができる電話を設置しても、消防機関に通報する火災報知設備の設置が免除されないものには、消防法施行令別

表第１(5)項イが含まれる。
(4)　電源は、原則として、蓄電池又は交流低圧屋内幹線から他の配線を分岐させずにとることとされている。
(5)　消防機関へ通報する火災報知設備は、原則として、設置対象防火対象物が消防機関からの歩行距離が500m以下である場所にある場合にあっては、設置が免除される。

要点・解説

消防機関へ通報する火災報知設備には、①火災通報装置と②火災通報装置以外のもの（M型発信機・M型受信機）があるが、現在では、①が主流となっており、②の設置事例はない。

火災通報装置の起動方法は、次によることとされている（規則第25条第３項第５号）。

政令別表第１(6)項イ(1)及び(2)並びにロ、⒃項イ、（16の２）項並びに（16の３）項に掲げる防火対象物（同表⒃項イ、（16の２）項及び（16の３）項に掲げる防火対象物にあっては、同表(6)項イ(1)若しくは(2)又はロに掲げる防火対象物の用途に供される部分が存するものに限る。）に設ける火災通報装置にあっては、自動火災報知設備の感知器の作動と連動して起動すること。

ただし、自動火災報知設備の受信機及び火災通報装置が防災センター（常時人がいるものに限る。）に設置されるものにあっては、この限りでない。

(1)　規則第25条第３項第５号の規定で、**誤り**。
(2)　規則第25条第２項第１号の規定で、**正しい**。
(3)　政令第23条第３項の規定で、**正しい**。
(4)　規則第25条第３項第４号の規定で、**正しい**。
(5)　規則第25条第１項第２号の規定で、**正しい**。

ポイント

消防機関に通報する火災報知設備は、火災を消防機関に直接通報できるものである。その設置及び維持に係る基準についての知識を問うものであり、設置対象、設置が免除される場合等に関する規定を覚えておく必要がある。

【正解　(1)】

チェック □□□

問題100 次は、避難器具の設置免除に関する記述であるが、誤っているものはどれか。

---

(1) 防火対象物の階に避難器具を設置しないことができる防火対象物の特定主要構造部は、耐火構造でなければならない。
(2) 居室の外気に面する部分にバルコニー等が避難上有効に設けられており、かつ、当該バルコニー等から地上に通ずる階段その他の避難のための設備若しくは器具が設けられ、又は他の建築物に通ずる設備若しくは器具が設けられている場合には、当該階に避難器具を設置しないことができる場合がある。
(3) 小規模特定用途複合防火対象物の消防法施行令別表第1(6)項を有する階にあっては、避難器具を設置しないことができる要件のうち、収容人員に関しては20人未満の場合とされている。
(4) 一定の要件を満たす屋上広場の直下階は、当該階の用途にかかわらず避難器具を設置しないことができる。
(5) 一定の要件を満たすいわゆる階段室型共同住宅にあっては、避難器具を設置しないことができる。

要点・解説

避難器具を設置する場合において、当該防火対象物の状況に応じ、設置すべき避難器具の免除や個数が減免される（規則第26条）。

特定主要構造部が耐火構造の防火対象物が、条件を満足する屋上広場を有する場合、その屋上広場の直下階には避難器具を設置しないことができる。

ただし、その階から屋上広場に通ずる避難階段又は特別避難階段が2以上設けられている必要がある。また、その階の用途が政令別表第1(1)項及び(4)項である場合は、この規定は適用することができない（規則第26条第7項）。

(1) 規則第26条第5項各号の規定で、**正しい**。
(2) 規則第26条第5項第2号の規定で、**正しい**。
(3) 規則第26条第6項第3号の規定で、**正しい**。
(4) 規則第26条第7項の規定で、**誤り**。

⑸　規則第26条第５項第３号の規定で、**正しい**。

ポイント

避難器具の設置免除に関する知識を問うものであり、政令第25条第２項及び規則第26条に係る規定を正確に把握しておくことが必要である。

【正解　⑷】

チェック □□□

問題101　**次は、消防法令等に規定する一般的な「消火器」に関する記述であるが、誤っているものはどれか。**

⑴　強化液消火器の消火作用は、冷却作用のほか、窒息（希釈）作用、抑制作用があり、再燃防止、火勢の抑制や透視性に優れているとされている。

⑵　蓄圧式の消火器には、指示圧力計が設けてあり、適正な圧力は圧力計の指針が緑色の範囲内（0.7～0.98MPa）にあることが必要であるとされている。

⑶　消火器の種類には、強化液消火器、二酸化炭素消火器、ハロゲン化物消火器、粉末消火器、化学泡消火器、機械泡消火器等がある。

⑷　加圧式の消火器は、加圧用のガスボンベが消火器本体の内部（外部に設けたものもある。）に設置されており、レバーを握ると加圧用ガスボンベの封が破られ、消火器本体内部に気化したガスの圧力が高まり、消火剤が放出される。

⑸　二酸化炭素消火器は、二酸化炭素（CO_2）を液化させ、液化炭酸の状態で消火器容器内に充てんされているが、消火器容器については、圧力の関係から高圧ガス保安法の適用が除外されている。

要点・解説

二酸化炭素消火器の容器は、高圧ガス保安法（高圧ガスは、圧力１MPa以上の圧縮ガス又は圧力0.2MPa以上の液化ガスをいう。）の適用を受けるため、高圧ガス保安法の基準に従って製造されており、容器証明書の交付を受けたものでなければならない。

また、二酸化炭素消火器に充てんされた消火薬剤は、JIS K 1106の２種又は３種に適合する液化二酸化炭素で、容器には安全弁が設けられ、外部は半分以上が緑色に塗色されている。

⑴　強化液消火器は、消火器の技術上の規格を定める省令（昭和39年自治省令第27号（以下「27号省令」という。））第１条の２第６号に強化液消火薬剤（浸潤剤等を混和し、又は添加したものを含む。）を圧力により放射して消火する消火器をいうとされ、強化液消火器の特徴について説明したもので、設問のとおりで、**正しい**。

⑵　蓄圧式の消火器は、27号省令第28条に内部圧力を示す指示圧力計（ゲージ）の取り付けが義務付けられており、設問のとおりで、**正しい**。

⑶　消火器には、消火薬剤による分類、消火薬剤の放射方式による分類、消火器の形態による分類等があるが、国内に普及しているものとしては強化液消火器、粉末消火器、機械泡消火器等があり、設問のとおりで、**正しい**。

⑷　加圧式の消火器は、27号省令第１条の２第11号では、加圧用ガス容器の作動、化学反応又は手動ポンプの操作により生ずる圧力により消火剤を放射するものをいうと規定され、設問のとおりで、**正しい**。

⑸　要点・解説のとおりで、**誤り**。

ポイント

消火器は、その種別、類別によって使用目的、適応消火対象物が異なるから、その性能等を確認しておくことが必要であり、これらの知識について問うものである。

【正解　⑸】

チェック □□□

問題102　**次は、連動型警報機能付感知器についての記述であるが、誤っているものはどれか。**

⑴　連動型警報機能付感知器とは、警報機能付感知器で、火災の発生を感知した場合に火災信号を他の感知器に発信する機能及び他の感知器から

の火災信号を受信した場合に火災警報を発する機能を有するものをいう。
(2)　警報を10分間以上継続して発することができるものであること。
(3)　警報音の音圧は、定格電圧の85%（供給される電力に係る電圧変動の範囲を指定する受信機若しくは中継器に接続するもの又は受信機若しくは中継器から電力を供給されないものにあっては、指定された範囲の下限値）の電圧において、無響室で警報部の中心から前方１m離れた地点で測定した値が、65dB以上であること。
(4)　火災信号又は火災情報信号を発信する端子以外から電力を供給される感知器（電源に電池を用いるものを除く。）で、電力の供給が停止した場合、その旨の信号を発信できないものは、特定小規模施設用自動火災報知設備以外の自動火災報知設備に用いることができない。
(5)　火災信号を、他の連動型警報機能付感知器から確実に受信することができるものであること。

要点・解説

連動型警報機能付感知器の構造及び設備に関する基準は、「火災報知設備の感知器及び発信機に係る技術上の規格を定める省令」（昭和56年自治省令第17号（以下「17号省令」という。））で規定されている。警報音の音圧については、定格電圧の85%（供給される電力に係る電圧変動の範囲を指定する受信機若しくは中継器に接続するもの又は受信機若しくは中継器から電力を供給されないものにあっては、指定された範囲の下限値）の電圧において、無響室で警報部の中心から前方１m離れた地点で測定した値が、70dB以上であることとされている。

(1)　17号省令第２条第19号の６の規定で、**正しい**。
(2)　17号省令第８条第18号で準用する第17号イの規定で、**正しい**。
(3)　17号省令第８条第18号で準用する第17号ロの規定で、**誤り**。
(4)　17号省令第８条第14号の規定で、**正しい**。
(5)　17号省令第８条第18号ロの規定で、**正しい**。

ポイント

連動型警報機能付感知器の構造及び設備についての知識について問うものである。

【正解　(3)】

チェック □□□

問題103 次は、「警報機能付感知器」又は「連動型警報機能付感知器」に関する記述であるが、誤っているものはどれか。

(1) 警報機能付感知器は、警報を10分間以上継続できなければならない。
(2) 連動型警報機能付感知器の電源に電池を用いることはできない。
(3) 連動型警報機能付感知器は、火災信号を他の連動型警報機能付感知器から確実に受信することができるものでなければならない。
(4) 警報機能付感知器の警報音の音圧は、定格電圧の85%（供給される電力に係る電圧変動の範囲を指定する受信機若しくは中継器に接続するもの又は受信機若しくは中継器から電力を供給されないものにあっては、指定された範囲の下限値）の電圧において、無響室で警報部の中心から前方１m離れた地点で測定した値が、70dB以上でなければならない。
(5) 警報機能付感知器は、スイッチの操作により火災警報を停止することのできるものにあっては、スイッチの操作により火災警報を停止したとき、15分以内に自動的に適正な監視状態に復旧するものでなければならない。

要点・解説

「警報機能付感知器」又は「連動型警報機能付感知器」の構造及び機能については「火災報知設備の感知器及び発信機に係る技術上の規格を定める省令」（昭和56年自治省令第17号（以下「17号省令」という。））第８条第17号及び第18号に規定されている。

選択肢(2)の連動型警報機能付感知器の電源に電池を用いることは可能で、その場合は、①電池の交換が容易にできること、②電池の電圧が感知器を有効に作動できる電圧の下限値となったことを72時間以上点滅表示等により自動的に表示し、又はその旨を72時間以上音響により伝達することができることとされている。

(1) 17号省令第８条第17号イの規定で、**正しい**。
(2) 17号省令第８条第18号ニの規定で、**誤り**。
(3) 17号省令第８条第18号ロの規定で、**正しい**。
(4) 17号省令第８条第17号ロの規定で、**正しい**。

(5)　17号省令第８条第17号ハの規定で、**正しい**。

ポイント

警報機能付感知器及び連動型警報機能付感知器の機能及び構造についての知識について問うものである。【正解　(2)】

チェック□□□

問題104　次は、消防法施行規則（以下「規則」という。）第24条の２の３第２項に規定するガス漏れ火災警報設備に用いるガス漏れ検知器（以下「検知器」という。）に関する記述であるが、誤っているものはどれか。

---

(1)　規則で定める温泉の採取のための設備を設ける場合の検知器にあっては、ガスの濃度が爆発下限界の４分の１以上になったときに確実に作動するものであること。
(2)　規則で定める温泉の採取のための設備を設ける場合の検知器にあっては、ガスの濃度が爆発下限界の200分の１以下のときに作動しないこと。
(3)　ガス漏れの発生を音響により警報する機能を有するものにあっては、通電状態にあることを容易に確認できる通電表示灯を有すること。
(4)　電磁継電器の接点は、密閉構造で、かつ、外部負荷と兼用されていないこと。
(5)　規則で定める温泉の採取のための設備を設ける場合の検知器にあっては、ガスの濃度を指示するための装置を設けるとともに、当該指示された値を校正することができるものであること。

要点・解説

検知器は、ガスの濃度が爆発下限界の４分の１（規則で定める温泉の採取のための設備を設ける場合の検知器にあっては10分の１）以上になったときに、確実に作動するものでなければならないこととされている。

(1)　ガス漏れ検知器並びに液化石油ガスを検知対象とするガス漏れ火災警報設備に使用する中継器及び受信機の基準（昭和56年消防庁告示第２号（以下

「２号告示」という。））第３第２号(1)の規定で、**誤り**。

(2)　２号告示第３第２号(1)の規定で、**正しい**。

(3)　２号告示第３第１号(6)の規定で、**正しい**。

(4)　２号告示第３第１号(16)の規定で、**正しい**。

(5)　２号告示第３第２号(6)の規定で、**正しい**。

ポイント

ガス漏れ検知器の構造及び性能についての知識について問うものである。

【正解　(1)】

チェック □□□

問題105　**次は、消防法施行令第26条において通路誘導灯の設置が義務付けられている防火対象物の地階に設ける通路誘導灯を補完するために設ける蓄光式誘導標識の設置及び維持に関する基準に関する記述であるが、誤っているものはどれか。**

---

(1)　設置する蓄光式誘導標識は、中輝度蓄光式誘導標識又は高輝度蓄光式誘導標識とすること。

(2)　蓄光式誘導標識は、床面又はその直近に設けること。

(3)　蓄光式誘導標識の周囲には、蓄光式誘導標識と紛らわしい又は蓄光式誘導標識を遮る広告物、掲示板等を設けないこと。

(4)　廊下及び通路の各部分から一の蓄光式誘導標識までの歩行距離が7.5m以下となる箇所及び曲がり角に設けること。

(5)　性能を保持するために必要な照度が採光又は照明により確保されている箇所に設けること。

要点・解説

蓄光式誘導標識の設置及び維持に関する基準は、「誘導灯及び誘導標識の基準」（平成11年消防庁告示第２号（以下「告示基準」という。））で規定されている。

(1)　告示基準第３の２第１号の規定で、**誤り**。

(2) 告示基準第3の2第2号の規定で、**正しい**。
(3) 告示基準第3の2第5号の規定で、**正しい**。
(4) 告示基準第3の2第3号の規定で、**正しい**。
(5) 告示基準第3の2第4号の規定で、**正しい**。

ポイント

蓄光式誘導標識の種類として、高輝度蓄光式誘導標識及び中輝度蓄光式誘導標識があり、これらの設置及び維持に関する基準並びに構造及び性能については、告示基準で規定されている。この規定において「通路誘導灯」を補完するために設ける「蓄光式誘導標識」の知識について問うものである。

【正解 (1)】

チェック □□□

問題106 **「必要とされる防火安全性能を有する消防の用に供する設備等に関する省令」の規定に基づき規定される「パッケージ型自動消火設備の設置及び維持に関する技術上の基準」（平成16年消防庁告示第13号）に関する記述として、誤っているものは、次のうちどれか。**

(1) パッケージ型自動消火設備は、Ⅰ型のものとⅡ型のものの2種類の消火設備について規定されている。
(2) パッケージ型自動消火設備は、同時放射区域において発生した火災を有効に感知し、かつ、消火できるように設置すること。
(3) パッケージ型自動消火設備は、当該設備の防護面積（2以上のパッケージ型自動消火設備を組み合わせて使用する場合にあっては、当該設備の防護面積の合計）が各同時放射区域の面積以上であること。
(4) 壁、床、天井、戸等で区画されている居室等の面積が20m²を超えている場合においては、同時放射区域を2以上に分割して、設定することができること。
(5) 同時放射区域を2以上のパッケージ型自動消火設備により防護する場合にあっては、同時に放射できるように作動装置等を連動させること。

要点・解説

「パッケージ型自動消火設備の設置及び維持に関する技術上の基準」については、平成16年消防庁告示第13号（以下「13号告示」という。）で規定されている。第4第2号に「壁、床、天井、戸等で区画されている居室等の面積が13m²を超えている場合においては、同時放射区域を2以上に分割して、設定することができること」と規定されている。

(1)　13号告示第3の規定で、**正しい**。
(2)　13号告示第4第4号の規定で、**正しい**。
(3)　13号告示第4第3号の規定で、**正しい**。
(4)　13号告示第4第2号の規定で、**誤り**。
(5)　13号告示第4第5号の規定で、**正しい**。

ポイント

パッケージ型自動消火設備の基準の知識を問うものである。　【正解　(4)】

チェック □□□

問題107　**次は、消防法令に基づき設置される「総合操作盤」の機能及び構造に関する記述であるが、誤っているものはどれか。**

(1)　総合操作盤は、表示部、操作部、制御部、記録部及び附属設備で構成されるものである。
(2)　電源部は、最大負荷に連続して耐えられる容量としなければならない。
(3)　入力信号及び制御内容に対応した十分な処理能力を有するものでなければならない。
(4)　予備電源又は非常電源が附置されているものとし、予備電源又は非常電源への切替えは手動で行えるものでなければならない。
(5)　保守点検時に使用する表示部及び操作部には、その旨を明確に表示し、誤認及び誤操作を防止するための措置が講じられたものでなければならない。

要点・解説

スプリンクラー設備、自動火災報知設備等の消防用設備等を設置する防火対象物で、一定の防火対象物には、総合操作盤の設置が義務付けられている。この場合の「総合操作盤」の機能、構造等については、「総合操作盤の基準を定める件」（平成16年消防庁告示第７号（以下「７号告示」という。））で規定されており、当該基準に適合するものでなければならないとされている。この基準の第２第８号で、総合操作盤には「予備電源又は非常電源が附置されていること。なお、予備電源又は非常電源への切替えは、自動的に行い…（省略）…。」と規定されている。

(1)　７号告示第２第１号の規定で、**正しい**。
(2)　７号告示第２第15号の規定で、**正しい**。
(3)　７号告示第２第17号の規定で、**正しい**。
(4)　７号告示第２第８号の規定で、**誤り**。
(5)　７号告示第２第13号の規定で、**正しい**。

ポイント

消防用設備等の技術基準において、一定の防火対象物に設置する一定の消防用設備等の監視、操作等を行うために設置する「総合操作盤の基準」についての知識について問うものである。
【正解　(4)】

チェック □□□

問題108　**次は、必要とされる防火安全性能を有する消防の用に供する設備等に関する省令（平成16年総務省令第92号）第２条第２項に規定されている「パッケージ型自動消火設備」に関する記述であるが、誤っているものはどれか。**

(1)　作動信号を受信する受信装置にあっては、当該作動信号を受信した場合には、作動装置等が起動した区域等を表示することができれば、必ずしも当該表示が火災の発生した警戒区域に係る表示と識別することができる措置を講じなくてもよいこととされている。

(2) 作動装置は、起動信号により自動的に弁等を開放し、消火薬剤を放射できるものとしなければならない。

(3) パッケージ型自動消火設備には、その機能に有害な影響を及ぼすおそれのある附属装置を設けてはならないこととされている。

(4) 中継装置とは、火災信号、起動信号又は作動装置等が作動した旨の信号を受信し、及び発信する装置をいう。

(5) 共用する２以上の同時放射区域にそれぞれ対応する警戒区域において発生した火災を有効に感知することができ、かつ、火災が発生した同時放射区域に有効に消火薬剤を放射できるパッケージ型自動消火設備を用いなければならない。

要点・解説

(1) パッケージ型自動消火設備の設置及び維持に関する技術上の基準を定める件（平成16年消防庁告示第13号（以下「13号告示」という。））第11第７号の規定で、「作動信号を受信するものにあっては、当該作動信号を受信した場合には、作動装置等が起動した区域等を表示し、かつ、当該表示が火災の発生した警戒区域に係る表示と識別することができる措置を講ずること」とされており、**誤り**。

(2) 13号告示第10第２号の規定で、**正しい**。

(3) 13号告示第６第15号の規定で、**正しい**。

(4) 13号告示第２第11号の規定で、**正しい**。

(5) 13号告示第４第６号(2)の規定で、**正しい**。

ポイント

パッケージ型自動消火設備の設置及び維持に関する技術上の基準を定める件（平成16年消防庁告示第13号）についての知識を問うものである。

【正解　(1)】

チェック □□□

問題109 **住宅用防災警報器又は住宅用防災報知設備に関する記述として、誤っているものは次のうちどれか。**

⑴　自動試験機能を有する住宅用防災警報器にあっては、機能が異常になったことを72時間以上点滅表示等により自動的に表示し、又はその旨を72時間以上音響により伝達することができるものでなければならない。
⑵　火災の発生を感知した連動型住宅用防災警報器の火災警報を、それ以外の連動型住宅用防災警報器のスイッチ操作により停止できないものでなければならない。
⑶　電波を受信する機能を有する住宅用防災警報器の無線設備にあっては、当該住宅用防災警報器から２m離れた位置から発信される信号を受信できる最低の電界強度の値が設計値以下でなければならない。
⑷　接点間隔の調整部その他の調整部は、調整後変動しないように固定されていなければならない。
⑸　スイッチの操作により火災警報を停止することができる連動型住宅用防災警報器にあっては、スイッチの操作により火災警報を停止した場合において、15分以内に自動的に適正な監視状態に復旧するものでなければならない。

要点・解説

平成25年３月「住宅用防災警報器及び住宅用防災報知設備に係る技術上の規格を定める省令」（平成17年総務省令第11号（以下「省令」という。））についての一部改正がなされているが、改正後の当該省令についての問題である。

⑴　省令第３条第16号ハの規定で、**正しい**。
⑵　省令第３条第20号ニ(ロ)の規定で、**正しい**。
⑶　省令第３条第20号ホ(ハ)の規定で、当該住宅用防災警報器から３m離れた位置から発信される信号を受信できる最低の電界強度の値が設計値以下であることと規定されており、**誤り**。
⑷　省令第３条第18号の規定で、**正しい**。
⑸　省令第３条第20号ニ(イ)の規定で、**正しい**。

ポイント

平成25年３月27日「住宅用防災警報器及び住宅用防災報知設備に係る技術上の規格を定める省令等の一部を改正する省令」（平成25年総務省令第25号）が公布されているが、この規定の内容について問うものである。【正解　(3)】

チェック□□□

問題110　次は、消防法施行令第29条の４第１項の規定に基づく、特定共同住宅等に関する記述であるが、誤っているものはどれか。

(1)　「住戸等」とは、特定共同住宅等の住戸（下宿の宿泊室、寄宿舎の寝室及び各独立部分で消防法施行令別表第１(5)項イ並びに(6)項ロ及びハに掲げる防火対象物の用途に供されるものを含む。）、共用室、管理人室、倉庫、機械室その他これらに類する室をいう。

(2)　「開放型階段」とは、直接外気に開放され、かつ、特定共同住宅等における火災時に生ずる煙を有効に排出することができる階段をいう。

(3)　「共用部分」とは、特定共同住宅等の廊下、階段、エレベーターホール、エントランスホール、駐車場その他これらに類する特定共同住宅等の部分であって、住戸等以外の部分をいう。

(4)　「二方向避難型特定共同住宅等」とは、特定共同住宅等における火災時に、すべての住戸、共用室及び管理人室から、少なくとも一以上の避難経路を利用して安全に避難できるようにするため、避難階又は地上に通ずる二以上の異なった避難経路を確保し、かつ、その主たる出入口が開放型廊下又は開放型階段に面していることにより、特定共同住宅等における火災時に生ずる煙を有効に排出することができる特定共同住宅等として消防庁長官が定める構造を有するものをいう。

(5)　「共用室」とは、特定共同住宅等において、居住者が集会、談話等の用に供する室をいう。

要点・解説

「二方向避難型特定共同住宅等」とは、特定共同住宅等における火災時に、すべての住戸、共用室及び管理人室から、少なくとも一以上の避難経路を利用して安全に避難できるようにするため、避難階又は地上に通ずる二以上の異なった避難経路を確保している特定共同住宅等として消防庁長官が定める構造を有するものをいう。

(1) 特定共同住宅等における必要とされる防火安全性能を有する消防の用に供する設備等に関する省令（平成17年総務省令第40号（以下「40号省令」という。））第２条第２号の規定で、**正しい**。
(2) 40号省令第２条第７号の規定で、**正しい**。
(3) 40号省令第２条第４号の規定で、**正しい**。
(4) 40号省令第２条第８号の規定で、**誤り**。
(5) 40号省令第２条第３号の規定で、**正しい**。

ポイント

40号省令で規定されている「用語の意義」についての知識について問うものである。

【正解 (4)】

チェック □□□

問題111 次のうち、消防法施行令第29条の４第１項に規定する「必要とされる防火安全性能を有する消防の用に供する設備等」についての特定共同住宅等に関する記述として、誤っているものはどれか。

(1) 「住戸等」とは、特定共同住宅等の住戸（下宿の宿泊室、寄宿舎の寝室及び各独立部分で消防法施行令別表第１(5)項イ並びに(6)項ロ及びハに掲げる防火対象物の用途に供されるものを含む。）、共用室、管理人室、倉庫、機械室その他これらに類する室をいう。
(2) 「共用室」とは、特定共同住宅等のエレベーターホール、エントランスホール、駐車場その他これらに類する用に供する部分をいう。
(3) 「開放型階段」とは、直接外気に開放され、かつ、特定共同住宅等における火災時に生ずる煙を有効に排出することができる階段をいう。
(4) 「住戸利用施設等（特定住戸利用施設等を除く。）」とは、特定共同住宅等の部分であって、消防法施行令別表第１(5)項イ並びに(6)項ロ及びハに掲げる防火対象物の用途に供されるものをいう。

(5)「開放型特定共同住宅等」とは、すべての住戸、共用室及び管理人室について、その主たる出入口が開放型廊下又は開放型階段に面していることにより、特定共同住宅等における火災時に生ずる煙を有効に排出することができる特定共同住宅等として消防庁長官が定める構造を有するものをいう。

要点・解説

(1) 特定共同住宅等における必要とされる防火安全性能を有する消防の用に供する設備等に関する省令（平成17年総務省令第40号（以下「40号省令」という。））第2条第2号の規定で、**正しい**。

(2) 40号省令第2条第3号の規定で、**誤り**。

(3) 40号省令第2条第7号の規定で、**正しい**。

(4) 40号省令第2条第1号の2の規定で、**正しい**。

(5) 40号省令第2条第9号の規定で、**正しい**。

ポイント

40号省令で規定されている「用語の意義」についての知識について問うものである。なお、「共用室」とは、特定共同住宅等において、居住者が集会、談話等の用に供する室をいう。　【正解　(2)】

チェック □□□

問題112 次は、初期拡大抑制性能を有する消防の用に供する設備等として、特定共同住宅等（住戸利用施設等を除く。）のうち二方向避難・開放型特定共同住宅等の地階を除く階数が10以下のものに設ける「通常用いられる消防用設備等」に代えて用いることができる「必要とされる防火安全性能を有する消防の用に供する設備等」についての記述であるが、これに含まれていないものはどれか。

(1) 消火器具

(2) 共同住宅用自動火災報知設備

(3)　住戸用自動火災報知設備
(4)　動力消防ポンプ設備
(5)　共同住宅用スプリンクラー設備

要点・解説

特定共同住宅等（住戸利用施設等を除く。）のうち二方向避難・開放型特定共同住宅等の地階を除く階数が10以下のものに設ける「通常用いられる消防用設備等」に代えて用いることができる「必要とされる防火安全性能を有する消防の用に供する設備等」については、「特定共同住宅等における必要とされる防火安全性能を有する消防の用に供する設備等に関する省令」（平成17年総務省令第40号（以下「40号省令」という。））第３条第１項で「住宅用消火器及び消火器具、共同住宅用スプリンクラー設備、共同住宅用自動火災報知設備又は住戸用自動火災報知設備及び共同住宅用非常警報設備」と規定されている。

(1)　40号省令第３条第１項の規定で、**含まれている。**
(2)　40号省令第３条第１項の規定で、**含まれている。**
(3)　40号省令第３条第１項の規定で、**含まれている。**
(4)　40号省令第３条第１項の規定で、**含まれていない。**
(5)　40号省令第３条第１項の規定で、**含まれている。**

ポイント

二方向避難・開放型特定共同住宅等の地階を除く階数が10以下のものに設ける「通常用いられる消防用設備等」に代えて用いることができる「必要とされる防火安全性能を有する消防の用に供する設備等」についての知識について問うものである。

【正解　(4)】

チェック □□□

問題113 次は、消防法施行令第29条の4第1項の規定に基づく特定共同住宅等における「必要とされる防火安全性能を有する消防の用に供する設備等」に関する規定についての記述であるが、誤っているものはどれか。

---

(1) 特定共同住宅等における「共用部分」とは、特定共同住宅等の廊下、階段、エレベーターホール、エントランスホール、駐車場その他これらに類する特定共同住宅等の部分であって、住戸等以外の部分をいう。

(2) 共同住宅用自動火災報知設備に用いる「自動試験機能等対応型感知器」とは、自動試験機能又は遠隔試験機能に対応する機能を有する感知器をいう。

(3) 特定共同住宅等の「開放型階段」とは、直接外気に開放され、かつ、特定共同住宅等における火災時に生ずる煙を有効に排出することができる階段をいう。

(4) 「住棟受信機」とは、共同住宅用自動火災報知設備の受信機であって、P型3級受信機又はGP型3級受信機により、住戸、共用室及び管理人室に設けられている感知器から発せられた火災が発生した旨の火災信号を受信した場合に、当該住戸、共用室又は管理人室の関係者に報知するものをいう。

(5) 「遠隔試験機能」とは、感知器に係る機能が適正に維持されていることを、当該感知器の設置場所から離れた位置において確認することができる装置による試験機能をいう。

要点・解説

「住棟受信機」とは、共同住宅用自動火災報知設備の受信機であって、住戸、共用室及び管理人室以外の部分に設ける感知器又は共同住宅用受信機から発せられた火災信号を受信した場合に、火災の発生を特定共同住宅等の関係者に報知するものをいう。

(1) 特定共同住宅等における必要とされる防火安全性能を有する消防の用に供する設備等に関する省令（平成17年総務省令第40号（以下「40号省令」という。））第2条第4号の規定で、**正しい**。

⑵　火災報知設備の感知器及び発信機に係る技術上の規格を定める省令（昭和56年自治省令第17号（以下「17号省令」という。））第２条第19号の３の規定で、**正しい**。

⑶　40号省令第２条第７号の規定で、**正しい**。

⑷　共同住宅用自動火災報知設備の設置及び維持に関する技術上の基準（平成18年消防庁告示第18号（以下「18号告示」という。））第２第２号の規定で、**誤り**。

⑸　中継器に係る技術上の規格を定める省令（昭和56年自治省令第18号（以下「18号省令」という。））第２条第13号の規定で、**正しい**。

ポイント

政令第29条の４第１項の規定に基づく40号省令、17号省令、18号告示及び18号省令についての知識について問うものである。　【正解　⑷】

チェック □□□

問題114　**次は、共同住宅用スプリンクラー設備の設置及び維持に関する技術上の基準についての記述であるが、誤っているものはどれか。**

⑴　非常電源の容量（警報及び表示に要する容量以外のもの）は、消防法施行規則第14条第１項第６号の２の規定により設けることとされている。

⑵　共同住宅用スプリンクラー設備は、スプリンクラーヘッドのうち小区画型ヘッド、制御弁、自動警報装置、加圧送水装置、送水口等で構成され、かつ、住戸、共用室又は管理人室ごとに自動警報装置の発信部が設けられているものをいう。

⑶　共同住宅用スプリンクラー設備の制御弁は、パイプシャフト、パイプダクトその他これらに類するものの中に設けないこととされている。

⑷　スプリンクラーヘッドは、住戸、共用室及び管理人室の居室及び収納室（室の面積が４m²以上のもの）の天井の室内に面する部分に設けることとされている。

⑸　共同住宅用スプリンクラー設備の水源の水量は、４m³以上となるように設けることとされている。

要点・解説

共同住宅用スプリンクラー設備の制御弁は、「パイプシャフト、パイプダクトその他これらに類するものの中に設けるとともに、その外部から容易に操作でき、かつ、みだりに閉止できない措置が講じられていること」と規定されている。

⑴　共同住宅用スプリンクラー設備の設置及び維持に関する技術上の基準（平成18年消防庁告示第17号（以下「17号告示」という。））第2第8号の規定で、**正しい**。

⑵　特定共同住宅等における必要とされる防火安全性能を有する消防の用に供する設備等に関する省令（平成17年総務省令第40号（以下「40号省令」という。））第2条第13号の規定で、**正しい**。

⑶　17号告示第2第2号⑵の規定で、**誤り**。

⑷　40号省令第3条第3項第2号ロの規定で、**正しい**。

⑸　40号省令第3条第3項第2号ニの規定で、**正しい**。

ポイント

特定共同住宅等に設ける共同住宅用スプリンクラー設備の設置及び維持に関する技術上の基準についての知識について問うものである。　【正解　⑶】

チェック □□□

問題115　次は、特定共同住宅等に設置する共同住宅用自動火災報知設備の共同住宅用受信機、住棟受信機又は音声警報装置の設置基準に関する記述であるが、正しいものはどれか。

⑴　共同住宅用受信機は、住戸、共用室及び管理人室以外の部分に設ける感知器から発せられた火災信号を受信した場合に、火災の発生を特定共同住宅等の関係者に報知するものをいう。

⑵　住戸、共用室及び管理人室に設ける音声警報装置の音圧は、取り付けられた音声警報装置から1m離れた位置で65dB以上であることとされている。

⑶　住棟受信機は、特定共同住宅等の棟ごとに設けること。ただし、同一

敷地内に特定共同住宅等が2以上ある場合で、当該特定共同住宅等の火災発生時に、円滑な対応ができる場合は、必ずしも棟ごとに設けなくてもよいこととされている。

(4) 音声警報装置の音声警報音は、メッセージだけにより構成するものであること。

(5) 音声警報装置のメッセージは、すべて男声によるメッセージとしなければならないこととされている。

要点・解説

「共同住宅用自動火災報知設備の設置及び維持に関する技術上の基準」（平成18年消防庁告示第18号（以下「18号告示」という。））で規定されている。選択肢(1)については、住棟受信機についての記述であり、共同住宅用受信機については、18号告示第2第1号を参照。(2)の住戸、共用室及び管理人室に設ける音声警報装置の音圧については、取り付けられた音声警報装置から1m離れた位置で70dB以上とされている。(4)の音声警報音は「シグナル及びメッセージ」で構成するものとされる。(5)のメッセージは、「感知器作動警報にあっては女声によるものとし、火災警報にあっては男声によること」とされている。

(1) 18号告示第2第1号の規定で、**誤り**。
(2) 18号告示第3第9号(1)イの規定で、**誤り**。
(3) 18号告示第3第6号(3)の規定で、**正しい**。
(4) 18号告示第3第9号(3)イの規定で、**誤り**。
(5) 18号告示第3第9号(3)ハの規定で、**誤り**。

ポイント

共同住宅用受信機、住棟受信機又は音声警報装置の基準についての知識について問うものである。

【正解　(3)】

チェック □□□

問題116 **次は、特定共同住宅等に設置する共同住宅用自動火災報知設備の受信機の音声警報装置又は住棟受信機の設置に関する記述であるが、誤っているものはどれか。**

(1) 住棟受信機は、共同住宅用受信機から発せられた火災信号を受信した場合に、火災が発生した旨の表示が明確であれば、必ずしも警戒区域まで分からなくてもよいこととされている。

(2) 音声警報装置の音声警報音は、シグナル及びメッセージにより構成することとされている。

(3) 防災センター等がない場合は、住棟受信機を管理人室に設けることができることとされているが、当該管理人室に常時人がいない場合は、火災表示を容易に確認できる場所に設けることができることとされている。

(4) 住戸、共用室及び管理人室に設ける音声警報装置の音圧は、取り付けられた音声警報装置から１m離れた位置で70dB以上となるようにすること。

(5) 住棟受信機の操作スイッチは、床面からの高さが0.8m（いすに座って操作するものにあっては0.6m）以上1.5m以下の箇所に設けること。

要点・解説

共同住宅用自動火災報知設備の受信機の音声警報装置又は住棟受信機については、「共同住宅用自動火災報知設備の設置及び維持に関する技術上の基準」（平成18年消防庁告示第18号（以下「18号告示」という。））で規定されている。

(1) 18号告示第３第６号(1)の規定で、**誤り**。

(2) 18号告示第３第９号(3)イの規定で、**正しい**。

(3) 18号告示第３第６号(2)の規定で、**正しい**。

(4) 18号告示第３第９号(1)イの規定で、**正しい**。

(5) 18号告示第３第６号及び規則第24条第２号ロの規定で、**正しい**。

ポイント

特定共同住宅等に設置する共同住宅用自動火災報知設備の受信機の音声警報装置又は住棟受信機の機能についての知識について問うものである。なお、住棟受信機は、共同住宅用受信機から発せられた火災信号を受信した場合に、当該共同住宅用受信機の警戒区域の火災表示も行うこととされている。

【正解　(1)】

チェック □□□

問題117　次は、ハロゲン化物消火設備の機能試験に関する記述であるが、誤っているものはどれか。

---

(1)　定圧作動装置試験
(2)　圧力調整装置試験
(3)　制御装置試験
(4)　消火剤排出試験
(5)　附属装置連動試験

要点・解説

・　定圧作動装置試験は、粉末消火設備の機能試験の項目である。
・　ハロゲン化物消火設備の機能試験の項目は、選択肢(2)〜(5)のほか、次の6項目を含め合計10項目である。
①　容器弁開放装置の作動試験
②　容器弁のバルブ類の開放試験（条件により省略可）
③　選択弁作動試験
④　警報装置試験
⑤　放出表示灯試験
⑥　防護区画の適正な設定

(1)　消防用設備等試験結果報告書の様式を定める件（平成元年消防庁告示第4号（以下「4号告示」という。））の規定で、**誤り**。
(2)　4号告示の規定で、**正しい**。

(3)　4号告示の規定で、**正しい**。

(4)　4号告示の規定で、**正しい**。

(5)　4号告示の規定で、**正しい**。

ポイント

消火設備の機能試験については、4号告示により、それぞれの消火設備ごとの機能試験について規定されており、その項目についての知識について問うものである。

【正解　(1)】

チェック

問題118　**次は、特定小規模施設に該当する防火対象物に、消防法施行令（以下「政令」という。）第29条の4第1項の規定に基づき、政令第21条第1項又は第2項の規定により設置し、又は維持しなければならない自動火災報知設備に代えて、特定小規模施設用自動火災報知設備を設置することができることとされている防火対象物についての記述であるが、この規定に該当するものはどれか。**

(1)　政令別表第1(6)項イに掲げる防火対象物で延べ面積が400m²未満のもの

(2)　政令別表第1(3)項に掲げる防火対象物で延べ面積が150m²未満のもの

(3)　政令別表第1(2)項イに掲げる防火対象物で延べ面積が200m²未満のもの

(4)　政令別表第1(6)項ロに掲げる防火対象物で延べ面積が300m²未満のもの

(5)　政令別表第1(3)項に掲げる防火対象物で延べ面積が250m²未満のもの

要点・解説

特定小規模施設用自動火災報知設備の設置対象物は、「特定小規模施設における必要とされる防火安全性能を有する消防の用に供する設備等に関する省令」（平成20年総務省令第156号（以下「156号省令」という。））で規定されている。

(1) 156号省令の規定で、**該当しない**。
(2) 156号省令の規定で、**該当しない**。
(3) 156号省令の規定で、**該当しない**。
(4) 156号省令第2条第1号イの規定で、**該当する**。
(5) 156号省令の規定で、**該当しない**。

ポイント

政令第29条の4第1項に規定する「必要とされる防火安全性能を有する消防の用に供する設備等」について、どのような設備等について規定されているかについての知識について問うものである。

【正解 (4)】

チェック □□□

問題119 **消防法施行規則第12条第1項第4号の規定により、屋内消火栓設備の非常電源として用いる蓄電池設備に関する基準として、誤っているものは次のうちどれか。**

---

(1) リチウムイオン蓄電池は、①電気用品の技術上の基準を定める省令の規定に適合し、かつ、JIS C 8711（ポータブル機器用リチウム二次電池）に適合するもの、②JIS C 8715－1（産業用リチウム二次電池の単電池及び電池システム第1部）及びJIS C 8715－2（産業用リチウム二次電池の単電池及び電池システム第2部）に適合するもののいずれかに該当するもの、又は①②と同等以上の構造及び性能を有するものでなければならない。
(2) リチウムイオン蓄電池以外の蓄電池を用いる蓄電池設備の充電装置にあっては、自動的に充電でき、かつ、充電完了後は、トリクル充電又は浮動充電に自動的に切り替えられるものであること。ただし、切替えの必要がないものにあっては、この限りでない。
(3) 蓄電池設備に設ける表示として、リチウムイオン蓄電池を用いるものにあっては、組電池当たりの公称電圧及び定格容量を表示しなければならない。
(4) キュービクル式蓄電池設備に設ける点検スイッチは、蓄電池の充電状況を点検できるものが設けられていること。

(5) 蓄電池設備には、過充電防止機能が設けられていること。

要点・解説

(1) 消防用設備等の非常電源として用いられる「蓄電池設備の基準」第２第２号(3)の規定で、**正しい**。

(2) 蓄電池設備の基準第２第３号(1)の規定で、**正しい**。

(3) 蓄電池設備の基準第３第６号の規定で、**誤り**。

(4) 蓄電池設備の基準第２第６号(4)ロの規定で、**正しい**。

(5) 蓄電池設備の基準第２第１号(5)の規定で、**正しい**。

ポイント

蓄電池設備の基準については、「蓄電池設備の基準の一部を改正する件」(平成24年消防庁告示第４号（平成26年消防庁告示第10号で一部改正)）で改正され、リチウムイオン蓄電池を用いる蓄電池設備に係る基準について規定されている。蓄電池の種類に応じた蓄電池設備の基準についての知識について問うものである。

【正解　(3)】

チェック □□□

問題120　次は、「特定駐車場における必要とされる防火安全性能を有する消防の用に供する設備等に関する省令」（平成26年総務省令第23号）に関する記述であるが、誤っているものはどれか。

---

(1) 特定駐車場とは、消防法施行令別表第１に掲げる防火対象物の駐車の用に供される部分で、当該部分が存する階（屋上を含み、駐車する全ての車両が同時に屋外に出ることができる構造の階を除く。）における駐車の用に供される部分の床面積が、地階にあっては200m²以上で、床面から天井までの高さが10m以下の部分をいう。

(2) 特定駐車場とは、消防法施行令別表第１に掲げる防火対象物の駐車の用に供する部分で、昇降機等の機械装置により車両を駐車させる構造のもので、車両の収容台数が10以上のもののうち、床面からの高さが５m

以下のものをいう。

(3)　機械式泡消火設備とは、特定駐車場のうち昇降機等の機械装置により車両を駐車させる部分において、閉鎖型泡水溶液ヘッド、開放型泡水溶液ヘッド、泡ヘッド、火災感知用ヘッド、閉鎖型スプリンクラーヘッド、一斉開放弁及び感知継手を用いる特定駐車場用泡消火設備をいう。

(4)　感知継手泡ヘッド併用型平面式泡消火設備とは、平面式特定駐車場において閉鎖型泡水溶液ヘッド、泡ヘッド及び感知継手を用いる特定駐車場用泡消火設備をいう。

(5)　一斉開放弁泡ヘッド併用型平面式泡消火設備とは、平面式特定駐車場において閉鎖型泡水溶液ヘッド、泡ヘッド、火災感知用ヘッド、閉鎖型スプリンクラーヘッド及び一斉開放弁を用いる特定駐車場用泡消火設備をいう。

要点・解説

「特定駐車場における必要とされる防火安全性能を有する消防の用に供する設備等に関する省令」（以下「駐車場省令」という。）は、平成26年総務省令第23号において規定されている。

(1)　駐車場省令第２条第１号イの規定で、**正しい**。
(2)　駐車場省令第２条第１号ロの規定で、**誤り**。
(3)　駐車場省令第２条第８号の規定で、**正しい**。
(4)　駐車場省令第２条第５号の規定で、**正しい**。
(5)　駐車場省令第２条第７号の規定で、**正しい**。

ポイント

駐車場省令第２条第１号で、当該省令において対象として位置付けている「特定駐車場」のうち、昇降機等の機械装置により車両を駐車させる構造のものについては、当該省令第２条第１号ロで、「車両の収容台数が10以上のもののうち、床面から天井までの高さが10m以下のもの」と規定されている。

【正解　(2)】

チェック □□□

問題121 **次の記述は、消火設備（消火器を含む。）の消火剤の種類とその消火作用に関するものであるが、誤っているものはどれか。**

(1)　代表的な消火剤である水は、主として冷却作用により消火し、一般的な火災の消火に使用できるが、水を使用することにより火災が拡大したり消火することができない場合がある。

(2)　消火器に使用される消火粉末には、①リン酸塩類を使用するもの、②炭酸水素塩類を使用するもの、③その他のものがあるが、これらの消火粉末は、主として窒息作用（酸素濃度の低下）により消火する。

(3)　ハロゲン化物を主成分とする消火剤であるハロン1301は、主として抑制作用により消火するものであるが、オゾン層保護の観点から新たな製造が禁止されている。

(4)　不活性ガスである窒素を使用するものは、窒息作用（酸素濃度の低下）により、消火するものであり、防護区画の開口部の管理が重要である。

(5)　泡消火剤は、窒息作用及び冷却作用により消火するものであるが、一般的には低発泡の状態（発泡倍率20倍以下）で使用される。

要点・解説

消火設備（消火器を含む。）に使用される消火剤は、気体、液体又は固体に区分され、その種類とその消火作用、適用火災については、次の表に掲げるようにされている。

区分	名　称	主　成　分	消火作用	適応火災
気体	不活性ガス	・二酸化炭素 ・窒素 ・IG－55(アルゴナイト) ・IG－541(イナージェン)	窒息効果（酸素濃度の低下）	A、B、C火災
	ハロゲン化物	・ハロン1211、1301、2402 ・HFC－23 ・HFC－227ea ・FK－5－1－12	抑制効果	A、B、C火災 B、C火災 B、C火災 A、B、C火災

液体	水 水系	・強化液（アルカリ金属等の塩類水溶液） ・浸潤剤（界面活性剤水溶液）	冷却効果 冷却、窒息、抑制効果	A火災 A、B火災
	泡	・たん白（たん白質加水分解物・界面活性剤を添加） ・合成界面活性剤（炭化水素系界面活性剤） ・水成膜（フッ素系界面活性剤）	窒息効果 冷却効果	A、B火災
固体	粉末	・炭酸水素ナトリウム ・炭酸水素カリウム ・リン酸二水素アンモニウム ・炭酸水素カリウムと尿素の反応物	抑制効果	A、B、C火災 B、C火災 B、C火災 B、C火災
	特殊固体	・塩化ナトリウム ・乾燥砂 ・膨張ひる石・膨張真珠石	窒息効果	D火災（金属火災）

備考　A火災とは、B火災以外の火災とされている。
　　　B火災とは、主として引火性液体（法別表第1の第4類）の火災とされている。
　　　C火災とは、通電中の電気用品・設備の火災といわれている。

(1)　一般的に水で消火することが困難又は危険とされている火災には、B火災、金属火災等があり、**正しい**。

(2)　消火粉末の消火作用は、一般的に燃焼の連鎖反応を遮断又は抑制する抑制作用とされており、**誤り**。

(3)　ハロゲン化物の消火作用は、抑制効果とされている。また、ハロン1211、1301、2402は、オゾン層を破壊する物質として指定されており、その製造が全面的に禁止されている。また、既製造のものの使用についても制限が設けられている。**正しい**。

(4)　不活性ガスのうち、窒素、IG－55（アルゴナイト）及びIG－541（イナージェン）を用いるものは、酸素濃度を低下させて継続燃焼ができない環境を作ることにより消火するものであり、防護区画の開口部等の管理が重要となる。**正しい**。

(5)　泡消火剤は、泡水溶液に空気を混合させることにより発泡させるものであり、その発泡倍率により、次のように区分される。**正しい**。

低発泡……発泡倍率20倍以下

中発泡……発泡倍率80～500倍

高発泡……発泡倍率500～1,000倍程度

ポイント

消火剤の消火作用についての知識を問うものである。消火剤には、水以外に消火効果を高めて少量で効率良く消火することができるもの、水では消火困難で危険な火災に対応できるものなどがあり、その種類と消火作用を理解しておくことは重要である。

【正解　(2)】

チェック □□□

問題122　**次は、自動火災報知設備の感知器の種別とその特性についての記述であるが、誤っているものはどれか。**

---

(1)　差動式スポット型感知器は、周囲の温度の上昇率が一定の率以上になったときに作動するもので、一局所の熱効果によって作動するものをいい、感度に応じて１種及び２種に分かれており、空気の膨張を利用したもの、温度検知素子を利用したものなどがある。

(2)　煙感知器の光電式スポット型感知器は、周囲の空気が一定の濃度以上の煙を含む状況になったときに作動するもので、一局所の煙による電流によって作動するものである。

(3)　定温式スポット型感知器は、一局所の周囲の温度が一定の温度以上になったときに作動するもので外観が電線状以外のものをいい、感度に応じて特種、１種及び２種に分かれており、バイメタルの反転を利用したもの、温度検知素子を利用したもの、金属の膨張係数の差を利用したものなどがある。

(4)　炎感知器は、火災により生じる炎を利用して自動的に火災の発生を感知して火災信号を受信機に送信するもので、炎から放射される紫外線又は赤外線が一定の量以上になったときに作動するものである。

(5)　差動式分布型感知器は、周囲の温度の上昇率が一定の率以上になった

ときに作動するもので、広範囲の熱効果の累積によって作動するものをいい、空気管式、熱電対式及び熱半導体式などがあり、感度に応じて1種、2種及び3種に分かれている。

要点・解説

光電式スポット型感知器は、周囲の空気が一定の濃度以上の煙を含むに至ったときに作動するもので、一局所の煙による光電素子の受光量の変化を利用して作動するものである。

(1) 差動式スポット型感知器の特性、概要を説明したもので、設問のとおりで、**正しい**。
(2) 要点・解説のとおりで、**誤り**。
(3) 定温式スポット型感知器の特性、概要を説明したもので、設問のとおりで、**正しい**。
(4) 炎感知器の特性、概要を説明したもので、設問のとおりで、**正しい**。
(5) 差動式分布型感知器の特性、概要を説明したもので、設問のとおりで、**正しい**。

ポイント

自動火災報知設備の感知器の種別についての知識について問うものである。

【正解　(2)】

チェック □□□

問題123　次は、消防用設備等及び特殊消防用設備等の点検に関する記述であるが、誤っているものはどれか。

(1)　特定防火対象物で延べ面積が1,000m²以上のものの消防用設備等又は特殊消防用設備等の点検は、消防設備士免状の交付を受けている者又は総務省令で定める資格を有する者（以下「消防設備士等」という。）が行わなければならない。

(2)　特定防火対象物以外の防火対象物で延べ面積が1,000m²以上のもののうち、消防長又は消防署長が火災予防上必要があると認めて指定するものの消防用設備等又は特殊消防用設備等の点検は、消防設備士等が行わなければならない。

(3)　選択肢(1)及び(2)のほか、消防法施行令別表第1(1)項から(4)項まで、(5)項イ、(6)項又は(9)項イに掲げる防火対象物の用途に供される部分が避難階以外の階に存する防火対象物で、当該避難階以外の階から避難階又は地上に直通する階段が2（当該階段が屋外に設けられ、又は総務省令で定める避難上有効な構造を有する場合にあっては、1）以上設けられていない防火対象物の消防用設備等又は特殊消防用設備等の点検は、消防設備士等が行わなければならない。

(4)　選択肢(1)から(3)のほか、消防用設備等又は特殊消防用設備等の防火安全性能を確保するために、消防設備士等による点検が特に必要であるものとして総務省令で定める防火対象物の消防用設備等又は特殊消防用設備等の点検は、消防設備士等が行わなければならない。

(5)　消防用設備等又は特殊消防用設備等の点検は、その種類及び点検内容に応じて原則として1年以内で消防庁長官が定める期間ごとに行い、防火対象物の関係者は、原則としてその結果を特定防火対象物にあっては1年に1回、特定防火対象物以外の防火対象物にあっては3年に1回消防長又は消防署長に報告するものと定められている。

要点・解説

選択肢(5)において、消防用設備等については、設問のとおりであるが、特殊消防用設備等の点検内容、点検期間及び報告期間等については、当該特殊消防用設備等を総務大臣が認定する場合の主要条件となる「設備等設置維持計画」に定める方法による。なお、新型インフルエンザ等その他の消防庁長官が定める事由により、法令で規定する期間ごとに点検を行い、又はその結果を報告することが困難であるときは、消防庁長官が当該事由を勘案して定める期間ごとに当該点検を行い、又はその結果を報告することができるとされている。

また、選択肢(1)～(4)の消防設備士等（消防設備士免状の交付を受けている者又は総務省令で定める資格を有する者（消防設備点検資格者））にあっては、免状等の種類に応じて業務範囲が定められている。

なお、特定防火対象物は、政令別表第１(1)から(4)項まで、(5)項イ、(6)項、(9)項イ、(16)項イ、（16の２）項及び（16の３）項に掲げる防火対象物である（法第17条の２の５第２項第４号及び政令第34条の４）。

(1)　法第17条の３の３及び政令第36条第２項第１号の規定で、**正しい**。
(2)　法第17条の３の３及び政令第36条第２項第２号の規定で、**正しい**。
(3)　法第17条の３の３及び政令第36条第２項第３号の規定で、**正しい**。
(4)　法第17条の３の３及び政令第36条第２項第４号の規定で、**正しい**。
(5)　法第17条の３の３及び規則第31条の６第１項、第２項、第３項の規定で、**誤り**。

ポイント

消防用設備等及び特殊消防用設備等の点検とその結果の報告制度についての知識について問うものである。　【正解　(5)】

チェック □□□

問題124　**次のうち、消防法第17条の３の３の規定による消防用設備等又は特殊消防用設備等の点検に関する記述として、誤っているものはどれか。**

(1)　特定防火対象物でも延べ面積が1,000m²未満であれば、必ずしも消防設備士又は消防設備点検資格者に点検をさせなくてもよいこととされている。
(2)　特殊消防用設備等に関する点検基準について、それぞれの設備等ごとに消防庁長官が点検基準を告示することとされている。

(3)　消防用設備等に係る総合点検は、消防用設備等の全部若しくは一部を作動させ、又は当該消防用設備等を使用することにより、当該消防用設備等の総合的な機能を消防用設備等の種類等に応じ消防庁長官が定める基準に従い確認するために行うものである。

(4)　無線通信補助設備については、機器点検を行えばよいこととされている。

(5)　非特定防火対象物の関係者（所有者、管理者又は占有者）は、当該防火対象物に係る消防用設備等の点検結果については、原則として３年に１回消防長又は消防署長に報告をすればよいこととされている。

要点・解説

(1)　法第17条の３の３及び政令第36条第２項第１号の規定で、**正しい**。

(2)　規則第31条の６第２項及び消防法施行規則の規定に基づき、消防用設備等又は特殊消防用設備等の種類及び点検内容に応じて行う点検の期間、点検の方法並びに点検の結果についての報告書の様式を定める件（平成16年消防庁告示第９号（以下「９号告示」という。））第２及び第３の規定で、**誤り**。

(3)　９号告示第２第２号の規定で、**正しい**。

(4)　９号告示第３の規定で、**正しい**。

(5)　規則第31条の６第３項の規定で、**正しい**。

ポイント

消防用設備等及び特殊消防用設備等についての点検の期間、点検を行う者の資格等についての知識について問うものである。なお、特殊消防用設備等についての点検に関する基準及び点検の期間等については、当該設備に係る「設備等設置維持計画」によることとされている。

【正解　(2)】

チェック □□□

問題125 次は、防火対象物に設置されている消防用設備等又は特殊消防用設備等の点検を行う者についての記述であるが、誤っているものはどれか。

---

(1) 消防設備士又は消防設備点検資格者が点検を行う必要のある防火対象物以外の防火対象物に設置されている消防用設備等又は特殊消防用設備等の点検は、法令上特段の要件が要求されていないため誰が行ってもよい。

(2) 消防設備士が点検を行うことのできる消防用設備等及び特殊消防用設備等については、消防設備士免状の種類に応じ法令により規定されている。

(3) 特殊消防用設備等について点検を行うことのできる消防設備士は、甲種特類消防設備士に限られている。

(4) 特殊消防用設備等について点検を行うことのできる消防設備点検資格者は、特種消防設備点検資格者である。

(5) 消防設備点検資格者が点検を行うことのできる消防用設備等及び特殊消防用設備等の種類は、消防設備士が点検を行うことのできるものの種類より多い。

要点・解説

防火対象物の関係者は、防火対象物（政令別表第1⑳項の舟車を除く。）に設置した消防用設備等又は特殊消防用設備等について、定期的に点検し、その結果について防火対象物の用途に応じて一定の期間ごとに消防機関に報告することとされている。

この点検のうち、政令で定める防火対象物に設置されている消防用設備等又は特殊消防用設備等については、消防設備士又は消防設備点検資格者が点検を行う必要がある。その他の防火対象物にあっては、防火対象物の関係者が自ら点検を行うこととされている（法第17条の3の3、政令第36条第2項）。

消防設備士又は消防設備点検資格者が、点検を行うことができる消防用設備等又は特殊消防用設備等の種類については、消防庁長官が定めることとされている（規則第31条の6第6項、消防設備士免状の交付を受けている者又は総務大臣が認める資格を有する者が点検を行うことができる消防用設備等又は特殊消防用設備等の種類を定める件（平成16年消防庁告示第10号（以下「10号告示」という。)))。

⑴　法第17条の３の３の規定で、**誤り**。
⑵　規則第31条の６第６項の規定で、**正しい**。
⑶　規則第31条の６第６項、10号告示の規定で、**正しい**。
⑷　10号告示の規定で、**正しい**。
⑸　規則第31条の６第６項、10号告示の規定で、**正しい**。

ポイント

消防用設備等又は特殊消防用設備等の点検を行うことのできる者の資格についての知識を問うものである。

【正解　⑴】

チェック□□□

問題126　**次は、消防法第17条の３の３に規定する消防用設備等又は特殊消防用設備等の点検及び報告について述べたものであるが、誤っているものはどれか。**

⑴　消防用設備等又は特殊消防用設備等を消防設備士免状の交付を受けている者又は消防設備点検資格者免状の交付を受けている者に点検をさせなければならない点検対象物となるのは、特定防火対象物で延べ面積が1,000m²以上のもの又は非特定防火対象物で延べ面積が1,000m²以上のもののうち、消防長又は消防署長が火災予防上必要があると認めて指定するもの等が該当する。
⑵　防火対象物の関係者は、点検結果を報告せず、又は虚偽の報告をした者は30万円以下の罰金又は拘留に処せられる。
⑶　一定規模以上の防火対象物の関係者は、消防設備士免状の交付を受けている者又は消防設備点検資格者免状の交付を受けている者に消防用設備等又は特殊消防用設備等を点検させ、その結果を消防長又は消防署長に報告しなければならない。
⑷　消防用設備等の点検の内容、期間は原則として、機器点検にあっては

６か月ごとに行うものとし、消防用設備等の全部若しくは一部を作動させ、又は使用することにより当該消防用設備等の総合的な機能を確認する総合点検は、１年に１回実施するものである。

(5)　防火対象物の関係者が点検を実施しなければならない防火対象物は、消防法第17条第１項の規定に基づき、消防用設備等又は特殊消防用設備等の設置が義務付けられている防火対象物すべてとされている。

要点・解説

法第17条の３の３に規定されている消防用設備等又は特殊消防用設備等について点検を要しない防火対象物は、政令別表第１⑳項（総務省令で定める舟車）に掲げる防火対象物である。

(1)　法第17条の３の３及び政令第36条第２項の規定で、**正しい**。
(2)　法第17条の３の３、法第44条第11号及び法第45条第３号の規定で、**正しい**。
(3)　法第17条の３の３の規定で、**正しい**。
(4)　法第17条の３の３、規則第31条の６第１項、消防法施行規則の規定に基づき、消防用設備等又は特殊消防用設備等の種類及び点検内容に応じて行う点検の期間、点検の方法並びに点検の結果についての報告書の様式を定める件（平成16年消防庁告示第９号）の規定で、**正しい**。
(5)　法第17条の３の３及び政令第36条第１項の規定で、**誤り**。

ポイント

防火対象物の関係者は、防火対象物に設置されている消防用設備等又は特殊消防用設備等を、定期的に点検し、その結果を消防長又は消防署長に報告する義務があり、これらの知識について問うものである。　【正解　(5)】

チェック□□□

問題127 次は、消防法第17条の6第2項の規定により、甲種消防設備士が行うことができる工事又は整備の種類に関する指定区分と消防用設備等又は特殊消防用設備等の種類の組み合わせの記述であるが、正しいものはどれか。

(1)　第1類：屋内消火栓設備、屋外消火栓設備、簡易消火用具
(2)　第2類：スプリンクラー設備、泡消火設備、動力消防ポンプ設備
(3)　第3類：不活性ガス消火設備、粉末消火設備、パッケージ型消火設備
(4)　第4類：自動火災報知設備、緩降機、非常警報器具
(5)　第5類：金属製避難はしご、救助袋、誘導灯

要点・解説

規則第33条の3第1項参照。

指定区分	消防用設備等又は特殊消防用設備等の種類
特　類	特殊消防用設備等
第1類	屋内消火栓設備、スプリンクラー設備、水噴霧消火設備又は屋外消火栓設備
第2類	泡消火設備
第3類	不活性ガス消火設備、ハロゲン化物消火設備又は粉末消火設備
第4類	自動火災報知設備、ガス漏れ火災警報設備又は消防機関へ通報する火災報知設備
第5類	金属製避難はしご、救助袋又は緩降機

消防設備士免状の交付を受けている者又は総務大臣が認める資格を有する者が点検を行うことができる消防用設備等又は特殊消防用設備等の種類を定める件(平成16年消防庁告示第10号　(以下「10号告示」という。)) 第1参照。

消防設備士の種類及び指定区分	消防用設備等の種類
第1類の甲種消防設備士若しくは乙種消防設備士又は第2類の甲種消防設備士若しくは乙種消防設備士	動力消防ポンプ設備、消防用水、連結散水設備、連結送水管及び共同住宅用連結送水管
第4類の甲種消防設備士若しくは乙種消防設備士又は第7類の乙種消防設備士（次項	非常警報器具、非常警報設備、排煙設備、非常コンセント設備、無線通信補助設備、

に掲げる者を除く。)	共同住宅用非常コンセント設備及び加圧防排煙設備
第４類の甲種消防設備士若しくは乙種消防設備士又は第７類の乙種消防設備士のうち電気工事士法（昭和35年法律第139号）第３条に規定する電気工事士免状の交付を受けている者又は電気事業法（昭和39年法律第170号）第44条第１項に規定する第１種電気主任技術者免状、第２種電気主任技術者免状若しくは第３種電気主任技術者免状の交付を受けている者	前項に掲げる消防用設備等の種類のほか誘導灯及び誘導標識
第５類の甲種消防設備士又は乙種消防設備士	金属製避難はしご、救助袋及び緩降機以外の避難器具
第６類の乙種消防設備士	簡易消火用具
第１類の甲種消防設備士若しくは乙種消防設備士、第２類の甲種消防設備士若しくは乙種消防設備士又は第３類の甲種消防設備士若しくは乙種消防設備士	パッケージ型消火設備及びパッケージ型自動消火設備
第１類の甲種消防設備士又は乙種消防設備士	共同住宅用スプリンクラー設備
第４類の甲種消防設備士又は乙種消防設備士	共同住宅用自動火災報知設備、住戸用自動火災報知設備、特定小規模施設用自動火災報知設備及び複合型居住施設用自動火災報知設備
第４類の甲種消防設備士若しくは乙種消防設備士又は第７類の乙種消防設備士	共同住宅用非常警報設備
第２類の甲種消防設備士又は乙種消防設備士	特定駐車場用泡消火設備

⑴　法第17条の６第２項、規則第33条の３第１項、10号告示第１の規定で、簡易消火用具は該当しないので、**誤り**。

⑵　法第17条の６第２項、規則第33条の３第１項、10号告示第１の規定で、スプリンクラー設備は該当しないので、**誤り**。

⑶　法第17条の６第２項、規則第33条の３第１項、10号告示第１の規定で、**正しい**。

⑷　法第17条の６第２項、規則第33条の３第１項、10号告示第１の規定で、緩降機は該当しないので、**誤り**。

(5) 法第17条の6第2項、規則第33条の3第1項、10号告示第1の規定で、誘導灯は該当しないので、**誤り**。

ポイント

甲種消防設備士が行うことができる工事又は整備の指定区分及び消防用設備等又は特殊消防用設備等の種類についての知識について問うものである。

【正解 (3)】

チェック □□□

問題128 **消防法の規定によって、「消防設備士」でない者は一定の消防用設備等又は特殊消防用設備等（工事整備対象設備等）の工事又は整備を行うことが禁止されているが、次のうち、消防設備士の記述として、誤っているものはどれか。**

---

(1) 消防設備士は、都道府県知事が行う甲種消防設備士試験又は乙種消防設備士試験に合格し、甲種消防設備士免状又は乙種消防設備士免状の交付を受けた者である。

(2) 消防設備士がこの法律又はこの法律に基づく命令（地方公共団体の条例を含む。）の規定に違反しているときは、居住地若しくは勤務地を管轄する都道府県知事から消防設備士免状の返納を命じられることがある。

(3) 消防設備士は、その業務を誠実に行い、工事整備対象設備等の質の向上に努めなければならない。

(4) 消防設備士は、都道府県知事又は総務大臣が指定する市町村長その他の機関が行う工事整備対象設備等の工事又は整備に関する講習（消防設備士講習）を受講しなければならない。

(5) 消防設備士は、その業務に従事するときは、消防設備士免状を携帯していなければならない。

要点・解説

消防設備士に関して、この法律又はこの法律に基づく命令とは、消防法及び消防法の委任に基づく政令等をいい、火災予防条例のように地方公共団体が定める条例、規則等は該当しないとされている。

なお、消防設備士免状の返納を命ずるのは、消防設備士免状を交付した都道府県知事である。

また、他の都道府県知事から消防設備士免状の交付を受けているときは、その旨を当該他の都道府県知事に通知することとされている。

(1) 法第17条の5、法第17条の6第1項、法第17条の8第2項及び第3項の規定で、**正しい**。
(2) 法第13条の2第5項及び第6項、法第17条の7第2項の規定及び要点・解説のとおりで、**誤り**。
(3) 法第17条の12の規定で、**正しい**。
(4) 法第17条の10の規定で、**正しい**。
(5) 法第17条の13の規定で、**正しい**。

ポイント

消防設備士でなければ行ってはならない消防用設備等又は特殊消防用設備等は、消防法又は条例で定める技術上の基準に従って設置しなければならない消防用設備等又は設備等設置維持計画に従って設置しなければならない特殊消防用設備等であり、これらの知識について問うものである。【正解　(2)】

チェック □□□

問題129 **次のうち、消防法第17条の3の3の規定に基づく消防用設備等又は特殊消防用設備等の点検に関する記述として、誤っているものはどれか。**

(1) 共同住宅用自動火災報知設備の点検は、特種消防設備点検資格者又は甲種特類消防設備士でなければ行うことはできない。
(2) 点検の一つとして機器点検があるが、消防用設備等に附置される自家発電設備にあっては、正常な作動点検を行うこととされている。
(3) 特殊消防用設備等についての点検期間は、設備等設置維持計画に定める期間とされている。
(4) 消防用設備等の総合点検は、消防用設備等の全部若しくは一部を作動させ、又は当該消防用設備等を使用することにより、当該消防用設備等の総合的な機能を消防用設備等の種類等に応じ消防庁告示で定める点検基準に従い確認することをいう。

(5)　消防設備士又は消防設備点検資格者に点検させなければならないこととされている防火対象物として、特定防火対象物にあっては、延べ面積が1,000m²以上のものは、消防長又は消防署長が火災予防上必要があると認めて指定しなくても対象とされている。

要点・解説

共同住宅用自動火災報知設備の点検は、第４類の甲種若しくは乙種消防設備士又は第２種消防設備点検資格者が行うことができることとされている。

(1)　消防設備士免状の交付を受けている者又は総務大臣が認める資格を有する者が点検を行うことができる消防用設備等又は特殊消防用設備等の種類を定める件（平成16年消防庁告示第10号）の規定で、**誤り**。

(2)　消防法施行規則の規定に基づき、消防用設備等又は特殊消防用設備等の種類及び点検内容に応じて行う点検の期間、点検の方法並びに点検の結果についての報告書の様式を定める件（平成16年消防庁告示第９号（以下「９号告示」という。））第２第１号(1)の規定で、**正しい**。

(3)　規則第31条の６第２項及び９号告示第３の規定で、**正しい**。

(4)　９号告示第２第２号の規定で、**正しい**。

(5)　政令第36条第２項第１号の規定で、**正しい**。

ポイント

消防用設備等又は特殊消防用設備等の種類に応じて点検を行うことができることとされている消防設備士又は消防設備点検資格者についての知識について問うものである。

【正解　(1)】

チェック □□□

問題130 次は、消防法第17条の3の3の規定に基づく消防用設備等又は特殊消防用設備等の点検に関する記述であるが、誤っているものはどれか。

(1) 消防設備士又は消防設備点検資格者に点検をさせなければならない防火対象物として、特定防火対象物で延べ面積が1,000m²以上のものは、消防長又は消防署長が火災予防上必要があると認めて指定しなくても対象となる。
(2) 特殊消防用設備等の点検に関する期間は、設備等設置維持計画に定める期間とされている。
(3) 延べ面積が500m²の特定防火対象物に設置されているパッケージ型自動消火設備の点検は、特種消防設備点検資格者又は第1類の甲種若しくは乙種消防設備士、第2類の甲種若しくは乙種消防設備士又は第3類の甲種若しくは乙種消防設備士が行うこととされている。
(4) 機器点検として、消防用設備等に附置されている自家発電設備にあっては、正常な作動点検を行うこととされている。
(5) 消防用設備等の総合点検は、消防用設備等の全部若しくは一部を作動させ、又は当該消防用設備等を使用することにより、当該消防用設備等の総合的な機能を消防用設備等の種類等に応じて消防庁長官が定める基準に従い確認することをいう。

要点・解説

特定防火対象物の場合、延べ面積が1,000m²以上のものは一定の資格者に点検を行わせなければならないこととされている。

また、パッケージ型自動消火設備の点検は、第1類、第2類又は第3類の甲種若しくは乙種消防設備士又は第1種消防設備点検資格者が行うこととされている。

(1) 政令第36条第2項第1号の規定で、**正しい**。
(2) 規則第31条の6第2項及び消防法施行規則の規定に基づき、消防用設備等又は特殊消防用設備等の種類及び点検内容に応じて行う点検の期間、点検の方法並びに点検の結果についての報告書の様式を定める件（平成16年消防庁告示第9号（以下「9号告示」という。））第3の規定で、**正しい**。

⑶　政令第36条第2項第1号及び消防設備士免状の交付を受けている者又は総務大臣が認める資格を有する者が点検を行うことができる消防用設備等又は特殊消防用設備等の種類を定める件（平成16年消防庁告示第10号（以下「10号告示」という。））の規定で、**誤り**。

⑷　9号告示第2第1号⑴の規定で、**正しい**。

⑸　9号告示第2第2号の規定で、**正しい**。

ポイント

消防用設備等又は特殊消防用設備等に係る点検資格者、点検基準等についての知識について問うものである。なお、防火対象物の用途及び規模に応じて一定の資格者に点検をさせ、その結果について報告を求めることとされている。この場合の「消防の用に供する設備等」の種類に応じて点検できる資格者等に関する規定については、10号告示で規定されている。　【正解　⑶】

チェック □□□

問題131　**次は、消防法第17条の3の3の規定に基づく消防用設備等又は特殊消防用設備等の点検に関する記述であるが、誤っているものはどれか。**

⑴　共同住宅用スプリンクラー設備に附置されている非常電源に係る機器点検については、自家発電設備に限り行うこととされている。

⑵　共同住宅用自動火災報知設備の総合点検は、消防用設備等の全部若しくは一部を作動させ、又は消防用設備等を使用することにより、当該消防用設備等の総合的な機能を消防用設備等の種類等に応じ消防庁長官が定める基準に従い確認することとされている。

⑶　パッケージ型自動消火設備の点検は、特種消防設備点検資格者又は甲種特類消防設備士でなければ行うことはできないこととされている。

⑷　特殊消防用設備等の点検に関する期間は、設備等設置維持計画で定める期間と規定されている。

⑸　消防設備士又は消防設備点検資格者に点検させなければならない防火対象物として、特定防火対象物で延べ面積が1,000m²以上のものは、改めて消防長又は消防署長が火災予防上必要があると認めて指定していな

くても対象とされている。

要点・解説

(1)　消防法施行規則の規定に基づき、消防用設備等又は特殊消防用設備等の種類及び点検内容に応じて行う点検の期間、点検の方法並びに点検の結果についての報告書の様式を定める件（平成16年消防庁告示第9号（以下「9号告示」という。））第2第1号(1)の規定で、**正しい**。

(2)　9号告示第2第2号の規定で、**正しい**。

(3)　消防設備士免状の交付を受けている者又は総務大臣が認める資格を有する者が点検を行うことができる消防用設備等又は特殊消防用設備等の種類を定める件（平成16年消防庁告示第10号）の規定で、**誤り**。

(4)　規則第31条の6第2項及び9号告示第3の規定で、**正しい**。

(5)　政令第36条第2項第1号の規定で、**正しい**。

ポイント

消防の用に供する設備等（特殊消防用設備等を含む。）についての、法令上の点検資格者及び特殊消防用設備等の点検基準等についての知識について問うものである。なお、パッケージ型自動消火設備の点検は、第1種消防設備点検資格者又は第1類から第3類までの甲種消防設備士若しくは乙種消防設備士が行うことができることとされている。

【正解　(3)】

チェック □□□

問題132　次は、消防設備士でなければ行えない消防用設備等の工事についての記述であるが、正しいものはどれか。

(1)　一般住宅に設置する住宅用火災警報器の設置工事
(2)　火力発電所に設置義務のあるハロゲン化物消火設備の電源の設置工事
(3)　物品販売店舗に設置義務のある屋内消火栓設備の水源の設置工事
(4)　屋外タンク貯蔵所に設置する泡消火設備の設置工事（電源部分は除く。）
(5)　病院に設置する連結送水管の設置工事

要点・解説

選択肢(1)及び(5)は、消防設備士の業務範囲として規定されていない。また、選択肢(2)及び(3)に規定する消防用設備等は消防設備士でなければ行ってはならないものの対象とされているが、政令第36条の２第１項の規定でハロゲン化物消火設備にあっては電源、屋内消火栓設備にあっては電源、水源及び配管の工事は除外されている。

(1)　政令第36条の２第１項の規定で、**誤り**。
(2)　政令第36条の２第１項第６号の規定で、**誤り**。
(3)　政令第36条の２第１項第１号の規定で、**誤り**。
(4)　政令第36条の２第１項第４号の規定で、**正しい**。
(5)　政令第36条の２第１項の規定で、**誤り**。

ポイント

法第17条の５に規定する消防設備士の業務独占の対象範囲についての知識について問うものである。

【正解　(4)】

チェック □□□

問題133　**次は、消防法第17条の３の３の規定に基づく消防用設備等又は特殊消防用設備等の点検に関する記述であるが、誤っているものはどれか。**

(1)　特定防火対象物の場合と特定防火対象物以外の防火対象物の場合とでは、法令上、同じ自動火災報知設備に関する点検の結果であっても、報告しなければならない時期は異なっている。
(2)　点検結果についての報告する先は、特定防火対象物の場合も特定防火対象物以外の防火対象物の場合も同じである。
(3)　パッケージ型自動消火設備についての点検は、第５類の甲種消防設備士又は乙種消防設備士の点検を行った結果に基づき報告を行うことができる。
(4)　点検事項のうち、機器点検として消防用設備等に附置することとされている自家発電設備について行う点検は、正常な作動がなされるかどうかについての点検とされている。

(5)　消防用設備等の総合点検は、消防用設備等の全部若しくは一部を作動させ、又は当該消防用設備等を使用することにより、当該消防用設備等の総合的な機能を消防用設備等の種類等に応じ消防庁長官が定める基準に従い確認することとされている。

要点・解説

パッケージ型自動消火設備についての点検は、第１類、第２類若しくは第３類の甲種消防設備士又は乙種消防設備士が点検を行うことができることとされている。また、第１種消防設備点検資格でもパッケージ型自動消火設備の点検を行うことができることとされている。

(1)　規則第31条の６第３項の規定で、**正しい**。
(2)　規則第31条の６第３項の規定で、**正しい**。
(3)　消防設備士免状の交付を受けている者又は総務大臣が認める資格を有する者が点検を行うことができる消防用設備等又は特殊消防用設備等の種類を定める件（平成16年消防庁告示第10号）の規定で、**誤り**。
(4)　消防法施行規則の規定に基づき、消防用設備等又は特殊消防用設備等の種類及び点検内容に応じて行う点検の期間、点検の方法並びに点検の結果についての報告書の様式を定める件（平成16年消防庁告示第９号（以下「９号告示」という。））第２第１号(1)の規定で、**正しい**。
(5)　９号告示第２第２号の規定で、**正しい**。

ポイント

消防用設備等又は特殊消防用設備等の点検に係る規定についての知識について問うものである。

【正解　(3)】

チェック □□□

問題134 **次は、消防設備士又は消防設備点検資格者が行う消防用設備等又は特殊消防用設備等に係る点検についての記述であるが、誤っているものはどれか。**

---

(1) 第１類の甲種消防設備士は、パッケージ型消火設備、パッケージ型自動消火設備及び共同住宅用スプリンクラー設備の点検を行うことができる。

(2) 第一種消防設備点検資格者は、パッケージ型消火設備、パッケージ型自動消火設備、共同住宅用スプリンクラー設備、共同住宅用連結送水管及び特定駐車場用泡消火設備の点検を行うことができる。

(3) 第４類の乙種消防設備士は、誘導灯及び誘導標識の点検を行うことができる。

(4) 第二種消防設備点検資格者は、共同住宅用非常コンセント設備、特定小規模施設用自動火災報知設備、加圧防排煙設備の点検を行うことができる。

(5) 第２類の乙種消防設備士は、特定駐車場用泡消火設備の点検を行うことができない。

要点・解説

消防用設備等又は特殊消防用設備等の点検には、当該設備に関する技術上の基準等に関する知識等を修得している必要があることから、点検を行うことのできる消防用設備等又は特殊消防用設備等は、消防設備士又は消防設備点検資格者の種類等ごとに告示により定められている（消防設備士免状の交付を受けている者又は総務大臣が認める資格を有する者が点検を行うことができる消防用設備等又は特殊消防用設備等の種類を定める件（平成16年消防庁告示第10号）。以下「10号告示」という。）。

(1) 10号告示の規定で、**正しい**。
(2) 10号告示の規定で、**正しい**。
(3) 10号告示の規定で、**正しい**。
(4) 10号告示の規定で、**正しい**。

⑸　10号告示の規定で、**誤り**。

ポイント

消防設備士及び消防設備点検資格者が点検できる消防用設備等又は特殊消防用設備等に関する知識を問う問題であり、消防設備点検結果報告書の届出の際に有資格者による点検が行われたかを判断するために不可欠な知識である。

【正解　⑸】

チェック □□□

問題135 **次は、消防法第17条第1項の消防法施行令で定める防火対象物（消防法施行令別表第1）についての記述であるが、妥当なものはどれか。**

(1)　消防法施行令（以下「政令」という。）別表第1(1)項イの観覧場は、スポーツ、観せ物等を観覧する目的で公衆の集合する施設で、これらの用に供する客席を有するもので、野球場、相撲場、各種競技場、競輪場、競馬場、競艇場、サーカス小屋等がこれに該当する。

(2)　政令別表第1(2)項ハは、風俗営業等の規制及び業務の適正化等に関する法律に規定されている性風俗関連特殊営業であって、無店舗型性風俗特殊営業、店舗型電話異性紹介営業がこれに該当する。

(3)　政令別表第1(4)項の百貨店は、物品販売業を営む大規模な店舗をいい、床面積の合計が1,500m²（大都市区域にあっては2,000m²）以上のものをいう。

(4)　政令別表第1(6)項イの診療所は、医師又は歯科医師が公衆又は特定多数人のため医業又は歯科医業を行う場所のうち、患者20人以上の収容施設を有するものである。

(5)　政令別表第1(9)項ロの公衆浴場は、温湯、潮湯又は温泉その他を使用して公衆を入浴させる施設で、蒸気浴場、熱気浴場がこれに該当する。

要点・解説

政令別表第1(1)項イには、劇場、映画館、演芸場又は観覧場が該当し、消防法施行令でいう「観覧場」は選択肢(1)のとおりである。

(1)　設問のとおりで、**妥当である。**

(2)　政令別表第1(2)項ハに規定する性風俗関連特殊営業を営む店舗とは、「令別表第一の改正に伴う消防法令の運用について」（平成15年2月21日付け消防予第55号）により、店舗型性風俗特殊営業及び店舗型電話異性紹介営業が該当し、無店舗型性風俗特殊営業は該当しないから、**妥当でない。**

(3)　選択肢(3)の百貨店については、旧・百貨店法（昭和31年法律第116号）第2条には、物品販売業（物品加工修理業を含む。）を営む店舗の床面積の合計が1,500m²（都の特別区及び地方自治法（昭和22年法律第67号）第155条第２項の市の区域内においては、3,000m²）以上とされていたが、昭和48年に同法が廃止されているから、**妥当でない。**

⑷　医療法第１条の５の定義では、患者20人以上の入院施設（ベッドの数）を有している施設を「病院」といい、ベッドの数が19以下の施設を「診療所（医院）」と区別しているから、**妥当でない。**

⑸　政令別表第１⑼項ロの公衆浴場には、蒸気浴場、熱気浴場等は該当しないから、**妥当でない。**

ポイント

政令別表第１に掲げる対象物についての問題で用途区分等を理解しておくことが必要であり、これらの知識について問うものである。　【正解　⑴】

チェック □□□

問題136　**次は、建築基準法第２条第９号の規定に基づき、国土交通大臣が定める不燃材料について記述したものであるが、誤っているものはどれか。**

⑴　厚さが３mm以上のガラス繊維混入セメント板
⑵　厚さが５mm以上の繊維混入ケイ酸カルシウム板
⑶　グラスウール板
⑷　厚さが６mm以上のパルプセメント板
⑸　厚さが12mm以上のせっこうボード（ボード用原紙の厚さが0.6mm以下のものに限る。）

要点・解説

厚さが６mm以上のパルプセメント板は、建基令第１条第５号の規定による準不燃材料である。

なお、建基法第２条第９号では、不燃材料は建築材料のうち、不燃性能（通常の火災時における火熱により燃焼しないことその他の建築基準法施行令で定める性能をいう。）に関して建築基準法施行令で定める技術的基準に適合するもので、国土交通大臣が定めたもの又は国土交通大臣の認定を受けたものをいうとされている。

⑴　建基法第２条第９号及び不燃材料を定める件（平成12年建設省告示第1400号（以下「1400号告示」という。））第６号の規定で、**正しい**。
⑵　建基法第２条第９号及び1400号告示第７号の規定で、**正しい**。
⑶　建基法第２条第９号及び1400号告示第18号の規定で、**正しい**。
⑷　建基令第１条第５号及び準不燃材料を定める件（平成12年建設省告示第1401号）第１第６号の規定で、**誤り**。
⑸　建基法第２条第９号及び1400号告示第16号の規定で、**正しい**。

ポイント

火を使用する設備等に使用される、不燃材料についての知識について問うものである。

【正解　⑷】

チェック □□□

問題137　**次は、建築基準法令に関する記述であるが、誤っているものはどれか。**

⑴　建築基準法令に規定する「延焼のおそれのある部分」として、隣地境界線又は道路中心線から建築物の１階にあっては、３m以下の部分が該当するとされている。
⑵　特定主要構造部が耐火構造である２階建ての建築物で、避難階以外の階に床面積が1,000m²の物品販売店舗の用途に供する売場を設けた場合、避難階又は地上に通ずる２以上の直通階段を設けなくてもよいこととされている。
⑶　防火対象物の屋内に設ける避難階段の階段室の天井（天井のない場合にあっては、屋根）及び壁の室内に面する部分は、仕上げを不燃材料でし、かつ、その下地を不燃材料で造らなければならないとされている。
⑷　防火性能に関する技術的基準として、耐力壁である外壁にあっては、これに建築物の周囲において発生する通常の火災による火熱が加えられた場合に、加熱開始後30分間構造耐力上支障のある変形、溶融、破壊その他の損傷を生じないものでなければならないとされている。
⑸　床が地盤面下にある階で、床面からの高さが１m以上のものは、「地

階」に該当するとされている。

要点・解説

「地階」とは、床が地盤面下にある階で、床面から地盤面までの高さがその階の天井の高さの3分の1以上のものと規定されている。

(1) 建基法第2条第6号の規定で、**正しい**。
(2) 建基令第121条第1項第2号の規定で、**正しい**。
(3) 建基令第123条第1項第2号の規定で、**正しい**。
(4) 建基令第108条第1号の規定で、**正しい**。
(5) 建基令第1条第2号の規定で、**誤り**。

ポイント

建築基準法令に規定する「延焼のおそれのある部分」、「直通階段を設けなければならない建築物」、「地階」等についての知識について問うものである。

【正解　(5)】

チェック □□□

問題138　**次は、建築基準法令に関する記述であるが、誤っているものはどれか。**

(1) 直接地上へ通ずる出入口のある階は、「避難階」とされている。
(2) 「防火性能」とは、建築物の周囲において発生する通常の火災による延焼を抑制するために当該外壁又は軒裏に必要とされる性能をいう。
(3) 通常の火災が終了するまでの間、当該火災による建築物の倒壊及び延焼を防止するために、当該建築物の部分に必要とされる性能を「準耐火性能」という。
(4) 「地階」とは、床が地盤面下にある階で、床面から地盤面までの高さがその階の天井の高さの3分の1以上のものをいう。
(5) 「建築物」とは、土地に定着する工作物のうち、屋根及び柱若しくは壁を有するものなどをいい、観覧のための工作物も建築物に該当する。

要点・解説

(1) 建基令第13条第1号の規定で、**正しい**。
(2) 建基法第2条第8号の規定で、**正しい**。
(3) 建基法第2条第7号の2の規定で、**誤り**。
(4) 建基令第1条第2号の規定で、**正しい**。
(5) 建基法第2条第1号の規定で、**正しい**。

ポイント

建築基準法令に定める用語についての知識について問うものである。なお、「準耐火性能」とは、建基法第2条第7号の2の規定で、「通常の火災による延焼を抑制するために当該建築物の部分に必要とされる性能をいう。」と規定されている。

【正解 (3)】

チェック □□□

問題139 **次のうち、建築基準法令に関する記述として、誤っているものはどれか。**

(1) 耐火構造における「耐火性能」とは、通常の火災が終了するまでの間当該火災による建築物の倒壊及び延焼を防止するために当該建築物の部分に必要とされる性能をいう。
(2) 建築基準法施行令第107条第1号に掲げるもののほか、耐火構造の壁及び床に関する「耐火性能の基準」とは、通常の火災による火熱が1時間（非耐力壁である外壁の延焼のおそれのある部分以外の部分にあっては、30分間）加えられた場合に、当該加熱面以外の面（屋内に面するものに限る。）の温度が当該面に接する可燃物が燃焼するおそれのある温度（「可燃物燃焼温度」という。）以上に上昇しないものでなければならない。
(3) 準耐火構造における「準耐火性能」とは、通常の火災による延焼を抑制するために当該建築物の部分に必要とされる性能をいう。
(4) 準耐火構造の外壁（非耐力壁である外壁の延焼のおそれのある部分以外の部分を除く。）に関する「準耐火性能の基準」とは、これらの屋内において発生する通常の火災による火熱が加えられた場合に、加熱開始後30分間屋外に火炎を出す原因となる亀裂その他の損傷を生じないものでなければならない。

(5)　防火構造における「防火性能」とは、建築物の周囲において発生する通常の火災による延焼を抑制するために当該外壁又は軒裏に必要とされる性能をいう。

要点・解説

準耐火構造の外壁に関する「準耐火性能の基準」とは、「屋内において発生する通常の火災による火熱が加えられた場合に、加熱開始後45分間屋外に火炎を出す原因となる亀裂その他の損傷を生じないもの」とされている。

なお、「非耐力壁である外壁（延焼のおそれのある部分以外の部分に限る。）」にあっては、30分間屋外に火炎を出す原因となる亀裂その他の損傷を生じないものとされている（建基令第107条の２第３号）。

(1)　建基法第２条第７号の規定で、**正しい**。
(2)　建基令第107条第２号の規定で、**正しい**。
(3)　建基法第２条第７号の２の規定で、**正しい**。
(4)　建基令第107条の２第３号の規定で、**誤り**。
(5)　建基法第２条第８号の規定で、**正しい**。

ポイント

建築基準法令における「耐火構造」、「準耐火構造」又は「防火構造」の定義及びそれぞれの構造に関する「耐火性能」、「準耐火性能」又は「防火性能」の違いについての知識について問うものである。　【正解　(4)】

チェック□□□

問題140　**次は、建築基準法令に関する記述であるが、誤っているものはどれか。**

(1)　建築基準法令に規定する「延焼のおそれのある部分」として、隣地境界線又は道路中心線から建築物の１階にあっては、３m以下の部分が該当するとされている。

(2) 特定主要構造部が耐火構造である２階建ての建築物で、避難階以外の階に床面積の合計が1,000m²の物品販売店舗の用途に供する売場を設けた場合、避難階又は地上に通ずる２以上の直通階段を設けなくてもよいこととされている。

(3) 防火対象物の屋内に設ける避難階段の階段室の天井（天井のない場合にあっては、屋根）及び壁の室内に面する部分は、仕上げを不燃材料でし、かつ、その下地を不燃材料で造らなければならない。

(4) 防火性能に関する技術的基準として、耐力壁である外壁にあっては、これに建築物の周囲において発生する通常の火災による火熱が加えられた場合に、加熱開始後30分間構造耐力上支障のある変形、溶融、破壊その他の損傷を生じないものでなければならないと規定されている。

(5) 防火対象物の屋内に設ける避難階段は、防火構造とし、避難階まで直通するように設けなければならない。

要点・解説

避難階段の構造については、建基令第123条で規定されている。すなわち、階段は、耐火構造とし、避難階まで直通することとされている。

(1) 建基法第２条第６号の規定で、**正しい**。

(2) 建基令第121条第１項第２号の規定で、**正しい**。

(3) 建基令第123条第１項第２号の規定で、**正しい**。

(4) 建基令第108条第１号の規定で、**正しい**。

(5) 建基令第123条第１項第７号の規定で、**誤り**。

ポイント

建築基準法令に定める、「延焼のおそれのある部分」、「避難階段に関する規定」、「防火性能に関する基準」等についての知識について問うものである。

【正解 (5)】

チェック □□□

問題141　次は、建築基準法令に関する記述であるが、正しいものはどれか。

(1)　建築設備には、排水設備、電気設備又は避雷針は含まれるが、消火設備は含まれない。
(2)　居室には、執務室、娯楽室又は集会場は含まれるが、作業場は含まれない。
(3)　防火設備には、防火戸は含まれるが、ドレンチャーは含まれない。
(4)　主要構造部には、はり、屋根又は階段は含まれるが、建築物の構造上重要でない最下階の床は含まれない。
(5)　特殊建築物には、火葬場、自動車車庫又は汚物処理場は含まれるが、危険物貯蔵場は含まれない。

要点・解説

(1)　建基法第２条第３号の規定で、消火設備も含まれるので、**誤り**。
(2)　建基法第２条第４号の規定で、作業場も含まれるので、**誤り**。
(3)　建基令第109条第１項の規定で、ドレンチャーも含まれるので、**誤り**。
(4)　建基法第２条第５号の規定で、**正しい**。
(5)　建基法第２条第２号の規定で、危険物の貯蔵場も含まれるので、**誤り**。

ポイント

建築基準法令に定める用語の定義又は防火設備の範囲についての知識について問うものである。

【正解　(4)】

チェック □□□

問題142 **建築基準法令に定める用語の定義に関する記述として、誤っているものはどれか。**

(1)　建築設備には、建築物に設ける消火、排煙等の設備が含まれるほか、避雷針も含まれる。
(2)　住宅に附属する門及び塀は、建築物に該当する。
(3)　主要構造部には、壁、床、屋根等のほか建築物の構造上重要でない間仕切壁、局部的な小階段も含まれる。
(4)　特殊建築物には、専修学校や各種学校も含まれる。
(5)　直接地上へ通ずる出入口のある階は、避難階に該当する。

要点・解説

主要構造部において建築物の構造上重要でない間仕切壁、局部的な小階段等の建築物の部分は除くと規定されている。

(1)　建基法第２条第３号の規定で、**正しい**。
(2)　建基法第２条第１号の規定で、**正しい**。
(3)　建基法第２条第５号の規定で、**誤り**。
(4)　建基法第２条第２号の規定で、**正しい**。
(5)　建基令第13条第１号の規定で、**正しい**。

ポイント

建基法第２条、建基令第13条についての知識について問うものである。

【正解　(3)】

チェック □□□

問題143 **次は、建築基準法令に関する記述であるが、誤っているものはどれか。**

---

(1) 特殊建築物として、各種学校は含まれることとされている。
(2) 直接地上へ通ずる出入口のある階は、避難階に該当することとされている。
(3) 建築設備として、建築物に設ける給水設備、排水設備又は消火設備は含まれるが、避雷針は含まれない。
(4) 建築基準法施行令第107条第１号に掲げるもののほか、耐火構造の壁及び床に関する「耐火性能の基準」とは、通常の火災による火熱が１時間（非耐力壁である外壁の延焼のおそれのある部分以外の部分にあっては、30分間）加えられた場合に、当該加熱面以外の面（屋内に面するものに限る。）の温度が当該面に接する可燃物が燃焼するおそれのある温度として可燃物燃焼温度以上に上昇しないものでなければならないものとされている。
(5) 防火構造における建築物の外壁又は軒裏に関する「防火性能」とは、建築物の周囲において発生する通常の火災による延焼を抑制するために当該外壁又は軒裏に必要とされる性能をいう。

要点・解説

建築設備には、建基法第２条第３号において、避雷針も含まれる。

(1) 建基法第２条第２号の規定で、**正しい**。
(2) 建基令第13条第１号の規定で、**正しい**。
(3) 建基法第２条第３号の規定で、**誤り**。
(4) 建基令第107条第２号の規定で、**正しい**。
(5) 建基法第２条第８号の規定で、**正しい**。

ポイント

建築基準法令における「特殊建築物」、「避難階」、「建築設備」、「耐火性能」又は「防火性能」についての知識について問うものである。【正解 (3)】

チェック □□□

問題144 **次は、建築基準法第６条の２第１項の規定による国土交通大臣等の指定を受けた者（指定確認検査機関）による建築基準関係規定に適合するものであることの確認に関する記述であるが、誤っているものはどれか。**

(1)　指定確認検査機関により建築基準関係規定に適合するものであることの確認を受け、確認済証の交付を受けたときは、当該確認は建築主事による確認及び確認済証の交付とみなされる。

(2)　指定確認検査機関は、建築主から確認の申請を受けた場合において、申請に係る建築物の計画が建基法第６条の３第１項の構造計算適合性判定を要するものであるときは、建築主から同条第７項の適合判定通知書又はその写しの提出を受けた場合に限り、確認をすることができる。

(3)　指定確認検査機関は、建築主から確認の申請を受けた場合において、申請に係る建築物の計画が建築基準関係規定に適合しないことを認めたとき、又は建築基準関係規定に適合するかどうかを決定することができない正当な理由があるときは、その旨及びその理由を記載した通知書を当該申請者に交付しなければならない。

(4)　指定確認検査機関は、確認済証又は通知書の交付をしたときは、所要の期間内に、確認審査報告書を作成し、当該確認済証又は当該通知書の交付に係る建築物の計画に関する書類を添えて、これを特定行政庁に提出しなければならない。

(5)　指定確認検査機関の指定は、一の都道府県の区域においてのみ確認の業務を行おうとする場合には当該都道府県知事が、また、二以上の都道府県の区域において確認の業務を行おうとする場合にはそれぞれの都道府県知事又は国土交通大臣がしなければならない。

要点・解説

建基法第６条の２第１項の規定による指定は、二以上の都道府県の区域において確認の業務を行おうとする者を指定する場合にあっては国土交通大臣が、一の都道府県の区域において確認の業務を行おうとする者を指定する場合にあっては都道府県知事がするものとする。

⑴　建基法第６条の２第１項の規定で、**正しい**。
⑵　建基法第６条の２第３項の規定で、**正しい**。
⑶　建基法第６条の２第４項の規定で、**正しい**。
⑷　建基法第６条の２第５項の規定で、**正しい**。
⑸　建基法第６条の２第２項の規定で、**誤り**。

ポイント

建基法第６条の２第１項の規定による国土交通大臣等の指定を受けた者（指定確認検査機関）による建築基準関係規定に適合するものであることの確認についての知識を問うものである。

【正解　⑸】

チェック □□□

問題145　次は、建築基準法令に関する記述であるが、誤っているものはどれか。

⑴　３階以上の階にあるゴルフ練習場の屋根は、屋内において発生する通常の火災による火熱が30分間加えられた場合に、屋外に火炎を出す原因となる亀裂その他の損傷を生じないものとしなければならない。
⑵　３階以上の階を物品販売業を営む店舗（床面積が10m²を超えるもの）の用途に供する建築物は、物品販売業を営む店舗部分とその他の部分とを準耐火構造とした床若しくは壁又は特定防火設備で区画しなければならない。
⑶　15階建て建築物の11階以上の階の部分の防火区画は、当該部分の壁及び天井の室内に面する部分の仕上げ及び下地を不燃材料とした場合は、床面積の合計500m²以内ごとに耐火構造の床、壁及び特定防火設備で区

画すれば足りることとされている。

(4)　地階を除く階数が10である耐火建築物は、8階から10階までの柱、床及びはりに通常の火災による火熱を1時間加えた場合に、構造耐力上支障のある変形、溶融、破壊その他の損傷を生じないものでなければならない。

(5)　同一敷地内に2以上の木造建築物等がある場合、当該木造建築物のうち最も延べ面積の大なるものが、1,000m²を超える場合に限り、その外壁及び軒裏で延焼のおそれのある部分を防火構造とし、その屋根を一定の防火性能を有するものとしなければならない。

要点・解説

(1)　建基法第27条第1項、建基法別表第1（い）欄(3)項及び建基令第107条第3号並びに建基令第115条の3第2号の規定で、**正しい**。

(2)　建基法第27条第1項、建基法別表第1（い）欄(4)項及び建基令第112条第18項並びに建基令第115条の3第3号の規定で、**正しい**。

(3)　建基令第112条第9項の規定で、**正しい**。

(4)　建基法第2条第7号及び建基令第107条第1号の規定で、**正しい**。

(5)　建基法第25条の規定で、同一の敷地内に2以上の木造建築物等が存する場合、その建築物等の延べ面積の合計で規制することと規定されており、単一の建築物の規模により規制することとされていないので、**誤り**。

ポイント

建築基準法令における「耐火性能」、「防火区画」等に関する基準についての知識について問うものである。

【正解　(5)】

チェック □□□

問題146　**次は、建築基準法令に関する記述であるが、誤っているものはどれか。**

(1)　準不燃材料は、建築材料のうち、通常の火災による火熱が加えられた場合に、加熱開始後10分間建築基準法施行令（以下「建基令」という。）

に掲げる要件を満たすものとして国土交通大臣が定めたもの又は国土交通大臣の認定を受けたものをいう。

⑵ 難燃材料は、建築材料のうち、通常の火災による火熱が加えられた場合に、加熱開始後５分間建基令に掲げる要件を満たすものとして国土交通大臣が定めたもの又は国土交通大臣の認定を受けたものであり、不燃材料及び準不燃材料には含まれない。

⑶ 不燃材料は、建築材料のうち、通常の火災による火熱が加えられた場合に、加熱開始後20分間建基令に掲げる要件を満たすものとして国土交通大臣が定めたもの又は国土交通大臣の認定を受けたものをいう。

⑷ 内装制限とは、建築物の壁、天井（天井のない場合においては、屋根）の室内に面する部分の仕上げに使用することのできる材料が、その用途、構造、規模等により制限されることをいう。

⑸ 準耐火構造とは、壁、柱、床その他の建築物の部分の構造のうち、準耐火性能に関して建基令で定める技術的基準に適合するもので、国土交通大臣が定めた構造方法を用いるもの又は国土交通大臣の認定を受けたものをいう。

要点・解説

防火材料は、通常の火災による火熱が加えられた場合の加熱開始後の時間により、不燃材料、準不燃材料又は難燃材料に区分され、その加熱時間において①燃焼しない、②防火上有害な変形、溶融、き裂その他の損傷を生じない、③避難上有害な煙又はガスを発生しないという性能が求められている。このなかで防火性能に関するグレードは、上位から不燃材料→準不燃材料→難燃材料の順であり、防火性能が上位のものは、下位のものの性能を満たしていることから、性能的には上位の不燃材料、準不燃材料に難燃性能を有する材料として含まれることになる。

⑴ 建基令第１条第５号の規定で、**正しい**。
⑵ 建基令第１条第６号の規定及び要点・解説のとおりで、**誤り**。
⑶ 建基法第２条第９号及び建基令第108条の２の規定で、**正しい**。
⑷ 建基法第35条の２及び建基令第128条の４並びに建基令第128条の５の規定で、**正しい**。
⑸ 建基法第２条第７号の２の規定で、**正しい**。

ポイント

建築基準法令に規定する、不燃材料、準不燃材料及び難燃材料に関する法令上の基準並びに防火性能についてのグレードについての知識について問うものである。

【正解　(2)】

チェック □□□

問題147　次は、建築基準法令に関する記述であるが、誤っているものはどれか。

---

(1)　高さが2.5mの独立した煙突を改造する場合、確認申請は不要である。
(2)　鉄筋コンクリート造平屋建て、延べ面積が190m²の一般事務所の大規模な模様替えをする場合、確認申請は不要とされている。
(3)　都市計画区域外で、かつ、建築基準法第６条第１項第４号に規定する区域の指定のない場所に、高さ６m、延べ面積90m²の鉄筋コンクリート造平屋建ての車庫を新築する場合、確認申請は不要とされている。
(4)　地盤面上１m以下である地階の面積は、建築面積に算入することとされている。
(5)　防火壁の屋上突出部は高さに算入しないこととされている。

要点・解説

(1)　建基法第88条第１項及び建基令第138条第１項第１号の規定で、**正しい**。
(2)　建基法第６条第１項第３号の規定で、**正しい**。
(3)　建基法第６条第１項第１号の規定で、**正しい**。
(4)　建基令第２条第１項第２号の規定で面積に算入しないこととされており、**誤り**。
(5)　建基令第２条第１項第６号ハの規定で、**正しい**。

ポイント

建築基準法令において、法令の対象になる建築物、高さ及び面積的な規制の対象になるもの、ならないものについての知識について問うものである。

【正解　(4)】

チェック □□□

問題148 **次は、防火地域及び準防火地域以外の区域に存する建築物についての記述であるが、耐火建築物等としなければならないものはどれか。**

(1) 各階の床面積が300m²の3階建ての建築物で、1階が飲食店の用途に、2階及び3階が一般事務所の用途に供されているもの
(2) 各階の床面積が250m²の2階建ての建築物で、1階が物品販売店舗の用途に、2階が倉庫の用途に供されているもの
(3) 平屋建ての自動車車庫で、床面積が300m²のもの
(4) 各階の床面積が250m²の2階建ての建築物で、1階が倉庫の用途に、2階が一般事務所の用途に供されているもの
(5) 各階の床面積が200m²の2階建ての建築物で、1階及び2階が老人ホームの用途に供されているもの

要点・解説

(1) 建基法第27条第1項及び建基法別表第1（い）欄(4)項及び建基令第115条の3第3号の規定により、飲食店は3階より下で、かつ床面積も500m²未満であり、一般事務所は建基法別表第1に該当しないので、**耐火建築物等としなくてよい。**
(2) 建基法第27条第2項、第3項及び建基法別表第1（い）欄(5)項の規定により、倉庫は3階より下で、かつ床面積も1,500m²未満であり、物品販売店舗については、建基法第27条第1項及び建基法別表第1（い）欄(4)項及び建基令第115条の3第3号の規定により3階より下で、かつ、床面積も500m²未満であるので、**耐火建築物等としなくてよい。**
(3) 建基法第27条第3項及び建基法別表第1（い）欄(6)項の規定により、自動車車庫の床面積が150m²以上であるので、**耐火建築物等としなければならない。**
(4) 建基法第27条第2項、第3項及び建基法別表第1（い）欄(5)項の規定により、倉庫は3階より下で、かつ床面積も1,500m²未満であり、一般事務所については、建基法別表第1に該当しないので、**耐火建築物等としなくてよい。**
(5) 建基法第27条第1項及び建基法別表第1（い）欄(2)項並びに建基令第115条の3第1号の規定により老人ホームは3階より下で、かつ2階の部分の床

面積も300m²未満なので、**耐火建築物等としなくてよい。**

ポイント

防火地域及び準防火地域以外の区域に存する建築物で、耐火建築物又は準耐火建築物としなければならない条件についての知識について問うものである。

【正解　(3)】

チェック □□□

問題149　**高さ31mを超える建築物には、建築基準法第34条第２項により、非常用の昇降機の設置が規定されており、同項で、建築基準法施行令で定めるものは非常用の昇降機の設置を要しないとされている。次のうち、非常用の昇降機の設置を要しないと規定されていないものはどれか。**

⑴　高さ31mを超える部分を階段室、昇降機その他の建築設備の機械室、装飾塔、物見塔、屋窓その他これらに類する用途に供する建築物

⑵　高さ31mを超える部分の各階の床面積の合計が500m²以下の建築物

⑶　高さ31mを超える部分の階数が４以下の特定主要構造部を耐火構造とした建築物で、当該部分が床面積の合計100m²以内ごとに耐火構造の床若しくは壁又は特定防火設備でその構造が建築基準法施行令第112条第19項第１号イ、ロ及びニに掲げる要件を満たすものとして、国土交通大臣が定めた構造方法を用いるもの又は国土交通大臣の認定を受けたもの（廊下に面する窓で開口面積が１m²以内のものに設けられる建築基準法第２条第９号の２ロに規定する防火設備を含む。）で区画されているもの

⑷　高さ31mを超える部分を機械製作工場、不燃性の物品を保管する倉庫その他これらに類する用途に供する建築物で主要構造部が不燃材料で造られたものその他これと同等以上に火災の発生のおそれの少ない構造のもの

⑸　高さ31mを超える部分の各階の床面積の合計が1,000m²以下の建築物で、当該11階以上の部分にスプリンクラー設備が消防法令の規定により設置されている建築物

要点・解説

建基令第129条の13の２に非常用の昇降機の設置を要しない建築物が規定されているが、選択肢(5)に記述する規定はない。

(1)　建基法第34条第２項及び建基令第129条の13の２第１号の規定で、**規定されている。**
(2)　建基法第34条第２項及び建基令第129条の13の２第２号の規定で、**規定されている。**
(3)　建基法第34条第２項及び建基令第129条の13の２第３号の規定で、**規定されている。**
(4)　建基法第34条第２項及び建基令第129条の13の２第４号の規定で、**規定されている。**
(5)　建基法第34条第２項及び建基令第129条の13の２の規定で、**規定されていない。**

ポイント

高さ31mを超える建築物には非常用の昇降機（非常用エレベーター）の設置が必要であるが、31mを超える部分の条件がどのような形態であれば設置を要しないかについての知識について問うものである。　【正解　(5)】

チェック □□□

問題150　次は、非常用の昇降機を設置する必要のある高さ31mを超える建築物に関する記述であるが、誤っているものはどれか。

(1)　高さ31mを超える部分を不燃性の物品を保管する倉庫に供する建築物で主要構造部が不燃材料で造られたものには、設置しないことができる。
(2)　高さ31mを超える部分の各階の床面積の合計が500m²以下の建築物には、設置する必要がある。
(3)　高さ31mを超える部分を階段室及び昇降機その他の建築設備の機械室に供する建築物には、設置しないことができる。
(4)　高さ31mを超える部分の階数が５階であり特定主要構造部を耐火構造

とした建築物で、当該部分が床面積の合計100m²以内ごとに耐火構造の床若しくは壁又は特定防火設備で区画されている建築物には、設置する必要がある。

(5)　高さ31mを超える部分を装飾塔、物見塔、屋窓その他これらに類する用途に供する建築物には、設置しないことができる。

要点・解説

建築物に昇降機を設置する場合には、安全な構造で、かつ、その昇降路の周壁及び開口部は、防火上支障がない構造とすることとされている。一方、高さ31mを超える建築物には、原則として非常用の昇降機の設置が義務付けられているが、一定の要件を満たす建築物については設置しないことができるとされており、選択肢(2)もその建築物に該当する（建基法第34条、建基令第129条の13の２）。

(1)　建基法第34条第２項、建基令第129条の13の２第４号の規定により、**正しい**。
(2)　建基法第34条第２項、建基令第129条の13の２第２号の規定により、**誤り**。
(3)　建基法第34条第２項、建基令第129条の13の２第１号の規定により、**正しい**。
(4)　建基法第34条第２項、建基令第129条の13の２第３号の規定により、**正しい**。
(5)　建基法第34条第２項、建基令第129条の13の２第１号の規定により、**正しい**。

ポイント

非常用の昇降機の設置が必要な建築物の知識を問うものである。

【正解　(2)】

チェック □□□

問題151　**次は、非常用の昇降機（非常用エレベーター）の設置及び構造に関する記述であるが、誤っているものはどれか。**

(1)　避難階においては、非常用エレベーターの昇降路の出入口から屋外への出口の一に至る歩行距離は、30m以下となっている。

(2)　非常用エレベーターには、籠を呼び戻す装置を設け、かつ、当該装置の作動は、避難階又はその直上階若しくは直下階の乗降ロビー及び中央管理室において行うことができるものとする。
(3) 乗降ロビーには、屋内消火栓、連結送水管の放水口、非常コンセント設備等の消火設備が設置されている。
(4) 非常用エレベーターには、籠内と消防機関とを連絡する電話装置が設けられている。
(5) 乗降ロビーには、積載量及び最大定員のほか、非常用エレベーターである旨、避難階における避難経路その他避難上必要な事項を明示した標識及び表示灯が設けられている。

要点・解説

高さ31mを超える高層部分において火災等の災害が発生した場合は、避難、救出、消火活動が困難になるといわれており、これらの部分における消防隊の消火、救助等の活動は建物の内部から行う必要があるため、活動が迅速かつ円滑に行えるように非常用の昇降機（非常用エレベーター）の設置が義務付けされている。

非常用エレベーターは、消火、救助等を行うために必要な設備、構造などが建基令において規定されている（建基令第129条の13の３）。

非常用エレベーターには、籠内と中央管理室とを連絡する電話装置を設けなければならない（建基令第129条の13の３第８項）。

(1) 建基令第129条の13の３第５項の規定により、**正しい**。
(2) 建基令第129条の13の３第７項の規定により、**正しい**。
(3) 建基令第129条の13の３第３項第８号の規定により、**正しい**。
(4) 建基令第129条の13の３第８項の規定により、**誤り**。
(5) 建基令第129条の13の３第３項第９号の規定により、**正しい**。

ポイント

高さ31mを超える建築物に設置する非常用の昇降機（非常用エレベーター）の設置及び構造に関する知識を問うものである。　【正解　(4)】

チェック

問題152 次は、建築基準法第35条の２の規定に基づく内装制限を受ける対象物についての記述であるが、建築物の構造及び床面積にかかわらず、内装制限を受けない対象物はどれか。ただし、自動式の消火設備及び排煙設備は設置しないものとする。

---

(1)　公会堂
(2)　診療所
(3)　遊技場
(4)　自動車車庫
(5)　学校

要点・解説

(1)　建基法第35条の２及び建基令第128条の４第１項第１号の表の規定で、構造及び床面積の大きさにより**内装制限を受ける対象物である。**

(2)　建基法第35条の２及び建基令第128条の４第１項第１号の表の規定で、構造及び床面積の大きさにより**内装制限を受ける対象物である。**

(3)　建基法第35条の２及び建基令第128条の４第１項第１号の表の規定で、構造及び床面積の大きさにより**内装制限を受ける対象物である。**

(4)　建基法第35条の２及び建基令第128条の４第１項第２号の規定で、構造及び床面積に関係なく**内装制限を受ける対象物である。**

(5)　建基法第35条の２及び建基令第128条の４第２項かっこ書き及び同条第３項かっこ書きの規定で、**内装制限を受けない対象物である。**

ポイント

建基法第35条の２の規定に基づく内装制限の規制を受ける対象物についての知識について問うものである。　【正解　(5)】

チェック □□□

問題153 **次は、防火地域及び準防火地域内の建築物に関する記述であるが、誤っているものはどれか。**

(1) 準防火地域内にある建築物で、外壁が耐火構造のものは、その外壁を隣地境界線に接して設けることができる。

(2) 防火地域内にある建築物は、その外壁の開口部で延焼のおそれのある部分に防火戸その他の政令で定める防火設備を設ける必要がある。

(3) 準防火地域内にある看板を建築物の屋上に設ける場合には、看板の主要な部分を準不燃材料で造り、又は覆う必要がある。

(4) 防火地域内の建築物の屋根の構造は、市街地における火災を想定した火の粉による建築物の火災の発生を防止するために屋根に必要とされる性能に関して建築物の構造及び用途の区分に応じて政令で定める技術的基準に適合するもので、国土交通大臣が定めた構造方法を用いるもの又は国土交通大臣の認定を受けたものとする。

(5) 準防火地域内にある建築物は、壁、柱、床その他の建築物の部分及び当該防火設備を通常の火災による周囲への延焼を防止するためにこれらに必要とされる性能に関して準防火地域の別並びに建築物の規模に応じて政令で定める技術的基準に適合するもので、国土交通大臣が定めた構造方法を用いるもの又は国土交通大臣の認定を受けたものとする。

要点・解説

看板等の防火措置については、防火地域内にある看板、広告塔、装飾塔その他これらに類する工作物で、建築物の屋上に設けるもの又は高さ3mを超えるものは、その主要な部分を不燃材料で造り、又は覆わなければならないとされている(建基法第64条)。

(1) 建基法第63条の規定で、**正しい**。
(2) 建基法第61条第1項の規定で、**正しい**。
(3) 建基法第64条の規定で、**誤り**。
(4) 建基法第62条の規定で、**正しい**。
(5) 建基法第61条第1項の規定で、**正しい**。

ポイント

防火地域及び準防火地域内の建築物の構造についての知識を問うものである。

【正解　(3)】

チェック □□□

問題154　建築基準法令上、防火地域又は準防火地域内において、耐火建築物又は準耐火建築物としなくてもよいとされる建築物として正しいものは、次のうちどれか。ただし、当該建築物に地階はないものとする。

---

(1)　準防火地域内にある3階建ての寄宿舎で、延べ面積が300m²のもの
(2)　準防火地域内にある2階建ての倉庫で、延べ面積が400m²のもの
(3)　準防火地域内にある2階建ての一般事務所で、延べ面積が600m²のもの
(4)　防火地域内にある平屋建ての住宅で、延べ面積が150m²のもの
(5)　防火地域内にある平屋建ての一般事務所で、延べ面積が60m²のもの

要点・解説

防火地域又は準防火地域内にある建築物は、その外壁の開口部で延焼のおそれのある部分に防火戸その他の政令で定める防火設備を設け、かつ、壁、柱、床その他の建築物の部分及び当該防火設備を通常の火災による周囲への延焼を防止するためにこれらに必要とされる性能に関して防火地域及び準防火地域の別並びに建築物の規模に応じて政令で定める技術的基準に適合するもので、

　①　国土交通大臣が定めた構造方法を用いるもの
又は②　国土交通大臣の認定を受けたもの
としなければならないとされている（建基法第61条第1項）。

この場合の門又は塀で、高さ2m以下のもの又は準防火地域内にある建築物（木造建築物等を除く。）に附属するものについては、この限りでないとされている（建基法第61条第1項ただし書き）。

政令で定める技術的基準として、具体的に建基令第136条の2に、次のように規定されている。

なお、防火地域又は準防火地域内の建築物で、耐火建築物又は準耐火建築物と

しなくてよい建築物は、準防火地域内の建築物で、2階以下で、延べ面積が500m²以下のものとされている。

防火地域・準防火地域内の建築物の規制

<table>
<tr><th rowspan="2">区分
階数</th><th colspan="2">防火地域</th><th colspan="3">準防火地域</th></tr>
<tr><th>100m²以下</th><th>100m²超</th><th>500m²以下</th><th>500m²超
1,500m²以下</th><th>1,500m²超</th></tr>
<tr><td>4階以上</td><td colspan="2" rowspan="2">① **耐火建築物**
② 耐火建築物と同等以上の延焼防止性能が確保された建築物</td><td colspan="3">① **耐火建築物**
② 耐火建築物と同等以上の延焼防止性能が確保された建築物</td></tr>
<tr><td>3階まで</td><td colspan="2">① **準耐火建築物**
② 準耐火建築物と同等以上の延焼防止性能が確保された建築物</td><td rowspan="3"></td></tr>
<tr><td>2階まで</td><td rowspan="2">① **準耐火建築物**
② 準耐火建築物と同等以上の延焼防止性能が確保された建築物</td><td rowspan="2"></td><td rowspan="2">① **防火構造の建築物**
② 同等以上の延焼防止性能が確保された建築物</td><td rowspan="2"></td></tr>
<tr><td>1階まで</td></tr>
</table>

(1) 建基令第136条の2第2号の規定で、**誤り**。
(2) 建基令第136条の2第3号の規定で、**正しい**。
(3) 建基令第136条の2第2号の規定で、**誤り**。
(4) 建基令第136条の2第1号の規定で、**誤り**。
(5) 建基令第136条の2第2号の規定で、**誤り**。

ポイント

建築基準法令上、耐火建築物又は準耐火建築物としなければならない防火地域又は準防火地域内の建築物についての知識を問うものである。

【正解 (2)】

チェック □□□

問題155 次は、建築基準法第88条第１項に規定する工作物についての記述であるが、工作物として指定されるものはどれか。

⑴　高さが５mの煙突（支枠があるもの）
⑵　高さが３mの記念塔
⑶　高さが７mの高架水槽
⑷　高さが1.8mの擁壁
⑸　高さが10mのサイロ

要点・解説

建基令第138条第１項で、工作物として指定されるものが規定されている。選択肢⑴は６mを超えるもの、⑵は４mを超えるもの、⑶は８mを超えるもの、⑷は２mを超えるもの、⑸は８mを超えるものが工作物として指定されている。

⑴　建基令第138条第１項第１号の規定で、**指定されない**。
⑵　建基令第138条第１項第３号の規定で、**指定されない**。
⑶　建基令第138条第１項第４号の規定で、**指定されない**。
⑷　建基令第138条第１項第５号の規定で、**指定されない**。
⑸　建基令第138条第１項第４号の規定で、**指定される**。

ポイント

建基法第88条第１項の規定に基づく工作物として、どのような工作物が指定されているか、その対象についての知識について問うものである。

【正解　⑸】

チェック □□□

問題156 次のうち、防火対象物の屋内に設ける避難階段に関する記述として、誤っているものはどれか。

(1) 階段室の天井（天井のない場合にあっては、屋根）及び壁の室内に面する部分は、仕上げを不燃材料でし、かつ、その下地を不燃材料で造ること。
(2) 階段室の屋内に面する壁に窓を設ける場合においては、その面積は、各々1m²以内とし、かつ、建築基準法に規定する防火設備ではめごろし戸であるものを設けること。
(3) 階段室は、階段室の屋外に面する壁に設ける開口部、階段室の屋内に面する壁に設ける窓及び階段に通ずる出入口の部分を除き、耐火構造の壁で囲むこと。
(4) 階段室には、窓その他の採光上有効な開口部又は予備電源を有する照明設備を設けること。
(5) 階段室のバルコニー又は付室に面する部分に窓を設ける場合においては、はめごろし戸を設けること。

要点・解説

(1) 建基令第123条第1項第2号の規定で、**正しい。**
(2) 建基令第123条第1項第5号の規定で、**正しい。**
(3) 建基令第123条第1項第1号の規定で、**正しい。**
(4) 建基令第123条第1項第3号の規定で、**正しい。**
(5) 建基令第123条第3項第8号の規定で、特別避難階段に関する規定であり、**誤り。**

ポイント

建基令第123条に規定されている「避難階段及び特別避難階段の構造」等についての知識について問うものである。なお、屋内に設ける避難階段の構造については、建基令第123条第1項各号で規定されている。　【正解　(5)】

チェック □□□

問題157 次のうち、建築基準法令に定める特別避難階段の構造として、誤っているものはどれか。

(1) 屋内と階段室とは、バルコニー又は外気に向かって開くことができる窓若しくは排煙設備（国土交通大臣が定めた構造方法を用いるものに限る。）を有する付室を通じて連絡すること。
(2) 階段室及び付室の天井及び壁の室内に面する部分は、仕上げを不燃材料でし、かつ、その下地を準不燃材料で造ること。
(3) 階段室には、付室に面する窓その他の採光上有効な開口部又は予備電源を有する照明設備を設けること。
(4) 階段室には、バルコニー及び付室に面する部分以外に屋内に面して開口部を設けないこと。
(5) 階段室のバルコニー又は付室に面する部分に窓を設ける場合においては、はめごろし戸を設けること。

要点・解説

仕上げを不燃材料でし、かつ、その下地を不燃材料で造ることと規定されている（建基令第123条第3項第4号）。

(1) 建基令第123条第3項第1号の規定で、**正しい**。
(2) 建基令第123条第3項第4号の規定で、**誤り**。
(3) 建基令第123条第3項第5号の規定で、**正しい**。
(4) 建基令第123条第3項第7号の規定で、**正しい**。
(5) 建基令第123条第3項第8号の規定で、**正しい**。

ポイント

建築基準法令に定める特別避難階段について、階段室、付室、開口部、照明、排煙、仕上げ等の規定についての知識について問うものである。

【正解 (2)】

チェック □□□

問題158 次は、非常用の照明装置の設置に関する記述であるが、誤っているものはどれか。

---

(1) 階数が3以上の建築物の居室には、設置が必要である。
(2) 避難階又は避難階の直上階若しくは直下階の居室には、原則として設置が必要である。
(3) 非常用の照明装置の設置が必要である居室から地上に通ずる廊下、階段その他の通路（採光上有効に直接外気に開放された通路を除く。）には、設置が必要である。
(4) 延べ面積が1,000m²を超える建築物の居室には、設置が必要である。
(5) 病院の病室、下宿の宿泊室又は寄宿舎の寝室その他これらに類する居室には、設置しないことができる。

要点・解説

非常用の照明装置は、火災等の災害発生時において、通常電源が停電した際に安全に避難できるように設置するものである。

階数が3以上の建築物の居室においては、延べ面積が500m²を超えるものに設置が必要である（建基令第126条の4）。

(1) 建基令第126条の4第1項本文の規定で、**誤り**。
(2) 建基令第126条の4第1項第4号の規定で、**正しい**。
(3) 建基令第126条の4第1項本文の規定で、**正しい**。
(4) 建基令第126条の4第1項本文の規定で、**正しい**。
(5) 建基令第126条の4第1項第2号の規定で、**正しい**。

ポイント

非常用の照明設備の設置の義務付け及び設置が免除される規定の知識を問うものである。

【正解　(1)】

チェック □□□

問題159　**次は、非常用の照明装置の構造に関する記述であるが、誤っているものはどれか。**

(1)　照明器具の構造は、火災時において温度が上昇した場合であっても著しく光度が低下しないものとして国土交通大臣が定めた構造方法を用いるものとする。
(2)　予備電源を設ける。
(3)　照明は、直接照明とし、床面において1lux以上の照度を確保することができるものとする。
(4)　火災時において、停電した場合に自動的に点灯し、かつ、避難するまでの間に、当該建築物の室内の温度が上昇した場合にあっても床面において1lux以上の照度を確保することができるものとして、国土交通大臣の認定を受けたものとする。
(5)　照明器具は、耐熱性及び即時点灯性を有する白熱灯又は蛍光灯に限られている。

要点・解説

非常用の照明装置の構造は、建基令第126条の5に規定されているほか、非常用の照明装置の構造方法を定める件（昭和45年建設省告示第1830号）において規定されている。

照明器具は、白熱灯、蛍光灯及びLEDランプを使用することができる。

(1)　建基令第126条の5第1号の規定で、**正しい**。
(2)　建基令第126条の5第1号の規定で、**正しい**。
(3)　建基令第126条の5第1号の規定で、**正しい**。
(4)　建基令第126条の5第2号の規定で、**正しい**。
(5)　建基令第126条の5第1号及び非常用の照明装置の構造方法を定める件の規定で、**誤り**。

ポイント

非常用の照明装置の構造に関する知識を問うものである。　【正解　(5)】

チェック □□□

問題160 **次は、建築基準法施行令の規定により設置する非常用の進入口について記述したものであるが、誤っているものはどれか。**

(1)　非常用の進入口は、建築物の高さが31m以下の部分にある3階以上の階に設けなければならない。

(2)　非常用の進入口に設ける赤色燈の大きさは、直径10cm以上の半球が内接する大きさとすること、また、非常用の進入口である旨の表示は、赤色反射塗料による一辺が20cmの正三角形によらなければならない。

(3)　非常用の進入口は、道又は道に通ずる幅員4m以上の通路その他の空地に面する各階の外壁面に設けるとともに、外部から開放し、又は破壊して室内に進入できる構造とすること。

(4)　非常用の進入口で屋外からの進入を防止する必要がある場合とは、放射性物質、有害ガスその他の有害物質を取り扱う建築物、美術品収蔵庫、金庫室その他これらに類する用途に該当するもの等がある。

(5)　非常用の進入口又はその近くに掲示する赤色燈は、常時消燈し火災の場合には点燈（フリッカー状態を含む。）するものとし、一般の者が容易に電源を遮断することができる開閉器を設けないこと。

要点・解説

非常用の進入口又はその近くには、常時点燈している（フリッカー状態を含む。）赤色燈であること（建基令第126条の7第7号、非常用の進入口の機能を確保するために必要な構造の基準（昭和45年建設省告示第1831号（以下「1831号告示」という。））。

(1)　建基令第126条の6の規定で、**正しい**。

(2)　建基令第126条の7第7号及び1831号告示の規定で、**正しい**。

(3)　建基令第126条の7第1号及び第4号の規定で、**正しい**。

(4)　建基令第126条の6、屋外からの進入を防止する必要がある特別の理由を定める件（平成12年建設省告示第1438号）の規定で、**正しい**。

(5)　建基令第126条の7第7号及び1831号告示の規定で、**誤り**。

ポイント

非常用の進入口についての知識について問うものである。【正解　(5)】

チェック □□□

問題161 次は、建築基準法令で定める非常用の進入口についての記述であるが、正しいものはどれか。

(1)　非常用の進入口の高さ、幅及び下端の床面からの高さは、それぞれ1.2m以上、0.75m以上及び0.8m以下でなければならない。
(2)　非常用の進入口には、黄色灯の標識を設けなければならない。
(3)　非常用の進入口には、奥行き１m以上、長さ３m以上のバルコニーを設けなければならない。
(4)　３階建ての建築物には、２階及び３階部分に非常用の進入口を設けなければならない。
(5)　非常用のエレベーター以外のエレベーターを設けている建築物には、非常用の進入口を設けなくてもよいこととされている。

要点・解説

選択肢(2)は、赤色灯の標識と規定されている。(3)は、奥行き１m以上、長さ４m以上のバルコニーと規定されている。(4)は、建築物の高さ31m以下の部分にある３階以上の階（特定要件を満たすものを除く。）に必要と規定されている。(5)は、非常用のエレベーターが設けられている場合に、非常用の進入口を設けなくてもよいこととされている。

(1)　建基令第126条の７第３号の規定で、**正しい**。
(2)　建基令第126条の７第６号の規定で、**誤り**。
(3)　建基令第126条の７第５号の規定で、**誤り**。
(4)　建基令第126条の６の規定で、**誤り**。
(5)　建基令第126条の６第１号の規定で、**誤り**。

ポイント

建築基準法令に規定されている「非常用の進入口」についての知識について問うものである。

【正解　(1)】

チェック □□□

問題162 次は、建築基準法令に定める非常用の進入口の構造に関する基準であるが、誤っているものはどれか。

(1) 進入口は、道又は道に通ずる幅員4m以上の通路その他の空地に面する各階の外壁面に設けることとし、その間隔は40m以下であること。

(2) 進入口の幅、高さ及び下端の床面からの高さが、それぞれ、75cm以上、1.2m以上及び80cm以下であること。

(3) 進入口には、奥行き1m以上、長さ4m以上のバルコニーを設けること。

(4) 進入口又はその近くに、外部から見やすい方法で赤色灯の標識を掲示し、及び非常用の進入口である旨を赤色で表示すること。

(5) 進入口は、外部及び内部から開放し、又は破壊して、進入又は退避ができる構造とすること。

要点・解説

非常用の進入口の構造は、建基令第126条の7第4号に「外部から開放し、又は破壊して室内に進入できる構造とすること」と規定されており、「内部から開放し、又は破壊して、退避ができる構造」との規定はない。

(1) 建基令第126条の7第1号及び第2号の規定で、**正しい**。
(2) 建基令第126条の7第3号の規定で、**正しい**。
(3) 建基令第126条の7第5号の規定で、**正しい**。
(4) 建基令第126条の7第6号の規定で、**正しい**。
(5) 建基令第126条の7第4号の規定で、**誤り**。

ポイント

建築基準法令の防火に関する規定のうち、災害時に消防隊等が活用する非常用の進入口の構造等の基本的な基準についての知識について問うものである。

【正解 (5)】

チェック □□□

問題163 次は、非常用の進入口の設置及び構造に関する記述であるが、誤っているものはどれか。

(1) 非常用の昇降機の設置及び構造の規定に適合するエレベーターを設置している場合には、設置しないことができる。
(2) 進入口又はその近くには、外部から見やすい方法で赤色灯の標識の掲示、又は非常用の進入口である旨を赤色で表示のいずれかをする。
(3) 原則として、建築物の高さ31m以下の部分にある3階以上の階に設置が必要である。
(4) 不燃性の物品の保管その他これと同等以上に火災の発生のおそれの少ない用途に供する階で、その直上階又は直下階から進入することができるものには、設置を要しない。
(5) 進入口の幅、高さ及び下端の床面からの高さが、それぞれ、75cm以上、1.2m以上及び80cm以下とする。

要点・解説

非常用の進入口は、火災等が発生した場合に消防隊が救助・消火活動等のために建物内に進入するための開口部であり、建基令第126条の6に設置に関する基準が、第126条の7に構造に関する基準が定められている。

進入口又はその近くには、外部から見やすい方法で赤色灯の標識を掲示し、及び非常用の進入口である旨を赤色で表示しなければならない（建基令第126条の7第6号）。

(1) 建基令第126条の6第1号の規定により、**正しい**。
(2) 建基令第126条の7第6号の規定により、**誤り**。

⑶　建基令第126条の６本文の規定により、**正しい**。
⑷　建基令第126条の６本文の規定により、**正しい**。
⑸　建基令第126条の７第３号の規定により、**正しい**。

ポイント
非常用の進入口の設置及び構造に関する知識を問うものである。
【正解　⑵】

チェック□□□

問題164　次は、特殊建築物等の敷地内の避難上及び消火上必要な通路に関する記述であるが、誤っているものはどれか。

⑴　階数が３以上である建築物に設置する。
⑵　通路は、屋外に設ける避難階段から道又は公園、広場その他の空地の間に設ける。
⑶　延べ面積（同一敷地内に２以上の建築物がある場合においては、その延べ面積の合計）が1,000m²を超える建築物には設けなければならない。
⑷　通路の幅員は、２m以上とする。
⑸　政令で定める窓その他の開口部を有しない居室を有する建築物には設けなければならない。

要点・解説
特殊建築物等が設置される敷地内において、避難上及び消火上必要な通路は技術的基準に従って、避難上及び消火上支障がないようにすることとされている（建基法第35条）。
敷地内の通路の幅員は、1.5m以上である（建基令第128条）。

⑴　建基法第35条の規定により、**正しい**。
⑵　建基令第128条の規定により、**正しい**。
⑶　建基法第35条の規定により、**正しい**。
⑷　建基法第128条の規定により、**誤り**。

(5)　建基法第35条の規定により、**正しい**。

ポイント

特殊建築物等が設置される敷地内に設ける避難上及び消火上必要な通路に関する知識を問うものである。【正解 (4)】

チェック□□□

問題165 次は、大規模な木造等の建築物の敷地内に設ける避難上及び消火上必要な通路に関する記述であるが、誤っているものはどれか。

(1)　主要構造部の全部が木造の建築物（特定主要構造部が耐火構造等であるものを除く。）でその延べ面積が1,000m²を超える場合においては、その周囲に幅員が３m以上の通路を設ける。

(2)　同一敷地内の耐火建築物が延べ面積の合計1,000m²以内ごとに区画された建築物を相互に防火上有効に遮っている場合には、原則として、その周囲に設ける通路は、幅員1.5mとすることができる。

(3)　同一敷地内に２以上の建築物がある場合で、その延べ面積の合計が1,000m²を超えるときは、延べ面積の合計1,000m²以内ごとの建築物に区画し、その周囲に幅員が３m以上の通路を設ける。

(4)　主要構造部の一部が木造の建築物でその延べ面積（主要構造部が耐火構造の部分を含む場合で、その部分とその他の部分とが耐火構造とした壁又は特定防火設備で区画されているときは、その部分の床面積を除く。）が1,000m²を超える場合においては、その周囲に幅員が３m以上の通路を設ける。

(5)　通路が横切ることのできる渡り廊下は、幅が３m以下で通行又は運搬以外の用途に供しないもので、通路が横切る部分の渡り廊下の開口の幅は2.5m以上、高さは３m以上である。

要点・解説

大規模な木造等の建築物の敷地内における通路については建基令第128条の２に定められており、「耐火建築物又は準耐火建築物が延べ面積の合計1,000m²以内ごとに区画された建築物を相互に防火上有効に遮っている場合においては、これらの建築物については、建基令第128条の２第２項の規定は適用しない」とあり、幅員1.5mとは規定されていない（建基令第128条の２第３項）。

⑴　建基令第128条の２第１項の規定により、**正しい**。
⑵　建基令第128条の２第３項の規定により、**誤り**。
⑶　建基令第128条の２第２項の規定により、**正しい**。
⑷　建基令第128条の２第１項の規定により、**正しい**。
⑸　建基令第128条の２第４項の規定により、**正しい**。

ポイント

大規模な木造等の建築物の敷地内に設ける避難上及び消火上必要な通路に関する知識を問うものである。　【正解　⑵】

チェック □□□

問題166　**次は、地下街の各構えに接する地下道に関する記述であるが、誤っているものはどれか。**

⑴　地下道は、天井及び壁の内面の仕上げを不燃材料でし、かつ、その下地を不燃材料で造っていること。
⑵　地下道には、非常用の照明設備、排煙設備及び排水設備で国土交通大臣が定めた構造方法を用いるものを設けていること。
⑶　地下街の各構えは、原則として地下道に２m以上接していることが必要である。
⑷　地下道の末端は、当該地下道の幅員以上の幅員の出入口で道に通ずること。ただし、その末端の出入口が２以上ある場合においては、それぞれの出入口の幅員の合計が当該地下道の幅員以上であること。
⑸　地下道は、幅員６m以上、天井までの高さ３m以上の直線状とし、かつ、段及び傾斜路を有しないこと。

要点・解説

地下街は、主要駅の駅前広場等の地下に設置され、地下道、店舗等、駐車場等から構成されるとともに、周辺の建築物等と接続され、利便性が図られている。

特に地下道は、公共通路として位置づけられており、地下に設置される特殊性から火災等の災害時における避難等の対策が、建基令第128条の3第1項に規定されている。

地下道は、幅員5m以上、天井までの高さ3m以上で、かつ、段及び8分の1を超える勾配の傾斜路を有しないこと（建基令第128条の3第1項第2号）。

(1)　建基令第128条の3第1項第3号の規定により、**正しい**。
(2)　建基令第128条の3第1項第6号の規定により、**正しい**。
(3)　建基令第128条の3第1項の規定により、**正しい**。
(4)　建基令第128条の3第1項第5号の規定により、**正しい**。
(5)　建基令第128条の3第1項第2号の規定により、**誤り**。

ポイント

地下街の各構えに接する地下道に関する知識を問うものである。

【正解　(5)】

チェック□□□

問題167　**建築基準法令の規定に基づき、一定の建築物を新築する場合又はこれら建築物（一部の建築物を除く。）の増築、改築、移転、大規模の修繕若しくは模様替の工事で、廊下、階段、出入口その他の避難施設等に関する工事をする場合においては、建築主は、法令に基づく検査済証の交付を受けた後でなければ、原則として新築又は工事に係る建築物若しくは建築物の部分を使用し、又は使用させてはならないこととされているが、次のうち、「避難施設等」の範囲に該当しないものはどれか。**

---

(1)　避難階にあっては階段又は居室から屋外への出口に通ずる出入口及び廊下その他の通路
(2)　泡消火設備で自動式のもの

(3)　建築基準法令に基づく非常用の照明装置
(4)　連結散水設備
(5)　建築基準法令に基づく排煙設備

要点・解説

(1)　建基令第13条第1号の規定で、**該当する**。
(2)　建基令第13条第4号の規定で、**該当する**。
(3)　建基令第13条第6号の規定で、**該当する**。
(4)　建基令第13条の規定で、**該当しない**。
(5)　建基令第13条第5号の規定で、**該当する**。

ポイント

建築物の新築、変更等の工事を行う場合の手続き、「避難施設等」の対象となる範囲等の知識について問うものである。なお、避難施設等の範囲については、建基令第13条で規定されているが、連結散水設備については規定されていない。

【正解　(4)】

チェック □□□

問題168　**次の記述は、一般住宅の用途に関するものであるが、誤っているものはどれか。**

(1)　延べ面積150m²の住宅に床面積45m²の作業場がある場合には、一般住宅として取り扱われる。
(2)　延べ面積150m²の住宅に床面積70m²の飲食店がある場合には、消防法施行令（以下「政令」という。）別表第1⒃項の複合用途防火対象物として取り扱われる。
(3)　延べ面積150m²の住宅に床面積90m²の患者を入院させるための施設のない診療所がある場合には、政令別表第1⑹項イ⑷に該当する。
(4)　延べ面積150m²の住宅に床面積75m²の店舗がある場合には、政令別表第1⑷項に該当する。
(5)　延べ面積150m²の住宅に床面積100m²の倉庫がある場合には、政令別表第1⒁項の倉庫に該当する。

要点・解説

政令別表第1に掲げる用途を有する防火対象物に一般住宅（個人の住居の用に供されるもので寄宿舎、下宿及び共同住宅以外のものをいう。）の用途に供される部分が存する場合には、次により取り扱われる（令別表第1に掲げる防火対象物の取り扱いについて（昭和50年4月15日付け消防予第41号・消防安第41号））。

床面積の合計の比率			判　　定
一般住宅の部分	＞	政令別表第1に掲げる用途の部分≦50m²	一般住宅
一般住宅の部分	＜	政令別表第1に掲げる用途の部分	政令別表第1⑴項から⒃項までに掲げる防火対象物
一般住宅の部分	＞	政令別表第1に掲げる用途の部分＞50m²	政令別表第1⒃項に掲げる防火対象物
一般住宅の部分	≒	政令別表第1に掲げる用途の部分	政令別表第1⒃項に掲げる防火対象物

⑴　一般住宅の部分105m²＞　政令別表第1に掲げる用途の部分45m²　≦50m²であり、一般住宅になる。**正しい。**

⑵　一般住宅の部分80m²＞　政令別表第1に掲げる用途の部分70m²　＞50m²であり、政令別表第1⒃項の複合用途防火対象物として取り扱われる。**正しい。**

⑶　一般住宅の部分60m²＜　政令別表第1に掲げる用途の部分90m²　であり、政令別表第1⑹項イ⑷に該当する。**正しい。**

⑷　一般住宅の部分75m²≒　政令別表第1に掲げる用途の部分75m²　であり、政令別表第1⒃項の複合用途防火対象物として取り扱われる。**誤り。**

⑸　一般住宅の部分50m²＜　政令別表第1に掲げる用途の部分100m²　であり、政令別表第1⒁項の倉庫に該当する。**正しい。**

ポイント

一般住宅に、政令別表第１に掲げる用途に該当する防火対象物が併設される場合には、全体の延べ面積に対する一般住宅の部分の面積と用途部分の面積との割合により、その取扱いが変わることを十分に理解しておく必要がある。

【正解 (4)】

チェック □□□

問題169 次は、消防用設備等の設置に当たって、防火対象物の床面積、延べ面積及び階数等の算定についての記述であるが、適当でないものはどれか。

(1) 倉庫内に設けられた積荷用の作業床は、棚とみなされる構造のものを除き、階数に算定しない。
(2) ラック式倉庫（棚又はこれに類するものを設け、昇降機により収納物の搬送を行う装置を備えた倉庫）の部分は、階数として取り扱うから消防用設備等の設置基準により必要な消防用設備等を設置しなければならない。
(3) 外気に開放された高架工作物（鉄道又は道路等に使用されているもの）内を利用して、柵、塀で区画された部分を駐車場、倉庫等一定の用途に供されるものは、消防法施行令別表第１に掲げる防火対象物として取り扱う。
(4) 観覧場で、観覧席の一面が外気に開放され、開放された面の長さがおおむね奥行きの２倍以上となる観覧席の部分は、床面積に算入しないことができるものである。
(5) 地下駅舎の改札口内にあっては、軌道部分を除きすべてを床面積として算定する。

要点・解説

倉庫内に設けられた積荷用の作業床は、棚とみなされる構造のものを除き、階数に算定するものである。

(1) 要点・解説のとおりで、**適当でない**。

(2) 設問のとおりで、**適当である。**

(3) 外気に開放された高架工作物内を利用した駐車場の用に供される部分の規制について（昭和52年７月８日付け消防予第130号）及び設問のとおりで、**適当である。**

(4) 設問のとおりで、**適当である。**

(5) 設問のとおりで、**適当である。**

ポイント

消防用設備等を設置しなければならない階の算定、判断についての知識について問うものである。

【正解 (1)】

	共通科目	
専攻科目		
防火査察	消防用設備等	危険物

チェック □□□

問題1 **次は、消防法第9条の3で規定する圧縮アセチレンガス、液化石油ガスその他の火災予防又は消火活動に重大な支障を生ずるおそれのある物質の貯蔵・取扱いの届出に関する記述であるが、誤っているものはどれか。**

---

(1) 届出を必要とするものは、圧縮アセチレンガス、無水硫酸、液化石油ガス、生石灰、毒物及び劇物取締法に規定する物質で、危険物の規制に関する政令で定める数量以上のものを貯蔵し、又は取り扱うときである。

(2) 船舶、自動車、航空機、鉄道又は軌道により貯蔵し、又は取り扱う場合等は、届出を必要としない。

(3) 高圧ガス保安法、ガス事業法又は液化石油ガスの保安の確保及び取引の適正化に関する法律の規定により、経済産業大臣又は都道府県知事から消防庁長官又は消防長（消防本部を置かない市町村にあっては市町村長）に通報があった施設において、液化石油ガスを貯蔵し、又は取り扱う場合は届出を必要としない。

(4) 届出が必要とされる物質の貯蔵又は取扱いを廃止する場合には、あらかじめ廃止する旨を所轄消防長又は消防署長に届け出なければならない。

(5) 圧縮アセチレンガス等を貯蔵し、又は取り扱う者は、その旨を所轄消防長又は消防署長に届け出て、許可を得なければならない。

要点・解説

圧縮アセチレンガス等が貯蔵・取り扱われている場所で火災等が発生した場合には、消防活動に重大な障害を生じるおそれがあること等から、事前にその旨を消防機関に届出をさせることによって、火災の未然防止と消防活動の万全を図るものである。

圧縮アセチレンガス等の貯蔵・取扱いは届出が必要と規定されているが、許可を得る必要はない。

(1) 法第9条の3第1項及び危政令第1条の10第1項の規定で、**正しい**。

(2) 法第9条の3第1項ただし書の規定で、**正しい**。

(3) 法第9条の3第1項ただし書及び危政令第1条の10第2項の規定で、**正しい**。

⑷　法第9条の3第2項の規定で、**正しい**。
⑸　法第9条の3第1項の規定で、**誤り**。

ポイント

圧縮アセチレンガス等を貯蔵、取り扱う者は、その旨を所轄消防長又は消防署長へ届け出る義務があり、これらの知識について問うものである。

【正解　⑸】

チェック □□□

問題2　次は、消防法第9条の4に規定する指定可燃物についての記述であるが、誤っているものはどれか。

⑴　再生資源燃料とは、資源の有効な利用の促進に関する法律第2条第4項に規定する再生資源を原材料とする燃料をいう。
⑵　糸類とは、可燃性でない糸（糸くずを含む。）及び繭をいう。
⑶　石炭・木炭類には、コークス、粉状の石炭が水に懸濁しているもの、豆炭、練炭、石油コークス、活性炭及びこれらに類するものを含む。
⑷　わら類とは、乾燥わら、乾燥藺（い）及びこれらの製品並びに干し草をいう。
⑸　ぼろ及び紙くずは、不燃性又は難燃性でないもの（動植物油がしみ込んでいる布又は紙及びこれらの製品を含む。）をいう。

要点・解説

指定可燃物については、危政令別表第4に規定されている。

なお、「糸類とは、不燃性又は難燃性でない糸（糸くずを含む。）及び繭をいう。」と規定されている。

⑴　危政令別表第4備考第5号の規定で、**正しい**。
⑵　危政令別表第4備考第3号の規定で、**誤り**。
⑶　危政令別表第4備考第7号の規定で、**正しい**。
⑷　危政令別表第4備考第4号の規定で、**正しい**。
⑸　危政令別表第4備考第2号の規定で、**正しい**。

ポイント

法第９条の４に規定する「指定可燃物」についての知識について問うものである。

【正解　(2)】

チェック □□□

問題３　**次は、消防法第９条の４に規定する指定可燃物の品名及び取扱数量等に関する記述であるが、誤っているものはどれか。**

---

(1)　石炭・木炭類の数量は10,000kg以上で、石炭には無煙炭、瀝青炭、褐炭、重炭、亜炭、泥炭で天然に産するもの、木炭には木を焼いて人為的にこしらえたものが該当する。また、石炭を乾留して生産するコークスや、粉状の石炭及び木炭を混合して成形した燃料である豆炭、練炭も該当する。

(2)　木毛及びかんなくずの数量は400kg以上で、木毛は木材を細薄なひも状に削ったもので緩衝材や木綿等に、かんなくずは電動かんな等を使用して木材の表面加工をする際に出る木くず、製材過程で出る廃材、おがくず及び木端等が該当する。

(3)　再生資源燃料の数量は1,000kg以上で、資源の有効な利用の促進に関する法律に規定する再生資源を原材料とする燃料、家庭から出される塵芥ごみ等の一般廃棄物（生ごみ等）を原料として成形、固化され、製造されたごみ固形化燃料（ＲＤＦ）等がある。

(4)　木材加工品の数量は10m³以上で、製材した木材、板、柱及びそれらを組み立てた家具類等の木工製品であるが、丸太のままで使用する電柱材、建築用足場もこれに該当する。

(5)　合成樹脂類（発泡率がおおむね６以上のもの）の数量は20m³以上で、不燃性又は難燃性でない固体の合成樹脂製品、合成樹脂半製品、原料合成樹脂及び合成樹脂くず（不燃性又は難燃性でないゴム製品、ゴム半製品、原料ゴム及びゴムくずを含む。）である。

要点・解説

かんなくずは、手動又は電動かんなを使用し、木材の表面加工の際に出る木くずの一種をいうが、製材所等で出る廃材、おがくず及び木端はこれに該当せず、それらは木材加工品及び木くずに該当する。

(1)　火災予防条例（例）（昭和36年11月22日自消甲予発第73号（以下「条例（例）」という。））別表第８の規定及び設問のとおりで、**正しい**。
(2)　条例（例）別表第８の規定及び要点・解説のとおりで、**誤り**。
(3)　条例（例）別表第８の規定及び設問のとおりで、**正しい**。
(4)　条例（例）別表第８の規定及び設問のとおりで、**正しい**。
(5)　条例（例）別表第８の規定及び設問のとおりで、**正しい**。

ポイント

指定可燃物の貯蔵に当たり、品名及び取扱数量等についての知識について問うものである。

【正解　(2)】

チェック □□□

問題 4　**次は、危険物規制に関する法令に関する記述であるが、市町村長等の許可を受けなければならないものはどれか。**

---

(1)　仮貯蔵又は仮取扱いを行う場合
(2)　製造所等の構造を変更する場合
(3)　製造所等の譲渡を受けた場合
(4)　製造所等の位置、構造又は設備を変更しないで、貯蔵し又は取り扱う危険物の数量を変更する場合
(5)　製造所等の用途を廃止する場合

要点・解説

製造所等の位置、構造又は設備のいずれか１つでも変更する場合は、市町村長等の変更許可が必要とされている。

(1)　法第10条第１項ただし書の規定で、**所轄消防長又は消防署長の承認を受けなければならない**。

(2)　法第11条第１項の規定で、**市町村長等の許可を受けなければならない。**
(3)　法第11条第６項の規定で、**市町村長等に届け出なければならない。**
(4)　法第11条の４第１項の規定で、**市町村長等に届け出なければならない。**
(5)　法第12条の６の規定で、**市町村長等に届け出なければならない。**

ポイント

危険物規制に関する法令で、市町村長等の許可を受けなければならないものについての知識について問うものである。　【正解　(2)】

チェック □□□

問題 5　**消防法令に違反している事項に対する市町村長等の命令として、誤っているものは次のうちどれか。**

---

(1)　製造所等において、危険物の貯蔵又は取扱いが、消防法令に定める技術上の基準に違反をしているとき。→当該技術上の基準に適合するように貯蔵し又は取り扱うよう命ずる。
(2)　製造所等の位置、構造又は設備が技術上の基準に適合しないとき。→位置、構造又は設備を修理し、改造し、又は移転すべきことを命ずる。
(3)　製造所等以外の場所で、仮貯蔵又は仮取扱いの承認を受けないで、指定数量以上の危険物を貯蔵し又は取り扱っている場合。→当該危険物の除去その他危険物による災害防止のための必要な措置を命ずる。
(4)　許可を受けないで、製造所等の位置、構造又は設備を変更したとき。→仮使用承認申請の提出を命ずる。
(5)　製造所等を設置し、完成検査を受けないで当該製造所等を使用したとき。→使用の停止を命ずる。

要点・解説

(1)　法第11条の５第１項の規定で、**正しい。**
(2)　法第12条第２項の規定で、**正しい。**
(3)　法第10条ただし書き及び第16条の６第１項の規定で、**正しい。**
(4)　法第11条第１項及び法第12条の２第１項第１号の規定で、**誤り。**

⑸　法第12条の２第１項第２号の規定で、**正しい**。

ポイント

危険物製造所等の位置、構造及び設備に関する基準についての違反事項、危険物の貯蔵、取扱いに関する違反事項、危険物の運搬に関する違反事項については、それぞれ別に規定されており、その内容について問うものである。

【正解　⑷】

チェック □□□

問題 6　次は、消防法に基づく危険物の規制に関する規定の組み合わせであるが、正しいものはどれか。

⑴　仮貯蔵又は仮取扱い―市町村長等の許可
⑵　危険物保安統括管理者―製造所等の保安検査の実施
⑶　危険物保安監督者の選任―丙種危険物取扱者
⑷　甲種危険物取扱者又は乙種危険物取扱者の立会い―危険物取扱者以外の者が危険物を取り扱うとき
⑸　予防規程の変更―消防長又は消防署長の承認

要点・解説

⑴　法第10条第１項ただし書の規定で、仮貯蔵又は仮取扱いは、市町村長等の許可ではなく、所轄消防長又は消防署長の承認である。**誤り**。
⑵　法第12条の７第１項の規定で、危険物保安統括管理者の業務は、危険物の保安に関する業務の統括管理である。**誤り**。
⑶　法第13条第１項の規定で、危険物保安監督者の資格は、甲種危険物取扱者又は乙種危険物取扱者で６月以上危険物取扱いの実務経験を有する者である。**誤り**。
⑷　法第13条第３項の規定であり、**正しい**。
⑸　法第14条の２第１項の規定で、予防規程の変更は、市町村長等の認可である。**誤り**。

ポイント

消防法に基づく製造所等の許可、認可又は承認事項及び危険物の取扱いについて誰でも行えるのか、丙種危険物取扱者の立会い権限はあるのか等の知識について問うものである。

【正解 (4)】

チェック □□□

問題7 次のうち、消防法別表第1に掲げる品名又は指定数量を異にする2以上の危険物を同一の場所で貯蔵し、又は取り扱う場合、指定数量以上の危険物を貯蔵し、又は取り扱っているとみなされる場合として正しいものはどれか。

---

(1) 貯蔵し、又は取り扱う危険物の品名ごとの数量をそれぞれの指定数量で除し、その商の和が1以上の数量となる場合をいう。
(2) 貯蔵し、又は取り扱う危険物のうち、最も数量の多い品名の危険物の数量がその品名の指定数量を超える場合をいう。
(3) 貯蔵し、又は取り扱う危険物の品名ごとの数量を加え、最も数量の多い品名の危険物の指定数量を超える場合をいう。
(4) 貯蔵し、又は取り扱う危険物の品名ごとの数量をそれぞれの指定数量で除し、その商の和が1を超える数値となる場合をいう。
(5) 貯蔵し、又は取り扱う危険物のうち、最も数量の多い品名の危険物の数量がその品名の指定数量以上となる場合をいう。

要点・解説

(1) 法第10条第2項の規定で、**正しい**。
(2) 法第10条第2項の規定で、**誤り**。
(3) 法第10条第2項の規定で、**誤り**。
(4) 法第10条第2項の規定で、**誤り**。
(5) 法第10条第2項の規定で、**誤り**。

ポイント

品名又は指定数量が異なる２以上の危険物を同一場所で貯蔵できるか、又は取り扱うことができるかどうかについての知識について問うものである。なお、品名又は指定数量を異にする２以上の危険物を同一の場所で貯蔵し、又は取り扱う場合、指定数量以上になるかどうかが重要である。この場合、「以上」又は「超える」の表現に注意する必要がある。　【正解　(1)】

チェック □□□

問題８　次は、消防法第11条に規定する製造所等の許可についての記述であるが、正しいものはどれか。

---

(1)　許可を受けた一般取扱所が完成した場合、当該区域を管轄する市町村長等が行う完成検査を受けなければならない。
(2)　第２種販売取扱所の譲渡又は引渡を受けた場合は、当該区域を管轄する消防長又は消防署長に遅滞なく届け出なければならない。
(3)　屋内給油取扱所以外の給油取扱所については、いったん許可を受ければ、当該給油取扱所の構造又は設備を変更する場合でも、その変更内容が軽微なものであれば、改めて市町村長等の許可を受けなくてもよいこととされている。
(4)　消防本部又は消防署を置かない市町村にあっては、移送取扱所を除き、製造所等の設置及び変更について当該市町村長の許可が必要である。
(5)　変更許可を受けた地下タンク貯蔵所で、完成検査前に変更部分以外の部分を使用する場合は、当該区域を管轄する消防長又は消防署長の承認が必要である。

要点・解説

法第11条の規定に基づく製造所等（移送取扱所を除く。）の設置許可申請から使用開始までは、市町村長等（消防本部及び消防署を置かない市町村にあっては、都道府県知事）に対し、①設置許可申請→②設置許可→③着工→④完成→⑤完成検査申請→⑥完成検査→⑦完成検査済証交付→⑧使用開始の順となる。

⑴　法第11条第５項の規定で、**正しい**。
⑵　法第11条第６項の規定で、届出先は市町村長等と規定されている。**誤り**。
⑶　法第11条第１項の規定で、構造又は設備を変更するときは、市町村長等の許可が必要である。**誤り**。
⑷　法第11条第１項第２号の規定で、消防本部及び消防署を置かない市町村にあっては、当該区域を管轄する都道府県知事の許可とされている。**誤り**。
⑸　法第11条第５項の規定で、変更工事に係る部分の承認は市町村長等と規定されている。**誤り**。

ポイント

製造所等の許可行政庁及び変更許可が必要な事由についての知識について問うものである。特に、消防本部及び消防署が置かれているかどうかによって許可行政庁が異なることについても留意する必要がある。　【正解　⑴】

チェック □□□

問題 9　**次は、危険物の規制に関する政令第３条第２号に規定する販売取扱所を設置する場合の手続きについての手順であるが、正しいものはどれか。**

⑴　着工→設置許可申請→許可→完成許可申請→使用開始→完成検査済証交付
⑵　設置許可申請→設置許可→着工→完成→完成検査申請→完成検査→完成検査済証交付→使用開始
⑶　着工→完成検査申請書→完成→完成検査→完成検査済証交付→使用開始
⑷　設置許可申請→着工→完成検査申請書→完成検査→完成検査済証交付→使用開始
⑸　設置許可申請→許可→完成→完成届出→使用開始

要点・解説

⑴　法第11条第１項、第２項及び第５項の規定で、**誤り**。
⑵　法第11条第１項、第２項及び第５項の規定で、**正しい**。

⑶　法第11条第１項、第２項及び第５項の規定で、**誤り**。
⑷　法第11条第１項、第２項及び第５項の規定で、**誤り**。
⑸　法第11条第１項、第２項及び第５項の規定で、**誤り**。

ポイント
製造所等の設置許可申請から使用開始までの手順についての知識について問うものである。
【正解　⑵】

チェック□□□

問題10　次は、危険物を指定数量以上貯蔵し又は取り扱う製造所等において、市町村長等の認可を受けなければならない場合の記述であるが、正しいものはどれか。

⑴　製造所等の構造を変更する場合
⑵　製造所等の所有者が変わった場合
⑶　製造所等の予防規程を変更する場合
⑷　製造所等における危険物保安監督者を選任した場合
⑸　製造所等の位置を変更する場合

要点・解説
選択肢⑴及び⑸は市町村長等の許可が必要である。⑵は市町村長等にその旨を遅滞なく届け出なければならないこととされている。⑷は危険物保安監督者を定めた場合又は解任した場合は、市町村長等にその旨を遅滞なく届け出なければならないこととされている。

⑴　法第11条第１項の規定で、**誤り**。
⑵　法第11条第６項の規定で、**誤り**。
⑶　法第14条の２第１項の規定で、**正しい**。
⑷　法第13条第２項の規定で、**誤り**。
⑸　法第11条第１項の規定で、**誤り**。

ポイント

危険物施設における、市町村長等の許可が必要な事項、認可が必要な事項又は届け出が必要な事項等についての知識について問うものである。

【正解 (3)】

チェック □□□

問題11 **次は、指定数量以上の危険物を貯蔵し、又は取り扱う製造所等に係る消防法上の手続きについての組み合わせであるが、正しいものはどれか。**

(1) 製造所等の引渡しを受けたとき……………………………届出
(2) 危険物保安監督者を解任したとき…………………………承認
(3) 予防規程を定めたとき…………………………………………届出
(4) 危険物保安統括管理者を選任したとき……………………認可
(5) 販売取扱所の位置、構造及び設備を変更せず、
取り扱う危険物の数量を変更するとき………………………許可

要点・解説

危険物の貯蔵又は取扱いに係る許可、認可、承認又は届出の区分について整理をしておく。選択肢(2)は届出、(3)は認可、(4)は届出、(5)は届出である。

(1) 法第11条第６項の規定で、**正しい。**
(2) 法第13条第２項の規定で、**誤り。**
(3) 法第14条の２第１項の規定で、**誤り。**
(4) 法第12条の７第２項の規定で、**誤り。**
(5) 法第11条の４第１項の規定で、**誤り。**

ポイント

危険物の貯蔵又は取扱いに係る許可、認可、承認又は届出の対象となる事項についての知識について問うものである。

【正解 (1)】

チェック □□□

問題12 次のうち、消防法の規定に基づき、市町村長等により製造所等の使用の一時停止又は使用の制限を命じられることがあるものはどれか。

---

(1)　予防規程の認可を受けていないとき
(2)　完成検査前検査を受けていないとき
(3)　公共の安全の維持又は災害の発生の防止のため緊急の必要があると認めるとき
(4)　危険物保安統括管理者を選任していないとき
(5)　危険物施設保安員に火災予防上必要な措置をとるべきことを指示していないと認めたとき

要点・解説

(1)　法第14条の２の規定で、**命じられることはない。**
(2)　法第11条の２の規定で、**命じられることはない。**
(3)　法第12条の３第１項の規定で、**命じられることがある。**
(4)　法第12条の７の規定で、**命じられることはない。**
(5)　法第14条の規定で、**命じられることはない。**

ポイント

製造所等の使用の一時停止又は使用の制限に関する条件についての知識について問うものである。なお、この場合の条件は「公共の安全の維持又は災害の発生の防止のため緊急の必要があると認めるとき」と規定されている。

【正解　(3)】

チェック □□□

問題13 次の㋐～㋓のうち、危険物製造所等に係る使用停止命令の対象となるすべてが含まれている組み合わせとして正しいものはどれか。選択肢(1)～(5)の中から正しいものを選べ。

㋐ 危険物取扱者が、危険物の貯蔵又は取扱いに関する技術上の基準に違反をして、危険物を漏洩させたとき。

㋑ 危険物保安監督者の選任が義務付けられている製造所等において、危険物保安監督者を選任せず危険物の貯蔵又は取扱いを行ったとき。

㋒ 定期点検の実施が義務付けられている製造所等において、定期点検を実施しなかったとき。

㋓ 完成検査を受けないで製造所等を使用したとき。

---

(1) ㋑、㋒、㋓
(2) ㋐、㋑
(3) ㋑
(4) ㋐、㋑、㋒、㋓
(5) ㋑、㋒

要点・解説

製造所等における使用停止命令については、法第12条の２で規定されている。

㋐ 危険物取扱者が、違法な危険物の貯蔵又は取扱いをした場合は、法第13条の２第５項の規定で、危険物取扱者免状の返納を命じられることはあるが、製造所等の使用停止命令の対象にはならないので、**誤り**。

㋑ 危険物保安監督者を選任せず、危険物の貯蔵又は取扱いを行った場合は、法第13条第１項の規定に違反となり、法第12条の２第２項第３号の規定により使用停止命令の対象となるので、**正しい**。

㋒ 定期点検の実施義務のある製造所等で、定期点検を実施しなかった場合は、法第14条の３の２の規定に違反となり、法第12条の２第１項第５号の規定により使用停止命令の対象となるので、**正しい**。

㋓ 完成検査を受けないで製造所等を使用した場合は、法第11条第５項の規定に違反となり、法第12条の２第１項第２号の規定により使用停止命令の対象となるので、**正しい**。

したがって、設問㋑、㋒、㋓の組み合わせが正しいので、選択肢(1)が正解となる。

ポイント

法第12条の2に規定する製造所等の許可の取消し又は期間を定めてその使用の停止を命ずる要件等についての知識について問うものである。なお、危険物取扱者に係る違反は、属人に係る問題であることに留意する。【正解 (1)】

チェック□□□

問題14 **次は、消防法第12条の3の規定に基づく製造所等の緊急使用停止命令についての記述であるが、これに該当するものはどれか。**

---

(1)　保安検査を受けるべき製造所等で保安検査を受けていないとき
(2)　完成検査を受けないで、製造所等を使用したとき
(3)　公共の安全の維持又は災害の発生の防止のため緊急の必要があると認めるとき
(4)　危険物保安監督者を定めていないとき
(5)　危険物の貯蔵又は取扱いに関する市町村長等の命令に違反をしたとき

要点・解説

選択肢(1)及び(2)は製造所等の許可の取消し、又は期間を定めてその使用の停止命令の対象、(4)及び(5)は製造所等の期間を定めてその使用の停止命令の対象とされている。

(1)　法第12条の2第1項第4号の規定で、**該当しない**。
(2)　法第12条の2第1項第2号の規定で、**該当しない**。
(3)　法第12条の3第1項の規定で、**該当する**。
(4)　法第12条の2第2項第3号の規定で、**該当しない**。
(5)　法第12条の2第2項第1号の規定で、**該当しない**。

ポイント

製造所等に係る緊急使用停止命令の要件についての知識について問うものである。なお、法第12条の3の規定は、「公共の安全の維持又は災害の発生の防止のため緊急の必要があると認めるとき」に製造所等の使用の一時停止又はその使用を制限する命令である。

【正解 (3)】

チェック □□□

問題15 **次は、製造所、貯蔵所又は取扱所において危険物の流出その他の事故（火災を除く。）が発生した場合の記述であるが、誤っているものはどれか。**

---

(1)　市町村長等は、製造所、貯蔵所又は取扱所において発生した危険物の流出その他の事故（火災を除く。）であって火災が発生するおそれのあったものについて、当該事故の原因を調査することができる。

(2)　危険物の流出その他の事故（火災を除く。）の発生した場所が個人の住居の場合には、関係者の承諾を得た場合又は火災発生のおそれが著しく大であるため、特に緊急の必要がある場合でなければ、立ち入ることができない。

(3)　市町村長等は、消防事務に従事する職員に、事故が発生した製造所、貯蔵所又は取扱所の場所に立ち入り、所在する危険物の状況又は当該製造所、貯蔵所又は取扱所その他の当該事故に関係のある工作物又は物件を検査させ、又は関係のある者に質問させることができる。

(4)　消防事務に従事する職員が、危険物の流出その他の事故（火災を除く。）の発生した場所に関係のある場所に立ち入る場合においては、市町村長の定める証票を携帯し、関係のある者に対し当該証票を提示する必要がある。

(5)　消防庁長官は、消防法第16条の3の2第1項の規定により調査をする市町村長等（総務大臣を除く。）から求めがあった場合には、危険物の流出その他の事故（火災を除く。）の原因の調査をすることができる。

要点・解説

事故原因調査を行う消防事務に従事する職員が、関係のある場所に立ち入る場合には、市町村長の定める証票を携帯し、関係のある者の請求があるときは、これを提示しなければならないとされている（法第4条第2項）。

(1)　法第16条の3の2第1項の規定で、**正しい**。

(2)　法第16条の3の2第3項で準用する第4条第1項ただし書きの規定で、**正しい**。

(3)　法第16条の3の2第2項の規定で、**正しい**。

(4)　法第16条の3の2第3項で準用する第4条第2項の規定で、**誤り**。

(5)　法第16条の3の2第4項の規定で、**正しい**。

ポイント

製造所、貯蔵所又は取扱所において危険物の流出その他の事故（火災を除く。）が発生した場合において、その事故原因を調査する場合の規定に関する知識を問うものである。

【正解　(4)】

チェック □□□

問題16　次の①～⑥の中で、危険物とその指定数量として、正しい組み合わせはいくつあるか。選択肢(1)～(5)の中から正しいものを選べ。

①　ハロゲン間化合物………500kg

②　ナトリウム………10kg

③　塩素酸塩類のうち第2種酸化性固体………500kg

④　硫黄………500kg

⑤　第1石油類のうち水溶性液体………400L

⑥　有機過酸化物のうち第2種自己反応性物質………100kg

---

(1)　なし

(2)　1つ

(3)　2つ

(4)　3つ

(5)　全部

要点・解説

①　危政令別表第３の規定で、「ハロゲン間化合物」の指定数量は、300kgなので、**誤り**。

②　危政令別表第３の規定で、**正しい**。

③　危政令別表第３の規定で、「第２種酸化性固体」の指定数量は、300kgなので、**誤り**。

④　危政令別表第３の規定で、「硫黄」の指定数量は、100kgなので、**誤り**。

⑤　危政令別表第３の規定で、**正しい**。

⑥　危政令別表第３の規定で、**正しい**。

したがって、設問②、⑤、⑥の３つが正しい組み合わせで、選択肢(4)が正解となる。

ポイント

危険物の指定数量は、危政令別表第３の危険物の品名及び同表の性質欄に掲げる性状に応じて指定数量が規定されている。危険物規制において、指定数量は重要な要素であり、危険物に係る危険性に応じて定められている指定数量についての知識について問うものである。なお、ハロゲン間化合物は、法別表第１第６類の危険物のうち、危政令第１条第４項で定められた危険物であり、第６類の危険物は、品名に応じて指定数量が分けられていないことに留意する。

【正解　(4)】

チェック □□□

問題17 **次は、製造所等の位置、構造又は設備の変更の許可を受けようとする者が、市町村長等に提出しなければならない申請書に記載すべき事項として、危険物の規制に関する政令に規定されている事項を掲げたものであるが、このうち当該政令に規定されていない事項はどれか。**

---

(1) 氏名又は名称及び住所並びに法人にあっては、その代表者の氏名及び住所
(2) 製造所等の別及び貯蔵所又は取扱所にあっては、その区分
(3) 変更する製造所等の許可番号及び許可年月日
(4) 変更の内容
(5) 変更の理由

要点・解説

製造所等の設置許可を受けた者が、製造所等の位置、構造又は設備を変更しようとする場合には、原則として、当該製造所等の設置時と同様に市町村長等の許可が必要となる。

この場合における変更許可申請書の様式については、危規則様式第5として示されているが、危政令第7条において申請書に記載すべき事項とされているものは、次のとおりとなっている。

① 氏名又は名称及び住所並びに法人にあっては、その代表者の氏名及び住所
② 製造所等の別及び貯蔵所又は取扱所にあっては、その区分
③ 製造所等の設置の場所（移動タンク貯蔵所にあっては、その常置する場所）
④ 変更の内容
⑤ 変更の理由

変更許可申請は、変更の内容が、位置、構造及び設備の技術上の基準に適合していること、また、変更を行う部分を含め製造所等全体としても、当該基準に適合していることを確認するものである。特に、製造所等のうち移動タンク貯蔵所にあっては、他の製造所等と異なり、設置の場所ではなく当該移動タンク貯蔵所の常置場所となっていることに留意する必要がある。

(1)　危政令第７条第１項第１号の規定により、**正しい**。
(2)　危政令第７条第１項第２号の規定により、**正しい**。
(3)　危政令第７条第１項の規定により、**誤り**。
(4)　危政令第７条第１項第４号の規定により、**正しい**。
(5)　危政令第７条第１項第５号の規定により、**正しい**。

ポイント

製造所等の変更許可申請書の記載事項についての知識を問うものである。特に、法令において申請書に記載すべきとされている事項と様式に記載されている事項との違いを把握しておく必要がある。

【正解　(3)】

チェック □□□

問題18　次は、市町村長等が設置許可をした場合において、その旨を国家公安委員会若しくは都道府県公安委員会又は海上保安庁長官に通報しなければならない製造所等を示したものであるが、誤っているものはどれか。ただし、軽易な事項に関する変更許可の場合を除くものとする。

(1)　指定数量の倍数が10以上の製造所
(2)　指定数量の倍数が200以上の屋内貯蔵所
(3)　指定数量の倍数が200以上の屋外タンク貯蔵所
(4)　指定数量の倍数が100以上の屋外貯蔵所
(5)　移送取扱所

要点・解説

大規模な製造所等の設置又は変更に伴い、関係行政機関は、地域の保安防災上の諸対策を講ずる必要があり、あらかじめ許可の段階で当該関係行政機関に情報を提供することを目的としたものである。この場合の大規模な製造所等の条件は次のとおりである（危政令第７条の３）。

①　指定数量の倍数が10以上の製造所
②　指定数量の倍数が150以上の屋内貯蔵所
③　指定数量の倍数が200以上の屋外タンク貯蔵所

④　指定数量の倍数が100以上の屋外貯蔵所
⑤　移送取扱所
⑥　指定数量の倍数が10以上の一般取扱所（指定数量の倍数が30以下の一般取扱所（引火点が40度以上の第４類の危険物のみを取り扱うものに限る。）で危険物を容器に詰め替えるものを除く。）

これらの製造所等は、当該施設における危険物の貯蔵又は取扱いの作業の複雑性及び火災が発生した場合の消火の困難性等に着目して指定されている。

また、許可権者により、通報すべき関係行政機関は、次のようになっている（危政令第７条の４）。

許可権者	通報対象者
市町村長又は都道府県知事	当該市町村又は都道府県の区域を管轄する都道府県公安委員会（当該許可又は届出に係る製造所等が海域に係るものである場合には、都道府県公安委員会及び海上保安庁長官）
総務大臣	国家公安委員会（当該許可又は届出に係る製造所等が海域に係るものである場合には、国家公安委員会及び海上保安庁長官）

(1)　危政令第７条の３第１号により、**正しい**。
(2)　危政令第７条の３第２号により、**誤り**。
(3)　危政令第７条の３第３号により、**正しい**。
(4)　危政令第７条の３第４号により、**正しい**。
(5)　危政令第７条の３第５号により、**正しい**。

ポイント

製造所等の許可に際し、関係行政機関に通報しなければならない製造所等の種類及びその規模についての知識を問うものである。　【正解　(2)】

チェック□□□

問題19 **次は、製造所等の完成検査及び完成検査前検査に係る記述であるが、誤っているものはどれか。**

(1) 完成検査及び完成検査前検査を受けようとする者は、市町村長等に申請し、申請を受けた市町村長等は、遅滞なく、当該製造所等の完成検査又は完成検査前検査を行うこととされている。

(2) 屋外タンク貯蔵所の液体危険物タンク（岩盤タンクを除く。）の対象となる工事工程は、原則として容量1,000kL以上のものの基礎及び地盤に関する工事とされている。

(3) 完成検査前検査である水張検査又は水圧検査は、市町村長等以外の他の行政機関も行うことができる。

(4) 完成検査前検査の対象となる施設は、液体の危険物を貯蔵し、又は取り扱うタンクを有する製造所等（容量が指定数量以上の液体危険物タンクを有しない製造所及び一般取扱所を除く。）とされている。

(5) 完成検査済証を亡失してその再交付を受けた者は、亡失した完成検査済証を発見した場合は、遅滞なく完成検査済証の再交付をした市町村長等に提出しなければならない。

要点・解説

完成検査済証の交付を受けている者が、完成検査済証を亡失し、滅失し、汚損し、又は破損した場合は、これを交付した市町村長等にその再交付を申請することができるが、汚損し、又は破損したことにより申請をする場合は、申請書に当該完成検査済証を添えて提出することとされている（危政令第8条第4項、第5項）。

また、完成検査済証を亡失してその再交付を受けた者は、亡失した完成検査済証を発見した場合は、これを10日以内に完成検査済証の再交付をした市町村長等に提出することとされている（危政令第8条第6項）。

(1) 危政令第8条第1項、第2項及び危政令第8条の2第6項の規定で、**正しい**。

(2) 危政令第8条の2第3項第1号の規定で、**正しい**。

(3)　危政令第８条の２の２の規定で、**正しい**。

(4)　危政令第８条の２第１項の規定で、**正しい**。

(5)　危政令第８条第６項の規定で、**誤り**。

ポイント

製造所等の完成検査に係る手続きや完成検査前検査に係る知識を問うものである。

【正解　(5)】

チェック

問題20 **屋外貯蔵所において貯蔵することができる危険物は、消防法令において制限されている。次に掲げる危険物のうち、屋外貯蔵所において貯蔵することができないと規定されているものはいくつあるか。選択肢(1)～(5)の中から正しいものを選べ。**

ギヤー油、クレオソート油、硫黄、アセトン、ぎ酸、アセトアルデヒド、酸化プロピレン、灯油、重油、パーム油、ガソリン、引火点が30℃の引火性固体

---

(1)　3つ
(2)　4つ
(3)　5つ
(4)　6つ
(5)　7つ

要点・解説

危政令第２条第７号で、屋外貯蔵所で貯蔵できる危険物は限定されている。すなわち、第２類の危険物のうち硫黄、硫黄のみを含有するもの若しくは引火性固体（引火点が０℃以上のものに限る。）又は第４類の危険物のうち第１石油類（引火点が０℃以上のものに限る。)、アルコール類、第２石油類、第３石油類、第４石油類若しくは動植物油類と規定されている。

・「硫黄」は、危政令第２条第７号の規定で、**貯蔵することができる。**
・「引火点が30℃の引火性固体」は、危政令第２条第７号の規定で、**貯蔵することができる。**
・「アセトアルデヒド」、「酸化プロピレン」は、特殊引火物なので、危政令第２条第７号の規定で、**貯蔵することができない。**
・「アセトン」、「ガソリン」は、引火点が０℃未満の第１石油類なので、危政令第２条第７号の規定で、**貯蔵することができない。**
・「ぎ酸」、「灯油」は、第２石油類なので、危政令第２条第７号の規定で、**貯蔵することができる。**
・「重油」、「クレオソート油」は、第３石油類なので、危政令第２条第７号の規定で、**貯蔵することができる。**

・「ギヤー油」は、第４石油類なので、危政令第２条第７号の規定で、**貯蔵することができる。**

・「パーム油」は、動植物油類なので、危政令第２条第７号の規定で、**貯蔵することができる。**

したがって、「アセトアルデヒド」、「酸化プロプレン」、「アセトン」、「ガソリン」の４つの危険物が貯蔵することができないので、選択肢(2)が正解となる。

ポイント

屋外貯蔵所において貯蔵することができる危険物の種類についての知識について問うものである。

【正解　(2)】

チェック □□□

問題21　**次に掲げる危険物で、屋外貯蔵所において貯蔵し、又は取り扱うことができるものはどれか。**

(1)　アセトアルデヒド
(2)　アセトン
(3)　メチルエチルケトン
(4)　クレオソート油
(5)　ジエチルエーテル

要点・解説

危政令第２条第７号の規定で、屋外貯蔵所において貯蔵し又は取り扱う危険物が限定されている。

(1)「アセトアルデヒド」は、第４類危険物の特殊引火物に該当するので、**貯蔵できない。**

(2)「アセトン」は、第４類危険物の第１石油類に該当するが、引火点が０℃未満なので、**貯蔵できない。**

(3) 「メチルエチルケトン」は、第4類危険物の第1石油類に該当するが、引火点が0℃未満なので、**貯蔵できない**。

(4) 「クレオソート油」は、第4類危険物の第3石油類に該当し、**貯蔵できる**。

(5) 「ジエチルエーテル」は、第4類危険物の特殊引火物に該当するので、**貯蔵できない**。

ポイント

屋外貯蔵所で貯蔵し又は取り扱うことができる危険物は、第2類危険物のうち硫黄、硫黄のみを含有するもの若しくは引火性固体（引火点が0℃以上のものに限る。）又は第4類危険物のうち第1石油類（引火点が0℃以上のものに限る。）、アルコール類、第2石油類、第3石油類、第4石油類若しくは動植物油類に限定されている（危政令第2条第7号）。

【正解 (4)】

チェック □□□

問題22 **次は、製造所の外壁又はこれに相当する工作物の外側までの間に一定の距離（保安距離）を保たなければならない保安対象物件（建築物等）と、その保安距離を示したものであるが、誤っているものはどれか。ただし、保安距離に対する市町村長等の緩和措置はないものとする。**

---

(1) 文化財保護法の規定によって重要文化財、重要有形民俗文化財、史跡若しくは重要な文化財として指定され、又は旧重要美術品等の保存に関する法律の規定によって重要美術品として認定された建造物　→　50m以上

(2) 使用電圧が35,000ボルトを超える特別高圧架空電線
→　水平距離3m以上

(3) 幼稚園、小学校、中学校、義務教育学校、高等学校、中等教育学校、特別支援学校及び高等専門学校　→　30m以上

(4) 高圧ガス施設のうち、都道府県知事の許可を受けなければならない貯蔵所及び都道府県知事に届け出て設置する貯蔵所
→　20m以上

(5) 劇場、映画館、演芸場、公会堂その他これらに類する施設で、300人

以上の人員を収容することができるもの　→　30m以上

要点・解説

保安距離は、製造所において、火災・爆発等の事故が発生した場合に、当該事故による延焼や爆発の影響により、甚大な事故の発生を防止するために、あらかじめ、一定の距離を確保させることで、その影響を最小限に防止するために確保するものである。

保安距離を必要とする建築物等としては、多数の者が利用する施設、就寝施設や被害を拡大するおそれのある施設（高圧ガス施設）、高圧電線が対象となっており、次のとおり規定されている（危政令第9条第1項）。

保安対象物件（危険物等）	保安距離
同一敷地外にある住居	10m以上
幼稚園、小学校、中学校、義務教育学校、高等学校、中等教育学校、特別支援学校及び高等専門学校	30m以上
病院	
劇場、映画館、演芸場、公会堂その他これらに類する施設で、300人以上の人員を収容することができるもの	
児童福祉施設、身体障害者社会参加支援施設、保護施設（授産施設及び宿所提供施設を除く。）、老人福祉施設、有料老人ホーム、母子・父子福祉施設、障害者職業能力開発校、特定民間施設、介護老人保健施設、介護医療院、障害福祉サービス事業を行う施設等で、20人以上の人員を収容することができるもの	
重要文化財、重要有形民俗文化財、史跡、重要美術品として認定された建造物	50m以上
高圧ガス施設（製造施設、貯蔵所、液化酸素消費施設等）※	20m以上
使用電圧が7,000Vを超え35,000V以下の特別高圧架空電線	水平距離３m以上
使用電圧が35,000Vを超える特別高圧架空電線	水平距離５m以上

※　保安距離を必要とする高圧ガス施設は、次のようになっている（危規則第12条）。

高圧ガス施設の種類	保安距離
①　高圧ガス保安法第５条第１項の規定により、都道府県知事の許可を受けなければならない高圧ガスの製造のための施設（高圧ガスの製造のための設備が移動式製造設備（一般高圧ガス保安規則第２条第１項	

第12号又は液化石油ガス保安規則第２条第１項第９号の移動式製造設備をいう。）である高圧ガスの製造のための施設にあっては、移動式製造設備が常置される施設（貯蔵設備を有しない移動式製造設備に係るものを除く。）をいう。） ②　高圧ガス保安法第５条第２項第１号の規定により都道府県知事に届け出なければならない高圧ガスの製造のための施設であって、圧縮、液化その他の方法で処理することができるガスの容積が１日30m³以上である設備を使用して高圧ガスの製造（容器に充てんすることを含む。）をするもの	20m
①　高圧ガス保安法第16条第１項の規定により、都道府県知事の許可を受けなければならない貯蔵所 ②　高圧ガス保安法第17条の２の規定により都道府県知事に届け出て設置する貯蔵所	20m
高圧ガス保安法第24条の２第１項の規定により、都道府県知事に届け出なければならない液化酸素の消費のための施設	20m
液化石油ガスの保安の確保及び取引の適正化に関する法律第３条第１項の規定により経済産業大臣又は都道府県知事の登録を受けなければならない販売所で300kg以上の貯蔵施設を有するもの	20m

一方、製造所が先に設置され、その後に保安距離を必要とする建築物等（特別高圧架空電線を除く。）が設置されたことにより、保安距離の規定を満たさなくなった場合には、原則として、製造所が基準違反となる。このような場合に備え、不燃材料（建基法第２条第９号の不燃材料のうち、ガラス以外のもの。）で造った防火上有効な塀を設けること等により、市町村長等が安全であると認めた場合は、当該市町村長等が定めた距離を当該距離とすることができるとされている(危規則第10条、危政令第９条第１項第１号本文)。

また、特別高圧架空電線との距離は、水平距離とされていることから、当該特別高圧架空電線を水平投影した場合において製造所に最も最小となる部分との距離とすることとなる。

⑴　危政令第９条第１項第１号ハの規定で、**正しい**。

⑵　危政令第９条第１項第１号への規定で、**誤り**。

⑶　危政令第９条第１項第１号ロの規定及び危規則第11条第１号の規定で、**正しい**。

⑷　危政令第９条第１項第１号ニの規定及び危規則第12条第２号の規定で、**正しい**。

⑸　危政令第９条第１項第１号ロの規定及び危規則第11条第３号の規定で、**正**

しい。

ポイント

製造所に求められている建築物等の保安対象物件に対する保安距離についての知識を問うものである。特に高圧ガス施設は、対象となる施設が限定されていることから、注意する必要がある。

【正解　(2)】

チェック □□□

問題23 次の記述は、製造所等の区分に応じて設ける必要のある保安距離に関するものであるが、誤っているものはどれか。

(1)　保安距離を確保すべき製造所等は、当該製造所等の敷地外にある住宅に対し、製造所等の外壁等から10m以上の距離を確保する必要がある。

(2)　製造所等の設置後に保安距離を確保すべき対象物が設置され、当該対象物に対する保安距離が確保できなくなった場合には、製造所等側が基準違反となる。

(3)　給油取扱所は、当該敷地の周囲に防火塀が設置されていることから、保安距離を確保する必要がない。

(4)　保安距離を確保すべき製造所等は、使用電圧が50kVである特別高圧架空電線に対して、水平距離３m以上の保安距離を確保する必要がある。

(5)　病院に対する保安距離30mが確保できなくなったので、防火上有効な塀を設けることとし、市町村長等の許可を受けることとした。

要点・解説

(1)　危政令第９条第１項第１号により、**正しい**。

(2)　法第10条第４項、第12条第１項により、**正しい**。

(3)　給油取扱所の技術上の基準において危政令第９条第１項第１号を準用していないこと及び危政令第17条第１項第19号において火災による被害の拡大を防止するための規定があることから、**正しい**。

(4)　危政令第９条第１項第１号へにより、**誤り**。

(5)　危政令第９条第１項第１号ただし書きにより、**正しい**。

ポイント

保安距離を必要とする製造所等と対象となるもの及び保安距離について理解しているか、また、保安距離の緩和措置についての規定を理解しているかを問うものである。

【正解　(4)】

チェック □□□

問題24 次は、製造所の構造に関する基準であるが、誤っているものはどれか。

---

(1)　危険物を取り扱う建築物は、地階を有しないものであること。

(2)　危険物を取り扱う建築物は、壁、柱、床、はり及び階段を不燃材料で造るとともに、延焼のおそれのある外壁を出入口以外の開口部を有しない耐火構造の壁とすること。

(3)　危険物を取り扱う建築物は、屋根を不燃材料で造るとともに、金属板その他の軽量な不燃材料でふくこと。ただし、第２類の危険物（粉状のもの及び引火性固体を除く。）のみを取り扱う建築物にあっては、屋根を耐火構造とすることができる。

(4)　危険物を取り扱う建築物の窓及び出入口には、防火設備（防火戸とする。）を設けるとともに、出入口には、随時開けることができる自動閉鎖の特定防火設備（防火戸とする。）を設けること。

(5)　危険物を取り扱う建築物の窓又は出入口にガラスを用いる場合は、網入ガラスとすること。

要点・解説

製造所の建築物の構造は、火災、爆発等による被害の拡大を防止するために、様々な観点から規制されている（危政令第９条）。

(1)については、漏洩した可燃性蒸気が一般的に空気より重いことから、低い場所、特に地階に蓄積されることが考えられ、当該可燃性蒸気が爆発した場合には、被害がより拡大することが考えられるため、地階の設置を禁止しているものである。

(2)については、主要部分を不燃材料とし、特に、延焼のおそれのある外壁については出入口以外の開口部を有しない耐火構造の壁とすることとしている。これは、火災に際し一定時間、特定主要構造部が崩壊しないことと、ほかからの延焼防止を図ったものである。

⑶については、屋根を不燃材料で造り、金属板その他の軽量な不燃材料でふくことにより、建築物内で爆発が発生した場合にその爆発力を上方（屋根）に放出できるようにすることにより、建築物周辺への影響を少なくすることとしているものである。

⑷については、建築物の窓及び出入口には、防火設備（防火戸に限られている。）を設けることとしている。特に、外壁のうち、延焼のおそれのある外壁に設ける出入口には、随時開けることができる自動閉鎖の特定防火設備（防火戸に限る。）とすることとされている。

⑸については、建築物の窓又は出入口にガラスを用いる場合は、網入ガラスとし、熱や爆発により、窓や出入口が破損しても、ガラスが飛散することを防止するとともに、一気に開口部とならないようにしている。

⑴　危政令第９条第１項第４号により、**正しい**。
⑵　危政令第９条第１項第５号により、**正しい**。
⑶　危政令第９条第１項第６号により、**正しい**。
⑷　危政令第９条第１項第７号により、**誤り**。
⑸　危政令第９条第１項第８号により、**正しい**。

ポイント
製造所における建築物の構造に関する知識を問うものである。【正解　⑷】

チェック

問題25 **次の記述は、製造所等の区分に応じて設ける必要のある保有空地に関するものであるが、誤っているものはどれか。**

(1)　保有空地を設けなければならない製造所のうち、一定の要件を満たす場合であって、防火上有効な隔壁を設けた場合には、保有空地を設けないことができる。
(2)　製造所の保有空地は、危険物を取り扱う建築物その他の工作物の周囲に設けることとされているが、当該製造所に関する危険物を移送するための配管その他これに準ずる工作物も対象に含まれる。
(3)　指定数量の倍数が10以下の製造所が保有しなければならない空地の幅は、3m以上である。
(4)　屋内貯蔵所は、当該屋内貯蔵所の建築物の壁、柱及び床が耐火構造で指定数量の倍数が5以下の場合には、保有空地を設ける必要がない。
(5)　2以上の屋内貯蔵所を隣接して設置するとき、一定の要件を満たす場合には、その空地の幅を減ずることができる。

要点・解説

製造所の保有空地については、危険物を取り扱う建築物その他の工作物の周囲に、次表の区分に応じそれぞれ同表に定める幅の空地を保有することとされている。

区　　分	空地の幅
指定数量の倍数が10以下の製造所	3m以上
指定数量の倍数が10を超える製造所	5m以上

この場合に、当該製造所に関連する危険物を移送するための配管その他これに準ずる工作物については、保有空地の対象から除かれる（危政令第9条第1項第2号）。

(1)　危政令第9条第1項第2号ただし書き及び危規則第13条の規定により、**正しい**。
(2)　危政令第9条第1項第2号により、**誤り**。

(3)　危政令第９条第１項第２号により、**正しい**。

(4)　危政令第10条第１項第２号により、**正しい**。

(5)　危政令第10条第１項第２号ただし書き及び危規則第14条により、**正しい**。

ポイント

保有空地を設けなければならない製造所等と保有空地を設ける場合の対象や緩和要件等についての知識を問うものである。

【正解　(2)】

チェック □□□

問題26　**次は、製造所に関する位置、構造及び設備に係る技術上の基準のうち、危険物を取り扱う建築物に関するものであるが、誤っているものはどれか。**

(1)　危険物を取り扱う建築物は、屋根を不燃材料で造るとともに、金属板その他の軽量な不燃材料でふくこと。ただし、第二類の危険物（粉状のもの及び引火性固体を除く。）のみを取り扱う建築物にあっては、屋根を耐火構造とすることができる。

(2)　危険物を取り扱う建築物の窓又は出入口にガラスを用いる場合は、網入ガラスとすること。

(3)　危険物を取り扱う建築物は、壁、柱、床、はり及び階段を不燃材料で造るとともに、延焼のおそれのある外壁を出入口以外の開口部を有しない耐火構造（建築基準法第２条第７号の耐火構造をいう。）の壁とすること。

(4)　危険物を取り扱う建築物に地階（建築基準法施行令第１条第２号に規定する地階をいう。）を設ける場合には、危険物が浸透しない構造とするとともに、ドライエリアを設けること。

(5)　液状の危険物を取り扱う建築物の床は、危険物が浸透しない構造とするとともに、適当な傾斜を付け、かつ、漏れた危険物を一時的に貯留する設備を設けること。

要点・解説

危険物を取り扱う建築物は、建築基準法令によるほか、特別法令である「消防法（第３章危険物）」、「危険物の規制に関する政令」、「危険物の規制に関する規則」等によることが必要とされている。

(1) 危政令第９条第１項第６号の規定で、**正しい**。
(2) 危政令第９条第１項第８号の規定で、**正しい**。
(3) 危政令第９条第１項第５号の規定で、**正しい**。
(4) 危政令第９条第１項第４号の規定で、**誤り**。
(5) 危政令第９条第１項第９号の規定で、**正しい**。

ポイント

危険物を取り扱う建築物に要求される危険物の特性を考慮した構造や周囲への延焼拡大の防止に関する知識を有しているかを問うものである。

【正解　(4)】

チェック □□□

問題27 **次は、製造所における危険物を取り扱うタンクに関する基準であるが、誤っているものはどれか。**

(1) 屋外にあるタンクは、当該タンクのための保安距離及び保有空地を設ける必要はない。
(2) 地下にあるタンクは、原則として地盤面下に設けられたタンク室に設けること。
(3) 屋外にあるタンクのうち液体危険物を取り扱うものには、その周囲に防油堤を設けることが必要である。
(4) 屋内にあるタンクは、原則として平家建の建築物に設けられたタンク専用室に設置すること。
(5) 屋内にあるタンクは、圧力タンク以外のタンクにあっては通気管を、圧力タンクにあっては安全装置をそれぞれ設けること。

要点・解説

製造所における危険物を取り扱うタンクは、①屋外に設けるタンク、②屋内に設けるタンク、③地下に設けるタンクに限られており、原則として、屋外タンク貯蔵所、屋内タンク貯蔵所又は地下タンク貯蔵所の危険物を貯蔵し、又は取り扱うタンクの構造及び設備の例によることとされている。

また、この危険物を取り扱うタンクは、その基準が危政令第９条第１項第20号に規定されていることから、「20号タンク」と呼ばれている。

なお、屋内にあるタンクの構造及び設備は、危政令第12条第１項第５号から第９号まで及び第10号から第11号までに掲げる屋内タンク貯蔵所の危険物を貯蔵し、又は取り扱うタンクの構造及び設備の例によるものであることとされている。

(1)　危政令第９条第１項第20号イの規定において、危政令第11条第１項第１号及び第２号は準用されていないことから、**正しい**。

(2)　危政令第９条第１項第20号ハの規定において、危政令第13条第１項第１号は準用されていることから、**正しい**。

(3)　危政令第９条第１項第20号イの規定で、**正しい**。

(4)　危政令第９条第１項第20号ロの規定において、危政令第12条第１項第１号は準用されていないことから、**誤り**。

(5)　危政令第９条第１項第20号ロの規定において、危政令第12条第１項第７号は準用されていることから、**正しい**。

ポイント

製造所の20号タンクの技術上の基準について、規定の例によることとなっている屋外タンク貯蔵所、屋内タンク貯蔵所及び地下タンク貯蔵所についての知識を問うものである。

【正解　(4)】

チェック □□□

問題28　**次は、製造所の設備の技術上の基準に関するものであるが、誤っているものはどれか。**

(1)　可燃性の蒸気又は可燃性の微粉が滞留するおそれのある建築物には、

その蒸気又は微粉を屋外の高所に排出する設備を設けること。
(2)　危険物を取り扱うにあたって静電気が発生するおそれのある設備には、当該設備に蓄積される静電気を有効に除去する装置を設けること。
(3)　製造所には、総務省令で定める避雷設備を設けること。ただし、周囲の状況によって安全上支障がない場合においては、この限りでない。
(4)　危険物を加熱し、若しくは冷却する設備又は危険物の取扱に伴って温度の変化が起こる設備には、温度測定装置を設けること。
(5)　危険物を加圧する設備又はその取り扱う危険物の圧力が上昇するおそれのある設備には、圧力計及び総務省令で定める安全装置を設けること。

要点・解説

製造所の設備については、危険物を安全に取り扱うためのものとして、危政令第９条第１項第10号から第19号までの規定により、設置が義務付けられている。

(1)　危政令第９条第１項第11号の規定で、**正しい**。
(2)　危政令第９条第１項第18号の規定で、**正しい**。
(3)　危政令第９条第１項第19号の規定により、避雷設備の設置が必要なものは指定数量の倍数が10以上のものとされており、**誤り**。
(4)　危政令第９条第１項第14号の規定で、**正しい**。
(5)　危政令第９条第１項第16号の規定で、**正しい**。

ポイント

製造所に設ける設備は、取り扱う危険物の性状に応じて必要な安全対策を講じることとされており、これらに関する知識を問うものである。

【正解　(3)】

チェック □□□

問題29 **屋内貯蔵所の位置、構造及び設備の技術上の基準は、当該屋内貯蔵所の構造及び貯蔵されている危険物の種類ごとに区分して規定されているが、次の記述において誤っているものはどれか。**

---

(1)　屋内貯蔵所は、原則として軒高６ｍ未満の平屋建の建物とされている。
(2)　屋内貯蔵所のうち、貯蔵する危険物の指定数量が50倍以下の平屋建のものに適用される基準がある。
(3)　危険物をタンクコンテナに収納して貯蔵する屋内貯蔵所において、貯蔵できるタンクコンテナは、危険物の規制に関する政令第15条第５項に規定する国際輸送用積載式移動タンク貯蔵所に積載するタンクコンテナに限られている。
(4)　指定数量の倍数が20以下のものは、平家建以外の屋内貯蔵所・他用途を有する建築物に設置することができる。
(5)　高引火点危険物のみを貯蔵する屋内貯蔵所に適用される基準がある。

要点・解説

屋内貯蔵所は、建築物内において容器入りの危険物を貯蔵する施設であり、原則として、平屋建で独立した建物とされている。ただし、貯蔵する危険物の種類や指定数量に応じて、適用する基準が規定されている。

なお、危険物をタンクコンテナに収納して貯蔵する屋内貯蔵所において、貯蔵できるタンクコンテナは、危政令第15条第５項に規定する国際輸送用積載式移動タンク貯蔵所に積載するタンクコンテナ以外のタンクコンテナも含まれるとされている（平成10年消防危第36号）。

(1)　危政令第10条第１項の規定により、**正しい**。
(2)　危政令第10条第４項の規定により、**正しい**。
(3)　平成10年消防危第36号により、**誤り**。
(4)　危政令第10条第３項の規定により、**正しい**。
(5)　危政令第10条第５項の規定により、**正しい**。

ポイント

屋内貯蔵所の位置、構造及び設備の技術上の基準において規定されている、屋内貯蔵所の種類に関する知識を問うものである。　【正解　(3)】

チェック □□□

問題30 次は、平屋建の屋内貯蔵所の構造に係る技術上の基準についての記述であるが、誤っているものはどれか。

---

(1)　貯蔵倉庫の屋根を不燃材料で造るとともに、金属板その他の軽量な不燃材料でふき、かつ、天井を設けないこと。
(2)　貯蔵倉庫の窓又は出入口には、ガラスを用いないこと。
(3)　貯蔵倉庫の建築物は、原則として軒高（地盤面から軒までの高さ）が6m未満の平屋建とすること。
(4)　液状の危険物の貯蔵倉庫の床は、危険物が浸透しない構造とするとともに、適当な傾斜を付け、かつ、貯留設備を設けること。
(5)　一の貯蔵倉庫の床面積は、1,000m²を超えないこと。

要点・解説

屋内貯蔵所は、「建築物の屋内において危険物を貯蔵し、又は取り扱う貯蔵所」とされており、当該建築物についての技術上の基準が危険物の規制に関する政令により規定されている。これらの建築物については、当然、建築基準法令で規定されている基準に加え、危険物の規制に関する政令により要求されている技術上の基準を満たすことが必要である。

(1)　危政令第10条第１項第７号の規定により、**正しい**。
(2)　危政令第10条第１項第９号の規定により、ガラスを用いる場合には網入ガラスであれば使用することができることから、**誤り**。
(3)　危政令第10条第１項第４号の規定により、**正しい**。
(4)　危政令第10条第１項第11号の規定により、**正しい**。
(5)　危政令第10条第１項第５号の規定により、**正しい**。

ポイント

屋内貯蔵所の構造に係る技術上の基準に関する知識を問うものである。

【正解　(2)】

チェック□□□

問題31　次は、屋内貯蔵所の構造に係る技術上の基準のうち、高層倉庫及び架台に関する基準についての記述であるが、誤っているものはどれか。

---

(1)　高層倉庫は、第２類又は第４類の危険物のみの貯蔵倉庫について認められており、軒高を20m未満とすることができる。
(2)　架台は、当該架台及びその附属設備の自重、貯蔵する危険物の重量、地震の影響等の荷重によって生ずる応力に対して安全なものであること。
(3)　架台は、不燃材料で造るとともに、堅固な基礎に固定すること。
(4)　高層倉庫の貯蔵倉庫の窓及び出入口には、特定防火設備を設けること。
(5)　架台には、漏洩した危険物が拡散しない措置を講ずること。

要点・解説

1　高層倉庫の基準（危政令第10条第１項第４号、危規則第16条の２）

屋内貯蔵所の貯蔵倉庫は、原則として、地盤面から軒までの高さ（以下「軒高」という。）が６m未満の平家建とし、かつ、その床を地盤面以上に設けることとされている。ただし、第２類又は第４類の危険物のみの貯蔵倉庫で総務省令で定めるものにあっては、その軒高を20m未満とすることができるとされており、「高層倉庫」と称される。

2　貯蔵倉庫内に設ける架台の構造の基準（危政令第10条第１項第11号の２、危規則第16条の２の２）

貯蔵倉庫に架台を設ける場合の構造及び設備は、総務省令で定めるところによるものであるとされている。

(1)　危政令第10条第１項第４号の規定により、**正しい**。
(2)　危規則第16条の２の２第１項第２号の規定により、**正しい**。
(3)　危規則第16条の２の２第１項第１号の規定により、**正しい**。

⑷ 危規則第16条の２第２号の規定により、**正しい**。

⑸ 危政令第10条、危規則第16条の２、第16条の２の２において規定されていないことから、**誤り**。

ポイント

屋内貯蔵所（高層倉庫、架台）の構造に係る技術上の基準に関する知識を問うものである。

【正解 ⑸】

チェック

問題32 次は、平屋建の屋内貯蔵所の設備に係る技術上の基準についての記述であるが、誤っているものはどれか。

⑴ 危険物の貯蔵倉庫には、避雷設備を設けること。

⑵ 危険物を貯蔵し、又は取り扱うために必要な採光、照明及び換気の設備を設けること。

⑶ 第五類の危険物のうちセルロイドその他温度の上昇により分解し、発火するおそれのあるものの貯蔵倉庫は、当該貯蔵倉庫内の温度を当該危険物の発火する温度に達しない温度に保つ構造とし、又は通風装置、冷房装置等の設備を設けること。

⑷ 引火点が70℃未満の危険物の貯蔵倉庫にあっては、内部に滞留した可燃性の蒸気を屋根上に排出する設備を設けること。

⑸ 電気設備は、電気工作物に係る法令の規定によること。

要点・解説

避雷設備は、指定数量の10倍以上の危険物の貯蔵倉庫に設けることとし、周囲の状況によって安全上支障がない場合においては、設置を要しないこととされている（危政令第10条第１項第14号）。

⑴ 危政令第10条第１項第14号の規定により、**誤り**。

⑵ 危政令第10条第１項第12号の規定により、**正しい**。

⑶ 危政令第10条第１項第15号の規定により、**正しい**。

⑷　危政令第10条第１項第12号の規定により、**正しい**。

⑸　危政令第10条第１項第13号の規定により、**正しい**。

ポイント

屋内貯蔵所の構造に係る技術上の基準に関する知識を問うものである。

【正解　⑴】

チェック □□□

問題33　**次は、屋内貯蔵所の貯蔵倉庫の構造に関する基準であるが、誤っているものはどれか。ただし、第２類又は第４類の危険物（引火性固体及び引火点が70度未満の第４類の危険物を除く。）のみを貯蔵し、若しくは取り扱うもの又は指定数量の倍数が20以下のもの（屋内貯蔵所の用に供する部分以外の部分を有する建築物に設けるものに限る。）以外のものとする。**

⑴　貯蔵倉庫は、独立した専用の建築物とすること。

⑵　貯蔵倉庫は、地盤面から軒までの高さ（軒高）を原則として６m未満の平家建とし、かつ、その床を地盤面以上に設けること。

⑶　一の貯蔵倉庫の床面積は、1,000m^2を超えないこと。

⑷　貯蔵倉庫は、原則として、壁、柱、床及びはりを耐火構造とし、かつ、外壁を出入口以外の開口部を有しない壁とすること。

⑸　貯蔵倉庫は、原則として、屋根を不燃材料で造るとともに、金属板その他の軽量な不燃材料でふき、かつ、天井を設けないこと。

要点・解説

屋内貯蔵所の貯蔵倉庫の構造は、火災、爆発等による被害の拡大を防止するために、様々な観点から規制されている（危政令第10条）。

⑴については、独立した危険物貯蔵倉庫専用の建築物とする。

⑵については、貯蔵倉庫の高さを地盤面から軒までの高さ（軒高）が６m未満の平家建とすることと、その床を地盤面以上に設けることとしている。一般的に消火の困難性、可燃性蒸気の滞留防止等の観点から規制しているものである。

ただし、第２類又は第４類の危険物のみの貯蔵倉庫で次のものは、その軒高を

20m未満とすることができる（危規則第16条の２）。

① 貯蔵倉庫は、壁、柱、はり及び床を耐火構造とすること。

② 貯蔵倉庫の窓及び出入口には、特定防火設備を設けること。

③ 貯蔵倉庫には、避雷設備を設けること。ただし、周囲の状況によって安全上支障がない場合においては、この限りでない。

⑶については、一の貯蔵倉庫の床面積を制限し、被害の極小化を図るものであり、1,000m²を超えないこととされている。

⑷については、貯蔵倉庫は、壁、柱及び床を耐火構造とし、かつ、はりを不燃材料で造るとともに、延焼のおそれのある外壁を出入口以外の開口部を有しない壁とするとされている。ただし、指定数量の10倍以下の危険物の貯蔵倉庫又は第２類若しくは第４類の危険物（引火性固体及び引火点が70℃未満の第４類の危険物を除く。）のみの貯蔵倉庫にあっては、延焼のおそれのない外壁、柱及び床を不燃材料で造ることができるとされている。

⑸については、貯蔵倉庫は、屋根を不燃材料で造るとともに、金属板その他の軽量な不燃材料でふき、かつ、天井を設けないこととされている。ただし、第２類の危険物（粉状のもの及び引火性固体を除く。）のみの貯蔵倉庫にあっては屋根を耐火構造とすることができ、第５類の危険物のみの貯蔵倉庫にあっては当該貯蔵倉庫内の温度を適温に保つため、難燃性の材料又は不燃材料で造った天井を設けることができるとされている。

⑴ 危政令第10条第１項第３号の２により、**正しい**。

⑵ 危政令第10条第１項第４号により、**正しい**。

⑶ 危政令第10条第１項第５号により、**正しい**。

⑷ 危政令第10条第１項第６号により、**誤り**。

⑸ 危政令第10条第１項第７号により、**正しい**。

ポイント

屋内貯蔵所の貯蔵倉庫の構造に関する知識を問うものである。【正解 ⑷】

チェック □□□

問題34 **次は、屋外タンク貯蔵所に係る位置に関する技術上の基準の記述であるが、正しいものはどれか。**

(1) 屋外タンク貯蔵所が保有すべき保安距離は、製造所の位置の基準の例によることとされているが、当該位置の基準に係る市町村長等が定める緩和措置の適用はない。

(2) 屋外貯蔵タンク（危険物を移送するための配管その他これに準ずる工作物を除く。）の周囲に保有すべき空地の幅は、当該屋外貯蔵タンクの水平断面の最大直径に応じて定められている。

(3) 引火点を有する液体の危険物を貯蔵し、又は取り扱う屋外タンク貯蔵所が保有すべき敷地内距離は、当該屋外タンク貯蔵所が存する敷地の境界線から屋外貯蔵タンクの側板までの間で、屋外タンク貯蔵所と危険物の引火点の区分によって、その距離が定められている。

(4) 屋外タンク貯蔵所が保有すべき保安距離のうち、特別高圧架空電線に対する距離については、当該特別高圧架空電線との間の離隔距離とされている。

(5) 引火点を有する液体の危険物を貯蔵し、又は取り扱う屋外タンク貯蔵所が保有すべき敷地内距離は、設置場所にかかわらず、当該危険物の引火点及び当該屋外貯蔵タンクの水平断面の最大直径に応じて定められている。

要点・解説

屋外タンク貯蔵所の位置に関する技術上の基準には、保安距離、敷地内距離、保有空地及び標識・掲示板に関するものがある。

(1) 危政令第11条第１項第１号において、危政令第９条第１項第１号に掲げる製造所の位置の例によることとされており、ただし書も含まれていることから、**誤り**。

(2) 危政令第11条第１項第２号において、原則として屋外タンク貯蔵所の指定数量の倍数に応じて空地の幅が定められており、**誤り**。

(3) 危政令第11条第１項第１号の２の規定により、**正しい**。

⑷　危政令第９条第１項第１号の規定により、保安距離については水平距離とされており、**誤り**。
⑸　危政令第11条第１項第１号の２の規定により、**誤り**。

ポイント
屋外タンク貯蔵所の位置に関する技術上の基準の知識を問うものである。
【正解　⑶】

チェック □□□

問題35　次は、屋外タンク貯蔵所の構造に関する技術上の基準の記述であるが、誤っているものはどれか。

⑴　屋外貯蔵タンクは、特定屋外貯蔵タンク及び準特定屋外貯蔵タンク以外の屋外貯蔵タンクにあっては、厚さ3.2mm以上の鋼板で気密に造ることとされている。
⑵　準特定屋外貯蔵タンクとは、屋外タンク貯蔵所で、その貯蔵し、又は取り扱う液体の危険物の最大数量が500kL以上1,000kL未満のものである。
⑶　屋外貯蔵タンクは、危険物の爆発等によりタンク内の圧力が異常に上昇した場合に内部のガス又は蒸気を上部に放出することができる構造である。
⑷　固体の危険物の屋外貯蔵タンクは、厚さ3.2mm以上の鋼板で造るとともに、圧力タンクを除くタンクにあっては水張試験において、圧力タンクにあっては最大常用圧力の1.5倍の圧力で10分間行う水圧試験において、それぞれ漏れ、又は変形しないものとされている。
⑸　屋外貯蔵タンクは、地震及び風圧に耐えることができる構造とするとともに、その支柱は、鉄筋コンクリート造、鉄骨コンクリート造その他これらと同等以上の耐火性能を有するものとされている。

要点・解説
屋外タンク貯蔵所の屋外貯蔵タンクの構造については、当該屋外貯蔵タンクの種類に応じ、危政令第11条第１項に定められている。

〈用語の整理〉

① 特定屋外タンク貯蔵所…貯蔵し、又は取り扱う液体の危険物の最大数量が1,000kL以上の屋外タンク貯蔵所（危政令第８条の２の３第３項）

② 準特定屋外タンク貯蔵所…貯蔵し、又は取り扱う液体の危険物の最大数量が500kL以上1,000kL未満の屋外タンク貯蔵所（危政令第11条第１項第３号の３）

③ 特定屋外貯蔵タンク…①の屋外貯蔵タンク（危政令第11条第１項第３号の２）

④ 準特定屋外貯蔵タンク…②の屋外貯蔵タンク（危政令第11条第１項第３号の３）

(1) 危政令第11条第１項第４号の規定により、**正しい**。

(2) 危政令第11条第１項第３号の３の規定により、**正しい**。

(3) 危政令第11条第１項第６号の規定により、**正しい**。

(4) 危政令第11条第１項第４号ただし書の規定により、**誤り**。

(5) 危政令第11条第１項第５号の規定により、**正しい**。

ポイント

屋外タンク貯蔵所の屋外貯蔵タンクの構造に係る技術上の基準並びに特定屋外貯蔵タンク及び準特定貯蔵タンクに係る定義等についての知識を問うものである。

【正解 (4)】

チェック □□□

問題36 **次は、液体の危険物の屋外貯蔵タンクに係る設備に関する技術上の基準の記述であるが、誤っているものはどれか。**

(1) 危険物の量を自動的に表示する装置を設けること。

(2) 注入口付近には、静電気を有効に除去するための接地電極を設けること。

(3) 注入口は、注入ホース又は注入管と結合することができ、かつ、危険物が漏れないものであること。

(4)　注入口には、弁又はふたを設けること。
(5)　注入口は、火災の予防上支障のない場所に設けること。

要点・解説

屋外貯蔵タンクのうち、液体の危険物を貯蔵し、かつ、取り扱うものには、当該液体に着目した設備の基準が危政令第11条第１項第９号及び第10号に規定されている。

なお、注入口付近に静電気を有効に除去するための接地電極を設ける屋外貯蔵タンクは、ガソリン、ベンゼンその他静電気による災害が発生するおそれのある液体の危険物の屋外貯蔵タンクとすることとされている（危政令第11条第１項第10号ニ）。

(1)　危政令第11条第１項第９号の規定により、**正しい**。
(2)　危政令第11条第１項第10号ニの規定により、**誤り**。
(3)　危政令第11条第１項第10号ロの規定により、**正しい**。
(4)　危政令第11条第１項第10号ハの規定により、**正しい**。
(5)　危政令第11条第１項第10号イの規定により、**正しい**。

ポイント

液体の危険物の屋外貯蔵タンクに着目した設備の基準についての知識を問うものである。
【正解　(2)】

チェック □□□

問題37　次は、液体の危険物の屋外貯蔵タンクに係る設備に関する技術上の基準の記述であるが、誤っているものはどれか。

(1)　屋外貯蔵タンクの周囲には、総務省令で定めるところにより、危険物が漏れた場合にその流出を防止するための総務省令で定める防油堤を設けること。
(2)　屋外貯蔵タンクの配管は、地震等により当該配管とタンクとの結合部分に損傷を与えないように設置すること。

(3)　屋外貯蔵タンクの水抜管は、タンクの側板に設けること。ただし、総務省令で定めるところによる場合は、タンクの底板に設けることができる。

(4)　浮き屋根を有する屋外貯蔵タンクの側板又は浮き屋根に設ける設備は、地震等によりそれぞれ浮き屋根又は側板に損傷を与えないように設置すること。ただし、当該屋外貯蔵タンクに貯蔵する危険物の保安管理上必要な設備で総務省令で定めるものにあっては、この限りでない。

(5)　配管には、当該配管とタンクとの結合部分の直近に、非常の場合に直ちに閉鎖することができる弁であって総務省令で定めるものを設けること。

要点・解説

液体の危険物の屋外貯蔵タンクには、危険物の量を自動的に表示する装置及び注入口以外にポンプ設備、弁、水抜管、浮き屋根、配管、非常閉鎖弁、避雷設備、防油堤等の設備を附置することとされている。

なお、非常閉鎖弁は、液体の危険物を移送するための屋外貯蔵タンクのうち、容量が10,000kL以上のものの配管に設置することとされている（危政令第11条第1項第12号の3）。

(1)　危政令第11条第1項第15号の規定により、**正しい**。
(2)　危政令第11条第1項第12号の2の規定により、**正しい**。
(3)　危政令第11条第1項第11号の2の規定により、**正しい**。
(4)　危政令第11条第1項第11号の3の規定により、**正しい**。
(5)　危政令第11条第1項第12号の3の規定により、**誤り**。

ポイント

液体の危険物の屋外貯蔵タンクに着目した設備の基準についての知識を問うものである。

【正解　(5)】

チェック

問題38 次の記述は、屋外タンク貯蔵所の種類・区分等に係るものであるが、誤っているものはどれか。

(1) 屋外貯蔵タンクの屋根の形式として、貯蔵物の液面に鋼製の落とし蓋を浮かべた構造となっている「浮き屋根」がある。
(2) 屋外貯蔵タンクには、その貯蔵し、又は取り扱う液体の危険物の最大数量が1,000kL以上のものである特定屋外貯蔵タンクがある。
(3) 屋外貯蔵タンクの屋根の形式として、屋根が固定されている「固定屋根」があり、雨水が浸入しないため品質の管理がしやすいことから、揮発性の高い危険物の貯蔵に適している。
(4) 屋外貯蔵タンクには、その貯蔵し、又は取り扱う液体の危険物の最大数量が500kL以上1,000kL未満のものである準特定屋外貯蔵タンクがある。
(5) 屋外貯蔵タンクの屋根の形式として、屋根が固定されている「固定屋根」のものには、屋根の形状として円錐型のコーンルーフと半球形のドームルーフがある。

要点・解説

屋外貯蔵タンクの屋根の形式には、次のものがある。

屋根の形状	構　造	特　　徴
固定屋根	屋根が固定されているもので、屋根の形状として円錐型のコーンルーフと半球形のドームルーフがある。	屋根と貯蔵物の液面との間に空間があり、貯蔵物から揮発したものが滞留するため、揮発性の低いものの貯蔵に適している。 この欠点を補うものとして貯蔵物の液面に浮き蓋を浮かべたものがある。
浮き屋根	貯蔵物の液面に鋼製の落とし蓋を浮かべた構造	比較的大型のタンクに用いられており、貯蔵物の受け払いに伴い屋根が上下するため、揮発性の高いものの貯蔵に適している。

また、液体の危険物の屋外貯蔵タンクには、その容量により次のとおり区分されている。

屋外貯蔵タンクの区分	貯蔵し、又は取り扱う液体の危険物の数量
特定屋外貯蔵タンク	1,000kL以上
準特定屋外貯蔵タンク	500kL以上1,000kL未満
特定屋外貯蔵タンク及び準特定屋外貯蔵タンク以外の屋外貯蔵タンク	500kL未満

(1)　要点・解説のとおりで、**正しい**。

(2)　要点・解説のとおりで、**正しい**。

(3)　固定式の屋根のものは、一般的に屋根と貯蔵物の液面との間に空間があり、貯蔵物から揮発したものが滞留するため、揮発性の低いものの貯蔵に適していることから、**誤り**。

(4)　要点・解説のとおりで、**正しい**。

(5)　要点・解説のとおりで、**正しい**。

ポイント

屋外タンク貯蔵所の種類・区分等に関する知識を問うものである。

【正解　(3)】

チェック □□□

問題39　**次は、屋外貯蔵タンクの構造に関する技術上の基準に関する記述であるが、誤っているものはどれか。**

(1)　固体の危険物の屋外貯蔵タンクは、厚さ3.2mm以上の鋼板で造ること。

(2)　屋外貯蔵タンクの外面には、さびどめのための塗装をすること。

(3)　屋外貯蔵タンクの支柱は、鉄筋コンクリート造、鉄骨コンクリート造その他これらと同等以上の耐火性能を有するものであること。

(4)　特定屋外貯蔵タンクの溶接部は、総務省令で定めるところにより行う放射線透過試験、真空試験等の試験において、総務省令で定める基準に適合するものであること。

(5)　屋外貯蔵タンクは、原則として圧力タンク以外のタンクにあっては水張試験、圧力タンクにあっては水圧試験を行い、漏れ、又は変形しないものであること。

要点・解説

屋外貯蔵タンク（危険物を貯蔵し、又は取り扱う屋外タンク）の構造に係る技術上の基準は、危政令第11条第１項に規定されており、屋外貯蔵タンク本体の構造については、次のとおりとされている（危政令第11条第１項第４号）。

①　特定屋外貯蔵タンク及び準特定屋外貯蔵タンク以外の屋外貯蔵タンク
→厚さ3.2mm以上の鋼板で造ること。

②　特定屋外貯蔵タンク及び準特定屋外貯蔵タンク
→総務省令で定めるところにより、総務省令で定める規格に適合する鋼板その他の材料又はこれらと同等以上の機械的性質及び溶接性を有する鋼板その他の材料で気密に造ること。

③　水圧試験又は水張試験
・　圧力タンクを除くタンク
→水張試験→漏れ、又は変形しないものであること。
・　圧力タンク
→最大常用圧力の1.5倍の圧力で10分間行う水圧試験（高圧ガス保安法第20条第１項若しくは第３項若しくは第39条の22第１項の規定の適用を受ける高圧ガスの製造のための施設、労働安全衛生法別表第２第２号若しくは第４号に掲げる機械等又は労働安全衛生法施行令第12条第１項第２号に掲げる機械等である圧力タンクにあっては、総務省令で定めるところにより行う水圧試験）→漏れ、又は変形しないものであること。

④　固体の危険物の屋外貯蔵タンク
→①～③の規定によらないことができる。

⑴　危政令第11条第１項第４号ただし書の規定により、**誤り**。
⑵　危政令第11条第１項第７号の規定により、**正しい**。
⑶　危政令第11条第１項第５号後段の規定により、**正しい**。
⑷　危政令第11条第１項第４号の２の規定により、**正しい**。
⑸　危政令第11条第１項第４号の規定により、**正しい**。

ポイント

屋外貯蔵タンクの本体に適用される技術上の基準に関する知識を有しているかを問うものである。

【正解　(1)】

チェック□□□

問題40　次は、屋外貯蔵タンクのポンプ設備（ポンプ及びこれに附属する電動機をいい、当該ポンプ及び電動機のための建築物その他の工作物を設ける場合には、当該工作物を含む。）に関する基準の記述であるが、誤っているものはどれか。

---

(1)　ポンプ設備は、堅固な基礎の上に固定すること。
(2)　ポンプ室には、危険物を取り扱うために必要な採光、照明及び換気の設備を設けること。
(3)　ポンプ設備から屋外貯蔵タンクまでの間に、3m以上の距離を保つこと。
(4)　引火点が21度未満の危険物を取り扱うポンプ設備には、原則として、見やすい箇所に屋外貯蔵タンクのポンプ設備である旨及び防火に関し必要な事項を掲示した掲示板を設けること。
(5)　ポンプ室は、屋根を不燃材料で造るとともに、金属板その他の軽量な不燃材料でふくこと。

要点・解説

屋外貯蔵タンクのポンプ設備（ポンプ及びこれに附属する電動機をいい、当該ポンプ及び電動機のための建築物その他の工作物を設ける場合には、当該工作物を含む。）は、危険物を移送するために重要な設備であり、その技術基準は危政令第11条第1項第10号の2に規定されている。

なお、ポンプ設備から屋外貯蔵タンクまでの間に、当該屋外貯蔵タンクの空地の幅の3分の1以上の距離を保つこととされている（危政令第11条第1項第10号の2ロ）。

(1)　危政令第11条第1項第10号の2ハの規定により、**正しい**。

(2) 危政令第11条第1項第10号の2リの規定により、**正しい**。
(3) 危政令第11条第1項第10号の2ロの規定により、**誤り**。
(4) 危政令第11条第1項第10号の2ヲの規定により、**正しい**。
(5) 危政令第11条第1項第10号の2ホの規定により、**正しい**。

ポイント

屋外貯蔵タンクのポンプ設備についての技術基準に関する知識を問うものである。

【正解　(3)】

チェック □□□

問題41 次は、屋内タンク貯蔵所の位置、構造及び設備に関する技術上の基準のうち、タンク専用室に関するものであるが、誤っているものはどれか。ただし、屋内貯蔵タンクが平家建の建築物に設けられたタンク専用室に設置するものに限るものとする。

(1) 引火点が70℃以上の第4類の危険物のみの屋内貯蔵タンクを設置するタンク専用室にあっては、延焼のおそれのない外壁、柱及び床を不燃材料で造ることができる。
(2) 床は、危険物が浸透しない構造とするとともに、適当な傾斜を付け、かつ、貯留設備を設けること。
(3) 屋根を不燃材料で造り、かつ、天井を設けないこと。
(4) 延焼のおそれのある外壁に設ける出入口には、随時開けることができる自動閉鎖の特定防火設備を設けること。
(5) 引火点が70℃未満の危険物の屋内貯蔵タンクを設置する場合には、内部に滞留した可燃性の蒸気を屋根上に排出する設備を設けること。

要点・解説

屋内タンク貯蔵所は、建築物の屋内にあるタンクにおいて危険物を貯蔵し、又は取り扱う貯蔵所とされており、危険物を貯蔵し、又は取り扱う屋内タンク（屋内貯蔵タンク）は、原則として建築物に設けられたタンク専用室に設置することとされている（危政令第12条第1項第1号）。

また、貯蔵し、取り扱うことのできる危険物を指定数量の40倍（第４石油類及び動植物油類以外の第４類の危険物にあっては、当該数量が20,000Lを超えるときは、20,000L）以下とすること（危政令第12条第１項第４号）により、保安距離、保有空地等に関する規定が緩和されている。

なお、床の構造を危険物が浸透しない構造とするとともに、適当な傾斜を付け、かつ、貯留設備を設けることとしなければならないものは、液状の危険物の屋内貯蔵タンクを設置するタンク専用室に限られている（危政令第12条第１項第16号）。

⑴　危政令第12条第１項第12号ただし書きの規定により、**正しい**。
⑵　危政令第12条第１項第16号の規定により、**誤り**。
⑶　危政令第12条第１項第13号の規定により、**正しい**。
⑷　危政令第12条第１項第14号の規定により、**正しい**。
⑸　危政令第12条第１項第18号の規定により、**正しい**。

ポイント

屋内タンク貯蔵所のタンク専用室に適用される周囲に影響を与えないための基準に関する知識を問うものである。

【正解　⑵】

チェック □□□

問題42　**次は、屋内タンク貯蔵所の屋内貯蔵タンクに関する基準であるが、誤っているものはどれか。ただし、屋内貯蔵タンクが平家建の建築物に設けられたタンク専用室に設置するものに限るものとする。**

⑴　屋内貯蔵タンクの容量は、指定数量の40倍（第４石油類及び動植物油類以外の第４類の危険物にあっては、当該数量が20,000Lを超えるときは、20,000L）以下であること。
⑵　タンクの外面は、さびどめのための塗装をすること。
⑶　液体の危険物の屋内貯蔵タンクには、危険物の量を自動的に表示する装置を設けること。
⑷　同一のタンク専用室に屋内貯蔵タンクを２基設ける場合の当該タンクの容量は、それぞれ指定数量の40倍（第４石油類及び動植物油類以外の

第４類の危険物にあっては、当該数量が20,000Lを超えるときは、20,000L）とすることができる。

(5) 液体の危険物を移送するための屋内貯蔵タンクの配管は、屋外貯蔵タンクの配管の例によるものであること。

要点・解説

危険物を貯蔵し、取り扱う屋内貯蔵タンクに関する基準は、原則として屋外貯蔵タンクの例によることとなるが、貯蔵し、取り扱う危険物の量が制限されていることと、屋内に設置されること等が考慮された基準となっている。

なお、屋内貯蔵タンクの容量は、同一のタンク専用室に屋内貯蔵タンクを２以上設置する場合におけるそれらのタンクの容量の総計についても、指定数量の40倍（第４石油類及び動植物油類以外の第４類の危険物にあっては、当該数量が20,000Lを超えるときは、20,000L）以下とされている（危政令第12条第１項第４号）。

(1) 危政令第12条第１項第４号の規定により、**正しい**。
(2) 危政令第12条第１項第６号の規定により、**正しい**。
(3) 危政令第12条第１項第８号の規定により、**正しい**。
(4) 危政令第12条第１項第４号の規定により、**誤り**。
(5) 危政令第12条第１項第11号の２の規定により、**正しい**。

ポイント

屋内貯蔵タンクに係る位置、構造及び設備の技術上の基準に関する知識を問うものである。

【正解 (4)】

チェック □□□

問題43 次は、平家建以外の建築物に設置することができる屋内貯蔵タンクの位置、構造及び設備に関する技術上の基準に関する記述であるが、誤っているものはどれか。

(1) タンク専用室には、窓を設けないこと。

⑵　タンク専用室の換気及び排出の設備には、防火上有効にダンパー等を設けること。
⑶　タンク専用室の出入口には、随時開けることができる自動閉鎖の特定防火設備を設けること。
⑷　タンク専用室の壁、柱、床、はり及び天井は、耐火構造とすること。
⑸　タンク専用室は、屋内貯蔵タンクから漏れた危険物がタンク専用室以外の部分に流出しないような構造とすること。

要点・解説

屋内タンク貯蔵所の屋内貯蔵タンクは、原則として、平家建の建築物に設けられたタンク専用室に設置することとされているが、引火点が40℃以上の第４類の危険物のみを貯蔵し、又は取り扱うものにあっては、タンク専用室を平家建以外の建築物に設けることができるとされている。したがって、２以上の階数を有する建築物に設置することが可能となる。

この場合、技術上の基準は危政令第12条第１項第２号から第９号まで、第９号の２（タンク専用室の存する建築物以外の場所に設けるポンプ設備に関する基準に係る部分に限る。）、第10号から第11号の２まで、第16号、第18号及び第19号の規定の例によるほか、同条第12条第２項の規定によることとされている。

なお、平家建以外の建築物に屋内貯蔵タンクを設置する場合のタンク専用室は、原則として他の部分と防火上有効な耐火構造の区画をすることが必要とされるが、当該タンク専用室に上階のない場合にあっては屋根を不燃材料で造り、かつ、天井を設けないこととされている（危政令第12条第２項第４号）。

⑴　危政令第12条第２項第５号の規定により、**正しい**。
⑵　危政令第12条第２項第７号の規定により、**正しい**。
⑶　危政令第12条第２項第６号の規定により、**正しい**。
⑷　危政令第12条第２項第３号及び第４号の規定により、**誤り**。
⑸　危政令第12条第２項第８号の規定により、**正しい**。

ポイント

屋内貯蔵タンクを平家建以外の建築物に設ける場合のタンク専用室の構造等に関する知識を問うものである。　【正解　⑷】

チェック □□□

問題44 次は、地下タンク貯蔵所の地下貯蔵タンクの設置方法に関する記述であるが、誤っているものはどれか。

(1) 鋼製の地下貯蔵タンクは、その外面を保護する措置をしたうえで、地盤面下に設けられたタンク室に設置する必要がある。
(2) 強化プラスチック製の二重殻タンクは、当該タンクを堅固な基礎に設置し、鉄筋コンクリート造のふたで覆い、当該ふたにかかる重量が直接タンクにかからない構造であれば、タンク室に設置しないことができる。
(3) 鋼製の地下貯蔵タンクは、危険物の漏れを防止することができる構造とすることにより、直接地盤面下に設置することができる。
(4) 鋼製の二重殻タンクは、その外面を保護する措置をしたうえで、地盤面下に設けられたタンク室に設置することができる。
(5) 鋼製強化プラスチック製の二重殻タンクは、地盤面下に設けられたタンク室に設置することができる。

要点・解説

地下タンク貯蔵所は、地盤面下に埋没されているタンクにおいて危険物を貯蔵し、又は取り扱う貯蔵所である。

地下に埋設されたタンクやこれに接続する配管等から危険物が漏れ、他の場所へ流出し、土壌や地下水を汚染したり、さらには河川、湖沼等を汚染するなど火災危険性ばかりでなく環境に対する影響も考えられる。これらを防止するため、地下タンク貯蔵所を設置しようとする場合には、地下貯蔵タンク（危険物を貯蔵し、又は取り扱う地下タンク）を地盤面下に設けられたタンク室に設置するか、漏れを防止する構造等により設置することとされている。

地下貯蔵タンクの構造等により、地下タンク貯蔵所は、次のように分類される。

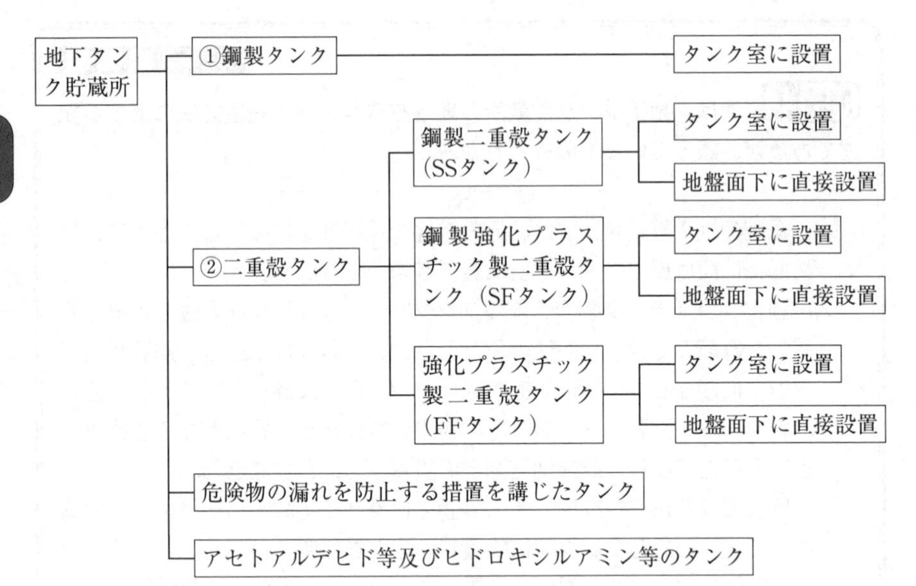

① 鋼製の地下貯蔵タンクは、その外面に一定の保護措置をしたうえで必ず地盤面下に設けられたタンク室に設置することが必要とされている。万が一、タンク等から危険物が漏れた場合でも、タンク室内にたまり、それ以上の拡散が防止できる。

② 地下貯蔵タンクに鋼板を間げきを有するように取り付け又は強化プラスチックを間げきを有するように被覆し、当該間げきに危険物の漏れを検知できる設備等を設けたものを二重殻タンクと称している。この二重殻タンクについても、原則として地盤面下に設けられたタンク室に設置することとされているが、第四類の危険物を貯蔵し又は取り扱う二重殻タンクについては、鉄筋コンクリート造のふたで覆う、ふたにかかる重量が二重殻タンクに直接かからない、タンクが堅固な基礎上に固定されている場合には、タンク室に設けないことができるとされている。

さらに、鋼製の地下貯蔵タンクは、危険物の漏れを防止できる構造とすることにより、地盤面下に設置することができるとされている。

(1) 危政令第13条第1項第1号、第7号の規定により、**正しい**。
(2) 危政令第13条第2項第2号の規定により、**誤り**。
(3) 危政令第13条第3項の規定により、**正しい**。

⑷　危政令第13条第２項第１号、第５号の規定により、**正しい**。
⑸　危政令第13条第２項第１号の規定により、**正しい**。

ポイント

地下タンク貯蔵所の地下貯蔵タンクの設置方法についての知識を問うものであり、地盤面下に設けられたタンク室以外に直接埋設することができる場合の技術上の基準を理解しているかが重要である。　【正解　⑵】

チェック □□□

問題45　**次は、地下タンク貯蔵所の位置、構造及び設備に関する技術上の基準のうち、鋼製の地下貯蔵タンクについての記述であるが、誤っているものはどれか。**

⑴　地下貯蔵タンクのポンプ設備には、ポンプ及び電動機を当該タンク内に設けるものとタンク外に設けるものがある。
⑵　地下貯蔵タンク又はその周囲には、当該タンクからの液体の危険物の漏れを検知する設備を設けなければならない。
⑶　地下貯蔵タンクには、危険物の量を自動的に表示する装置を設けなければならない。
⑷　地下貯蔵タンクは、厚さ3.2mm以上の鋼板又はこれと同等以上の機械的性質を有する材料で気密に造ることとされている。
⑸　地下貯蔵タンクの外面は、原則として所要の塗覆装等により保護しなければならない。

要点・解説

地下タンク貯蔵所の位置、構造及び設備の技術上の基準のうち、危険物を貯蔵し、又は取り扱う地下タンク（地下貯蔵タンク）が鋼製のものに係る基準は、危政令第13条第１項の規定によることとされている。

鋼製の一重殻タンクは、外面を保護する措置を行い、地盤面下に設けられたタンク室に設置し、タンクの周囲に乾燥砂を詰めることにより、外面からの腐食等を防止する措置を講じている。さらに、万が一タンクから危険物が漏れても、タンク室内にたまり、それ以上拡散しないようにしている。

なお、危険物の量を自動的に表示する装置を設けることとされているものは、液体の危険物の地下貯蔵タンクである（危政令第13条第１項第８号の２）。

(1)　危政令第13条第１項第９号の２の規定により、**正しい**。
(2)　危政令第13条第１項第13号の規定により、**正しい**。
(3)　危政令第13条第１項第８号の２の規定により、**誤り**。
(4)　危政令第13条第１項第６号の規定により、**正しい**。
(5)　危政令第13条第１項第７号、危規則第23条の２の規定により、**正しい**。

ポイント

地下タンク貯蔵所のうち鋼製の地下貯蔵タンクに係る位置、構造及び設備の技術上の基準に関する知識を問うものである。【正解　(3)】

チェック□□□

問題46　次は、地下タンク貯蔵所の位置、構造及び設備に関する技術上の基準のうち、二重殻タンクについての記述であるが、誤っているものはどれか。

---

(1)　二重殻タンクのうち、地下貯蔵タンクを強化プラスチックで被覆をしたものについては、当該タンクの外面の保護をしなくてもよい。
(2)　二重殻タンクのうち、強化プラスチック製の地下貯蔵タンクに強化プラスチック製の被覆をしたものについては、当該タンクに作用する荷重等に対し安全な構造を有するものとされている。
(3)　二重殻タンクのポンプ又は電動機には、地下貯蔵タンク内に設ける油中ポンプ設備を使用することができない。
(4)　二重殻タンクの周囲には、当該タンクからの液体の危険物の漏れを検知する設備を設ける必要はない。
(5)　地下貯蔵タンクを危険物の漏れを防止することができる構造により地盤面下に設置するものは、二重殻タンクに含まれない。

要点・解説

二重殻タンクには、鋼製の地下貯蔵タンクに鋼製の外郭を取り付けたものと、鋼製又は強化プラスチック製の地下貯蔵タンクに強化プラスチックを被覆したものがあり、間げき等の部分に地下貯蔵タンクから液体の危険物が漏洩したことを迅速に検知することのできる設備を設けたものである。

また、二重殻タンクは原則として地盤面下に設けられたタンク室内に設置することとされているが、第四類の危険物の二重殻タンクが一定の要件を満たす場合には、直接埋設することができるとされている（危政令第13条第２項第２号）。

二重殻タンクの種類とその内容は、次のとおりである（危政令第13条第２項第１号、第３号）。

区　分	内　容
①　鋼製二重殻タンク（SSタンク） 鋼製の地下貯蔵タンクに、鋼板を間げきを有するように取り付けたもの	①　地下貯蔵タンク（厚さ3.2mm以上の鋼板で造ったものに限る。）に、総務省令（危規則第24条の２の２第１項）で定めるところにより鋼板を間げきを有するように取り付けること。 ②　危険物の漏れを常時検知するための総務省令（危規則第24条の２の２第２項）で定める設備を設けること。
②　鋼製強化プラスチック製二重殻タンク（SFタンク） 鋼製の地下貯蔵タンクに強化プラスチックを間げきを有するように被覆したもの	①　地下貯蔵タンク（厚さ3.2mm以上の鋼板で造ったものに限る。）に、総務省令（危規則第24条の２の２第３項）で定めるところにより強化プラスチックを間げきを有するように被覆すること。 ②　危険物の漏れを検知するための総務省令（危規則第24条の２の２第４項）で定める設備を設けること。
③　強化プラスチック製二重殻タンク（FFタンク） 強化プラスチック製の地下貯蔵タンクに強化プラスチックを間げきを有するように被覆したもの	①　地下貯蔵タンク（貯蔵し、又は取り扱う危険物の種類に応じて総務省令（危規則第24条の２の３）で定める強化プラスチック）に、総務省令（危規則第24条の２の２第３項）で定めるところにより強化プラスチックを間げきを有するように被覆すること。 ②　危険物の漏れを検知するための総務省令（危規則第24条の２の２第４項）で定める設備を設けること。

(1)　危政令第13条第２項第５号の規定により、**正しい**。

(2)　危政令第13条第２項第４号の規定により、**正しい**。

(3)　危政令第13条第２項において、同条第１項第９号の２の規定が引用されているため、**誤り**。

⑷　危政令第13条第２項において、同条第１項第13号の規定が引用されていないことから、**正しい**。
⑸　危政令第13条第３項の規定により、**正しい**。

ポイント

地下タンク貯蔵所のうち二重殻タンクに係る位置、構造及び設備の技術上の基準に関する知識を問うものである。
【正解　⑶】

チェック □□□

問題47　**次は、簡易タンク貯蔵所の位置、構造及び設備に関する技術上の基準に係る記述であるが、誤っているものはどれか。**

⑴　簡易貯蔵タンクの容量は、簡易タンク貯蔵所の最大数1,800Lの範囲内であれば、一のタンクの容量制限はない。
⑵　簡易貯蔵タンクは、容易に移動しないように地盤面、架台等に固定する。
⑶　簡易貯蔵タンクは、屋外に設置できるほか、一定の要件を満たす場合、屋内に設けられた専用室内に設置することができる。
⑷　一の簡易タンク貯蔵所に設置する簡易貯蔵タンクの数は、三以内とされている。
⑸　簡易貯蔵タンクの外面には、さび止めのための塗装をする。

要点・解説

簡易タンク貯蔵所は、簡易タンクにおいて危険物を貯蔵し、又は取り扱う貯蔵所とされている。簡易タンクとは、液体の危険物の貯蔵又は取扱いをする簡易貯蔵タンクのことであり、その容量は600L以下とされている。また、一般的に、電動式給油（注油）設備や手動式給油（注油）設備など、簡易的な給油（注油）設備として使われる。

⑴　危政令第14条第５号の規定により、**誤り**。
⑵　危政令第14条第４号の規定により、**正しい**。

(3)　危政令第14条第1号の規定により、**正しい**。
(4)　危政令第14条第2号の規定により、**正しい**。
(5)　危政令第14条第7号の規定により、**正しい**。

ポイント

簡易タンク貯蔵所の位置、構造及び設備に係る技術上の基準に関する知識を問うものである。

【正解　(1)】

チェック □□□

問題48　次は、移動タンク貯蔵所の位置、構造及び設備の技術上の基準について示したものであるが、誤っているものはどれか。

(1)　移動タンク貯蔵所は、屋外の防火上安全な場所又は壁、床、はり及び屋根を耐火構造とし、若しくは不燃材料で造った建築物の1階に常置すること。
(2)　危険物を貯蔵し、又は取り扱う車両に固定されたタンクは、厚さ3.2mm以上の鋼板又はこれと同等以上の機械的性質を有する材料で気密に造るとともに、圧力タンクを除くタンクにあっては70kPaの圧力で、圧力タンクにあっては最大常用圧力の1.5倍の圧力で、それぞれ10分間行う水圧試験において、漏れ、又は変形しないものであること。
(3)　移動貯蔵タンクは、容量を20,000L以下とし、かつ、その内部に4,000L以下ごとに完全な間仕切を厚さ3.2mm以上の鋼板又はこれと同等以上の機械的性質を有する材料で設けること。
(4)　間仕切により仕切られた部分には、それぞれマンホール及び安全装置を設けるとともに、厚さ1.6mm以上の鋼板又はこれと同等以上の機械的性質を有する材料で造られた防波板を設けること。
(5)　移動貯蔵タンクのマンホール及び注入口のふたは、厚さ3.2mm以上の鋼板又はこれと同等以上の機械的性質を有する材料で造ること。

要点・解説

移動タンク貯蔵所は、道路を走行することから走行時の安定性（発進時、停車時、走行時、カーブ等の旋回時等）を考慮した構造となっている。

特に、タンクの容量は、セミトレーラの場合、液体危険物の比重等を考慮し、最大30,000L以下とされている。

これは、車両総重量が道路運送車両の保安基準（昭和26年運輸省令第67号）第４条により通常20ｔ（単一車最大で25ｔ、セミトレーラ最大で28ｔ。ただし、一定の条件下において分割可能貨物を運搬するもので、地方運輸局長の個別の認定を受けたものは36ｔ）とされていること、また、最大積載量は、道路運送車両法（昭和26年法律第185号）第40条第３号により車両総重量から車両重量と乗車定員（55kg／人）を引いたものとされていること等を考慮したものである。

また、走行中の振動や発進・停車時の衝撃等により、タンク内の液体が液動するのを防止するために、4,000Lごとに間仕切りをするとともに、タンク内に防波板を設けることとされている。

(1)　危政令第15条第１項第１号により、**正しい。**
(2)　危政令第15条第１項第２号により、**正しい。**
(3)　危政令第15条第１項第３号により、**誤り。**
(4)　危政令第15条第１項第４号により、**正しい。**
(5)　危政令第15条第１項第５号により、**正しい。**

ポイント

移動タンク貯蔵所の位置、構造及び設備の技術上の基準についての知識を問うものである。

【正解　(3)】

チェック □□□

問題49　**次は、移動タンク貯蔵所に関する記述であるが、誤っているのはどれか。**

(1)　移動タンク貯蔵所には、移動貯蔵タンクを車両等に積み替えるための構造を有するものも含まれる。
(2)　移動タンク貯蔵所には、航空機又は船舶の燃料タンクに直接給油するための給油設備を備えたものも含まれる。

(3) 移動タンク貯蔵所の常置場所は、屋外の防火上安全な場所又は壁、床、はり及び屋根を耐火構造とし、若しくは不燃材料で造った建築物の一階とされている。

(4) 移動タンク貯蔵所には、被牽引自動車であって、前車軸を有するものも含まれる。

(5) 移動タンク貯蔵所には、国際海事機関が採択した危険物の運送に関する規程に定める基準に適合するものも含まれる。

要点・解説

移動タンク貯蔵所は、車両（被牽引自動車にあっては、前車軸を有しないものであって、当該被牽引自動車の一部が牽引自動車に載せられ、かつ、当該被牽引自動車及びその積載物の重量の相当部分が牽引自動車によってささえられる構造のものに限る。）に固定されたタンクにおいて危険物を貯蔵し、又は取り扱う貯蔵所とされている（危政令第２条第６号）。

移動タンク貯蔵所の種類には、次のものがある。

ア　車両の形式からの区分

① 単一車形式

② 被牽引車形式　→　セミトレーラー式（フルトレーラー式は、禁止されている）

イ　タンクの形式からの区分

① 積載式　→　積載式移動タンク貯蔵所（移動貯蔵タンクを車両等に積み替えるための構造を有するもの。危政令第15条第２項）

② 積載式以外

ウ　特例基準が規定されている移動タンク貯蔵所

① 航空機又は船舶の燃料タンクに直接給油するための給油設備を備えた移動タンク貯蔵所（危政令第15条第３項）

② アルキルアルミニウム、アルキルリチウム、アセトアルデヒド、酸化プロピレンその他の総務省令で定める危険物を貯蔵し、又は取り扱う移動タンク貯蔵所（危政令第15条第４項）

③ 国際海事機関が採択した危険物の運送に関する規程に定める基準に適合する移動タンク貯蔵所（危政令第15条第５項）

(1) 危政令第15条第２項の規定により、**正しい**。

(2)　危政令第15条第３項の規定により、**正しい**。

(3)　危政令第15条第１項第１号の規定により、**正しい**。

(4)　危政令第２条第６号の規定により、**誤り**。

(5)　危政令第15条第５項の規定により、**正しい**。

ポイント

移動タンク貯蔵所の種類、方式等に関する知識を問うものである。

【正解　(4)】

チェック □□□

問題50　**次は、移動タンク貯蔵所の構造に関する技術上の基準に係る記述であるが、誤っているものはどれか。**

(1)　移動貯蔵タンクの間仕切により仕切られた部分には、それぞれマンホール及び安全装置を設けるとともにその内部には防波板を設けること。

(2)　附属装置が上部に突出している移動貯蔵タンクには、当該タンクの両側面の上部防護枠と附属装置の周囲に側面枠を設けること。

(3)　可燃性の蒸気を回収する設備を設ける場合には、当該設備を可燃性の蒸気が漏れるおそれのない構造とすること。

(4)　マンホール及び注入口のふたは、厚さ3.2mm以上の鋼板又はこれと同等以上の機械的性質を有する材料で造ること。

(5)　移動貯蔵タンクは、4,000L以下ごとに完全な間仕切で区画し、当該間仕切は、厚さ3.2mm以上の鋼板又はこれと同等以上の機械的性質を有する材料で造ること。

要点・解説

移動タンク貯蔵所は、道路等を走行することから、車両の発進又は停車に伴う前後方向の荷重やカーブ・コーナーで回転することによる左右方向の荷重、さらには上下方向の荷重等を考慮するとともに、車両が転倒した場合の保護などの対策が講じられている。

また、タンクが損傷し、収納した危険物の漏洩を最小限にするための間仕切や液体の危険物の振動、衝撃等による液動を防止するための防波板の設置などが規定されている。

さらに、タンクの容量についても一般道を走行できる車両の総重量や危険物の比重等が考慮され、最大30,000Lとされている。

なお、附属装置が上部に突出している移動タンク貯蔵所には、当該タンクの両側面の上部に側面枠を、附属装置の周囲に防護枠を設けることとされている（危規則第24条の３第１号、第２号）。

⑴　危政令第15条第１項第４号の規定により、**正しい**。
⑵　危政令第15条第１項第７号及び危規則第24条の３の規定により、**誤り**。
⑶　危政令第15条第１項第６号の規定により、**正しい**。
⑷　危政令第15条第１項第５号の規定により、**正しい**。
⑸　危政令第15条第１項第３号の規定により、**正しい**。

ポイント

移動タンク貯蔵所の構造に関する技術上の基準についての知識を問うものである。

【正解　⑵】

チェック □□□

問題51　次は、移動タンク貯蔵所の設備に関する技術上の基準であるが、誤っているものはどれか。

⑴　液体の危険物の移動貯蔵タンクには、危険物を貯蔵し、又は取り扱うタンクの注入口と結合できる結合金具を備えた注入ホースを設けること。
⑵　ガソリン、ベンゼンその他静電気による災害が発生するおそれのある液体の危険物の移動貯蔵タンクには、接地導線を設けること。
⑶　移動貯蔵タンクの下部に排出口を設ける場合は、当該タンクの排出口に底弁を設けるとともに、原則として非常の場合に直ちに当該底弁を閉鎖することができる手動閉鎖装置及び自動閉鎖装置を設けること。
⑷　液体の危険物の移動貯蔵タンクのうち計量棒によって当該危険物の量を計量するものには、計量時の静電気による災害を防止するための装置

を設けること。

(5)　移動貯蔵タンク及び附属装置の電気設備で、可燃性の蒸気が滞留するおそれのある場所に設けるものは、可燃性の蒸気に引火しない構造とすること。

要点・解説

移動タンク貯蔵所には、完全に荷下ろしをするための設備を設置することとされている。特に、引火性や可燃性の危険物を取り扱うものにあっては、静電気が帯電しないための措置や、真ちゅうその他摩擦等によって火花を発し難い材料とする必要がある。

特に、ガソリン、ベンゼンその他静電気による災害が発生するおそれのある液体の危険物の移動貯蔵タンクには、次の措置を講じることとされている。

①　接地導線を設けること（危政令第15条第1項第14号）。

②　計量棒によって当該危険物の量を計量するものには、計量時の静電気による災害を防止するための装置を設けること（危政令第15条第1項第16号）。

(1)　危政令第15条第1項第15号の規定により、**正しい**。
(2)　危政令第15条第1項第14号の規定により、**正しい**。
(3)　危政令第15条第1項第9号の規定により、**正しい**。
(4)　危政令第15条第1項第16号の規定により、**誤り**。
(5)　危政令第15条第1項第13号の規定により、**正しい**。

ポイント

移動タンク貯蔵所の設備に関する技術上の基準についての知識を問うものである。

【正解　(4)】

チェック □□□

問題52 次は、屋外貯蔵所のうち危険物を容器に収納して貯蔵し、又は取り扱うものの位置、構造及び設備の技術上の基準に関する記述であるが、誤っているものはどれか。

---

(1) 危険物を貯蔵し、又は取り扱う場所の周囲には、さく等を設けて明確に区画すること。
(2) 架台の高さは、6m未満とすること。
(3) 屋外貯蔵所は湿潤でなく、かつ、排水のよい場所に設置すること。
(4) 保安距離は、貯蔵し又は取り扱う危険物の指定数量の倍数に応じて、保有すること。
(5) 見やすい箇所に屋外貯蔵所である旨を表示した標識及び防火に関し必要な事項を掲示した掲示板を設けること。

要点・解説

屋外貯蔵所は、屋外の場所において第二類の危険物のうち硫黄、硫黄のみを含有するもの（以下「硫黄等」という。）若しくは引火性固体（引火点が0℃以上のものに限る。）又は第四類の危険物のうち第一石油類（引火点が0℃以上のものに限る。）、アルコール類、第二石油類、第三石油類、第四石油類若しくは動植物油類を貯蔵し、又は取り扱う貯蔵所とされている。

なお、保安距離は、製造所の位置の基準（危政令第9条第1項第1号）の例によることとされている（危政令第16条第1項第1号）。

(1) 危政令第16条第1項第3号の規定により、**正しい**。
(2) 危政令第16条第1項第6号、危規則第24条の10第3号の規定により、**正しい**。
(3) 危政令第16条第1項第2号の規定により、**正しい**。
(4) 危政令第16条第1項第1号の規定により、**誤り**。
(5) 危政令第16条第1項第5号の規定により、**正しい**。

ポイント

屋外貯蔵所のうち、危険物を容器に収納して貯蔵し、又は取り扱うものに関する位置、構造及び設備の技術上の基準に関する知識を問うものである。

【正解　(4)】

チェック □□□

問題53　**屋外貯蔵所のうち、塊状の硫黄等（硫黄又は硫黄のみを含有するもの）のみを地盤面に設けた囲いの内側で貯蔵し、又は取り扱うものの位置、構造及び設備の技術上の基準に関する記述として、誤っているものは次のうちどれか。**

---

(1)　囲いは、不燃材料で造るとともに、硫黄等が漏れない構造とすること。

(2)　硫黄等を貯蔵し、又は取り扱う場所の周囲には、排水溝及び分離槽を設けること。

(3)　硫黄等があふれ、又は飛散しないように囲い全体を難燃性又は不燃性のシートで覆うこと。

(4)　一の囲いの内部の面積は、100m²以下であること。

(5)　囲いには、硫黄等のあふれ又は飛散を防止するためのシートを固着する装置を設けること。

要点・解説

屋外貯蔵所のうち塊状の硫黄等（硫黄又は硫黄のみを含有するもの）のみを地盤面に設けた囲いの内側で貯蔵し、又は取り扱うものの位置、構造及び設備の技術上の基準は、危政令第16条第１項第１号から第６号までによるほか、同条第２項の規定によるものとされている。

また、塊状の硫黄等のみを地盤面に設けた囲いの内側で貯蔵し、又は取り扱う屋外貯蔵所の貯蔵方法は、次のとおりとされている（危政令第26条第１項第12号）。

①　硫黄等を囲いの高さ以下に貯蔵すること。

②　硫黄等があふれ、又は飛散しないように囲い全体を難燃性又は不燃性のシートで覆うこと。

③　当該シートを囲いに固着しておくこと。

(1)　危政令第16条第２項第３号の規定により、**正しい**。

(2)　危政令第16条第２項第６号の規定により、**正しい**。

(3)　危政令第26条第１項第12号の規定による貯蔵又は取扱いの基準であり、**誤り**。

(4)　危政令第16条第２項第１号の規定により、**正しい**。

(5)　危政令第16条第２項第５号の規定により、**正しい**。

ポイント

屋外貯蔵所のうち、塊状の硫黄等のみを地盤面に設けた囲いの内側で貯蔵し、又は取り扱うものの位置、構造及び設備の技術上の基準に関する知識を問うものである。

【正解　(3)】

チェック □□□

問題54　**次は、屋外貯蔵所のうち、高引火点危険物のみを貯蔵し、又は取り扱うもの並びに第二類の危険物のうち引火性固体（引火点が21℃未満のものに限る。）又は第四類の危険物のうち第一石油類若しくはアルコール類を貯蔵し、又は取り扱うものの位置、構造及び設備の技術上の基準に関する記述であるが、誤っているものはどれか。**

---

(1)　引火性固体、第一石油類又はアルコール類を貯蔵し、又は取り扱う場所には、当該危険物を適温に保つための散水設備等を設けること。

(2)　高引火点危険物の屋外貯蔵所の位置は、危険物の規制に関する規則第13条の６第３項第１号に掲げる高引火点危険物のみを取り扱う製造所の位置の例によるものであること。

(3)　第一石油類又はアルコール類を貯蔵し、又は取り扱う場所の周囲には、排水溝及び貯留設備を設けること。

(4)　高引火点危険物の屋外貯蔵所のさく等の周囲に設ける空地については、危険物の規制に関する政令第16条第１項第４号に規定する空地の幅より緩和されている。

(5)　高引火点危険物のみを貯蔵し、又は取り扱う屋外貯蔵所については、危険物の規制に関する政令第16条第１項に掲げる基準を超える特例が総務省令で定められている。

要点・解説

高引火点危険物のみを貯蔵し、又は取り扱う屋外貯蔵所については、危政令第16条第１項に掲げる基準の特例を定めることができることとされており（危政令第16条第３項）、その特例は、危規則第24条の12第２項の規定によるものとされている。

(1)　危規則第24条の13第１号の規定により、**正しい**。
(2)　危規則第24条の12第２項第１号の規定により、**正しい**。
(3)　危規則第24条の13第２号の規定により、**正しい**。
(4)　危規則第24条の12第２項第２号の規定により、**正しい**。
(5)　危政令第16条第３項の規定により、**誤り**。

ポイント

屋外貯蔵所のうち、高引火点危険物のみを貯蔵し、又は取り扱うもの並びに第二類の危険物のうち引火性固体（引火点が21℃未満のものに限る。）又は第四類の危険物のうち第一石油類若しくはアルコール類を貯蔵し、又は取り扱うものの位置、構造及び設備の技術上の基準に関する知識を問うものである。

【正解　(5)】

チェック □□□

問題55　**次は、基準の特例が定められている給油取扱所を示したものであるが、該当しないものはどれか。**

(1)　飛行場で航空機に給油する給油取扱所
(2)　船舶に給油する給油取扱所
(3)　鉄道又は軌道によって運行する車両に給油する給油取扱所
(4)　ブルドーザ、ショベル・ローダ等大型特殊車両に給油する給油取扱所
(5)　電気を動力源とする自動車等に水素を充てんするための設備を設ける給油取扱所

要点・解説

給油取扱所は、給油設備によって自動車等の燃料タンクに直接給油するため危険物を取り扱う取扱所（当該取扱所において併せて灯油若しくは軽油を容器に詰め替え、又は車両に固定された容量4,000L以下のタンク（容量2,000Lを超えるタンクにあっては、その内部を2,000L以下ごとに仕切ったものに限る。）に注入するため固定した注油設備によって危険物を取り扱う取扱所を含む。）とされている。この給油取扱所の位置、構造及び設備の技術上の基準は、一般的にガソリン、軽油等を燃料とする車両に給油することを前提に規定されている（危政令第17条）。

これらの基準を適用することが困難な次の給油取扱所については、それらの形態に応じた特例基準が規定されている（危政令第17条第３項）。

特例が適用される給油取扱所の名称	給油の対象とするもの
航空機給油取扱所	飛行場で航空機に給油する給油取扱所
船舶給油取扱所	船舶に給油する給油取扱所
鉄道給油取扱所	鉄道又は軌道によって運行する車両に給油する給油取扱所
圧縮天然ガス等充てん設備設置給油取扱所	圧縮天然ガスその他の総務省令で定めるガスを内燃機関の燃料として用いる自動車等に当該ガスを充てんするための設備を設ける給油取扱所（自家用の給油取扱所を除く。）
圧縮水素充てん設備設置給油取扱所	電気を動力源とする自動車等に水素を充てんするための設備を設ける給油取扱所（自家用の給油取扱所を除く。）
自家用給油取扱所	給油取扱所の所有者、管理者又は占有者が所有し、管理し、又は占有する自動車又は原動機付自転車に給油する自家用の給油取扱所

さらに、特殊な形態を有する給油取扱所には、一般に適用される給油取扱所の位置、構造及び設備の技術上の基準を超える基準が適用されることとなっている。

基準を超える特例を定める給油取扱所	基準が定められている給油取扱所
第４類の危険物のうちメタノール若しくはエタノール又はこれらを含有するものを取り扱う給油取扱所 （危政令第17条第４項）	メタノール等及びエタノール等の屋外給油取扱所（危規則第28条の２）
	メタノール等及びエタノール等の屋内給油取扱所（危規則第28条の２の２）
	メタノール等及びエタノール等の圧縮天然ガス等充てん設備設置給油取扱所等（危規

	則第28条の２の３）
顧客に自ら自動車等に給油させ、又は灯油若しくは軽油を容器に詰め替えさせる給油取扱所 （危政令第17条第５項）	顧客に自ら給油等をさせる屋外給油取扱所（危規則第28条の２の５）
	顧客に自ら給油等をさせる屋内給油取扱所（危規則第28条の２の６）
	顧客に自ら給油等をさせる圧縮天然ガス等充塡設備設置給油取扱所等（危規則第28条の２の７）
	顧客に自ら給油等をさせるエタノール等の給油取扱所等（危規則第28条の２の８）

なお、顧客に自ら給油等をさせる給油取扱所とは、顧客に自ら自動車若しくは原動機付自転車に給油させ、又は灯油若しくは軽油を容器に詰め替えさせることができる給油取扱所とされている（危規則第28条の２の４）。

⑴　危政令第17条第３項第１号により、**正しい**。
⑵　危政令第17条第３項第２号により、**正しい**。
⑶　危政令第17条第３項第３号により、**正しい**。
⑷　危政令第17条第３項により、**誤り**。
⑸　危政令第17条第３項第５号により、**正しい**。

ポイント
給油取扱所について、特殊な形態の給油取扱所に関する知識を問うものである。
【正解　⑷】

チェック □□□

問題56　**次は、給油取扱所の施設形態による種類に関する記述であるが、誤っているものはどれか。**

⑴　自家用給油取扱所は、当該給油取扱所の所有者等の自動車等に給油できるほか、所有者等の容器に詰め替え又は所有者等のタンクに注入することができる給油取扱所である。

⑵ 水素を充塡するための設備として、圧縮水素を充塡するための設備を併設する圧縮水素充塡設備設置給油取扱所は、屋内給油取扱所の形態として設置することはできない。

⑶ 航空機給油取扱所は、飛行場で航空機に給油するものであり、自家用給油取扱所の形態のものしか認められていない。

⑷ 鉄道給油取扱所は、鉄道又は軌道によって運行する車両に給油する給油取扱所である。

⑸ 圧縮天然ガス又は液化石油ガス（圧縮天然ガス等）を充塡する設備を併設する圧縮天然ガス等充塡設備設置給油取扱所は、自家用給油取扱所の形態のものも認められている。

要点・解説

給油取扱所は、営業形態、建物の構造、給油等の対象、併置する危険物以外の燃料等を充塡する設備により、次に掲げる用に区分することができる。

給油取扱所の施設形態	営業用		自家用	
	屋外給油取扱所	屋内給油取扱所	屋外給油取扱所	屋内給油取扱所
航空機	○	○	○	○
船　舶	○	○	○	○
鉄　道	○	○	○	○
圧縮天然ガス等	○	○	○	○
圧縮水素	○	×	○	×
メタノール等	○	○	○	○
セルフ給油	○	○	○	○

営業形態による区分は、専ら車両等に給油する燃料の販売を目的とする営業用給油取扱所と、給油取扱所の所有者等の自動車等に給油できるほか、所有者等の容器に詰め替え又は所有者等のタンクに注入することができる自家用給油取扱所がある（危規則第28条第１項）。

⑴ 危規則第28条第１項の規定により、**正しい**。
⑵ 危政令第17条第３項の規定により、**正しい**。
⑶ 危政令第17条第３項第１号の規定により、**誤り**。
⑷ 危政令第17条第３項第３号の規定により、**正しい**。

⑸　危政令第17条第３項第４号、危規則第28条第４項の規定により、**正しい。**

ポイント

給油取扱所は、営業形態、建物の構造、給油等の対象、併置する危険物以外の燃料等を充填する設備により区分されており、その知識を問うものである。

【正解　⑶】

チェック □□□

問題57　**次は、屋外給油取扱所の位置、構造及び設備の技術上の基準に関する記述のうち、専用タンク及び廃油タンク等に関するものであるが、誤っているものはどれか。**

⑴　給油取扱所に設置する専用タンク及び廃油タンク等は、地盤面下に埋没して設ける場合を除き、危険物を取り扱うタンクを設けないこととされている。
⑵　専用タンクには、危険物の過剰な注入を自動的に防止する設備を設けること。
⑶　専用タンク及び廃油タンク等には、通気管又は安全装置を設けること。
⑷　液体の危険物の地下貯蔵タンクの注入口は、屋外に設けること。
⑸　固定給油設備又は固定注油設備に危険物を注入するための配管は、当該固定給油設備又は固定注油設備に接続する専用タンク又は簡易タンクからの配管のみとすること。

要点・解説

⑴　危政令第17条第１項第７号の規定により、**正しい。**
⑵　危政令第17条第２項第４号の規定による屋内給油取扱所の基準であり、**誤り。**
⑶　危政令第17条第１項第８号、第13条第１項第８号の規定により、**正しい。**
⑷　危政令第17条第１項第８号、第13条第１項第９号の規定により、**正しい。**
⑸　危政令第17条第１項第９号の規定により、**正しい。**

ポイント

給油取扱所の専用タンク及び廃油タンク等に関する技術上の基準についての知識を問うものである。　【正解　(2)】

チェック

問題58　次は、屋外給油取扱所の位置、構造及び設備の技術上の基準に関する記述のうち、その敷地に関するものであるが、誤っているものはどれか。

(1)　灯油又は軽油を車両に固定されたタンクに注入するための固定注油設備の周囲には、タンクを固定した車両が当該空地からはみ出さず、かつ、当該タンクに灯油又は軽油を安全かつ円滑に注入することができる広さを有すること。
(2)　給油空地は、漏れた危険物及び可燃性の蒸気が滞留せず、かつ、当該危険物その他の液体が当該給油空地以外の部分に流出しない措置を講ずること。
(3)　給油空地は、自動車等が安全かつ円滑に出入りすることができる10m以上の幅で道路に面していること。
(4)　注油空地は、漏れた危険物が浸透しないために、当該給油取扱所において想定される自動車等の荷重により損傷するおそれがないように舗装すること。
(5)　給油空地は、自動車等が当該空地からはみ出さずに安全かつ円滑に給油を受けることができる広さを有すること。

要点・解説

屋外給油取扱所の敷地は、営業用給油取扱所の形態のものは自動車等に給油することから、自動車等の出入りが可能となるように道路に面して設けられていることなど、給油取扱所として目的を達成するために、危政令第17条及び危規則第24条の14から第24条の16までの規定によることとされている。

なお、給油空地は、自動車等が安全かつ円滑に出入りすることができる幅で道路に面していることとされている。

⑴　危政令第17条第１項第３号及び危規則第24条の15の規定により、**正しい。**
⑵　危政令第17条第１項第５号の規定により、**正しい。**
⑶　危政令第17条第１項第２号及び危規則第24条の14の規定により、**誤り。**
⑷　危政令第17条第１項第４号及び危規則第24条の16の規定により、**正しい。**
⑸　危政令第17条第１項第２号及び危規則第24条の14の規定により、**正しい。**

ポイント

給油取扱所の敷地に関する技術上の基準についての知識を問うものである。

【正解　⑶】

チェック □□□

問題59　**次は、屋外給油取扱所の位置、構造及び設備の技術上の基準に関する記述のうち、固定給油設備及び固定注油設備の位置に関する基準であるが、誤っているものはどれか。**

⑴　固定給油設備及び固定注油設備の建築物の壁からの間隔は、２ｍ（給油取扱所の建築物の壁に開口部がない場合には、１ｍ）以上とされている。
⑵　懸垂式の固定給油設備及び固定注油設備の道路境界線からの間隔は、４ｍ以上とされている。
⑶　固定給油設備及び固定注油設備の敷地境界線からの間隔は、２ｍ以上とされている。
⑷　固定注油設備と最大給油ホース全長が３ｍを超え４ｍ以下の固定給油設備の間隔は、５ｍ以上とされている。
⑸　最大給油ホース全長が４ｍを超え５ｍ以下の固定給油設備（懸垂式以外）の道路境界線との間隔は、６ｍ以上とされている。

要点・解説

固定給油設備は、道路境界線からは懸垂式は４ｍ以上の間隔、懸垂式以外は最大給油ホース全長に応じて４ｍ以上の間隔を、敷地境界線からは２ｍ以上の間隔を、さらに、建築物の壁からは２ｍ（給油取扱所の建築物の壁に開口部がない場合には、1m）以上の間隔をそれぞれ保つこととされている（危政令第17条第1項第12号）。

固定注油設備は、懸垂式の固定給油設備からは4m以上の間隔、懸垂式以外の固定給油設備からは最大給油ホース全長に応じて4m以上の間隔を、道路境界線からは懸垂式は4m以上の間隔、懸垂式以外は最大注油ホース全長に応じて4m以上の間隔を、敷地境界線からは1m以上の間隔を、さらに、建築物の壁からは2m（給油取扱所の建築物の壁に開口部がない場合には、1m）以上の間隔をそれぞれ保つこととされている（危政令第17条第1項第13号）。

⑴　危政令第17条第1項第12号及び第13号の規定により、**正しい**。
⑵　危政令第17条第1項第12号及び第13号の規定により、**正しい**。
⑶　危政令第17条第1項第12号及び第13号の規定により、**誤り**。
⑷　危政令第17条第1項第13号の規定により、**正しい**。
⑸　危政令第17条第1項第12号の規定により、**正しい**。

ポイント

給油取扱所に設置されている固定給油設備及び固定注油設備の位置に関する基準についての知識を問うものである。　【正解　⑶】

チェック □□□

問題60　**次は、給油取扱所の敷地内に設ける建築物その他の工作物の用途に関する記述であるが、誤っているものはどれか。**

⑴　消防法施行令別表第1⑴項、⑶項、⑷項、⑻項、⑾項から⒀項イまで、⒁項及び⒂項に掲げる防火対象物の用途
⑵　給油又は灯油若しくは軽油の詰替えのための作業場
⑶　給油取扱所の関係者が設ける賃貸用の住居又は居住者が関係する業務を行うための事務所
⑷　給油取扱所に給油等のために出入りする者の立ち入ることができる場所の床面積の合計は300m²以下

(5) 給油取扱所の業務を行うための事務所

要点・解説

給油取扱所には、給油その他の業務のための建築物（避難又は防火上支障がないと認められる危規則第25条の４第１項に定める用途に供するものに限る。）以外の建築物その他の工作物を設けないこととされている（危政令第17条第１項第16号）。

一般的に危険物施設は、係員以外の者をみだりに出入させないこととされているが、給油取扱所については、給油取扱所の所有者、管理者若しくは占有者が居住する住居又はこれらの者に係る他の給油取扱所の業務を行うための事務所を設けることができる。

(1) 危規則第25条の４第１項第６号の規定により、**正しい**。
(2) 危規則第25条の４第１項第１号の規定により、**正しい**。
(3) 危規則第25条の４第１項第５号の規定により、**誤り**。
(4) 危規則第25条の４第２項の規定により、**正しい**。
(5) 危規則第25条の４第１項第２号の規定により、**正しい**。

ポイント

給油取扱所の敷地内に設ける建築物その他の工作物の用途についての知識を問うものである。

【正解　(3)】

チェック □□□

問題61 次は、屋外給油取扱所の建築物その他の工作物に関する基準についての記述であるが、誤っているものはどれか。

(1) 給油取扱所に設ける建築物の構造は、壁、柱、床、はり及び屋根を耐火構造とし、又は不燃材料で造ること。
(2) 給油取扱所の所有者等が居住する住居又は専ら給油取扱所の業務を行うための事務所の用途の部分は、開口部のない耐火構造の床又は壁で当該建築物の他の部分と区画し、かつ、給油取扱所の敷地に面する側の壁に出入口がない構造とすること。

(3)　給油等の作業場、自動車等の点検・整備及び洗浄を行う作業場の自動車等の出入口の開口部には、防火設備を設けること。

(4)　屋外給油取扱所の周囲には、自動車等の出入りする側を除き、火災による被害の拡大を防止するための高さ2m以上の耐火構造又は不燃材料で造られた塀又は壁を設けること。

(5)　給油取扱所の業務を行うための事務所は、漏れた可燃性の蒸気がその内部に流入しない構造とすること。

要点・解説

給油取扱所に設ける建築物の窓及び出入口には、原則として防火設備を設けることとされているが、給油等の作業場、自動車等の点検・整備及び洗浄を行う作業場の自動車等の出入口には防火設備を設けないこととされている（危政令第17条第1項第17号、危規則第25条の4第3項）。

(1)　危政令第17条第1項第17号前段の規定により、**正しい**。

(2)　危政令第17条第1項第17号後段、危規則第25条の4第4項の規定により、**正しい**。

(3)　危政令第17条第1項第17号前段の規定により、**誤り**。

(4)　危政令第17条第1項第19号の規定により、**正しい**。

(5)　危政令第17条第1項第18号の規定により、**正しい**。

ポイント

屋外給油取扱所に設ける建築物その他の工作物の構造について、用途に応じた構造等に関する基準についての知識を問うものである。　【正解　(3)】

チェック □□□

問題62 **次は、屋内給油取扱所に関する位置、構造及び設備の技術上の基準に関する記述であるが、誤っているものはどれか。**

---

(1)　屋内給油取扱所は、消防法施行令別表第1(6)項に掲げる病院・社会福祉施設等の用途に供する部分を有しない建築物に設置すること。

(2)　建築物の屋内給油取扱所の用に供する部分は、壁、柱、床及びはりを耐火構造とするとともに、開口部のない耐火構造の床又は壁で当該建築物の他の部分と区画されたものであること。

(3)　建築物の屋内給油取扱所の用に供する部分の1階の二方については、原則として、自動車等の出入する側又は通風及び避難のための空地に面するとともに、壁を設けないこと。

(4)　屋内給油取扱所に専用タンク又は廃油タンク等を設ける場合は、地下貯蔵タンクとし、地下タンク貯蔵所の地下貯蔵タンクの位置、構造及び設備の技術上の基準によること。

(5)　建築物の屋内給油取扱所の用に供する部分については、可燃性の蒸気が滞留するおそれのある穴、くぼみ等を設けないこと。

要点・解説

屋内給油取扱所は、建築物の給油取扱所の用に供する部分の水平投影面積から当該部分のうち床又は壁で区画された部分の一階の床面積（以下「区画面積」という。）を減じた面積の、給油取扱所の敷地面積から区画面積を減じた面積に対する割合が三分の一を超えるもの（当該割合が三分の二までのものであって、かつ、火災の予防上安全であると認められるものを除く。）とされている（危規則第25条の6）。

この場合において、火災予防上安全であると認められた割合が3分の1を超え3分の2までのものにあっては、屋外給油取扱所となる。

屋内給油取扱所は、一般的に敷地の外気の流通が制限され、可燃性蒸気が滞留するおそれがあることから、これらを防止するための構造、設備等が付加されている。

また、屋内給油取扱所には、当該敷地内での危険物の漏洩や火災などの災害が給油取扱所以外の部分に拡大しないようにするための措置が危政令第17条第2項に規定されている。したがって、建築物の屋内給油取扱所の用に供する部分は、壁、柱、床、はり及び屋根を耐火構造としなければならない（危政令第17条第２項第５号）。

(1)　危政令第17条第２項第１号の規定により、**正しい**。
(2)　危政令第17条第２項第５号の規定により、**誤り**。
(3)　危政令第17条第２項第９号の規定により、**正しい**。
(4)　危政令第17条第２項第２号の規定により、**正しい**。
(5)　危政令第17条第２項第10号の規定により、**正しい**。

ポイント

屋内給油取扱所の位置、構造及び設備に関する技術上の基準についての知識を問うものである。

【正解　(2)】

チェック □□□

問題63　**次は、危険物の規制に関する政令第18条第１項に規定する「第１種販売取扱所」の配合室に関する記述であるが、誤っているものはどれか。**

(1)　出入口のしきいの高さは、床面から0.1m以上とすること。
(2)　床は、危険物が浸透しない構造とするとともに、適当な傾斜を付け、かつ、貯留設備を設けること。
(3)　出入口には、随時開けることができる自動閉鎖の特定防火設備を設けること。
(4)　床面積は、７m²以上20m²以下とすること。
(5)　内部に滞留した可燃性の蒸気又は可燃性の微粉を屋根上に排出する設備を設けること。

要点・解説

第１種販売取扱所に設ける配合室の基準については、危政令第18条第１項第９号で規定されている。この基準における配合室の床面積は、６m²以上10m²以下とされている。

⑴ 危政令第18条第１項第９号ホの規定で、**正しい**。
⑵ 危政令第18条第１項第９号ハの規定で、**正しい**。
⑶ 危政令第18条第１項第９号ニの規定で、**正しい**。
⑷ 危政令第18条第１項第９号イの規定で、**誤り**。
⑸ 危政令第18条第１項第９号ヘの規定で、**正しい**。

ポイント
第１種販売取扱所に設ける配合室の基準についての知識について問うものである。
【正解 ⑷】

チェック □□□

問題64 **次は、危険物を配管により移送する移送取扱所に関する記述であるが、誤っているものはどれか。**

⑴ 移送取扱所は、原則として、鉄道及び道路の隧（すい）道内や高速自動車国道及び自動車専用道路の車道、路肩及び中央帯並びに狭あいな道路には設置することができない。
⑵ 指定数量１以上の移送取扱所の所有者等は、当該取扱所について危険物の流出その他の事故が発生し、危険な状態となった場合において講ずべき応急の措置について、あらかじめ、関係市町村長と協議しておかなければならない。
⑶ 移送取扱所を設置する地域について、地震を感知し、又は地震の情報を得た場合には、直ちに、災害の発生又は拡大を防止するため必要な措置を講ずること。
⑷ 特定移送取扱所には、危険物を移送するための配管に係る最大常用圧力が0.95MPa以上であって、かつ、危険物を移送するための配管の延長が７km以上のものが含まれる。
⑸ 特定移送取扱所以外の移送取扱所には、その危険物を移送するための配管の延長等に応じて、基準の特例が規定されている。

要点・解説

移送取扱所は、当該設置者等の管理権限が及ぶ敷地及びこれとともに一団の土地を形成する事業所の用に供する土地内にとどまらず、第三者の敷地等に設置されるものであり、危険物の漏洩、火災等が発生した場合の公共危険性のおそれがあり、その安全性確保が重要とされている。

このため、危険物を移送するための配管の延長が15kmを超える移送取扱所及び危険物を移送するための配管に係る最大常用圧力が0.95MPa以上であって、かつ、危険物を移送するための配管の延長が７km以上15km以下の移送取扱所の所有者等は、当該取扱所について危険物の流出その他の事故が発生し、危険な状態となった場合において講ずべき応急の措置について、あらかじめ、関係市町村長と協議しておかなければならないとされている（法第12条の５、危政令第８条の３）。

(1)　危規則第28条の３第１項第２号及び第３号の規定により、**正しい**。
(2)　法第12条の５及び危政令第８条の３の規定により、**誤り**。
(3)　危政令第27条第６項第３号の規定により、**正しい**。
(4)　危規則第28条の52の規定により、**正しい**。
(5)　危規則第28条の53の規定により、**正しい**。

ポイント

移送取扱所としての規制対象や位置、構造又は設備に係る技術上の基準、取扱い基準等に関する知識を問うものである。

【正解　(2)】

チェック □□□

問題65　次は、移送取扱所の設置場所に関する記述であるが、誤っているものはどれか。

---

(1)　高速自動車国道及び自動車専用道路の車道、路肩及び中央帯並びに狭あいな道路にあっては、横断して設置することができる。
(2)　急傾斜地の崩壊による災害の防止に関する法律第３条第１項の規定により指定された急傾斜地崩壊危険区域には、やむを得ない事情があり、

保安上適切な措置を講じた場合には、設置することができる。
(3)　鉄道及び道路の隧道内には、やむを得ない事情があり、保安上適切な措置を講じた場合には、設置することができる。
(4)　海岸法第2条に規定する海岸保全施設及びその敷地にあっては、架空横断して設置することができる。
(5)　地すべり等防止法第3条第1項の規定により指定された地すべり防止区域及び同法第4条第1項の規定により指定されたぼた山崩壊防止区域には、やむを得ない事情があり、保安上適切な措置を講じた場合には、設置することができる。

要点・解説

移送取扱所は、第三者の土地に設置されることから、漏洩等の事故に際し、公共的危険性が高くなるおそれのある場所には、原則として設置が禁止されている。

ただし、地形の状況その他特別の理由によりやむを得ない場合であって、かつ、保安上適切な措置を講ずる場合は、当該移送取扱所を当該場所に設置することができる（危規則第28条の3第2項）。さらに、道路・河川等を横断して設置する場合又は海岸保全施設等に架空横断して設置する場合は、設置できるとされている（危規則第28条の3第3項）。

(1)　危規則第28条の3第3項及び第1項第3号の規定で、**正しい**。
(2)　危規則第28条の3第2項及び第1項第6号の規定で、**正しい**。
(3)　危規則第28条の3第2項及び第1項第2号の規定で、**誤り**。
(4)　危規則第28条の3第3項及び第1項第8号の規定で、**正しい**。
(5)　危規則第28条の3第2項及び第1項第7号の規定で、**正しい**。

ポイント

移送取扱所の設置場所についての知識を問うものである。

【正解　(3)】

チェック□□□

問題66 次は、一般取扱所の位置、構造及び設備の技術上の基準について、基準の特例が規定されている一般取扱所のうち、取扱い危険物の指定数量の倍数が30倍未満とされている一般取扱所に関する記述であるが、誤っているものはどれか。

---

(1) 専ら焼入れ作業を行う一般取扱所その他これに類する一般取扱所

(2) 危険物を用いた油圧装置又は潤滑油循環装置以外では危険物を取り扱わない一般取扱所その他これに類する一般取扱所

(3) 危険物を消費するボイラー又はバーナー以外では危険物を取り扱わない一般取扱所その他これに類する一般取扱所

(4) 切削油として危険物を用いた切削装置又は研削装置以外では危険物を取り扱わない一般取扱所その他これに類する一般取扱所

(5) 専ら吹付塗装作業を行う一般取扱所その他これに類する一般取扱所

要点・解説

一般取扱所は、危険物を様々な形態により取り扱う施設であり、その取扱い作業内容、取り扱う危険物の品名・数量等の要件により、位置、構造及び設備の技術上の基準について、基準の特例が規定されている。

(1) 危政令第19条第2項第2号及び危規則第28条の54第2号の規定により、**正しい**。

(2) 危政令第19条第2項第6号及び危規則第28条の54第6号の規定により、**誤り**。

(3) 危政令第19条第2項第3号及び危規則第28条の54第3号の規定により、**正しい**。

(4) 危政令第19条第2項第7号及び危規則第28条の54第7号の規定により、**正しい**。

(5) 危政令第19条第2項第1号及び危規則第28条の54第1号の規定により、**正しい**。

ポイント

一般取扱所の位置、構造及び設備の技術上の基準について、基準の特例が規定されている一般取扱所の取り扱う危険物の数量等に関する知識を問うものである。

【正解　(2)】

チェック □□□

問題67　**次は、一般取扱所の位置、構造及び設備の技術上の基準について、基準の特例が規定されている一般取扱所とその取り扱うことのできる危険物に関する記述であるが、誤っているものはどれか。**

---

(1)　専ら洗浄の作業を行う一般取扱所その他これに類する一般取扱所　→　引火点が70℃以上の第４類の危険物

(2)　専ら車両に固定されたタンクに危険物を注入する作業を行う一般取扱所その他これに類する一般取扱所　→　液体の危険物（アルキルアルミニウム等、アセトアルデヒド等及びヒドロキシルアミン等を除く。）

(3)　専ら容器に危険物を詰め替える作業を行う一般取扱所　→　引火点が40℃以上の第４類の危険物

(4)　危険物以外の物を加熱するための危険物を用いた熱媒体油循環装置以外では危険物を取り扱わない一般取扱所その他これに類する一般取扱所　→　高引火点危険物

(5)　危険物を用いた蓄電池設備以外では危険物を取り扱わない一般取扱所　→　リチウムイオン蓄電池により貯蔵される第２類又は第４類の危険物

要点・解説

一般取扱所の位置、構造及び設備の技術上の基準についての基準の特例は、危険物の取扱い作業内容、取り扱う危険物の品名・数量等の要件に応じて規定されている。

(1)　危政令第19条第２項第１号の２及び危規則第28条の54第１号の２の規定により、**誤り**。

(2)　危政令第19条第２項第４号及び危規則第28条の54第４号の規定により、**正**

しい。

(3)　危政令第19条第2項第5号及び危規則第28条の54第5号の規定により、**正しい。**

(4)　危政令第19条第2項第8号及び危規則第28条の54第8号の規定により、**正しい。**

(5)　危政令第19条第2項第9号及び危規則第28条の54第9号の規定により、**正しい。**

ポイント

一般取扱所の位置、構造及び設備の技術上の基準について、基準の特例が規定されている一般取扱所の取り扱う危険物の品名に関する知識を問うものである。

【正解　(1)】

チェック □□□

問題68　**次は、一般取扱所の位置、構造及び設備の技術上の基準について、取り扱う危険物の性状等により基準の特例が規定されている一般取扱所に関する記述であるが、誤っているものはどれか。**

(1)　高引火点危険物のみを100℃未満の温度で取り扱う一般取扱所

(2)　第4類の危険物のうち特殊引火物のアセトアルデヒド若しくは酸化プロピレン又はこれらのいずれかを含有するもののみを取り扱う一般取扱所

(3)　第3類の危険物のうちアルキルアルミニウム若しくはアルキルリチウム又はこれらのいずれかを含有するもののみを取り扱う一般取扱所

(4)　第1類の危険物のうちアルカリ金属の過酸化物若しくはこれを含有するもののみを取り扱う一般取扱所

(5)　第5類の危険物のうちヒドロキシルアミン若しくはヒドロキシルアミン塩類又はこれらのいずれかを含有するもののみを取り扱う一般取扱所

要点・解説

(1)　危政令第19条第3項及び危規則第28条の61の規定により、**正しい。**

⑵　危政令第19条第４項、危規則第28条の63及び危規則第13条の７の規定により、**正しい**。

⑶　危政令第19条第４項、危規則第28条の63、危規則第13条の７及び危規則第６条の２の８の規定により、**正しい**。

⑷　危政令第19条第４項の規定により、**誤り**。

⑸　危政令第19条第４項、危規則第28条の63及び危規則第13条の７の規定により、**正しい**。

ポイント

一般取扱所の位置、構造及び設備の技術上の基準について、取り扱う危険物の性状等により基準の特例が規定されている場合の知識を問うものである。

【正解　⑷】

チェック □□□

問題69　**次は、第４種又は第５種消火設備の火災に対する適応性の組み合わせについての記述であるが、誤っているものはどれか。**

⑴　泡を放射する消火器	製造所等における電気設備の火災
⑵　二酸化炭素を放射する消火器	製造所等における第４類の危険物の火災
⑶　霧状の強化液を放射する消火器	製造所等における電気設備の火災
⑷　ハロゲン化物を放射する消火器	製造所等における電気設備の火災
⑸　消火粉末を放射する消火器（りん酸塩類等又は炭酸水素塩類等を使用するものに限る。）	製造所等における第４類の危険物の火災

要点・解説

⑴　危政令第20条第１項第１号及び第２号並びに危政令別表第５の規定で、**誤り**。

⑵　危政令第20条第１項第１号及び第２号並びに危政令別表第５の規定で、**正しい**。

(3)　危政令第20条第１項第１号及び第２号並びに危政令別表第５の規定で、**正しい。**

(4)　危政令第20条第１項第１号及び第２号並びに危政令別表第５の規定で、**正しい。**

(5)　危政令第20条第１項第１号及び第２号並びに危政令別表第５の規定で、**正しい。**

ポイント

製造所等に設置が義務付けられている第４種又は第５種消火設備の適応性に関する知識について問うものである。水系の消火薬剤である泡を放射する消火器は、電気設備の火災には適応しないと規定されている。　【正解　(1)】

チェック□□□

問題70　**消防法の規定に基づく製造所等で、危険物の規制に関する政令第21条の規定に基づき警報設備の設置が義務付けられていないものは、次のうちどれか。ただし、いずれの製造所等においても指定数量の10倍以上の危険物を貯蔵し、又は取り扱っているものとする。**

(1)　移動タンク貯蔵所
(2)　屋外貯蔵所
(3)　屋外タンク貯蔵所
(4)　第１種販売取扱所
(5)　高引火点危険物だけを取り扱う一般取扱所

要点・解説

移動タンク貯蔵所においては、指定数量の倍数にかかわらず、警報設備の設置の義務付けはなされていない。

(1)　危政令第21条及び危規則第36条の２の規定で、**義務付けられていない。**
(2)　危政令第21条及び危規則第36条の２の規定で、**義務付けられている。**
(3)　危政令第21条及び危規則第36条の２の規定で、**義務付けられている。**
(4)　危政令第21条及び危規則第36条の２の規定で、**義務付けられている。**

⑸　危政令第21条及び危規則第36条の２の規定で、**義務付けられている。**

ポイント

製造所等における警報設備について、どのような種類の設備があり、どのような製造所等に設置が義務付けられているのかという、警報設備の技術基準の規定についての知識について問うものである。なお、指定数量の10倍以上の危険物を貯蔵し、又は取り扱う製造所等という問題であるということに留意する。

【正解　⑴】

チェック □□□

問題71　**次は、危険物製造所等に設置されている消火器の表示事項についての記述であるが、誤っているものはどれか。**

⑴　据置式の消火器にあっては、ホースの有効長が表示されていること。
⑵　ハロゲン化物消火器のうち、消火薬剤にハロン1301を用いるものにあっては、注意事項として、「①狭い密閉した室では使用しないこと、②風上より放射し、使用後は速やかに換気をはかること及び③発生ガスは有害であるので、吸入しないこと。」の表示がなされていること。
⑶　消火器には、「油火災用」と明瞭に表示され、かつ、Ｂ火災に適応する旨の絵表示がなされていること。
⑷　廃棄時の連絡先及び安全な取扱いに関する事項が表示されていること。
⑸　標準的な使用条件下で使用した場合に安全に支障がなく使用することができる標準的な期間又は期限として設計上設定される期間又は期限が表示されていること。

要点・解説

危険物製造所等に設置する消火設備及び警報設備の設置及び維持に関する技術上の基準については、危政令第３章第４節で規定されている。同令第22条第１項の規定で、製造所等に設置する消火器については、消火器に関する技術上の規格基準にも適合したものとしなければならない旨規定されており、製造所等に設置する消火器の表示についても、「消火器の技術上の規格を定める省令」（昭和39年自治省令第27号）（以下「規格省令」という。）第38条で規定されている表示事項について、基準に適合したものとしなければならない。

(1) 規格省令第38条第１項第18号の規定で、**正しい**。
(2) 規格省令第38条第２項の規定で、ハロン1301消火器は除くと規定されており、**誤り**。
(3) 規格省令第38条第４項の規定で、**正しい**。
(4) 規格省令第38条第１項第19号トの規定で、**正しい**。
(5) 規格省令第38条第１項第19号ハの規定で、**正しい**。

ポイント

危険物製造所等に設置する消火設備及び警報設備の設置及び維持に関する技術上の基準として、当該消火設備又は警報設備について、規格省令が定められているものについては、当該規格省令で規定されている事項についても適合していることと規定されており、これらについての知識について問うものである。

【正解 (2)】

チェック □□□

問題72 **次は、製造所等に設置する消火設備の組み合わせであるが、誤っているものはどれか。**

(1) 第１種　屋外消火栓設備
(2) 第２種　スプリンクラー設備
(3) 第３種　水蒸気消火設備
(4) 第４種　棒状の強化液を放射する消火器
(5) 第５種　水バケツ

要点・解説

製造所等において火災が発生した場合において使用する消火設備は、消火の対象とする施設・危険物等に適したものを選択して設置することが必要であり、その適応性については、危政令別表第５において示されている。

製造所等においては、危険物の性状や貯蔵・取扱形態により、水による消火が困難なもの、危険性が増大するものがあるので、当該製造所等における危険物の性状や貯蔵・取扱形態を考慮して、消火設備を選択する必要がある。

第４種及び第５種は、消火器が該当するが、第４種は大型消火器、第５種は小型消火器となっていることに留意する必要がある。

消火設備の種類は、次表のとおりである。

種　別	消火設備の種類	
第１種	屋内消火栓設備又は屋外消火栓設備	
第２種	スプリンクラー設備	
第３種	水蒸気消火設備又は水噴霧消火設備	
	泡消火設備	
	不活性ガス消火設備	
	ハロゲン化物消火設備	
	粉末消火設備	りん酸塩類等を使用するもの
		炭酸水素塩類等を使用するもの
		その他のもの
第４種（大型消火器）又は第５種（小型消火器）	棒状の水を放射する消火器	
	霧状の水を放射する消火器	
	棒状の強化液を放射する消火器	
	霧状の強化液を放射する消火器	
	泡を放射する消火器	
	二酸化炭素を放射する消火器	
	ハロゲン化物を放射する消火器	
	消火粉末を放射する消火器	りん酸塩類等を使用するもの
		炭酸水素塩類等を使用するもの
		その他のもの
第５種	水バケツ又は水槽	
	乾燥砂	
	膨張ひる石又は膨張真珠岩	

なお、前述のとおり消火器には第４種である大型消火器と第５種である小型消火器があるが、大型消火器には、能力単位がＡ－10以上又はＢ－20以上に対応す

る消火剤が充填されており、次の表のとおりである（消火器の技術上の規格を定める省令（昭和39年自治省令第27号）第9条）。

大型消火器の種類	消火剤の量
水消火器又は化学泡消火器	80L以上
機械泡消火器	20L以上
強化液消火器	60L以上
ハロゲン化物消火器	30kg以上
二酸化炭素消火器	50kg以上
粉末消火器	20kg以上

(1)　危政令別表第5により、**正しい**。
(2)　危政令別表第5により、**正しい**。
(3)　危政令別表第5により、**正しい**。
(4)　危政令別表第5により、**誤り**。
(5)　危政令別表第5により、**正しい**。

ポイント

製造所等における消火設備の種類に関する知識を問うものである。

【正解　(4)】

チェック □□□

問題73　**次は、製造所等の標識及び掲示板に関する記述であるが、誤っているものはどれか。**

(1)　標識（移動タンク貯蔵所を除く。）は、幅0.3m以上、長さ0.6m以上の板とすること。
(2)　掲示板には、貯蔵し、又は取り扱う危険物の類、品名及び貯蔵最大数量又は取扱最大数量、指定数量の倍数並びに危険物保安監督者の氏名又は職名を表示すること。
(3)　移動タンク貯蔵所の標識は、0.4m平方以上の地が黒色の板に黄色の反射塗料その他反射性を有する材料で「危」と表示すること。
(4)　掲示板は、幅0.3m以上、長さ0.6m以上の板であること。
(5)　標識（移動タンク貯蔵所を除く。）は、地を白色、文字を黒色とすること。

要点・解説

製造所等に設ける標識及び掲示板は、当該製造所等の区分・概要や注意事項等を分かりやすく表示するものである。

このため、その寸法、表示の方法等の基準があり、統一されている。

①　標識（危規則第17条）

標識は、製造所等（移動タンク貯蔵所を除く。）の区分を示すものであり、「危険物○○○」と表示される。この「○○○」には、製造所等の施設の種別が記載される。

移動タンク貯蔵所の標識にあっては、車両の前後の見やすい箇所に危険物の「危」を示す文字を掲げる。この標識の大きさは、一辺が0.3m～0.4mの正方形の大きさとされている。

②　掲示板（危規則第18条）

掲示板のうち、製造所等（移動タンク貯蔵所を除く。）の概要を掲示するものは、当該製造所等の許可に係る内容として、貯蔵し、又は取り扱う危険物の類、品名及び貯蔵最大数量又は取扱最大数量、指定数量の倍数を表示するとともに、危険物保安監督者の選任が必要な施設にあっては氏名又は職名を表示する。

(1)　危規則第17条第１項第１号により、**正しい**。
(2)　危規則第18条第１項第２号により、**正しい**。
(3)　危規則第17条第２項により、**誤り**。
(4)　危規則第18条第１項第１号により、**正しい**。
(5)　危規則第17条第１項第２号により、**正しい**。

ポイント

製造所等の標識及び掲示板に関する知識を問うものである。　【正解　(3)】

チェック □□□

問題74 次は、製造所等（移動タンク貯蔵所を除く。）の貯蔵し、又は取り扱う危険物に応じた注意事項を表示した掲示板に関する記述であるが、誤っているものはどれか。

(1) 貯蔵し、又は取り扱う危険物が第１類の危険物のうちアルカリ金属の過酸化物又はこれを含有するものにあっては、「禁水」と表示する。
(2) 貯蔵し、又は取り扱う危険物が第２類の危険物（引火性固体を除く。）にあっては、「火気厳禁」と表示する。
(3) 貯蔵し、又は取り扱う危険物が第５類の危険物にあっては、「火気厳禁」と表示する。
(4) 貯蔵し、又は取り扱う危険物が禁水性物品にあっては、「禁水」と表示する。
(5) 貯蔵し、又は取り扱う危険物が自然発火性物品にあっては、「火気厳禁」と表示する。

要点・解説

製造所等（移動タンク貯蔵所を除く。）において、貯蔵し、又は取り扱う危険物の性状に応じた注意事項を掲示するものであり、危険物の種類に応じ、次のとおりとなっている。また、これらの掲示板は、幅0.3m以上、長さ0.6m以上の板とされている。

危険物の種類	掲示すべき注意事項	板の地及び文字の色
第１類の危険物のうちアルカリ金属の過酸化物又はこれを含有するもの	禁水	地：青色 文字：白色
禁水性物品		
第２類の危険物（引火性固体を除く。）	火気注意	地：赤色 文字：白色
第２類の危険物のうち引火性固体	火気厳禁	
自然発火性物品		
第４類の危険物		
第５類の危険物		

給油取扱所にあっては、前記のもののほかに地を黄赤色、文字を黒色として

「給油中エンジン停止」と表示した掲示板を設ける（危規則第18条第１項第６号）。

このほか、タンク設備の注入口やポンプ設備には、次の掲示板を掲げることとされている。

① 掲示板は、幅0.3m以上、長さ0.6m以上の板であること。
② 掲示板には、「屋外貯蔵タンク注入口」、「屋内貯蔵タンク注入口」若しくは「地下貯蔵タンク注入口」又は「屋外貯蔵タンクポンプ設備」、「屋内貯蔵タンクポンプ設備」若しくは「地下貯蔵タンクポンプ設備」と表示するほか、取り扱う危険物の類別、品名及び注意事項を表示する。
③ 掲示板の色は、地を白色、文字を黒色（注意事項は、赤色）とする。

(1) 危規則第18条第１項第４号イにより、**正しい**。
(2) 危規則第18条第１項第４号ロにより、**誤り**。
(3) 危規則第18条第１項第４号ハにより、**正しい**。
(4) 危規則第18条第１項第４号イにより、**正しい**。
(5) 危規則第18条第１項第４号ハにより、**正しい**。

ポイント
製造所等（移動タンク貯蔵所を除く。）に掲げる掲示板についての知識を問うものである。
【正解 (2)】

チェック □□□

問題75 **次は、製造所、貯蔵所又は取扱所に第４種又は第５種の消火設備を設置する場合の所要単位及び能力単位に関する記述であるが、誤っているものはどれか。**

(1) 危険物の１所要単位は、危険物の類別、品名にかかわらず指定数量の10倍である。
(2) 外壁が耐火構造である建築物の貯蔵所の１所要単位は、延べ面積が150m²である。
(3) 第５種の消火設備の能力単位は、消火器の技術上の規格を定める省令の能力単位によるほか、危険物の規制に関する規則別表第２によることとされている。

(4)　外壁が耐火構造でない建築物の取扱所の１所要単位は、延べ面積が50m²である。

(5)　第３類の危険物に対する乾燥砂（スコップ付）の能力単位は、50Lである。

要点・解説

第４種及び第５種の消火設備のうち、消火器の能力単位の数値は、消火器の技術上の規格を定める省令（昭和39年自治省令第27号）によるとされている。また、第５種の簡易消火用具の能力単位等は、次の表による（危規則別表第２）。

簡易消火用具の種類	種　別	容量	対象物に対する能力単位	
			第１類から第６類までの危険物に対するもの	電気設備及び第４類の危険物を除く対象物に対するもの
水バケツ又は水槽	消火専用バケツ	8L		3個にて1.0
	水槽（消火専用バケツ3個付）	80L		1.5
	水槽（消火専用バケツ6個付）	190L		2.5
乾燥砂	乾燥砂（スコップ付）	50L	0.5	
膨張ひる石又は膨張真珠岩	膨張ひる石又は膨張真珠岩（スコップ付）	160L	1.0	

(1)　危規則第30条第４号の規定で、**正しい**。

(2)　危規則第30条第２号の規定で、**正しい**。

(3)　危規則第31条の規定で、**正しい**。

(4)　危規則第30条第１号の規定で、**正しい**。

(5)　危規則第31条及び危規則別表第２の規定で、**誤り**。

ポイント

製造所、貯蔵所又は取扱所に第４種又は第５種の消火設備を設置する場合における所要単位及び能力単位に関する知識を問うものである。【正解　(5)】

チェック □□□

問題76 次は、消火困難な製造所及び一般取扱所を示したものであるが、該当しないものはどれか。

(1) 延べ面積が600m²以上1,000m²未満の製造所
(2) 指定数量の倍数が10以上100未満（高引火点危険物のみを100℃未満の温度で取り扱うもの及び火薬類に該当する危険物を取り扱うものを除く。）の製造所
(3) 地盤面から6m以上の高さに危険物取扱設備（高引火点危険物のみを100℃未満の温度で取り扱うものを除く。）を有する製造所
(4) 専ら塗装、印刷又は塗布のために危険物（第2類の危険物又は第4類の危険物（特殊引火物を除く。）に限る。）を取り扱う一般取扱所で指定数量の倍数が30未満のもの
(5) 危険物を用いた油圧装置又は潤滑油循環装置以外では危険物を取り扱わない一般取扱所（高引火点危険物のみを100℃未満の温度で取り扱うものに限る。）で指定数量の倍数が50未満のもの

要点・解説

製造所等は、当該製造所等において貯蔵又は取り扱う危険物の種類、状態や規模、数量等に応じて、①著しく消火困難な製造所等（危規則第33条）、②消火困難な製造所等（危規則第34条）又は③その他の製造所等（危規則第35条）に区分され、第1種から第5種までの消火設備の設置が義務付けられている。

製造所及び一般取扱所の場合の区分は、次のとおりである。

製造所等の別	危険物の別	規模・数量
① 著しく消火困難な製造所・一般取扱所		延べ面積1,000m²以上
	高引火点危険物のみを100℃未満の温度で取り扱うものを除く。 危規則第72条第1項の危険物（火薬類）を除く。 危規則第28条の54第9号の一般取扱所（危険物を取り扱う設備を屋外に設けるものに限る。）のうち、危規則第28条の60の4	指定数量の倍数が100以上

	第５項各号に掲げる基準に適合するものを除く。	
	高引火点危険物のみを100℃未満の温度で取り扱うものを除く。	地盤面から６m以上の高さに危険物取扱設備を有するもの
	高引火点危険物のみを100℃未満の温度で取り扱うものを除く。	一般取扱所の用に供する部分以外の部分を有する建築物に設けるもの（完全耐火区画のものを除く。）
②　消火困難な製造所・一般取扱所		延べ面積600m²以上
	高引火点危険物のみを100℃未満の温度で取り扱うものを除く。 危規則第72条第１項の危険物（火薬類）を除く。 危規則第28条の54第９号の一般取扱所（危険物を取り扱う設備を屋外に設けるものに限る。）のうち、危規則第28条の60の４第５項各号に掲げる基準に適合するもので、指定数量の30倍未満の危険物を取り扱うものを除く。）	指定数量の倍数が10以上
	高引火点危険物のみを100℃未満の温度で取り扱うものを除く。	専ら吹付塗装作業等を行う一般取扱所の特例（危規則第28条の55） 専ら洗浄作業を行う一般取扱所の特例（危規則第28条の55の２） 専ら焼入れ作業等を行う一般取扱所の特例（危規則第28条の56） 危険物を消費するボイラー等以外では危険物を取り扱わない一般取扱所の特例（危規則第28条の57） 油圧装置等以外では危険物を取り扱わない一般取扱所の特例（危規則第28条の60） 切削装置等以外では危険物を取り扱わない一般取扱所の特例（危規則第28条の60の２） 熱媒体油循環装置以外では危険物を取り扱わない一般取扱所の特例（危規則第28条の60の３）
③　その他の製造所・一般取扱所	危規則第72条第１項の危険物（火薬類に該当するもの）	全部
	上欄以外のもの	①、②以外のもの

⑴　危規則第34条第１項第１号により、**正しい**。
⑵　危規則第34条第１項第１号により、**正しい**。
⑶　危規則第33条第１項第１号により、**誤り**。
⑷　危規則第28条の54第１号、第28条の55、第34条第１項第１号により、**正しい**。
⑸　危規則第28条の54第６号、第28条の60、第34条第１項第１号により、**正しい**。

ポイント

製造所及び一般取扱所において消火設備を設置する場合における「著しく消火困難な製造所等」、「消火困難な製造所等」、「その他の製造所等」の区分についての知識を問うものである。

【正解　⑶】

チェック□□□

問題77　**消防法に規定する危険物製造所等に設置が義務付けられている消火設備に関する記述について、誤っているものは、次のうちどれか。**

⑴　製造所等に設置する消火設備の所要単位は、消火設備の設置の対象となる建築物その他の工作物の規模又は危険物の量の基準の単位をいう。
⑵　危険物の所要単位は、危険物の指定数量の20倍を１所要単位と規定されている。
⑶　消火器の能力単位の数値は、消火器の技術上の規格を定める省令によるほか、危険物の規制に関する規則に定めるとおりとされている。
⑷　屋外消火栓設備には、予備動力源を附置することとされている。
⑸　屋内消火栓設備は、いずれの階においても、当該階のすべての屋内消火栓（設置個数が５を超えるときは、５個の屋内消火栓）を同時に使用した場合に、それぞれのノズルの先端において、放水圧力が0.35MPa以上で、かつ、放水量が260L／分以上の性能を有するものとすること。

要点・解説

危険物製造所等における消火設備の基準は、危政令第３章第４節及び危規則第

4章で規定されている。危険物の所要単位は、危規則第30条第4号で、「危険物は、指定数量の10倍を1所要単位とする」とされている。

(1)　危規則第29条の規定で、**正しい**。
(2)　危規則第30条第4号の規定で、**誤り**。
(3)　危規則第31条の規定で、**正しい**。
(4)　危規則第32条の2第4号の規定で、**正しい**。
(5)　危規則第32条第3号の規定で、**正しい**。

ポイント
危険物製造所等の消火設備についての知識を問うものである。【正解　(2)】

チェック □□□

問題78　**次は、製造所等に消火設備を設置する場合における1所要単位当たりの数値を示したものであるが、誤っているものはどれか。**

(1)　製造所又は取扱所の建築物　→　外壁が耐火構造のものは延べ面積100m²
(2)　貯蔵所の建築物　→　外壁が耐火構造でないものは延べ面積75m²
(3)　製造所又は取扱所の屋外にある工作物　→　外壁を耐火構造とし、かつ、工作物の水平最大面積を建坪とする建築物とみなして面積100m²
(4)　貯蔵所の建築物　→　外壁が耐火構造のものは延べ面積200m²
(5)　危険物　→　指定数量の10倍

要点・解説

製造所等における消火設備に係る所要単位は、消火設備の設置の対象となる建築物その他の工作物の規模又は危険物の量が基準の単位とされており、具体的な計算方法は、次の表のとおりである（危規則第30条）。

製造所等の構造及び危険物		1所要単位当たりの数値
製造所又は取扱所の建築物	外壁が耐火構造であるもの	延べ面積＊　100m²
	外壁が耐火構造でないもの	延べ面積＊　50m²

貯蔵所の建築物	外壁が耐火構造であるもの		延べ面積＊　150m²
	外壁が耐火構造でないもの		延べ面積＊　75m²
製造所等の屋外にある工作物（外壁を耐火構造とし、かつ、工作物の水平最大面積を建坪とする建築物とみなす。）		製造所又は取扱所	面積　100m²
		貯蔵所	面積　150m²
危険物			指定数量　10倍

備考　＊印は、製造所等の用に供する部分以外の部分を有する建築物に設ける製造所等にあっては当該建築物の製造所等の用に供する部分の床面積の合計、その他の製造所等にあっては当該製造所等の建築物の床面積の合計を示す。

(1)　危規則第30条第１号により、**正しい**。
(2)　危規則第30条第２号により、**正しい**。
(3)　危規則第30条第３号により、**正しい**。
(4)　危規則第30条第２号により、**誤り**。
(5)　危規則第30条第４号により、**正しい**。

ポイント

製造所等の消火設備の設置単位に関する知識を問うものである。

【正解　(4)】

チェック □□□

問題79　次は、給油取扱所における消火設備の設置に関する記述であるが、誤っているものはどれか。

(1)　著しく消火困難な給油取扱所とは、一方開放型上階付き屋内給油取扱所及び顧客に自ら給油等をさせる給油取扱所（一方開放型上階付き屋内給油取扱所に該当するものを除く。）である。
(2)　著しく消火困難な給油取扱所及び消火困難な給油取扱所に該当しないものには、第４種及び第５種の消火設備の設置が必要である。
(3)　著しく消火困難な給油取扱所に該当する一方開放型上階付き屋内給油取扱所に設置する第３種消火設備は、固定式泡消火設備とされている。
(4)　メタノール又はエタノールを取り扱う屋外給油取扱所は、消火困難な給油取扱所に該当する。

(5)　著しく消火困難な給油取扱所には、第３種及び第５種の消火設備の設置が必要である。

要点・解説

消火設備は、製造所、貯蔵所又は取扱所の規模、貯蔵し又は取り扱う危険物の品名及び最大数量等に応じて、①著しく消火困難なもの、②消火困難なもの、③①及び②以外のものに区分され、それぞれの区分に応じ消火設備の設置が義務付けられており、給油取扱所においては、第３種から第５種の消火設備の設置が義務付けられている（危政令第20条第１項）。

その概要は、次の表のとおりとなっている。

①　著しく消火困難（危規則第33条）	・一方開放型上階付き屋内給油取扱所（セルフスタンドのものを含む。）（屋内給油取扱所のうち、一定の措置を講じることにより１階の一方について、自動車等の出入する側に面するとともに、壁を設けないことができるもので、上部に上階を有するもの）	
	第３種固定式泡消火設備	
	第５種消火設備	その能力単位の数値が、建築物その他の工作物の所用単位の数値に達するように設ける。
	・顧客に自ら給油等をさせる給油取扱所（セルフスタンド）（一方開放型上階付き屋内給油取扱所のものを除く。）	
	第３種固定式泡消火設備	危険物（引火点が40℃未満で顧客が自ら扱うものに限る。）を包含するように設ける。
	第４種消火設備	その放射能力範囲が、建築物その他の工作物及び危険物（第３種の消火設備により包含されるものを除く。）を包含するように設ける。
	第５種消火設備	その能力単位の数値が、危険物の所用単位の数値の１/５以上に達するように設ける。
②　消火困難（危規則第34条第１、２項）	上記以外のもので、 ・屋内給油取扱所 ・メタノール又はエタノールを取り扱う給油取扱所	
	第４種消火設備	その放射能力範囲が、建築物その他の工作物及び危険物を包含するように設ける。
	第５種消火設備	その能力単位の数値が、危険物の所用単位の数値の１/５以上に達するように設ける。

③ その他（危規則第35条）	・上記以外のもの	
	第５種消火設備	ア その能力単位の数値が、建築物その他の工作物の所用単位の数値に達するように設ける。 イ その能力単位の数値が、危険物の所用単位の数値に達するように設ける。

(1) 危規則第33条第１項第６号の規定で、**正しい**。
(2) 危規則第35条の規定で、誤り。
(3) 危規則第33条第１項第６号及び第２項の規定で、**正しい**。
(4) 危規則第34条第１項第４号の２の規定で、**正しい**。
(5) 危規則第33条第１項の規定で、**正しい**。

ポイント
給油取扱所の種類、構造等に応じて設置が必要となる消火設備についての知識を問うものである。 【正解 (2)】

チェック □□□

問題80 次は、危険物製造所等に設置する自動火災報知設備の設置基準に関する記述であるが、正しいものはどれか。

---

(1) 自動信号装置を備えた第３種の消火設備を設置している場合は、自動火災報知設備を設置したものとみなすことができるとされている。
(2) 一の警戒区域の面積は原則として700m²以下としなければならない。
(3) 自動火災報知設備の警戒区域は、建築物その他の工作物の２の階にわたることはさしつかえないが、３の階にわたってはならないこととされている。
(4) 屋内貯蔵所で主要な出入口からその内部を見通すことができる場合にあっては、一の警戒区域の面積を1,400m²以下とすることができる。
(5) 一般取扱所に光電式分離型感知器を設置する場合、警戒区域の一辺の長さを50m以下としなければならない。

要点・解説

自動火災報知設備の設置基準は、危規則第38条で規定されている。また、同条第３項において、自動信号装置を備えた第２種又は第３種の消火設備は、同条第１項の基準を適用するに当たっては、自動火災報知設備とみなす旨規定されている。

⑴　危規則第38条第３項の規定で、**正しい**。

⑵　危規則第38条第２項第２号の規定で、600m²以下とすることとされているので、**誤り**。

⑶　危規則第38条第２項第１号の規定で、２以上の階にわたらないものとすることとされているので、**誤り**。

⑷　危規則第38条第２項第２号の規定で、1,000m²以下とすることができるとされているので、**誤り**。

⑸　危規則第38条第２項第２号の規定で、100m以下とすることとされているので、**誤り**。

ポイント

危険物製造所等に設置すべき警報設備に関する設置基準についての知識について問うものである。特に、自動信号装置の取扱いについて理解していることが重要である。

【正解　⑴】

チェック□□□

問題81 次のうち、危険物製造所等における危険物の貯蔵に関する記述として、誤っているものはどれか。

(1) 貯蔵所においては、総務省令で定める場合を除き、危険物以外の物品を貯蔵しないこととされている。
(2) 屋内貯蔵所においては、全ての危険物を総務省令で定めるところにより容器に収納して貯蔵しなければならないこととされている。
(3) 地下貯蔵タンクの計量口は、計量するとき以外は閉鎖しておかなければならないこととされている。
(4) 移動貯蔵タンクには、当該タンクが貯蔵し、又は取り扱う危険物の類、品名及び最大数量を表示しなければならないこととされている。
(5) 積載式移動タンク貯蔵所以外の移動タンク貯蔵所にあっては、危険物を貯蔵した状態で移動貯蔵タンクの積替えを行ってはならないこととされている。

要点・解説

危険物の貯蔵に係る技術上の基準については、法第10条第３項の規定に基づき、危政令第24条及び第27条で規定されている。

(1) 危政令第26条第１項第１号の規定で、**正しい**。
(2) 危政令第26条第１項第２号の規定で、**誤り**。同号ただし書きで「総務省令で定める危険物については、この限りでない。」と規定されている。
(3) 危政令第26条第１項第４号の規定で、**正しい**。
(4) 危政令第26条第１項第６号の２の規定で、**正しい**。
(5) 危政令第26条第１項第８号の２の規定で、**正しい**。

ポイント

危険物の貯蔵の基準については、危政令第26条第１項で規定されている。同条第２項第２号の規定で、危規則第39条の３に規定する場合は、例外的に容器に収納して貯蔵しなくてもよいこととされている。

【正解 (2)】

チェック □□□

問題82 次のうち、消防法別表第1に掲げる第4類の危険物の貯蔵又は取扱いに関する記述として、誤っているものはどれか。

(1) 火気や高温体との接触を避け、可燃性蒸気が漏れないように気をつける。
(2) 通風の良い冷暗所に貯蔵し、取扱作業中は貯蔵容器の破損、液体危険物の漏れ等に注意をする。
(3) 湿度の高い季節には、静電気の発生に特に注意する。
(4) 空の貯蔵容器であっても、当該容器の内部に可燃性蒸気が滞留していることがあるので注意する。
(5) 蒸気比重が大きいため、低所に可燃性蒸気が滞留することがあるので注意する。

要点・解説

(1) 第4類の危険物の性状等から、**正しい**。
(2) 第4類の危険物の性状等から、**正しい**。
(3) 静電気の発生について特に注意を要するのは、湿度が低く乾燥しているときであり、**誤り**。
(4) 第4類の危険物の性状等から、**正しい**。
(5) 第4類の危険物の性状等から、**正しい**。

ポイント

危険物を貯蔵し、取り扱う場合、危険物の性状等に応じて安全の確保を図ることが必要で、留意すべき事項についての知識について問うものである。

【正解 (3)】

チェック □□□

問題83 次は、第4類の危険物の一般的な取扱いに関する記述であるが、誤っているものはどれか。

(1) 可燃性蒸気が外部に出ると危険なため、危険物を取り扱う室内での換気は行わないようにする。
(2) 危険物を貯蔵するための容器は、密栓するとともに冷暗所において保管をする。
(3) 炎、火花、高温体等との接近又は加熱を避ける。
(4) 危険物を払い出したままの空容器は、容器内部に可燃性蒸気が滞留しているおそれがあるので、注意をする必要がある。
(5) 配管で送油するときは、静電気の発生を防止するため流速を下げて行う必要がある。

要点・解説

第4類の危険物は、一般的に可燃性蒸気の発生するおそれがあるため、可燃性蒸気が滞留しないように換気をすることが必要である。

(1) 第4類の危険物の性状等から、**誤り**。
(2) 第4類の危険物の性状等から、**正しい**。
(3) 第4類の危険物の性状等から、**正しい**。
(4) 第4類の危険物の性状等から、**正しい**。
(5) 第4類の危険物の性状等から、**正しい**。

ポイント

第4類の危険物の性状に応じた安全な取扱いについての知識について問うものである。

【正解 (1)】

チェック □□□

問題84 次は、製造所等において、すべての類に共通する危険物の貯蔵及び取扱い基準についての記述であるが、誤っているものはどれか。

(1) 危険物が残存し、又は残存しているおそれがある設備、機械器具、容器等を修理する場合は、安全な場所において、危険物を完全に除去した後に行うこと。
(2) 危険物を保護液中に保存する場合は、当該危険物が保護液から露出しないようにすること。
(3) 製造所等において、許可若しくは届出に係る品名以外の危険物を貯蔵し、又は取り扱わないこと。ただし、貯蔵し、又は取り扱う危険物の数量については自由に増減することができる。
(4) 危険物は、温度計、湿度計、圧力計その他の計器を監視して、当該危険物の性質に応じた適正な温度、湿度又は圧力を保つように貯蔵し、又は取り扱うこと。
(5) 可燃性の液体、可燃性の蒸気若しくは可燃性のガスがもれ、若しくは滞留するおそれのある場所又は可燃性の微粉が著しく浮遊するおそれのある場所では、電線と電気器具とを完全に接続し、かつ、火花を発する機械器具、工具、履物等を使用しないこと。

要点・解説

製造所等においてする危険物の貯蔵及び取扱いのすべてに共通する技術基準は、危政令第24条で規定されている。この規定の中で、「製造所等において、許可若しくは届出に係る品名以外の危険物又はこれらの許可若しくは届出に係る数量若しくは指定数量の倍数を超える危険物を貯蔵し、又は取り扱わないこと。」と規定されている。

(1) 危政令第24条第10号の規定で、**正しい**。
(2) 危政令第24条第14号の規定で、**正しい**。
(3) 危政令第24条第1号の規定で、**誤り**。
(4) 危政令第24条第7号の規定で、**正しい**。
(5) 危政令第24条第13号の規定で、**正しい**。

ポイント

製造所等においてする危険物の貯蔵及び取扱いのすべてに共通する技術基準についての知識について問うものである。　【正解　(3)】

チェック □□□

問題85 次のうち、消防法に定める危険物の類ごとの貯蔵基準に関する記述であるが、誤っているものはどれか。

---

(1)　第４類の危険物は、炎、火花若しくは高温体との接近又は過熱を避けるとともに、みだりに蒸気を発生させないようにする必要がある。

(2)　第２類の危険物のうち引火性固体にあっては、分解を促す物品との接近を避けるとともに、水との接触を避ける必要がある。

(3)　第６類の危険物は、可燃物との接触若しくは混合、分解を促す物品との接近又は過熱を避ける必要がある。

(4)　第３類の危険物のうちアルキルアルミニウムにあっては、炎、火花若しくは高温体との接近、過熱又は空気との接触を避けることが必要である。

(5)　アルカリ金属の過酸化物及びこれを含有するものにあっては、水との接触を避ける必要がある。

要点・解説

第２類の危険物の貯蔵基準としては、「酸化剤との接触若しくは混合、炎、火花若しくは高温体との接近又は過熱を避けるとともに、鉄粉、金属粉及びマグネシウム並びにこれらのいずれかを含有するものにあつては水又は酸との接触を避け、引火性固体にあってはみだりに蒸気を発生させないこと。」（危政令第25条第１項第２号）と規定されている。

(1)　危政令第25条第１項第４号の規定で、**正しい**。
(2)　危政令第25条第１項第２号の規定で、**誤り**。
(3)　危政令第25条第１項第６号の規定で、**正しい**。
(4)　危政令第25条第１項第３号の規定で、**正しい**。

(5)　危政令第25条第１項第１号の規定で、**正しい**。

ポイント

危険物の貯蔵・取扱い基準は、危険物そのものの危険性はもとより、他の危険物と接触したり、混合したりすれば危険性が増大するおそれがあることを排除するための措置等についての基準であり、これらについての知識について問うものである。

【正解　(2)】

チェック □□□

問題86　**消防法別表第１に掲げる類を異にする危険物は同一貯蔵所において貯蔵することができないが、特定の危険物にあっては、例外的に同一の貯蔵所で貯蔵することができる。次のうち、第１類の危険物であるアルカリ金属の過酸化物と同一貯蔵所で貯蔵し、又は取り扱うことができる危険物として、正しいものはどれか。**

ただし、貯蔵する場合、危険物の類ごとに取りまとめて貯蔵するものとし、かつ、相互に１m以上の間隔を置くものとする。

---

(1)　第４類の危険物のうち有機過酸化物又はこれを含有するもの
(2)　第６類の危険物
(3)　自然発火性物品（黄りん又はこれを含有するものに限る。）
(4)　第２類の危険物
(5)　第５類の危険物

要点・解説

危政令第26条第１項第１号の２で、「法別表第１に掲げる類を異にする危険物は、同一の貯蔵所（耐火構造の隔壁で完全に区分された室が２以上ある貯蔵所においては、同一の室）において貯蔵しないこと。ただし、総務省令で定める場合はこの限りでない。」と規定し、危規則第39条に例外規定が設けられている。

第５類の危険物については、「第１類の危険物（アルカリ金属の過酸化物又はこれを含有するものを除く。）」と規定されており、第１類の危険物であるアルカリ金属の過酸化物とは同一場所に貯蔵できないことに留意する。

(1)　危規則第39条第１号の規定で、**誤り**。

(2)　危規則第39条第１号ロの規定で、**正しい**。

(3)　危規則第39条第１号の規定で、**誤り**。

(4)　危規則第39条第１号の規定で、**誤り**。

(5)　危規則第39条第１号の規定で、**誤り**。

ポイント

法別表第１に掲げる類を異にする危険物を、同一の場所で貯蔵することができるかどうか、また例外規定があるかどうかの知識について問うものである。

【正解　(2)】

チェック □□□

問題87　**消防法別表第１に掲げる危険物で類を異にするものは、同一の貯蔵所（耐火構造の隔壁で完全に区分された室が二以上ある貯蔵所においては、同一の室）において貯蔵することはできないが、特定の危険物にあっては、例外的に同一の貯蔵所で貯蔵することができることとされている。第１類の危険物（アルカリ金属の過酸化物又はこれを含有するものを除く。）を貯蔵し、又は取り扱う屋内貯蔵所において、同一場所に貯蔵し、又は取り扱うことができる危険物として正しいものはどれか。**

ただし、貯蔵する場合、危険物の類ごとに取りまとめて貯蔵するものとし、かつ、相互に１m以上の間隔を置くものとする。

---

(1)　第２類の危険物

(2)　第３類の危険物

(3)　第４類の危険物

(4)　第５類の危険物

(5)　自然発火性物品（黄りん又はこれを含有するものに限る。）

要点・解説

(1)　危政令第26条第１項第１号の２及び危規則第39条第１号の規定で、**誤り**。

(2)　危政令第26条第１項第１号の２及び危規則第39条第１号の規定で、**誤り**。

(3) 危政令第26条第1項第1号の2及び危規則第39条第1号の規定で、**誤り**。

(4) 危政令第26条第1項第1号の2及び危規則第39条第1号イの規定で、**正しい**。

(5) 危政令第26条第1項第1号の2及び危規則第39条第1号の規定で、**誤り**。

ポイント

類を異にする危険物を同一の場所に貯蔵することにより、危険性が増大することを防止するための措置、危険排除方法等についての知識について問うものである。なお、第1類の危険物の場合、アルカリ金属の過酸化物又はこれを含有するものを除くと規定されているため、第5類の危険物と同時貯蔵することができることとされている。

【正解 (4)】

チェック □□□

問題88 **次は、製造所等における危険物に係る貯蔵基準に関する記述であるが、誤っているものはどれか。**

(1) 屋内貯蔵所においては、容器に収納して貯蔵する危険物の温度が55℃を超えないように、必要な措置を講じなければならない。

(2) 被けん引自動車に固定された移動貯蔵タンクに危険物を貯蔵するときは、総務省令で定める場合を除き当該被けん引自動車にけん引自動車を結合しておかなければならない。

(3) 屋外貯蔵タンク、屋内貯蔵タンク、地下貯蔵タンク又は簡易貯蔵タンクの計量口は、計量するとき以外は閉鎖しておかなければならない。

(4) 移動タンク貯蔵所には、完成検査済証、点検記録その他譲渡又は引渡の届出書、品名、数量等の変更の届出書を備え付けていなければならない。

(5) 屋外貯蔵所において、危険物を収納した容器を架台で貯蔵する場合には、10mの高さを超えて容器を貯蔵してはならない。

要点・解説

屋外貯蔵所において、危険物を収納した容器を架台で貯蔵する場合には、6m

の高さを超えて容器を貯蔵してはならないと規定されている。

(1)　危政令第26条第1項第3号の3の規定で、**正しい**。
(2)　危政令第26条第1項第8号の規定で、**正しい**。
(3)　危政令第26条第1項第4号の規定で、**正しい**。
(4)　危政令第26条第1項第9号及び危規則第40条の2の3の規定で、**正しい**。
(5)　危政令第26条第1項第11号の3及び危規則第40条の2の5の規定で、**誤り**。

ポイント

製造所等ごとの貯蔵又は取扱いの基準についての知識について問うものである。

【正解　(5)】

チェック□□□

問題89　**次は、顧客に自ら給油等をさせる給油取扱所における取扱いの基準に関する記述であるが、誤っているものはどれか。**

(1)　非常時その他安全上支障があると認められる場合には、制御装置によりホース機器への危険物の供給を一斉に停止し、給油取扱所内の全ての固定給油設備及び固定注油設備における危険物の取扱いが行えない状態にする。
(2)　顧客用固定給油設備の1回の給油量及び給油時間の上限並びに顧客用固定注油設備の1回の注油量及び注油時間の上限を適正な数値に設定する。
(3)　顧客の給油作業等が終了したとき並びにホース機器が使用されていないときには、制御装置を用いてホース機器への危険物の供給を停止し、顧客の給油作業等が行えない状態にする。
(4)　顧客に自ら自動車等に給油させ、又はガソリン、灯油若しくは軽油を容器に詰め替えさせ、又は灯油若しくは軽油を車両に固定されたタンクに注入することができる。
(5)　顧客と容易に会話することができる装置又は必要な指示を行うための放送機器により顧客の給油作業等について必要な指示を行う。

要点・解説

顧客に自ら給油等をさせる給油取扱所における取扱いは、顧客用固定給油（注油）設備の使用に限定するとともに、給油作業等を直視等により適切に監視し、及び制御し、並びに顧客に対し必要な指示を行うことにより、安全を確保している（危政令第27条第６項第１号の３及び危規則第40条の３の10)。

顧客に自ら給油等をさせる給油取扱所においては、顧客用固定給油設備を使用して顧客自ら行う給油及び顧客用固定注油設備を使用して顧客自ら容器への詰替えに限られており、これらの設備を用いて車両に固定されたタンクに注入する行為は認められていない。

(1) 危規則第40条の３の10第３号ニの規定により、**正しい**。
(2) 危規則第40条の３の10第２号の規定により、**正しい**。
(3) 危規則第40条の３の10第３号ハの規定により、**正しい**。
(4) 危規則第40条の３の10第１号、第１号の２の規定により、**誤り**。
(5) 危規則第40条の３の10第１号ホの規定により、**正しい**。

ポイント

顧客に自ら給油等をさせる給油取扱所における取扱いの基準に関する知識を問うものである。

【正解　(4)】

チェック □□□

問題90 次は、航空機給油取扱所における取扱いの基準に関する記述であるが、誤っているものはどれか。

(1) 給油ホース車又は給油タンク車で給油するときは、原則として、給油ホースの先端を航空機の燃料タンクの給油口に緊結すること。
(2) 航空機（給油タンク車を用いて給油する場合には、航空機及び給油タンク車）の一部又は全部が、給油するための空地からはみ出たままで給油しないこと。
(3) 給油ホース車又は給油タンク車で給油するときは、給油ホース車のホース機器又は給油タンク車の給油設備を航空機と電気的に接続することにより接地すること。

(4) 固定給油設備には、当該給油設備に接続する専用タンク又は危険物を貯蔵し、若しくは取り扱うタンクの配管以外のものによって、危険物を注入しないこと。

(5) 給油タンク車の給油ノズルにより航空機の給油口に給油することは、禁止されている。

要点・解説

航空機給油取扱所（飛行場で航空機に給油する給油取扱所）における取扱いの基準において、航空機に給油する場合は、給油設備を使用して直接給油することとされているが、給油設備には、給油ホース車又は給油タンク車が含まれている（危政令第27条第６項第１号の２及び危規則第40条の３の７）。

なお、航空機における危険物の貯蔵、取扱い又は運搬は、消防法の適用除外とされている（法第16条の９）が、航空機に給油する施設は、消防法令の規制が適用される。

この場合の航空機は、航空法第２条第１項で「人が乗って航空の用に供することができる飛行機、回転翼航空機、滑空機、飛行船その他政令で定める機器」と定義されている。

(1) 危規則第40条の３の７第４号の規定により、**正しい**。

(2) 危規則第40条の３の７第２号の規定により、**正しい**。

(3) 危規則第40条の３の７第５号の規定により、**正しい**。

(4) 危規則第40条の３の７第３号の規定により、**正しい**。

(5) 危規則第40条の３の７第４号ただし書きの規定により、**誤り**。

ポイント

航空機給油取扱所（飛行場で航空機に給油する給油取扱所）における取扱いに関する知識を問うものである。

【正解　(5)】

チェック □□□

問題91 次は、危険物の運搬容器の外部に表示する事項に関する記述であるが、誤っているものはどれか。

⑴ 最大容積が500mL以下の運搬容器など少量の危険物を収納する特定の運搬容器を除き、危険等級を表示することとされている。
⑵ 危険物の数量を表示することとされている。
⑶ 第４類の危険物に該当する化粧品（エアゾールを除く。）で、最大容積が150mL以下のものは、危険物の数量だけを表示すればよいこととされている。
⑷ 第４類の危険物のうち非水溶性の性状を有するものについては、注意事項として「火気注意」と表示すればよいこととされている。
⑸ 第４類の危険物のうち水溶性の性状を有するものについては、「水溶性」と表示することとされている。

要点・解説

危険物の運搬容器の外部に表示する具体的な表示については、危規則第44条で規定されている。この規定の中で、第４類の危険物を運搬する運搬容器の注意事項としては「火気厳禁」と表示することとされている。

⑴ 危規則第44条第１項～第４項の規定で、**正しい**。
⑵ 危規則第44条第１項第２号の規定で、**正しい**。
⑶ 危規則第44条第３項の規定で、**正しい**。
⑷ 危規則第44条第１項第３号ニの規定で、**誤り**。
⑸ 危規則第44条第１項第１号の規定で、**正しい**。

ポイント

危険物を運搬する運搬容器の表示事項についての知識について問うものである。

【正解 ⑷】

チェック □□□

問題92 消防法令上、危険物を車両で運搬する場合の技術上の基準として、正しいものは次のうちどれか。

---

(1) 指定数量以上の危険物を運搬する場合は、市町村長等に届け出なければならない。
(2) 運搬する容器の構造等に関する技術上の基準は規定されているが、積載方法についての技術上の基準は規定されていない。
(3) 指定数量以上の危険物を運搬する場合は、当該危険物の消火に適応する消火設備を備え付けなければならない。
(4) 危険物を混載して運搬することは、法令上禁止されている。
(5) 危険物の運搬は、危険物取扱者でなければ行うことはできない。

要点・解説

(1) 危険物の運搬は、法第16条の規定で運搬容器、積載方法、運搬方法について規制されているが、市町村長等に届け出ることについては規定されていない。**誤り。**
(2) 法第16条及び危政令第29条の規定で、積載方法についても規定されている。**誤り。**
(3) 危政令第30条の規定で、**正しい。**
(4) 危規則第46条の規定で、類の異なる危険物の混載が禁止されているものもあるが、全ての危険物の運搬についての混載は禁止されていない。**誤り。**
(5) 危険物の移送に際しては移送車両に危険物取扱者を乗車させなければならないという規定はあるが、危険物の運搬に際しては危険物取扱者の同乗は必要なく、また、危険物取扱者でなくとも運搬することができる。**誤り。**

ポイント

危険物の運搬に関する基準については、危険物の貯蔵、取扱いの基準とは別に規定されている。特に運搬容器の種類、表示事項等に関する基準についてチェックするとともに、運搬するに当たっての法令上の基準についてもチェックすることが必要である。

【正解　(3)】

チェック □□□

問題93 **危険物を移動タンク貯蔵所で移送する場合の法令上の措置として、正しいものは次のうちどれか。**

(1) 丙種危険物取扱者免状を有する者は、移動タンク貯蔵所でガソリンを移送することができる。
(2) 移動タンク貯蔵所の完成検査済証は、紛失するおそれがあるので当該貯蔵所の常置場所である事務所に保管しておく必要がある。
(3) 移動タンク貯蔵所による危険物の移送は、当該移動タンク貯蔵所の所有者が甲種危険物取扱者免状を所有している場合は、危険物取扱者が乗車していなくても移送することができる。
(4) 移動タンク貯蔵所により、定期的に危険物を移送する場合には、移送経路その他必要な事項を出発する地域を管轄する消防署に届け出なければならないこととされている。
(5) ガソリンを移送する10日前に、当該貯蔵所の許可を受けた市町村長等へ届け出なければならない。

要点・解説

(1) 移動タンク貯蔵所による危険物の移送に関する政令で定める基準は、法第16条の2及び危規則第49条の規定であり、**正しい**。
(2) 危政令第26条の規定で移動タンク貯蔵所に備えておくことが必要である。**誤り**。
(3) 法第16条の規定で、移送する危険物の種類に対応できる危険物取扱者が同乗する必要がある。**誤り**。
(4) 危険物の移送に当たっての届出は、危規則第47条の3第1項に規定する危険物にあっては、移送経路などを関係消防機関（出発地の消防機関と都道府県主管課）に通知することと規定されている。**誤り**。
(5) 危政令第30条の2には、移動タンク貯蔵所でガソリンを移送する場合、事前に消防機関へ届出することを義務付ける規定はない。**誤り**。

ポイント

移動タンク貯蔵所による危険物の移送並びに貯蔵及び取扱いに関する規定について問うものである。危険物の移送に関する基準は、危険物の貯蔵、取扱いの基準とは別に規定されていることに留意する。　【正解　(1)】

チェック □□□

問題94　次は、移動タンク貯蔵所によるアルコール類を長時間にわたり移送する場合の記述であるが、誤っているものはどれか。

---

(1)　移送の開始前には、移動貯蔵タンクの底弁等の点検を十分に行うことが必要である。

(2)　長時間にわたり移送する場合は、必ず２人以上の運転要員を確保しなければならないこととされている。

(3)　移動タンク貯蔵所には、完成検査済証を備え付けておかなければならないこととされている。

(4)　甲種危険物取扱者又は乙種第４類危険物取扱者の免状を有する者が同乗していなければならない。

(5)　危険物を移送する際、乗車を義務付けられている危険物取扱者は、危険物取扱者免状を携帯しなければならないこととされている。

要点・解説

危険物の移送については、危政令第30条の２に規定されている。長時間にわたり移送する場合、２人以上の運転要員の確保については同条第２号で特定の危険物に限定されているが、アルコール類は、この特定の危険物に規定されていない。

(1)　危政令第30条の２第１号の規定で、**正しい**。

(2)　危政令第30条の２第２号及び危規則第47条の２第２項の規定で、**誤り**。

(3)　危政令第26条第１項第９号の規定で、**正しい**。

(4)　法第16条の２第１項及び危規則第49条の規定で、**正しい**。

(5)　法第16条の２第３項の規定で、**正しい**。

ポイント

危険物を長時間にわたり移送する場合、２人以上の運転要員を確保するのは特定の危険物に限定されていることについての知識について問うものである。

【正解　(2)】

チェック □□□

問題95 次は、指定数量以上の危険物を運搬する場合の記述であるが、誤っているものはどれか。

---

(1) 第４類の危険物を運搬する場合、運搬容器の内容積が220L未満の液化石油ガスであれば、混載することができる。

(2) 温度変化等により、危険物からのガスの発生によって運搬容器内の圧力が上昇するおそれがある場合、発生するガスが毒性又は引火性を有する等の危険性があるときを除き、ガス抜き口を設けた運搬容器に収納することができることとされている。

(3) 運搬する車両には、大きさ0.3m平方のもので「危」と表示した標識を掲げることとされている。

(4) 運搬する危険物の消火に適応する危険物の規制に関する政令第20条に規定する消火設備を備えることとされている。

(5) 危険物又は危険物を収納した運搬容器が、著しく摩擦又は動揺を起こさないように運搬することとされている。

要点・解説

(1) 危政令第29条第６号、危規則第46条第１項第２号及び「危険物の規制に関する技術上の基準の細目を定める告示」（昭和49年自治省告示第99号）第68条の７第２号の規定で、**誤り**。

(2) 危規則第43条の３第１項第１号の規定で、**正しい**。

(3) 危規則第47条の規定で、**正しい**。

(4) 危政令第30条第１項第４号の規定で、**正しい**。

(5) 危政令第30条第１項第１号の規定で、**正しい**。

ポイント

危険物の類別により、危険物と危険物、危険物と非危険物との混載が可能なものと混載ができないものがあることについての知識について問うものである。なお、危険物の運搬について、第４類の危険物と高圧ガスの混載は、内容積120L未満のもので、かつ高圧ガスが液化石油ガス又は圧縮天然ガスの場合に混載可能と規定されている。

【正解　(1)】

チェック □□□

問題96　次は、危険物の運搬方法に関する基準であるが、誤っているものはどれか。

---

(1)　危険物又は危険物を収納した運搬容器が著しく摩擦又は動揺を起こさないように運搬すること。

(2)　指定数量以上の危険物を車両で運搬する場合には、0.3m平方の地が黒色の板に黄色の反射塗料その他反射性を有する材料で「危」と表示した標識を、当該車両の前後の見やすい箇所に掲げること。

(3)　危険物を車両で運搬する場合において、積替、休憩、故障等のため車両を一時停止させるときは、安全な場所を選び、かつ、運搬する危険物の保安に注意すること。

(4)　指定数量以上の危険物を車両で運搬する場合には、消火設備のうち当該危険物に適応する小型消火器を備えること。

(5)　危険物の運搬中危険物が著しくもれる等災害が発生するおそれのある場合は、災害を防止するため応急の措置を講ずるとともに、最寄りの消防機関その他の関係機関に通報すること。

要点・解説

危険物を車両で運搬する場合において、指定数量以上となる場合には、①「危」と表示した標識を掲げる、②車両を一時停止させるときの安全確保、及び③小型消火器の備えが必要となる（危政令第20条第１項第３号、危規則第35条第３号）。

また、品名又は指定数量を異にする２以上の危険物を運搬する場合において、当該運搬に係るそれぞれの危険物の数量を当該危険物の指定数量で除し、その商の和が１以上となるときは、指定数量以上の危険物を運搬しているものとみなすとされている。

⑴　危政令第30条第１項第１号により、**正しい**。
⑵　危政令第30条第１項第２号、危規則第47条により、**正しい**。
⑶　危政令第30条第１項第３号により、**誤り**。
⑷　危政令第30条第１項第４号により、**正しい**。
⑸　危政令第30条第１項第５号により、**正しい**。

ポイント
危険物を運搬する場合における基準に関する知識を問うものである。

【正解　⑶】

チェック □□□

問題97　**次は、移動タンク貯蔵所による危険物の移送に関する基準であるが、誤っているものはどれか。**

⑴　危険物の移送をする者は、移送の開始前に、移動貯蔵タンクの底弁その他の弁、マンホール及び注入口のふた、消火器等の点検を十分に行うこと。
⑵　危険物の移送をする者は、当該移送距離が300kmを超えるおそれがある移送であるときは、２人以上の運転要員を確保すること。ただし、動植物油類、アルコール類、第３石油類、第４石油類等の危険物の移送については、この限りでない。
⑶　危険物の移送をする者は、移動タンク貯蔵所を休憩、故障等のため一時停止させるときは、安全な場所を選ぶこと。
⑷　危険物の移送をする者は、移動貯蔵タンクから危険物が著しくもれる等災害が発生するおそれのある場合には、災害を防止するため応急措置を講ずるとともに、最寄りの消防機関その他の関係機関に通報すること。
⑸　危険物の移送をする者は、アルキルアルミニウム、アルキルリチウム等の危険物の移送をする場合には、あらかじめ移送の経路その他必要な

事項を記載した書面を関係消防機関に送付するとともに、当該書面の写しを携帯し、当該書面に記載された内容に従うこと。ただし、災害その他やむを得ない理由がある場合には、当該記載された内容に従わないことができる。

要点・解説

移動タンク貯蔵所により危険物を移送する者についての規制であり、移送中における事故を未然に防止するための対策や、移送する者の疲労、事故時における対応策等が規定されている。

特に、移送が長時間にわたるおそれがあるときは、２人以上の運転要員を確保することとしている。長時間にわたるおそれがある移送は、移送の経路、交通事情、自然条件その他の条件から判断して、次のいずれかに該当すると認められる移送とされている（危規則第47条の２第１項）。

① 一の運転要員による連続運転時間（１回がおおむね連続10分以上で、かつ、合計が30分以上の運転の中断をすることなく連続して運転する時間をいう。）が、４時間を超える移送

② 一の運転要員による運転時間が、１日当たり９時間を超える移送

しかし、比較的危険性の少ない動植物油類や第２類の危険物、第３類の危険物のうちカルシウム又はアルミニウムの炭化物及びこれのみを含有するもの並びに第４類の危険物のうち第１石油類及び第２石油類（原油分留品、酢酸エステル、ぎ酸エステル及びメチルエチルケトンに限る。）、アルコール類、第３石油類並びに第４石油類の移送の場合には、１人での移送が認められている（危政令第30条の２第２号、危規則第47条の２第２項）。

また、アルキルアルミニウム等（第３類の危険物のうちアルキルアルミニウム若しくはアルキルリチウム又はこれらのいずれかを含有するもの）を移送する場合には、あらかじめ移送経路となる道路を管轄する消防機関に移送の経路その他必要な事項を記載した書面を送付しておくこととされている（危政令第30条の２第５号）。

(1) 危政令第30条の２第１号により、**正しい**。

(2) 危政令第30条の２第２号により、**誤り**。

(3) 危政令第30条の２第３号により、**正しい**。

(4) 危政令第30条の２第４号により、**正しい**。

(5)　危政令第30条の２第５号により、**正しい**。

ポイント

移動タンク貯蔵所によって危険物の移送をする者の基準に関する知識を問うものである。

【正解　(2)】

チェック□□□

問題98　次は、危険物を運搬する場合の積載方法のうち、類を異にするその他の危険物との混載が認められないものの組み合わせとして、誤っているものはどれか。

(1)　第１類と第２類
(2)　第２類と第６類
(3)　第３類と第４類
(4)　第４類と第６類
(5)　第５類と第３類

要点・解説

類を異にする危険物を積載する場合の混載に関する適否については、次の表のとおりとなっている（危規則別表第４）。

	第１類	第２類	第３類	第４類	第５類	第６類
第１類		×	×	×	×	○
第２類	×		×	○	○	×
第３類	×	×		○	×	×
第４類	×	○	○		○	×
第５類	×	○	×	○		×
第６類	○	×	×	×	×	

備考　１　×印は、混載することを禁止する印である。
　　　２　○印は、混載にさしつかえない印である。
　　　３　この表は、指定数量の１／10以下の危険物については、適用しない。

また、災害を発生させるおそれのある次の物品（高圧ガス保安法第２条）と危険物の混載も原則として禁止されている。

① 常用の温度において圧力（ゲージ圧力をいう。）が１MPa以上となる圧縮ガスであって現にその圧力が１MPa以上であるもの又は温度35℃において圧力が１MPa以上となる圧縮ガス（圧縮アセチレンガスを除く。）

② 常用の温度において圧力が0.2MPa以上となる圧縮アセチレンガスであって現にその圧力が0.2MPa以上であるもの又は温度15℃において圧力が0.2MPa以上となる圧縮アセチレンガス

③ 常用の温度において圧力が0.2MPa以上となる液化ガスであって現にその圧力が0.2MPa以上であるもの又は圧力が0.2MPaとなる場合の温度が35℃以下である液化ガス

④ ①～③を除くほか、温度35℃において圧力０MPaを超える液化ガスのうち、液化シアン化水素、液化ブロムメチル又はその他の液化ガスであって、政令で定めるもの

⑴ 危規則別表第４により、**正しい。**
⑵ 危規則別表第４により、**正しい。**
⑶ 危規則別表第４により、**誤り。**
⑷ 危規則別表第４により、**正しい。**
⑸ 危規則別表第４により、**正しい。**

ポイント

危険物を運搬する場合の積載方法のうち、混載についての知識を問うものである。　【正解　⑶】

チェック □□□

問題99 次は、火災予防又は消火活動に重大な支障を生ずるおそれのある物質を貯蔵し、又は取り扱う者が、あらかじめ、その旨を所轄消防長又は消防署長に届け出なければならない物質と数量であるが、誤っているものはどれか。

---

(1)　圧縮アセチレンガス　40kg
(2)　無水硫酸　100kg
(3)　液化石油ガス　300kg
(4)　シアン化水素　30kg
(5)　アンモニア　200kg

要点・解説

圧縮アセチレンガス、液化石油ガスその他の火災予防又は消火活動に重大な支障を生ずるおそれのある物質で次に掲げるものを貯蔵し、又は取り扱う者は、あらかじめ、その旨を所轄消防長又は消防署長に届出をする必要がある。ただし、次の場合には、届出が必要ないとされている。

①　消防法の適用がされない場合（法第９条の３第１項ただし書き）
　船舶、自動車、航空機、鉄道又は軌道により貯蔵し、又は取り扱う場合
②　消防庁長官又は消防長に通報がされている場合（危政令第１条の10第２項）
　高圧ガス保安法第74条第１項、ガス事業法第176条第１項又は液化石油ガスの保安の確保及び取引の適正化に関する法律第87条第１項の規定により消防庁長官又は消防長（消防本部を置かない市町村にあっては、市町村長）に通報があった施設において液化石油ガスを貯蔵し、又は取り扱う場合（法第９条の３第２項において準用する場合にあっては、当該施設において液化石油ガスの貯蔵又は取扱いを廃止する場合）

届出を要する物質（危政令第１条の10第１項）

物質名等	数量
圧縮アセチレンガス	40kg
無水硫酸	200kg

液化石油ガス	300kg
生石灰（酸化カルシウム80%以上を含有するもの）	500kg
毒物及び劇物取締法第２条第１項に規定する毒物のうち危政令別表第１の上欄に掲げる物質	当該物質に応じそれぞれ同表の下欄に定める数量（30kg）
毒物及び劇物取締法第２条第２項に規定する劇物のうち危政令別表第２の上欄に掲げる物質	当該物質に応じそれぞれ同表の下欄に定める数量（200kg）

(1)　危政令第１条の10第１項第１号により、**正しい**。

(2)　危政令第１条の10第１項第２号により、**誤り**。

(3)　危政令第１条の10第１項第３号により、**正しい**。

(4)　危政令第１条の10第１項第５号により、**正しい**。

(5)　危政令第１条の10第１項第６号により、**正しい**。

ポイント

消防活動阻害物質として指定されている物品及び数量に関する知識を問うものである。

【正解　(2)】

チェック □□□

問題100　次は、火災予防又は消火活動に重大な支障を生ずるおそれのある物質に関する記述であるが、誤っているものはどれか。

(1)　消防法令で規定される火災予防又は消火活動に重大な支障を生ずるおそれのある物質を貯蔵し、又は取り扱う者は、あらかじめ、その旨を市町村長等に届け出なければならない。

(2)　届出等の対象となる物質には、液化石油ガスを300kg以上貯蔵し、又は取り扱う場合に含まれる。

(3)　消防法令で規定される火災予防又は消火活動に重大な支障を生ずるおそれのある物質を貯蔵し、又は取り扱う場合の届出等は、これらの物質を船舶、自動車、航空機、鉄道又は軌道により貯蔵し、又は取り扱う場合は、除外されている。

(4) 届出等の対象となる物質には、毒物及び劇物取締法第2条第1項に規定する毒物のうち、危険物の規制に関する政令別表第1に掲げられている物質を同表の数量以上貯蔵し、又は取り扱う場合に含まれる。

(5) 消防法令で規定される火災予防又は消火活動に重大な支障を生ずるおそれのある物質の貯蔵し、又は取り扱いを廃止する場合にあっても届出を必要とする。

要点・解説

火災予防又は消火活動に重大な支障を生ずるおそれのある物質としては、一般的に消防法に定める危険物、指定可燃物、可燃性ガス等の高圧ガス、火薬類、毒物・劇物等がある。

これらの物質のうち消防機関が直接許認可等で関与するもの以外の物質にあっては、火災予防や消火活動等の観点から、消防機関が把握しておくことが重要となる。

このため、消防法令では、物質及びその数量を規定し、それを貯蔵し、又は取り扱う場合には、あらかじめ、当該場所を管轄する消防長又は消防署長に届出することを義務づけている。ただし、消防法以外の法令により規制されており、当該状況等があらかじめ把握できる場合においては、届出等が除外されている。

具体的には、次のように規定されている。

1　貯蔵し、又は取り扱う場合の届出が必要な場合（法第9条の3第1項本文、危政令第1条の10第1項）

火災予防又は消火活動に重大な支障を生ずるおそれのある物質を貯蔵し、又は取り扱う者は、あらかじめ、その旨を所轄消防長又は消防署長に届け出なければならない。

2　届出等を要さない場合（法第9条の3第1項ただし書き、危政令第1条の10第2項）

船舶、自動車、航空機、鉄道又は軌道により貯蔵し、又は取り扱う場合及び次に掲げる場合は、届出等を要しない。

高圧ガス保安法第74条第1項、ガス事業法第176条第1項又は液化石油ガスの保安の確保及び取引の適正化に関する法律第87条第1項の規定により消防庁長官又は消防長（消防本部を置かない市町村にあっては、市町村長）に通報があった施設において液化石油ガスを貯蔵し、又は取り扱う場合（法第9条の3第2項において準用する場合にあっては、当該施設において液化石油ガスの貯蔵又は取扱いを廃止する場合）とする。

3　貯蔵し、又は取り扱いを廃止する場合の届出（法第9条の3第2項）

法第9条の3第1項の規定は、同項の貯蔵又は取扱いを廃止する場合について準用する。

(1)　法第9条の3第1項の規定により、**誤り**。届出等は、所轄消防長又は消防署長に行うこととされている。

(2)　危政令第1条の10第1項第3号の規定により、**正しい**。

(3)　法第9条の3第1項ただし書きの規定により、**正しい**。

(4)　危政令第1条の10第1項第5号の規定により、**正しい**。

(5)　法第9条の3第2項の規定により、**正しい**。

ポイント

火災予防又は消火活動に重大な支障を生ずるおそれのある物質に関する消防法令上の取扱いに関する知識を問うものである。　【正解　(1)】

チェック□□□

問題101　**次は、指定可燃物に関する記述であるが、誤っているものはどれか。**

(1)　再生資源燃料とは、資源の有効な利用の促進に関する法律第2条第4項に規定する再生資源を原材料とする燃料をいう。

(2)　可燃性固体類には、固体で引火点が40℃以上100℃未満のものが含まれる。

(3)　可燃性液体類には、消防法に定める危険物である引火性液体に該当するものが含まれる。

(4)　合成樹脂類には、不燃性又は難燃性でないゴム製品、ゴム半製品、原料ゴム及びゴムくずが含まれる。

(5)　ぼろ及び紙くずは、不燃性又は難燃性でないものであり、動植物油がしみ込んでいる布又は紙及びこれらの製品が含まれる。

要点・解説

指定可燃物は、わら製品、木毛その他の物品で火災が発生した場合にその拡大が速やかであり、又は消火の活動が著しく困難となるものとして危政令別表第４に規定されている品名であって、同表に規定されている数量以上のものをいい、当該数量未満のものは、該当しないとされている。

また、指定可燃物その他指定可燃物に類する物品については、次のように規制されている。

① 指定可燃物その他指定可燃物に類する物品の貯蔵及び取扱いの技術上の基準は、市町村条例でこれを定める（法第９条の４第１項）。

② 指定可燃物その他指定可燃物に類する物品を貯蔵し、又は取り扱う場所の位置、構造及び設備の技術上の基準（法第17条第１項の消防用設備等の技術上の基準を除く。）は、市町村条例で定める（法第９条の４第２項）。

⑴ 危政令別表第４備考５の規定により、**正しい**。

⑵ 危政令別表第４備考６の規定により、**正しい**。

⑶ 危政令別表第４備考８の規定及び法別表第１備考10、14から17までの規定により、**誤り**。

⑷ 危政令別表第４備考９の規定により、**正しい**。

⑸ 危政令別表第４備考２の規定により、**正しい**。

ポイント

指定可燃物の種類、その規制等に関する知識を問うものである。

【正解　⑶】

チェック □□□

問題102 次は、危険物保安監督者に関する記述であるが、誤っているものはどれか。

---

(1) 製造所等の所有者等は、危険物保安監督者を選任した場合には、消防長又は消防署長に実務経験証明書を添付して届け出る。これを解任したときも、同様とする。

(2) 危険物保安監督者は、危険物の取扱作業の実施に際し、当該作業が危険物の貯蔵又は取扱の技術上の基準及び予防規程等の保安に関する規定に適合するように作業者（当該作業に立ち会う危険物取扱者を含む。）に対し必要な指示を与える。

(3) 危険物保安監督者は、火災等の災害の防止に関し、当該製造所等に隣接する製造所等その他関連する施設の関係者との間に連絡を保つこと。

(4) 危険物保安監督者に求められている6月以上の危険物の取扱の実務経験は、製造所等における実務経験に限られている。

(5) 危険物保安監督者は、火災等の災害が発生した場合は、作業者を指揮して応急の措置を講ずるとともに、直ちに消防機関その他関係のある者に連絡する。

要点・解説

製造所等の所有者等は、危険物保安監督者を選任又は解任したときの届出は、市町村長等とされている。危険物保安監督者の業務は、次のとおりとされている（危規則第48条）。

① 危険物の取扱作業の実施に際し、当該作業が危険物の貯蔵又は取扱の技術上の基準及び予防規程等の保安に関する規定に適合するように作業者（当該作業に立ち会う危険物取扱者を含む。）に対し必要な指示を与えること。

② 火災等の災害が発生した場合は、作業者を指揮して応急の措置を講ずるとともに、直ちに消防機関その他関係のある者に連絡すること。

③ 危険物施設保安員を置く製造所等にあっては、危険物施設保安員に必要な指示を行い、その他の製造所等にあっては、危険物施設保安員に行わせなければならない業務を行うこと。

④ 火災等の災害の防止に関し、当該製造所等に隣接する製造所等その他関連す

る施設の関係者との間に連絡を保つこと。

⑤　その他、危険物の取扱作業の保安に関し必要な監督業務

(1)　法第13条第2項、危規則第48条の3により、**誤り**。

(2)　危規則第48条第1号により、**正しい**。

(3)　危規則第48条第4号により、**正しい**。

(4)　法第13条第1項、危規則第48条の2により、**正しい**。

(5)　危規則第48条第2号により、**正しい**。

ポイント

危険物保安監督者に関する知識を問うものである。　【正解　(1)】

チェック □□□

問題103　**次は、消防法令上の製造所等の関係者が危険物保安監督者を定めたときに行う手続きに関する記述であるが、最も正しいものはどれか。**

(1)　危険物保安監督者の届出は個別に届け出る必要はなく、製造所等ごとの掲示板に表示しておけばよい。

(2)　10日以内に、都道府県知事にその旨を届け出なければならない。

(3)　遅滞なく、その旨を市町村長等に届け出なければならない。

(4)　消防本部を置く市町村にあっては、10日以内に、消防長又は消防署長にその旨を届け出なければならない。

(5)　消防本部を置かない市町村にあっては、遅滞なく、市町村長にその旨を届け出なければならない。

要点・解説

危険物保安監督者を選任し、又は解任したときは、その旨を遅滞なく市町村長等に届け出なければならないことが規定されている。

(1)　法第13条第2項の規定で、**誤り**。

(2)　法第13条第2項の規定で、**誤り**。

(3)　法第13条第２項の規定で、**正しい**。
(4)　法第13条第２項の規定で、**誤り**。
(5)　法第13条第２項の規定で、**誤り**。

ポイント

危険物保安監督者を選任し又は解任した際の届出についての知識について問うものである。　【正解　(3)】

チェック □□□

問題104　次は、消防法第14条の２第１項の規定に基づく予防規程を定めなければならない製造所等についての記述であるが、正しいものはどれか。ただし、鉱山保安法第19条第１項の規定に基づく保安規程又は火薬類取締法第28条第１項の規定に基づく危害予防規程を定めることとされている製造所等はないものとする。

(1)　指定数量の倍数が50の危険物を貯蔵する屋外貯蔵所
(2)　移送取扱所
(3)　自家用の給油取扱所のうち屋内給油取扱所以外のもの
(4)　指定数量の倍数が100の危険物を貯蔵する屋内貯蔵所
(5)　指定数量の倍数が100の危険物を貯蔵する移動タンク貯蔵所

要点・解説

予防規程を定めるべき製造所等は危政令第37条で、危政令第７条の３各号に定める製造所等又は給油取扱所のうち危規則第61条でその対象が規定されている。

なお、屋外貯蔵所の場合は、指定数量の倍数が100以上のもの、屋内貯蔵所の場合は、指定数量の倍数が150以上のものが該当する。また、自家用の給油取扱所の場合は、屋内給油取扱所だけが対象とされており、移動タンク貯蔵所は対象外とされている。

(1)　危政令第37条及び危政令第７条の３第４号の規定で、**誤り**。
(2)　危政令第37条及び危政令第７条の３第５号の規定で、**正しい**。

(3)　危政令第37条及び危規則第61条の規定で、**誤り**。

(4)　危政令第37条及び危政令第７条の３第２号の規定で、**誤り**。

(5)　危政令第37条及び危政令第７条の３の規定で、**誤り**。

ポイント

法第14条の２第１項に規定する予防規程を定める義務のある製造所等の範囲についての知識について問うものである。　【正解　(2)】

チェック □□□

問題105　**次は、消防法第14条の２第１項の規定に基づく予防規程に関する記述であるが、誤っているものはどれか。**

(1)　一般取扱所では、予防規程を定めなければならない対象物もあれば、定めなくてよい対象物もある。

(2)　予防規程を定めなければならない義務を有する者は、製造所等の所有者、管理者又は占有者である。

(3)　屋内タンク貯蔵所にあっては、予防規程を定めなくてもよいこととされている。

(4)　すべての製造所及び取扱所は、必ず予防規程を定めなければならないこととされている。

(5)　予防規程を変更するときは、市町村長等の認可を受けなければならないこととされている。

要点・解説

法第14条の２第１項の規定に基づく予防規程を定めなければならない製造所等はすべてではなく、危政令第37条で特定されている。

(1)　危政令第37条及び危政令第７条の３の規定で、**正しい**。

(2)　法第14条の２第１項の規定で、**正しい**。

(3)　危政令第37条及び危政令第７条の３の規定で、**正しい**。

(4)　危政令第37条及び危政令第７条の３の規定で、**誤り**。

(5)　法第14条の２第１項の規定で、**正しい**。

ポイント

法第14条の２第１項の規定に基づく予防規程を定めなければならない製造所等の範囲について問うものである。
【正解　(4)】

チェック □□□

問題106　**次は、消防法第14条の３の規定に基づく保安検査についての記述であるが、誤っているものはどれか。**

(1)　消防法第14条の３第１項の規定に基づく保安に関する検査（以下「定期保安検査」という。）についての検査事項は、危険物関係法令で規定されている。
(2)　消防法第14条の３第２項の規定に基づく保安に関する検査（以下「臨時保安検査」という。）の対象として、移送取扱所は規定されていない。
(3)　臨時保安検査は、５年ごとに１回受けなければならないことと規定されている。
(4)　定期保安検査を受けなければならない製造所等は、一定の特定屋外タンク貯蔵所と一定の移送取扱所と規定されている。
(5)　保安検査の義務付けがなされている製造所等の関係者で保安検査を受けようとする者は、所定の様式に基づき市町村長等に提出することとされている。

要点・解説

臨時保安検査は、検査を受けるべき事由が発生したときに行うこととされている。

(1)　法第14条の３第１項及び危政令第８条の４第３項の規定で、**正しい**。
(2)　法第14条の３第２項及び危政令第８条の４第４項の規定で、**正しい**。
(3)　法第14条の３第２項の規定で、**誤り**。
(4)　法第14条の３第１項及び危政令第８条の４第１項の規定で、**正しい**。

(5)　危規則第62条の３第１項の規定で、**正しい**。

ポイント

製造所等に係る定期保安検査及び臨時保安検査の対象、検査事項等についての知識について問うものである。　【正解　(3)】

チェック □□□

問題107　**次は、製造所等に対する保安検査についての記述であるが、誤っているものはどれか。**

(1)　保安検査の対象となる製造所等は、屋外タンク貯蔵所及び移送取扱所である。
(2)　保安検査は、屋外タンク貯蔵所又は移送取扱所の許可権限者である市町村長等が実施する。
(3)　保安検査は、屋外タンク貯蔵所又は移送取扱所に係る構造及び設備に関する事項のうち危険物の規制に関する政令で定める事項が消防法第10条第４項の技術上の基準に従って維持されているかどうかについて行われる。
(4)　屋外タンク貯蔵所に不等沈下その他の政令で定める事由が生じた場合には、保安検査を受けなければならない。
(5)　市町村長等は、保安検査を危険物保安技術協会に委託することができる。

要点・解説

(1)から(3)までについて

保安検査は、屋外タンク貯蔵所又は移送取扱所の許可権者である市町村長等が行う検査である。その対象となるものは、次のとおりである。

屋外タンク貯蔵所（危政令第８条の４第１項）	特定屋外タンク貯蔵所で、その貯蔵し、又は取り扱う液体の危険物の最大数量が10,000kL以上のもの
移送取扱所	危険物を移送するための配管の延長が15kmを超える移送取

（危政令第８条の３）	扱所 　危険物を移送するための配管に係る最大常用圧力が0.95 MPa以上であって、かつ、危険物を移送するための配管の延長が７km以上15km以下の移送取扱所

定期保安検査の時期は、次の表に掲げる屋外タンク貯蔵所又は移送取扱所の区分に応じた時期とする（危政令第８条の４第２項）。

特定屋外タンク貯蔵所（岩盤タンク・地中タンクを除く。）	原則	完成検査を受けた日又は前回の保安検査を受けた日の翌日から起算して８年を経過する日前１年目に当たる日から、当該経過する日の翌日から起算して１年を経過する日までの間
	①　保安のための措置を講じている特定屋外タンク貯蔵所（危規則第62条の２の２）	市町村長等が定める10年又は13年のいずれかの期間（危規則第62条の２の３）
	②　連続板厚測定方法を用いて測定された前回の保安検査の直近において行われた完成検査又は保安に関する検査から前回の保安検査までの間の液体危険物タンクの底部の板の厚さの１年当たりの腐食による減少量が一定以内で、保安のための措置を講じているもの	連続板厚測定方法により当該測定された液体危険物タンクの底部の板の厚さの１年当たりの腐食による減少量及び前回の保安検査における液体危険物タンクの底部の板の厚さに基づき市町村長等が定める８年以上15年以内の期間
	③　①及び②に掲げる特定屋外タンク貯蔵所のいずれにも該当する屋外タンク貯蔵所	当該①又は②に定める期間のうちいずれか長い期間
岩盤タンクに係る特定屋外タンク貯蔵所	完成検査を受けた日又は前回の保安に関する検査を受けた日の翌日から起算して10年を経過する日前１年目に当たる日から、当該経過する日の翌日から起算して１年を経過する日までの間	
地中タンクに係る特定屋外タンク貯蔵所（危規則第62条の２の７）	完成検査を受けた日又は前回の検査を受けた日の翌日から起算して13年を経過する日前１年目に当たる日から、当該経過する日の翌日から起算して１年を経過する日までの間	

移送取扱所	完成検査を受けた日又は前回の保安に関する検査を受けた日の翌日から起算して１年を経過する日前１月目に当たる日から、当該経過する日の翌日から起算して１月を経過する日までの間

⑷について

屋外タンク貯蔵所の臨時保安検査は、特定屋外タンク貯蔵所（その貯蔵し、又は取り扱う液体の危険物の最大数量が1,000kL以上のもの（危政令第８条の２の３第３項））が対象（危政令第８条の４第４項）であり、次の事由が発生した場合に行われる。

特定屋外タンク貯蔵所（岩盤タンク・地中タンクを除く。）（危政令第８条の４第５項）	液体危険物タンクの直径に対する当該液体危険物タンクの不等沈下の数値の割合が100分の１以上であること。
岩盤タンクに係る特定屋外タンク貯蔵所（危規則第62条の２の９第１号）	地震の影響等の想定される荷重（危規則第22条の３第３項第５号）を著しく超える荷重が加えられることその他の危険物又は可燃性の蒸気の漏えいのおそれがあると認められること。
地中タンクに係る特定屋外タンク貯蔵所（危規則第62条の２の９第２号）	地中タンク及びその附属設備の自重、貯蔵する危険物の重量、土圧、地下水圧、揚圧力、コンクリートの乾燥収縮及びクリープの影響、温度変化の影響、地震の影響等の荷重（危規則第22条の３の２第３項第５号ハ）を著しく超える荷重が加えられることその他の危険物又は可燃性の蒸気の漏えいのおそれがあると認められること。

⑸について

市町村長等は、屋外タンク貯蔵所に係る構造及び設備に関する事項が技術上の基準に従って維持されているかどうかの審査を危険物保安技術協会に委託することができるとされている。したがって、保安検査の一部である「屋外タンク貯蔵所に係る構造及び設備に関する事項が技術上の基準に従って維持されているかどうか」の技術的な内容に関する審査を委託するものであり、保安検査全部を委託することはできない。

⑴　法第14条の３第１項の規定により、**正しい**。
⑵　法第14条の３第１項の規定により、**正しい**。
⑶　法第14条の３第１項の規定により、**正しい**。
⑷　法第14条の３第２項の規定により、**正しい**。

(5)　法第14条の３第３項の規定により、**誤り**。

ポイント

市町村長等が行う保安検査に関する規定についての知識を問うものである。

【正解　(5)】

チェック□□□

問題108　**次のうち、消防法（以下「法」という。）第14条の３の２に規定する定期点検又は法第14条の３に規定する保安検査に関する記述として、誤っているものはどれか。**

(1)　定期保安検査の対象とされているのは、一定の特定屋外タンク貯蔵所及び一定の移送取扱所に限定されている。

(2)　法第14条の３の規定に基づく保安検査は、危険物保安監督者が行うこととされている。

(3)　定期点検は、法第10条第４項の技術上の基準に適合するかどうか点検を行うこととされている。

(4)　保安検査には、定期的に行う保安検査と臨時に行う保安検査の２種類がある。

(5)　定期点検の結果は、点検記録に総務省令で定める事項を記載し、かつ、一定期間保存することが義務付けられている。

要点・解説

法第14条の３の規定に基づく保安検査は、市町村長等が行うこととされている。

(1)　法第14条の３第１項及び危政令第８条の４第１項の規定で、**正しい**。

(2)　法第14条の３第１項の規定で、**誤り**。

(3)　危規則第62条の４第２項の規定で、**正しい**。

(4)　法第14条の３第１項及び第２項並びに危政令第８条の４の規定で、定期的に行う保安検査と不等沈下等が生じた場合に行う臨時の保安検査に関する規定であり、**正しい**。

(5)　法第14条の３の２、危規則第62条の７及び危規則第62条の８の規定で、**正しい**。

ポイント

定期点検又は保安検査についての知識について問うものである。

【正解　(2)】

チェック □□□

問題109　**次は、消防法に基づく危険物製造所等の定期点検に関する記述であるが、誤っているものはどれか。**

(1)　第３種の固定式の泡消火設備を設ける屋外タンク貯蔵所に係る定期点検は、当該泡消火設備の泡の適正な放出を確認する一体的な点検を行わなければならないこととされている。
(2)　定期点検は、原則として１年に１回以上行うこととされている。
(3)　定期点検は、消防法第10条第４項の技術上の基準に適合しているかどうかについて行うこととされている。
(4)　定期点検を行う義務者は、当該製造所等の所有者、管理者又は占有者とされている。
(5)　定期点検は、危険物取扱者以外の者が行うことはできないこととされている。

要点・解説

定期点検は、危険物取扱者又は危険物施設保安員若しくは危険物取扱者の立会いがあれば、危険物取扱者以外の者（危規則第62条の５の２から第62条の５の４に該当する点検については、点検の方法に関する知識及び技能を有する者、泡消火設備に係る点検については、泡の発泡機構等についての知識、技能を有する者に限定されている。）が行うことができることとされている。

(1)　危規則第62条の５の５の規定で、**正しい**。
(2)　危規則第62条の４第１項本文の規定で、**正しい**。

⑶　危規則第62条の４第２項の規定で、**正しい**。
⑷　法第14条の３の２の規定で、**正しい**。
⑸　危規則第62条の６の規定で、**誤り**。

ポイント

法第14条の３の２の規定に基づく、製造所等における定期点検及び当該点検を行える者に関する規定についての知識について問うものである。

【正解　⑸】

チェック □□□

問題110　**次は、消防法に規定する危険物施設についての応急措置、通報若しくは命令又は危険物の事故原因調査についての記述であるが、誤っているものはどれか。**

⑴　市町村長等は、製造所等において発生した危険物の流出その他の事故（火災を除く。）であって火災が発生するおそれのあったものについて、当該事故の原因を調査することができることとされている。
⑵　市町村長等は、危険物の流出その他の事故が発生した製造所等と密接な関係を有すると認められる場所が危険物施設でない場合、当該施設に対して、立入検査をすることはできない。
⑶　製造所等の所有者、管理者又は占有者は、当該製造所等について危険物の流出その他の事故が発生したときは、直ちに、引き続く危険物の流出及び拡散の防止並びに流出した危険物の除去その他災害の発生の防止のための応急の措置を講じなければならないこととされている。
⑷　製造所等において危険物の流出その他の事故を発見した者は、直ちに、その旨を消防署、市町村長の指定した場所、警察署又は海上警備救難機関に通報しなければならないこととされている。
⑸　消防庁長官は、製造所等において発生した危険物の流出その他の事故（火災を除く。）であって火災が発生するおそれのあったものについて、当該事故の原因調査を行うに当たって市町村長等（総務大臣を除く。）

から求めがあった場合には、調査をすることができることとされている。

要点・解説

法第16条の３の２第２項で、市町村長等は製造所等において発生した危険物の流出その他の事故（火災を除く。）であって火災が発生するおそれのあったものについて、当該事故の原因の調査のため必要があるときは、当該事故の発生と密接な関係を有すると認められる場所の所有者等に対し、資料の提出等を求め又は当該消防事務に従事する職員に、これらの場所に立ち入り、当該事故に関係のある工作物若しくは物件を検査させ、若しくは関係のある者に質問させることができることと規定されている。

なお、危険物流出等の事故原因調査の場合、個人の住居及び証票の携帯等については、法第４条第１項ただし書及び第２項から第４項までの規定について準用することとされている。

⑴　法第16条の３の２第１項の規定で、**正しい**。
⑵　法第16条の３の２第２項の規定で、**誤り**。
⑶　法第16条の３第１項の規定で、**正しい**。
⑷　法第16条の３第２項の規定で、**正しい**。
⑸　法第16条の３の２第４項の規定で、**正しい**。

ポイント

危険物の流出その他の事故で火災が発生するおそれのあったものについて事故の原因調査をする場合、製造所等以外の場所で、事故の発生と密接な関係を有する場所における調査についての知識について問うものである。

【正解　⑵】

チェック □□□

問題111　次は、定期点検の対象施設とされている製造所等についての記述であるが、誤っているものはどれか。

---

(1)　製造所にあっては、指定数量の倍数が10以上のもののうち、地下タンクを有するもの
(2)　屋外タンク貯蔵所にあっては、指定数量の倍数が200以上のもの
(3)　地下タンク貯蔵所にあっては、全部
(4)　移動タンク貯蔵所にあっては、全部
(5)　給油取扱所にあっては、全部

要点・解説

製造所等の定期点検は、当該製造所等の所有者等自らが行う点検であり、その対象施設は、次の表のとおりとされている。

なお、定期点検をしなければならない製造所等から、次の施設が除かれている（危規則第９条の２）。

①　鉱山保安法第19条第１項の規定による保安規程を定めている製造所等
②　火薬類取締法第28条第１項の規定による危害予防規程を定めている製造所等

製造所	①　指定数量の倍数が10以上 ②　地下タンクを有するもの
屋内貯蔵所	指定数量の倍数が150以上
屋外タンク貯蔵所	指定数量の倍数が200以上
地下タンク貯蔵所	全部
移動タンク貯蔵所	全部
屋外貯蔵所	指定数量の倍数が100以上
給油取扱所	地下タンクを有するもの
移送取扱所	全部（配管の延長が15kmを超えるもの又は配管に係る最大常用圧力が0.95MPa以上で、かつ、配管の延長が７km以上15km以下のもの（危政令第８条の３）を除く。）
一般取扱所	①　指定数量の倍数が10以上 （指定数量の倍数が30以下（引火点が40℃以上の第４類の危険物のみを取り扱うものに限る。）で危険物を容器に詰め替える

	もの（危政令第31条の２第６号ロ）を除く。） ②　地下タンクを有するもの

また、定期点検は、原則として１年以内に１回以上行うこととし、位置、構造及び設備の技術上の基準（法第10条第４項）に適合しているかどうかについて行うこととされている（危規則第62条の４）。

なお、定期点検のうち、次に掲げるものについては、定期点検について別の規定が設けられている。

①　引火点を有する液体の危険物を貯蔵し、又は取り扱う屋外タンク貯蔵所（岩盤タンクに係る屋外タンク貯蔵所及び海上タンクに係る屋外タンク貯蔵所を除く。）で容量が1,000kL以上10,000kL未満のものに係る定期点検（危規則第62条の５） ②　地下貯蔵タンクを有する製造所等に係る定期点検（危規則第62条の５の２） ③　地下埋設配管を有するものに係る定期点検（危規則第62条の５の３） ④　移動タンク貯蔵所に係る定期点検（危規則第62条の５の４） ⑤　第３種の固定式の泡消火設備を設ける屋外タンク貯蔵所に係る定期点検（危規則第62条の５の５）

(1)　危政令第８条の５及び第７条の３の規定により、**正しい**。

(2)　危政令第８条の５及び第７条の３の規定により、**正しい**。

(3)　危政令第８条の５及び第７条の３の規定により、**正しい**。

(4)　危政令第８条の５及び第７条の３の規定により、**正しい**。

(5)　危政令第８条の５及び第７条の３の規定により、**誤り**。

ポイント

製造所等の所有者等が自ら行う定期点検に関する規定についての知識を問うものである。

【正解　(5)】

チェック □□□

問題112　**次は、消防法第14条の2第1項の規定に基づき予防規程を定めなければならない製造所等についての記述であるが、正しいものはどれか。ただし、鉱山保安法第19条第1項の規定に基づく保安規程又は火薬類取締法第28条第1項の規定に基づく危害予防規程を定めることとされている製造所等の適用はないものとする。**

---

(1)　指定数量の150倍以上の危険物を貯蔵し、又は取り扱う屋外タンク貯蔵所

(2)　指定数量の5倍以上の危険物を取り扱う製造所

(3)　指定数量の30倍以上の危険物を貯蔵し、又は取り扱う第2種販売取扱所

(4)　指定数量の100倍以上の危険物を貯蔵し、又は取り扱う屋外貯蔵所

(5)　指定数量の120倍以上の危険物を貯蔵し、又は取り扱う屋内タンク貯蔵所

要点・解説

予防規程を定めなければならない製造所等については、法第14条の2第1項の規定に基づき、危政令第37条（危政令第7条の3を準用）で規定されている。屋外タンク貯蔵所は指定数量の200倍以上の危険物を、製造所は指定数量の10倍以上の危険物を貯蔵し、又は取り扱うものである。また、販売取扱所及び屋内タンク貯蔵所については、貯蔵し、又は取り扱う危険物の倍数に関係なく対象外とされている。

(1)　危政令第37条及び危政令第7条の3第3号の規定で、**誤り**。

(2)　危政令第37条及び危政令第7条の3第1号の規定で、**誤り**。

(3)　危政令第37条及び危政令第7条の3の規定で、**誤り**。

(4)　危政令第37条及び危政令第7条の3第4号の規定で、**正しい**。

(5)　危政令第37条及び危政令第7条の3の規定で、**誤り**。

ポイント

法第14条の２第１項に基づき、危政令第37条（危政令第７条の３の規定を準用）に規定する「予防規程を定めなければならない製造所等」についての知識について問うものである。　【正解　(4)】

チェック □□□

問題113 次は、製造所等における危険物保安監督者の選任に関する記述であるが、危険物保安監督者を選任しなくてもよいとされている製造所等はどれか。

(1)　引火点が40℃未満の第４類の危険物のみを貯蔵し、又は取り扱う簡易タンク貯蔵所
(2)　指定数量の30倍以下の危険物（引火点が40℃以上の第４類の危険物のみを貯蔵し、又は取り扱うものに限る。）を貯蔵し、又は取り扱う屋内貯蔵所
(3)　指定数量の40倍の危険物を貯蔵し、又は取り扱う屋外貯蔵所
(4)　すべての給油取扱所
(5)　引火点が21℃以上40℃未満の第４類の危険物だけを取り扱う販売取扱所

要点・解説

(1)　危政令第31条の２第２号の規定で、**選任しなければならない。**
(2)　危政令第31条の２第１号の規定で、**選任しなくてもよい。**
(3)　危政令第31条の２第４号の規定で、**選任しなければならない。**
(4)　危政令第31条の２の規定で、**選任しなければならない。**
(5)　危政令第31条の２第５号の規定で、**選任しなければならない。**

ポイント

危険物保安監督者を定めなければならない製造所等の範囲は、危政令第31条の2に規定されており、どのような製造所等が指定されているかの知識について問うものである。なお、販売取扱所にあっては、引火点が40℃以上の第4類の危険物だけを取り扱う販売取扱所以外のものは、選任が必要となるものがあるということに留意する。【正解 (2)】

チェック □□□

問題114 製造所等の所有者、管理者又は占有者は、当該製造所等の火災を予防するため、予防規程を定め、市町村長等の認可を受けなければならない。これを変更するときも、同様とするとされている。次は、予防規程を作成しなければならない製造所等についての記述であるが、誤っているものはどれか。

(1) 製造所にあっては、指定数量の倍数が10以上
(2) 屋外タンク貯蔵所にあっては、指定数量の倍数が200以上
(3) 給油取扱所にあっては、全て
(4) 屋内貯蔵所にあっては、指定数量の倍数が150以上
(5) 屋外貯蔵所にあっては、指定数量の倍数が100以上

要点・解説

予防規程は、製造所等における保安体制が盛り込まれている必要があり、当該製造所等を有する事業所全体における保安管理体制を含め、事業所全体として機能するように規定する必要がある。

地震等の自然災害が発生した場合における対応については、当然規定しておくことが必要である。

さらに、大規模地震対策特別措置法等により、強化地域等に指定されている地域にあっては、地震予知情報や警戒宣言等が出された場合における具体的な対策を規定しておく必要がある。

予防規程を定めなければならない製造所等は、次のとおりである。

製造所	指定数量の倍数が10以上
屋内貯蔵所	指定数量の倍数が150以上
屋外タンク貯蔵所	指定数量の倍数が200以上
屋外貯蔵所	指定数量の倍数が100以上
給油取扱所	すべて
移送取扱所	すべて
一般取扱所	指定数量の倍数が10以上 （指定数量の倍数が30以下（引火点が40℃以上の第４類の危険物のみを取り扱うものに限る。）で危険物を容器に詰め替えるもの（危政令第31条の２第６号ロ）を除く。）

ただし、上表に掲げる予防規程を定めなければならない製造所等のうち、次の①～③については、予防規程を定めないことができる（危規則第61条<危規則第９条の２>）。

① 鉱山保安法第19条第１項の規定による保安規程を定めている製造所等

② 火薬類取締法第28条第１項の規定による危害予防規程を定めている製造所等

③ 自家用の給油取扱所のうち屋内給油取扱所以外のもの

予防規程は、原則、対象となる製造所等ごとに策定することとなるが、同一事業所に対象施設が複数ある場合には、事業所として該当する製造所等を含む予防規程を作成することで足りるとされている。

(1) 危政令第37条及び危規則第61条の規定で、**正しい。**

(2) 危政令第37条及び危規則第61条の規定で、**正しい。**

(3) 危政令第37条及び危規則第61条の規定で、**誤り。**

(4) 危政令第37条及び危規則第61条の規定で、**正しい。**

(5) 危政令第37条及び危規則第61条の規定で、**正しい。**

ポイント

予防規程に関する規定についての知識を問うものである。　【正解 (3)】

チェック □□□

問題115 次は、同一事業所において製造所等を所有し、管理し、又は占有する者が所要の数量以上の危険物を貯蔵し、又は取り扱う場合に設置が義務付けられる自衛消防組織についての記述であるが、誤っているものはどれか。

---

(1)　鉱山保安法の適用を受けている製造所等については、除外されている。
(2)　製造所の場合、取り扱う第４類の危険物の数量が指定数量の3,000倍に相当する数量の場合、原則として対象となる。
(3)　一般取扱所の場合、取り扱う第４類の危険物の数量が指定数量の3,000倍に相当する数量の場合、原則として対象となる。
(4)　移送取扱所の場合、取り扱う第４類の危険物の数量が指定数量の場合、原則として対象となる。
(5)　火薬類取締法の適用を受けている製造所等については、除外されている。

要点・解説

自衛消防組織は、製造所等を所有し、管理し、又は占有する者が、製造所等において火災、漏えい等の事故が発生した場合において、自ら被害の拡大防止等を行うために組織するものであり、火災、漏えい等の事故が発生した場合に被害が拡大するおそれがあるものや敷地以外にも拡大するおそれのある施設（指定施設）に対して、設置が義務付けられている（危政令第38条）。

自衛消防組織を置かなければならない事業所（危政令第38条第２項、第30条の３第２項）

対象となる製造所等	取り扱う危険物の数量等
製造所 一般取扱所	第４類の危険物を指定数量の3,000倍以上取り扱う事業所
移送取扱所	第４類の危険物を指定数量以上取り扱う事業所

ただし、次に掲げるものは指定施設から除外される。

指定施設から除かれるもの（危規則第47条の４、第60条第１号～第５号、危告示(※)第69条）

区　分	指定施設に含まれない施設
製造所	鉱山保安法の適用を受ける製造所

移送取扱所	① 特定移送取扱所以外の移送取扱所 ② 移送取扱所に係る配管の延長のうち海域に設置される部分以外の部分に係る延長が7km未満の特定移送取扱所 ③ 鉱山保安法の適用を受ける移送取扱所
一般取扱所	① ボイラー、バーナーその他これらに類する装置で危険物を消費する一般取扱所 ② 車両に固定されたタンクその他これに類するものに危険物を注入する一般取扱所 ③ 容器に危険物を詰め替える一般取扱所 ④ 油圧装置、潤滑油循環装置その他これらに類する装置で危険物を取り扱う一般取扱所 ⑤ 鉱山保安法の適用を受ける一般取扱所

（※）危険物の規制に関する技術上の基準の細目を定める告示（昭和49年自治省告示第99号）

(1) 危政令第38条第1項の規定で、**正しい**。
(2) 危政令第38条第1項及び第2項の規定で、**正しい**。
(3) 危政令第38条第1項及び第2項の規定で、**正しい**。
(4) 危政令第38条第1項の規定で、**正しい**。
(5) 危政令第38条第1項の規定で、**誤り**。

ポイント

自衛消防組織の設置要件に関する規定についての知識を問うものである。

【正解 (5)】

チェック □□□

問題116 **次は、製造所等を有する事業所を示しているが、これらのうち、自衛消防組織を置く必要があるものはどれか。**

(1) 取り扱う第4類の危険物の数量が指定数量の3,000倍以上である製造所を有する事業所
(2) 取り扱う第4類の危険物の数量が指定数量の2,000倍以上である車両に固定されたタンクに危険物を注入する一般取扱所を有する事業所
(3) 特定移送取扱所で配管の延長のうち海域に設置される部分以外の部分

に係る延長が７km未満であるものを有する事業所
(4)　取り扱う第４類の危険物の数量が指定数量の3,000倍以上であるバーナーで危険物を消費する一般取扱所を有する事業所
(5)　取り扱う第４類の危険物の数量が指定数量の1,000倍以上であり、かつ、鉱山保安法の適用を受ける製造所を有する事業所

要点・解説

大規模な製造所等を有する事業所においては、火災等の事故が発生した場合に備えて、その被害を最小限にするために、自衛消防組織を編成することとされている（要件は、危険物保安統括管理者を定めなければならない事業所と同じ。）。特に、指定施設でその貯蔵取扱量が多いものにあっては、所要の人員及び化学消防自動車をもって編成する必要がある（危政令第38条、第38条の２）。

この場合の指定施設及びその貯蔵、取扱数量は、次のとおりである（危政令第30条の３、危規則第47条の４、第60条、危険物の規制に関する技術上の基準の細目を定める告示（昭和49年自治省告示第99号。以下「危告示」という。）第69条）。

製造所等の種別	取り扱う危険物の品名数量	指定施設から除かれるもの
製造所	第４類の危険物 指定数量の3,000倍以上	①　鉱山保安法の適用を受けるもの
一般取扱所	第４類の危険物 指定数量の3,000倍以上	①　ボイラー、バーナーその他これらに類する装置で危険物を消費するもの ②　車両に固定されたタンクその他これに類するものに危険物を注入するもの ③　容器に危険物を詰め替えるもの ④　油圧装置、潤滑油循環装置その他これらに類する装置で危険物を取り扱うもの ⑤　鉱山保安法の適用を受けるもの
移送取扱所	第４類の危険物 指定数量以上	①　鉱山保安法の適用を受けるもの ②　特定移送取扱所以外の移送取扱所 ③　特定移送取扱所のうち、当該移送取扱所に係る配管の延長のうち海域に設置される部分以外の部分に係る延長が７km未満のもの

なお、特定移送取扱所とは、次のものである（危規則第28条の52）。

①　配管の延長が15kmを超えるもの

② 配管にかかる最大常用圧力が0.95MPa以上、かつ、配管の延長が７km以上のもの

⑴ 危政令第38条第２項により、**該当する**。
⑵ 危政令第38条第２項、危規則第60条第２号により、**該当しない**。
⑶ 危政令第38条第２項、危告示第69条により、**該当しない**。
⑷ 危政令第38条第２項、危規則第60条第１号により、**該当しない**。
⑸ 危政令第38条第２項、危規則第60条第５号により、**該当しない**。

ポイント

大規模な製造所等を有する事業所について、自衛消防組織を編成しなければならない事業所に関する知識を問うものである。　【正解　⑴】

チェック □□□

問題117　次は、危険物施設保安員に関する記述であるが、誤っているものはどれか。

⑴ 鉱山保安法の適用を受ける製造所、移送取扱所又は一般取扱所には置く必要がない。
⑵ 製造所等の構造及び設備を消防法第10条第４項の技術上の基準に適合するように維持するため、定期及び臨時の点検を行うこととされている。
⑶ 危険物取扱者の資格を有するものとし、選任した場合には市町村長等に届け出る必要がある。
⑷ 火災が発生したとき又は火災発生の危険性が著しいときは、危険物保安監督者と協力して、応急の措置を講ずることとされている。
⑸ 火薬類取締法の適用を受ける製造所又は一般取扱所には置く必要がない。

要点・解説

危険物施設保安員には、危険物取扱者の資格は要求されていない（法第14条）が、予防規程において、「危険物の保安に係る作業に従事する者に対する保安教

育に関すること。」を規定することが定められており（危規則第60条の２第１項第４号）、これに基づいて保安教育を受けた者が従事することとされている。

(1)　危規則第60条第５号の規定で、**正しい**。
(2)　危規則第59条第１号の規定で、**正しい**。
(3)　法第14条の規定で、**誤り**。
(4)　危規則第59条第４号の規定で、**正しい**。
(5)　危規則第60条第６号の規定で、**正しい**。

ポイント

危険物施設保安員に関する知識を問うものである。

【正解　(3)】

チェック □□□

問題118　**次は、危険物施設保安員の設置対象に該当しない製造所等であるが、誤っているものはどれか。**

(1)　鉱山保安法の適用を受ける製造所
(2)　火薬類取締法の適用を受ける移送取扱所
(3)　油圧装置、潤滑油循環装置その他これらに類する装置で危険物を取り扱う一般取扱所
(4)　車両に固定されたタンクその他これに類するものに危険物を注入する一般取扱所
(5)　ボイラー、バーナーその他これらに類する装置で危険物を消費する一般取扱所

要点・解説

危険物施設保安員を置かなければならない製造所等は、指定数量の倍数が100以上の製造所若しくは一般取扱所又は移送取扱所のうち、次のもの以外のものとされている（危規則第60条）。

①　ボイラー、バーナーその他これらに類する装置で危険物を消費する一般取扱

所

② 車両に固定されたタンクその他これに類するものに危険物を注入する一般取扱所

③ 容器に危険物を詰め替える一般取扱所

④ 油圧装置、潤滑油循環装置その他これらに類する装置で危険物を取り扱う一般取扱所

⑤ 鉱山保安法の適用を受ける製造所、移送取扱所又は一般取扱所

⑥ 火薬類取締法の適用を受ける製造所又は一般取扱所

(1) 危規則第60条第５号により、**正しい**。

(2) 危規則第60条第６号により、**誤り**。

(3) 危規則第60条第４号により、**正しい**。

(4) 危規則第60条第２号により、**正しい**。

(5) 危規則第60条第１号により、**正しい**。

ポイント

危険物施設保安員を置かなければならない製造所等に関する知識を問うものである。

【正解　(2)】

チェック□□□

問題119 製造所等の火災を予防するための予防規程に定めなければならない事項として、次の①～⑤のうち誤っているものはいくつあるか。

① 危険物の保安に係る作業に従事する者に対する保安教育に関すること。

② 災害その他の非常の場合に取るべき措置に関すること。

③ 危険物保安監督者が、旅行、疾病その他の事故によってその職務を行うことができない場合にその職務を代行する者に関すること。

④ 製造所等の位置、構造及び設備を明示した書類及び図面の整備に関すること。

⑤ 補修等の方法に関すること。

(1) １つ

(2)　2つ
(3)　3つ
(4)　4つ
(5)　誤っているものはない

要点・解説

予防規程に定めなければならない事項は、危規則第60条の2に規定されている。

1　危険物の保安に関する業務を管理する者の職務及び組織に関すること。
2　危険物保安監督者が、旅行、疾病その他の事故によってその職務を行うことができない場合にその職務を代行する者に関すること。
3　化学消防自動車の設置その他自衛の消防組織に関すること。
4　危険物の保安に係る作業に従事する者に対する保安教育に関すること。
5　危険物の保安のための巡視、点検及び検査に関すること（13に掲げるものを除く。）。
6　危険物施設の運転又は操作に関すること。
7　危険物の取扱い作業の基準に関すること。
8　補修等の方法に関すること。
9　施設の工事における火気の使用若しくは取扱いの管理又は危険物等の管理等安全管理に関すること。
10　製造所及び一般取扱所にあっては、危険物の取扱工程又は設備等の変更に伴う危険要因の把握及び当該危険要因に対する対策に関すること。
11　危規則第40条の3の3の2各号に定める措置を講じた給油取扱所にあっては、専用タンクへの危険物の注入作業が行われているときに給油又は容器への詰替えが行われる場合の当該危険物の取扱作業の立会及び監視その他保安のための措置に関すること。
12　危規則第40条の3の6の2各号に定める措置を講じた給油取扱所にあっては、緊急時の対応に関する表示その他給油の業務が行われていないときの保安のための措置に関すること。
13　顧客に自ら給油等をさせる給油取扱所にあっては、顧客に対する監視その他保安のための措置に関すること。
14　移送取扱所にあっては、配管の工事現場の責任者の条件その他配管の工事現場における保安監督体制に関すること。
15　移送取扱所にあっては、配管の周囲において移送取扱所の施設の工事以外の工事を行う場合における当該配管の保安に関すること。
16　災害その他の非常の場合に取るべき措置に関すること。
17　地震が発生した場合及び地震に伴う津波が発生し、又は発生するおそれがある場合における施設及び設備に対する点検、応急措置等に関すること。
18　危険物の保安に関する記録に関すること。
19　製造所等の位置、構造及び設備を明示した書類及び図面の整備に関すること。
20　その他、危険物の保安に関し必要な事項

※　このほかに、次に係る地震に関する強化地域、推進地域については、当該地震に対する対策を規定することとされている。
①　大規模地震対策特別措置法の強化地域
②　南海トラフ地震に係る推進地域
③　日本海溝・千島海溝周辺海溝型地震に係る推進地域

①　危規則第60条の２第１項第４号の規定により、**正しい**。
②　危規則第60条の２第１項第11号の規定により、**正しい**。
③　危規則第60条の２第１項第２号の規定により、**正しい**。
④　危規則第60条の２第１項第13号の規定により、**正しい**。
⑤　危規則第60条の２第１項第８号の規定により、**正しい**。

ポイント

予防規程に定めなければならない事項についての知識を問うものである。

【正解　(5)】

チェック □□□

問題120 次のうち、消防法別表第1の性質欄に掲げる性状の2以上を有する物品の属する品名についての記述として、誤っているものはどれか。

---

(1) 酸化性固体の性状と可燃性固体の性状を併せもつ物品は、第2類の危険物に該当する。
(2) 引火性液体の性状と自己反応性物質の性状を併せもつ物品は、第5類の危険物に該当する。
(3) 酸化性固体の性状と自己反応性物質の性状を併せもつ物品は、第1類の危険物に該当する。
(4) 自然発火性物質及び禁水性物質の性状と引火性液体の性状を併せもつ物品は、第3類の危険物に該当する。
(5) 可燃性固体の性状と自然発火性物質及び禁水性物質の性状を併せもつ物品は、第3類の危険物に該当する。

要点・解説

複数の性状を有する物品の属する品名は、法別表第1備考第21号の規定により、危規則第1条の4で規定されている。選択肢(3)の場合は、第5類の危険物に該当する。

(1) 危規則第1条の4第1号の規定で、**正しい。**
(2) 危規則第1条の4第5号の規定で、**正しい。**
(3) 危規則第1条の4第2号の規定で、**誤り。**
(4) 危規則第1条の4第4号の規定で、**正しい。**
(5) 危規則第1条の4第3号の規定で、**正しい。**

ポイント

法別表第1の性質欄に掲げる性状の2以上を有する物品の属する品名について、それぞれどの類の危険物に該当するかについての知識について問うものである。

【正解　(3)】

チェック

問題121　次は、灯油及び軽油に共通する性状についての記述であるが、次の①～⑤の中で誤っているものはいくつあるか。選択肢(1)～(5)の中から正しいものを選べ。

① 発火点は100℃より低い。
② 水に溶ける。
③ 燃焼範囲はほぼ等しい。
④ 蒸気比重は空気より重い。
⑤ 引火点は常温（20℃）より高い。

---

(1) 1つ
(2) 2つ
(3) 3つ
(4) 4つ
(5) 全部

要点・解説

① 発火点は灯油及び軽油ともに220℃とされているので、**誤り**。
② 灯油及び軽油はいずれも水に溶けないので、**誤り**。
③ 燃焼範囲は灯油及び軽油の場合ほぼ同じぐらいとされているので、**正しい**。
④ 蒸気比重はともに4.5とされているので、**正しい**。
⑤ 引火点は灯油の場合40℃以上、軽油の場合45℃以上とされているので、**正しい**。

したがって、設問①、②の２つが誤りで、選択肢(2)が正解となる。

ポイント

灯油及び軽油の共通する性状についての知識について問うものである。

【正解 (2)】

チェック □□□

問題122 次のうち、消防法別表第１第４類に該当する危険物で、「特殊引火物」の性状等に関する記述として、誤っているものはどれか。

---

(1)　アセトアルデヒドは、無色の液体で、有毒であり容易に酸化・還元される性状を有する。
(2)　ジエチルエーテルは、無色の液体で、アルコールによく溶ける。
(3)　二硫化炭素は、無色の液体で水に溶けず、かつ、水より軽い。
(4)　酸化プロピレンは、エチルアルコールによく溶け、銀、銅などの金属に触れると重合が促進されやすい。
(5)　ジエチルエーテルは、爆発範囲が広く、かつ、静電気を発生しやすい。

要点・解説

二硫化炭素の比重は、水より重い。また、二硫化炭素は引火性が高いこともあり、当該危険物は水没されたタンクで貯蔵するのが一般的である。

(1)　アセトアルデヒドの性状等から、**正しい**。
(2)　ジエチルエーテルの性状等から、**正しい**。
(3)　二硫化炭素の性状等から、**誤り**。
(4)　酸化プロピレンの性状等から、**正しい**。
(5)　ジエチルエーテルの性状等から、**正しい**。

ポイント

特殊引火物にはどのような品名のものが該当するのか、また、どのような危険性を有しているかについての知識について問うものである。【正解　(3)】

チェック □□□

問題123 次は、ベンゼンの一般的性状についての記述であるが、誤っているものはどれか。

---

(1) 水には溶けないが、アルコール、ジエチルエーテル等の有機溶剤にはよく溶ける。
(2) 引火点は−11.1℃で、無色の液体である。
(3) 各種の有機物をよく溶かす。
(4) 蒸気は有毒で、毒性はトルエンより強い。
(5) 揮発性を有する無臭の液体である。

要点・解説

(1) ベンゼンの性状等から、**正しい**。
(2) ベンゼンの性状等から、**正しい**。
(3) ベンゼンの性状等から、**正しい**。
(4) ベンゼンの性状等から、**正しい**。
(5) ベンゼンの性状等から、**誤り**。

ポイント

ベンゼンの一般的な知識について問うものである。なお、ベンゼンは、無色の液体で、揮発性芳香を有し、比重は0.9、沸点80℃、引火点−11.1℃、発火点498℃、爆発範囲1.2〜7.8vol%、毒性が強い。 【正解 (5)】

チェック □□□

問題124 次のうち、危険物に該当するベンゼンとトルエンの性状に関する記述として、誤っているものはどれか。

---

(1) ともに芳香族炭化水素である。
(2) ともに引火点は常温（20℃）より低い。
(3) ベンゼンは水に溶けないが、トルエンは水によく溶ける。

(4)　蒸気はともに有毒であるが、毒性はベンゼンのほうが強い。
(5)　ともに無色の液体であり、かつ、水より軽い。

要点・解説

ベンゼンは、揮発性を有する無色の液体で、芳香性の臭いがあり、蒸気には毒性がある。多くの有機溶剤によく溶けるが、水には溶けない。トルエンは、揮発性を有する無色の液体で、毒性はあるもののベンゼンより少なく、水に溶けない。

(1)　ベンゼン及びトルエンの性状等から、**正しい**。
(2)　ベンゼン及びトルエンの性状等から、**正しい**。
(3)　ベンゼン及びトルエンの性状等から、**誤り**。
(4)　ベンゼン及びトルエンの性状等から、**正しい**。
(5)　ベンゼン及びトルエンの性状等から、**正しい**。

ポイント

ベンゼンとトルエンの性状の違い及びそれぞれの性状についての知識について問うものである。

【正解　(3)】

チェック □□□

問題125　**次は、消防法別表第1に掲げる第4類第1石油類の性状に関する記述であるが、誤っているものはどれか。**

(1)　ガソリンは、各種の炭化水素の混合物である。
(2)　ベンゼンは、水には溶けないが、アルコールなど多くの有機溶剤によく溶ける。
(3)　ガソリンは、揮発しやすく、その蒸気は空気よりかなり重いので、低い所に滞留しやすい。
(4)　アセトンは水に溶けないが、第1石油類に該当するものは、一般的に水に溶けやすいものが多い。
(5)　ガソリンの発火点は約300℃である。

要点・解説

第１石油類に該当するもののうち、アセトンは水に溶けるが、一般的に水に溶けない物質が多い。

(1)　ガソリンの性状等から、**正しい**。
(2)　ベンゼンの性状等から、**正しい**。
(3)　ガソリンの性状等から、**正しい**。
(4)　アセトン及び第１石油類の一般的性状等から、**誤り**。
(5)　ガソリンの性状等から、**正しい**。

ポイント

第４類の危険物のうち、第１石油類にはどのような品目の物が該当するのか、また、それら危険物の性状、危険性等についての知識について問うものである。

【正解　(4)】

チェック □□□

問題126　**次は、黄りんに関する記述であるが、誤っているものはどれか。**

(1)　融点は44℃で、白色又は淡黄色、ロウ状の固体である。
(2)　皮膚に接触すると火傷を起こす。
(3)　発火温度は約70℃である。
(4)　常温においても、発生蒸気が酸化されるため暗所ではりん光を発する。
(5)　水に溶けない。

要点・解説

黄りんの発火温度は約50℃とされており、空気中では徐々に酸化されて自然発火する。

(1)　黄りんの性状等から、**正しい**。
(2)　黄りんの性状等から、**正しい**。
(3)　黄りんの性状等から、**誤り**。

(4)　黄りんの性状等から、**正しい**。

(5)　黄りんの性状等から、**正しい**。

ポイント

黄りんの融点、発火温度及び液体又は固体か等、黄りんの性状についての知識について問うものである。

【正解　(3)】

チェック □□□

問題127　次のうち、アセトアルデヒドに関する記述として、誤っているものはどれか。

(1)　アセトアルデヒドの火災に用いる消火薬剤として、二酸化炭素消火薬剤は有効ではない。

(2)　アセトアルデヒドを貯蔵する場合、直射日光を避け、かつ、冷暗所において貯蔵する。

(3)　アセトアルデヒドの火災に用いる消火薬剤として、通常の蛋白泡消火薬剤は適さない。

(4)　アセトアルデヒドを取り扱う設備には、銅及びその合金並びに銀を用いない。

(5)　アセトアルデヒドの貯蔵には、不活性ガスを封入して貯蔵する。

要点・解説

アセトアルデヒドの火災に用いる消火薬剤としては、耐アルコール泡消火薬剤、二酸化炭素消火薬剤、ハロゲン化物消火薬剤又は粉末消火薬剤が有効とされている。

(1)　アセトアルデヒドの性状等から、**誤り**。

(2)　アセトアルデヒドの性状等から、**正しい**。

(3)　アセトアルデヒドの性状等から、**正しい**。

(4)　アセトアルデヒドの性状等から、**正しい**。

(5)　アセトアルデヒドの性状等から、**正しい**。

ポイント

アセトアルデヒドの性状、貯蔵及び取扱いに関する法令上の規定並びに当該危険物火災に用いる消火薬剤についての知識について問うものである。

【正解　(1)】

チェック □□□

問題128 次のうち、消防法別表第１に規定する第４類第２石油類に関する記述として、誤っているものはどれか。

(1)　灯油の発火点はガソリンより高い。
(2)　軽油の色は、淡褐色又は淡黄色のものが多く、水に溶けない。
(3)　軽油の引火点は45℃以上である。
(4)　灯油及び軽油とも蒸気の重さは、空気と比較して４～５倍である。
(5)　軽油の沸点は170～370℃、比重は0.85程度、引火点は45℃以上である。

要点・解説

灯油の発火点は220℃、蒸気比重は4.5（空気を１とする。）、引火点は40℃以上であるが、第１石油類であるガソリンの発火点は約300℃で、蒸気比重は３～４、引火点は－40℃以下であり、発火点はガソリンのほうが高い。

(1)　灯油及びガソリンの性状等から、**誤り**。
(2)　軽油の性状等から、**正しい**。
(3)　軽油の性状等から、**正しい**。
(4)　灯油及び軽油の性状等から、**正しい**。
(5)　軽油の性状等から、**正しい**。

ポイント

灯油、軽油等第４類第２石油類の性状等についての知識について問うものである。

【正解　(1)】

チェック □□□

問題129 **次は、アルコール類の一般的性状に関する記述であるが、誤っているものはどれか。**

---

(1)　引火点は０℃以下であり、非常に危険である。
(2)　エチルアルコールの蒸気比重は、メチルアルコールより大きい。
(3)　メチルアルコールは、有機物をよく溶かし揮発性がある。
(4)　水溶性の液体である。
(5)　メチルアルコールもエチルアルコールも、ともに比重は0.8である。

要点・解説

アルコール類の引火点は、メチルアルコールが最も低く11℃である。

(1)　アルコール類の性状等から、**誤り**。
(2)　エチルアルコール及びメチルアルコールの性状等から、**正しい**。
(3)　メチルアルコールの性状等から、**正しい**。
(4)　アルコール類の性状等から、**正しい**。
(5)　メチルアルコール及びエチルアルコールの性状等から、**正しい**。

ポイント

アルコール類の貯蔵・取扱いに関する安全性を確保するため、アルコール類の一般的な性状及び品名の異なるアルコール類についての性状の知識について問うものである。

【正解　(1)】

チェック □□□

問題130 **重油の火災は、ガソリンの火災に比べて消火が困難だといわれているが、次のうち、その理由として最も適当なものはどれか。**

---

(1)　燃焼するのは、重油の蒸気ではなく、重油そのもの自体が燃焼するから。

(2) 水と反応して危険な状態になるから。
(3) 特殊な反応を起こして燃焼する危険性があるから。
(4) 爆発する危険性が高いから。
(5) 燃焼し、重油自体の液温が高くなるから。

要点・解説

(1) 重油そのものが燃焼するのではなく、可燃性蒸気が燃焼するので、**適当でない**。
(2) 水と反応することはないので、**適当でない**。
(3) 一般的に特殊な反応を起こすことはないので、**適当でない**。
(4) 重油の火災そのもので爆発を起こすことはないので、**適当でない**。
(5) 重油の引火点は常温より高いので、通常の状態で引火する危険性は少ないが、重油が加熱等され、液温が引火点以上に上がれば、ガソリンと同様に可燃性蒸気が発生し、これに引火し、火災となる（ボイルオーバー）危険性が生じるので、**適当である**。

ポイント

引火点が高い危険物なので、火災が発生すれば液温が高くなっていることもあり、このような状態での火災を泡水溶液又は水により消火するとなれば、消火に用いる水が沸騰するおそれもあるので、消火が困難になることなど重油の性状等についての知識について問うものである。　【正解　(5)】

チェック □□□

問題131 次は、アルコール類の火災に使用する泡消火薬剤についての記述であるが、一般的な泡消火薬剤では消火効果がないといわれる理由として、正しいものはどれか。

(1) アルコール類の燃焼速度が速いため
(2) アルコール類の燃焼温度が非常に高いため
(3) アルコール類は揮発性が高いため
(4) アルコール類が消火薬剤と化学反応を起こすため

(5) アルコール類により、放射された泡が容易に溶解されるため

要点・解説

(1) 泡消火薬剤の消火に関係なく、**誤り**。

(2) 泡消火薬剤の消火に関係なく、**誤り**。

(3) 泡消火薬剤の消火に関係なく、**誤り**。

(4) アルコール類と消火薬剤が化学反応を起こすことはないので、**誤り**。

(5) アルコール類は、一般的な泡消火薬剤の泡を溶解するので、消火薬剤として不適当であり、**正しい**。なお、アルコール類の消火には耐アルコール泡消火薬剤のほかに二酸化炭素消火薬剤、粉末消火薬剤又はハロゲン化物消火薬剤を用いる。

ポイント

アルコール類の性状及び燃焼性を考慮した消火についての知識について問うものである。

【正解 (5)】

チェック □□□

問題132 **次は、消防法別表第1に掲げる「第2類の危険物」の特性に関する記述であるが、正しいものはどれか。**

(1) 燃焼拡大が速やかである。

(2) すべてが無機化合物である。

(3) 引火する危険性は少ない。

(4) 不燃性の物品も含まれる。

(5) 液体又は固体である。

要点・解説

(1) 第2類の危険物の特性の1つであり、**正しい**。

(2) 「固形アルコール」等も含まれており、すべて無機化合物ではないので、**誤り**。

(3) 引火性を有する危険物も含まれているので、**誤り**。

(4)　第2類は可燃性固体で、不燃性の物品は含まれていないので、**誤り**。
(5)　第2類の危険物に可燃性液体は含まれていないので、**誤り**。

ポイント

第2類の危険物は、比較的低温で着火し又は引火する危険性を有する可燃性固体であることについての知識について問うものである。　【正解　(1)】

チェック □□□

問題133　**次に掲げる物品のうち、消防法令で定める危険物に該当するかどうかの試験を行わなければ、危険物に該当するかどうか判定できないものとして正しいものはどれか。**

(1)　硫化りん
(2)　ナトリウム
(3)　ジエチルエーテル
(4)　アセトン
(5)　硝酸グアニジン

要点・解説

(1)　法別表第1備考第4号に該当し、試験するまでもなく危険物に該当するので、**誤り**。
(2)　法別表第1備考第9号に該当し、試験するまでもなく危険物に該当するので、**誤り**。
(3)　法別表第1備考第11号に該当し、試験するまでもなく危険物に該当するので、**誤り**。
(4)　法別表第1備考第12号に該当し、試験するまでもなく危険物に該当するので、**誤り**。
(5)　法別表第1備考第18号に該当し、法令で定める危険物に該当するかどうかの試験を行うこととされており、**正しい**。

ポイント

法別表第１備考で、試験を行うことなく、それぞれの類の性状を示すものとみなす旨の規定がなされているが、このことについての知識について問うものである。法別表第１の備考の内容をよく理解しておくことが重要である。

【正解　(5)】

チェック □□□

問題134　**次のうち、消防法に規定する第４類第３石油類に関する記述として、誤っているものはどれか。**

---

(1)　重油及びクレオソート油は第３石油類に該当する。
(2)　常温（20℃）では引火しないが、加熱をすると引火する危険性がある。
(3)　沸点は、第２石油類と比較すれば第３石油類には高いものが多い。
(4)　重油は、一般に水よりやや軽い粘性のある液体である。
(5)　重油は、霧状にすると引火点が下がり燃えやすくなる。

要点・解説

(1)　法別表第１備考第15号の規定で、**正しい**。
(2)　第４類第３石油類の性状等から、**正しい**。
(3)　第４類第３石油類の性状等から、**正しい**。
(4)　第４類第３石油類の重油の性状等から、**正しい**。
(5)　重油は、霧状にすると着火しやすくなるが、これは、表面積が増加し早く引火温度に達するために燃えやすくなるのであって、引火点が下がるわけではないので、**誤り**。

ポイント

第４類第３石油類に該当する危険物（重油、クレオソート油等）の危険性については、貯蔵されている状態により変わることについての知識について問うものである。

【正解　(5)】

チェック □□□

問題135 次は、消防法別表第１に掲げる第１類又は第２類の危険物に該当するものの一般的な性状等に関する記述であるが、誤っているものはどれか。

---

(1)　第１類の危険物は酸化性固体と呼ばれている。
(2)　第２類の危険物は可燃性固体と呼ばれている。
(3)　第１類の危険物は、一般に不燃性物質であるが、他の物質を酸化する酸素を分子構造中に含有しており、加熱、衝撃、摩擦等により分解して酸素を放出するため、可燃物の燃焼を促進する性質を有している。
(4)　第２類の危険物は、低温では着火し難い物質であるが、燃焼すると有毒ガスを発生するものがある。
(5)　第１類の危険物の消火に当たっては、酸化性物質の分解を抑制することが必要であり、一般的には大量の水で冷却し分解温度以下に下げることにより、危険物の分解を抑制し、可燃物の燃焼も抑制する。ただし、アルカリ金属の過酸化物等には乾燥砂等を使用し、注水は避ける。

要点・解説

(1)　第１類の危険物の一般的性質についての記述で、**正しい**。
(2)　第２類の危険物の一般的性質についての記述で、**正しい**。
(3)　第１類の危険物の性状等から、**正しい**。
(4)　第２類の危険物の性状等から、**誤り**。
(5)　第１類の危険物の性状等から、**正しい**。

ポイント

第１類から第６類までに掲げる各類の危険物に属する危険物の代表的な品名、それぞれの危険物の性状等についての知識について問うものである。なお、第２類の危険物は、比較的低温で着火しやすい可燃性物質で、燃焼速度が速いものである。中には、燃焼のとき有毒ガスを発生するものもある。

【正解　(4)】

チェック □□□

問題136 次のうち、消防法別表第1に掲げる第4類の危険物の性状として、誤っているものはどれか。

---

(1) いずれも引火性液体である。
(2) 一部不燃性物質も含まれている。
(3) 蒸気比重は空気より重いものが多い。
(4) 水より軽く、水に不溶のものが多い。
(5) 電気の不良導体であるものが多い。

要点・解説

(1) 第4類の危険物の性状等から、**正しい**。
(2) 第4類の危険物の性状等から、**誤り**。
(3) 第4類の危険物の性状等から、**正しい**。
(4) 第4類の危険物の性状等から、**正しい**。
(5) 第4類の危険物の性状等から、**正しい**。

ポイント

第4類の危険物が水より軽いかどうか、蒸気比重が空気より重いかどうか等第4類の危険物の性状等についての知識について問うものである。

【正解 (2)】

チェック □□□

問題137 次は、危険物の取扱いについての火災予防上の観点から講じられている措置に関する記述であるが、次の①～⑦の中で、適当でないものはいくつあるか。選択肢(1)～(5)の中から正しいものを選べ。

① 黄りん ……… 水中において貯蔵する。
② 二硫化炭素 ……… アルコール中において貯蔵する。
③ ナトリウム ……… 灯油中において貯蔵する。
④ アセトアルデヒド ……… 不活性ガスを封入する。
⑤ 水素化ナトリウム ……… 窒素封入ビン等に密栓して貯蔵する。
⑥ 過酸化水素 ……… 安定剤を添加する。
⑦ 過酸化ベンゾイル ……… 水で湿性とする。

---

(1) なし
(2) 1つ
(3) 2つ
(4) 3つ
(5) 4つ

要点・解説

各類の危険物の危険性に応じた対策を講じることが必要である。

① 「黄りん」は、第3類の危険物で、空気に触れないように水中で貯蔵するので、**適当である。**

② 「二硫化炭素」は、第4類の危険物（特殊引火物）で、比重が水より大きく、水に不溶であることから、蒸発の抑制を行うように水没させたタンクに貯蔵することとされており、**適当でない。**

③ 「ナトリウム」は、第3類の危険物で、水分との接触を避けるように灯油中において貯蔵するので、**適当である。**

④ 「アセトアルデヒド」は、第4類の危険物（特殊引火物）で、不活性ガスを封入して貯蔵するので、**適当である。**

⑤ 「水素化ナトリウム」は、第3類の危険物で、酸化剤、水分との接触を避け窒素封入ビン等に密栓して貯蔵するので、**適当である。**

⑥ 「過酸化水素」は、第6類の危険物で、日光の直射を避ける等のほか、安

定剤を添加するので、**適当である。**

⑦ 「過酸化ベンゾイル」は、第５類の危険物で、乾燥した状態で取り扱わないよう水で湿性して貯蔵するので、**適当である。**

したがって、設問②の１つが適当でないもので、選択肢(2)が正解となる。

ポイント

危険物の貯蔵又は取扱いについては、危険物（又は類ごとの危険物に共通するもの）の性状に応じて、保安を図るためどのような事項について規定されているかについての知識について問うものである。

【正解　(2)】

チェック □□□

問題138　**次は、消防法に規定する「特殊引火物」に関する記述であるが、誤っているものはどれか。**

---

(1)　二硫化炭素は、発火点が100℃以下である。
(2)　酸化プロピレンは、銀、銅等の金属に触れると重合が促進されやすい。
(3)　アセトアルデヒドは、沸点が低く、揮発しやすい。
(4)　ジエチルエーテルは、無色の液体で、爆発範囲が広い。
(5)　二硫化炭素は、無色の液体で水に溶け、水より軽い。

要点・解説

二硫化炭素は水より重く溶けないので、当該危険物を貯蔵する場合タンクに収納し水没して貯蔵する。

(1)　二硫化炭素の性状等から、発火点は90℃であり、**正しい。**
(2)　酸化プロピレンの性状等から、**正しい。**
(3)　アセトアルデヒドの性状等から、沸点は21℃と低く、揮発性があり、**正しい。**
(4)　ジエチルエーテルの性状等から、無色の液体で、爆発範囲は1.9～36vol%と広く、**正しい。**

注）爆発範囲の上限が48vol%とした文献もあるが、一般的には36vol%とされている。

(5) 二硫化炭素の性状等から、**誤り**。

ポイント

二硫化炭素、酸化プロピレン、アセトアルデヒド等特殊引火物の性状についての知識について問うものである。【正解 (5)】

チェック □□□

問題139 **次は、灯油及び軽油の性状に関する記述であるが、誤っているものはどれか。**

(1) 灯油の比重は、１より小さく水に溶けない。
(2) 軽油の引火点は、45℃以上である。
(3) 灯油も軽油もともに、発火点は100℃より低い。
(4) 液温が引火点以上になると、ガソリンと同様の危険性がある。
(5) 灯油も軽油もともに炭化水素の混合物であり、蒸気は空気よりも重い。

要点・解説

(1) 灯油の性状等から、**正しい**。
(2) 軽油の性状等から、**正しい**。
(3) 灯油及び軽油の性状等から、発火点はともに220℃であり、いずれも100℃より高いので、**誤り**。
(4) 灯油及び軽油の性状等から、**正しい**。
(5) 灯油及び軽油の性状等から、**正しい**。

ポイント

灯油及び軽油の性状についての知識について問うものである。【正解 (3)】

チェック □□□

問題140 次のうち、①～⑤までの記述は危険物の類ごとに応じた消火方法についてのものであるが、各類の危険物との組み合わせとして、適当なものはどれか。選択肢(1)～(5)の中から正しいものを選べ。

① 泡消火薬剤等による窒息消火を行うことが一般的であるが、一般の泡消火薬剤が不適当のものもある。

② 乾燥砂等による窒息消火を行うことが一般的である。

③ 燃焼熱により火災が爆発的に進行し、消火を行うことが困難な場合が多いため、大量の水により冷却し消火するか、泡消火薬剤を用いて消火を行うことが一般的である。

④ 水系の消火薬剤による冷却消火を行うことが有効なもの、乾燥砂等による窒息消火を必要とするもの等があり、消火に注意を要するものである。

⑤ 危険物が分解して発生する酸素により火災は激しいものとなるので、消火方法としては、分解を止めるため、大量の水による冷却を行うことにより可燃物の燃焼を抑える方法が一般的であるが、アルカリ金属の過酸化物等には乾燥砂等を使用し、注水は避ける。

	①	②	③	④	⑤
(1)	第3類	第4類	第1類	第2類	第5類
(2)	第1類	第2類	第4類	第5類	第3類
(3)	第4類	第3類	第5類	第2類	第1類
(4)	第4類	第5類	第2類	第3類	第1類
(5)	第2類	第3類	第5類	第1類	第4類

要点・解説

各類ごとの危険物に共通する消火方法は、それぞれの類に属する危険物の共通的な特性、危険性に対応するものであり、原則的には次のように分類される。

第1類…大量の水による冷却消火又は乾燥砂等による消火

第2類…水系の消火薬剤による冷却消火又は乾燥砂等による窒息消火

第3類…乾燥砂等による窒息消火

第4類…泡消火薬剤等による窒息消火（一般の泡消火薬剤が不適当のものもあ

る）
第５類…大量の水による冷却消火又は泡消火薬剤による消火
第６類…水又は泡消火薬剤による消火

① 第４類の危険物の消火方法である。
② 第３類の危険物の消火方法である。
③ 第５類の危険物の消火方法である。
④ 第２類の危険物の消火方法である。
⑤ 第１類の危険物の消火方法である。

したがって、選択肢(3)が組み合わせとして、**適当である**。

ポイント
危険物の類ごとの危険性に応じて、消火方法がとられているが、中には類が同じでも、危険性に応じて消火方法が異なるものもあること等についての知識について問うものである。
【正解 (3)】

チェック □□□

問題141 **次は、製造所等において危険物の取扱作業に従事する危険物取扱者に対する危険物の取扱作業の保安に関する講習についての記述であるが、誤っているものはどれか。**

---

(1)　製造所等において危険物の取扱作業に従事する危険物取扱者は、原則として、当該取扱作業に従事することとなった日から1年以内に講習を受けなければならない。

(2)　製造所等において危険物の取扱作業に従事することとなった日前2年以内に危険物取扱者免状の交付を受けている場合又は講習を受けている場合は、それぞれ当該免状の交付を受けた日又は当該講習を受けた日以後における最初の4月1日から3年以内に講習を受けることをもって足りるものとする。

(3)　製造所等において危険物の取扱作業に従事する危険物取扱者は、保安に関する講習を受けた日以後における最初の4月1日から5年以内に講習を受けなければならない。当該講習を受けた日以降においても、同様とする。

(4)　保安に関する講習は、都道府県知事のほかに、総務大臣が指定する市町村長その他の機関も実施することができる。

(5)　危険物の取扱作業の保安に関する講習の科目、講習時間その他講習の実施に関し必要な細目は、消防庁長官が定めている。

要点・解説

危険物取扱者の資格は、国家資格であり、危険物の取扱等の業務への従事の有無にかかわらず、一生有効である。しかし、製造所等において危険物の取扱作業に従事する危険物取扱者に対しては、危険物の取扱作業の保安に関する講習を受けなければならないとされている。

この場合の保安講習の受講時期については、次のとおりである。

原則	危険物の取扱作業に従事することとなった日から1年以内に受講
危険物の取扱作業に従事することとなった日前2年以内に危険	免状の交付を受けた日以後における最初の4月1日から3年以内に受講

物取扱者免状の交付を受けている場合	
危険物の取扱作業に従事することとなった日前２年以内に講習を受けている場合	講習を受けた日以後における最初の４月１日から３年以内に受講
講習の再受講	①　講習を受けた日以後における最初の４月１日から３年以内に受講 ②　その後、講習を受けた日以降においても、同様に受講

(1)　危規則第58条の14第１項本文の規定で、**正しい**。

(2)　危規則第58条の14第１項ただし書きの規定で、**正しい**。

(3)　危規則第58条の14第２項の規定で、**誤り**。

(4)　法第13条の23の規定で、**正しい**。

(5)　危規則第58条の14第３項の規定で、**正しい**。

ポイント

製造所等において危険物の取扱作業に従事する危険物取扱者に対する保安講習に関する規定についての知識を問うものである。　【正解　(3)】

チェック□□□

問題142　次は、危険物取扱者又は危険物保安監督者が行うべき業務に関する記述であるが、誤っているものはどれか。

(1)　製造所等において危険物の取扱作業に従事する危険物取扱者は、一定期間ごとに都道府県知事が行う保安講習を受講しなければならないこととされている。

(2)　危険物施設保安員を置かなければならないこととされている製造所等にあっては、危険物保安監督者は、危険物施設保安員に対し、必要な業務の指示を与えなければならない。

(3)　危険物保安監督者は、火災等の災害が発生した場合、当該製造所等の作業者を指揮して、応急の措置を講ずるとともに、直ちに消防機関その他関係のある者に連絡をしなければならない。

(4) 危険物保安監督者は、当該製造所等における予防規程を定めるとともに、危険物施設保安員を選任しなければならない。

(5) 甲種又は乙種の危険物取扱者は、危険物の取扱作業に立ち会う場合は、取扱作業に従事する者に対して、危険物の貯蔵又は取扱いに関する技術上の基準を遵守するように監督するとともに、必要に応じてこれらの者に対して、保安確保のための指示を与えなければならない。

要点・解説

製造所等における予防規程を定める義務又は危険物施設保安員を定める義務を有する者は、当該製造所等の所有者、管理者又は占有者と規定されている。

(1) 法第13条の23及び危規則第58条の14の規定で、**正しい**。
(2) 危規則第48条第3号の規定で、**正しい**。
(3) 危規則第48条第2号の規定で、**正しい**。
(4) 法第14条及び法第14条の2第1項の規定で、**誤り**。
(5) 危政令第31条第3項の規定で、**正しい**。

ポイント

製造所等における予防規程を定める義務を有する者又は危険物施設保安員を定める義務を有する者は、法令上どのように規定されているかについての知識について問うものである。

【正解 (4)】

チェック □□□

問題143 **次は、危険物取扱者及び危険物取扱者免状の交付を受けている者に関する記述であるが、誤っているものはどれか。**

(1) 危険物取扱者は、危険物の取扱作業に従事するときは、貯蔵又は取扱いの技術上の基準を遵守するとともに、当該危険物の保安の確保について細心の注意を払わなければならない。

(2) 甲種危険物取扱者又は乙種危険物取扱者は、危険物の取扱作業の立会をする場合は、取扱作業に従事する者が貯蔵又は取扱いの技術上の基準を遵守するように監督するとともに、必要に応じてこれらの者に指示を与えなければならない。

⑶　製造所、貯蔵所又は取扱所において危険物の取扱作業に従事する危険物取扱者は、都道府県知事（総務大臣が指定する市町村長その他の機関を含む。）が行う危険物の取扱作業の保安に関する講習を受けなければならない。

⑷　免状の交付を受けている者は、10年ごとに、当該免状に関係書類を添えて、当該免状を交付した都道府県知事又は居住地若しくは勤務地を管轄する都道府県知事にその書換えを申請しなければならない。

⑸　危険物取扱者は、危険物の取扱作業に従事する場合又は危険物の取扱作業の立会をする場合には、危険物取扱者免状を携帯していなければならない。

要点・解説

⑴及び⑵について…危険物取扱者が危険物の取扱作業に従事する場合には、貯蔵又は取扱いの技術上の基準を遵守するとともに、当該危険物の保安の確保について細心の注意を払わなければならない。さらに、甲種危険物取扱者又は乙種危険物取扱者は、危険物の取扱作業の立会をする場合は、取扱作業に従事する者が貯蔵又は取扱いの技術上の基準を遵守するように監督するとともに、必要に応じてこれらの者に指示を与えなければならないとされている。

⑶について…危険物の取扱作業に従事する危険物取扱者にあっては、定期的に保安に関する講習を受けることが必要である。

⑷について…免状の記載事項（危政令第33条、危規則第51条第２項）に変更を生じたときは、遅滞なく、当該免状に関係書類を添えて、当該免状を交付した都道府県知事又は居住地若しくは勤務地を管轄する都道府県知事にその書換えを申請しなければならないとされている。この場合において、写真については、過去10年以内に撮影した写真とされていることから、10年ごとに書換えをすることが必要である。

⑸について…危険物の取扱作業に従事する場合には、原則として危険物施設内において行うこととなることから、危険物取扱者免状の携帯は必要とされていないが、移動タンク貯蔵所の場合には、一般道路等を走行することとなることから、乗車する場合には危険物取扱者免状の携帯が義務付けられている。

⑴　危政令第31条第２項の規定で、**正しい**。

⑵　危政令第31条第３項の規定で、**正しい**。

⑶　法第13条の23の規定で、**正しい**。

⑷　危政令第32条及び第34条並びに危規則第51条第２項の規定で、**正しい**。

⑸　法第16条の２第３項の規定で、**誤り**。

ポイント

危険物取扱者が危険物の取扱いに係る業務に従事する場合に遵守しなければならない事項及び危険物取扱者の免状の交付を受けている者に関する規定についての知識を問うものである。

【正解　⑸】

【参考文献】
「逐条解説消防法第五版」／編著　消防基本法制研究会／発行　東京法令出版(株)
「危険物取扱必携（実務編）平成22年度版」／編集・発行　(財)全国危険物安全協会

令和６年度版
予防技術検定　集中トレーニング

令和６年８月１日　初 版 発 行（令和６年４月１日現在）

編　著　予防技術検定問題研究会
発行者　星 沢 卓 也
発行所　東京法令出版株式会社

112−0002　東京都文京区小石川５丁目17番３号　03(5803)3304
534−0024　大阪市都島区東野田町１丁目17番12号　06(6355)5226
062−0902　札幌市豊平区豊平２条５丁目１番27号　011(822)8811
980−0012　仙台市青葉区錦町１丁目１番10号　022(216)5871
460−0003　名古屋市中区錦１丁目６番34号　052(218)5552
730−0005　広島市中区西白島町11番９号　082(212)0888
810−0011　福岡市中央区高砂２丁目13番22号　092(533)1588
380−8688　長野市南千歳町1005番地
〔営業〕TEL 026(224)5411　FAX 026(224)5419
〔編集〕TEL 026(224)5412　FAX 026(224)5439
https://www.tokyo-horei.co.jp/

ISBN978-4-8090-2552-5